Mit den
allerherzlichsten Grüßen
für Susa

Ludwig Harig

21. 1. 1997

Ludwig Harig

Wer mit den Wölfen heult, wird Wolf

Roman

Carl Hanser Verlag

2   3   4   5   ∞   99   98   97   96

ISBN 3-446-18746-4
Alle Rechte vorbehalten
© 1996 Carl Hanser Verlag München Wien
Satz: Fotosatz Otto Gutfreund GmbH, Darmstadt
Druck und Bindung: Clausen & Bosse, Leck
Printed in Germany

So setzen alle zusammen, jeder auf seine Weise, das tägliche Leben fort, mit und ohne Nachdenken; alles scheint seinen gewöhnlichen Gang zu gehen, wie man auch in ungeheuren Fällen, wo alles auf dem Spiele steht, noch immer so fortlebt, als wenn von nichts die Rede wäre.

Goethe, Die Wahlverwandtschaften

Wer mit den Wölfen heult, wird Wolf.

Dolf Sternberger,
Aus dem Wörterbuch des Unmenschen

I

Ein Sonntag im Mai

Die Nacht auf den 6. Mai 1945 war sternklar und frostig.
Bei Sonnenaufgang zitterte ich vor Kälte. Als ich die Augen
aufschlug, sah ich ein halbes Dutzend Schnecken vor meiner
Nase herumkriechen: kalkfarbene, gesprenkelte Schnecken,
die sich im taufeuchten Gras tummelten. Noch im Halbschlaf
betrachtete ich die seltsamen Kreaturen und fragte mich:
Wie kommt es, daß ich zum erstenmal in meinem Leben Zeit
und Geduld habe, so genau die Gestalt einer Schnecke anzuschauen – und nicht aufspringe, Kommandos zu befolgen,
mich in Reih und Glied zu stellen, anzutreten in Marsch-
kolonne?

Erster Maisonntag 1945: Für mich ist der Krieg zu Ende. Ich
liege mit meinem Freund Peter Zwick zusammengekauert am
Waldrand von Hülen, die ersten Sonnenstrahlen wärmen unsere Backen und trocknen den Tau. Wir wälzen uns von der
Seite auf den Rücken, Peter Zwick schiebt die Hände unter den
Kopf, ich halte die angewinkelten Knie in die Luft gestreckt: So
schauen wir nach den Wolken, die in schräger Doppelreihe am
Morgenhimmel vorüberschweben, sie sehen wie weiße Geigen
aus. Musik und Motorengeräusch tönt zu uns an den Waldrand
herüber. Einige hundert Meter von uns ziehen amerikanische
Lastwagen durch das Dorf. In sanften Wellen schlagen abwechselnd Motorengeräusche und Musikgeplätscher an unser
Ohr, die in Tarnfarben melierten Trucks rauschen wie eine

maskierte Gespensterkolonne dahin. Es ist der Tag, an dem mein zweites Leben beginnt.

Seit Freitag waren wir unterwegs. Vor Schwäbisch Gmünd von einem amerikanischen Lastwagen gesprungen, entgingen wir um Haaresbreite der Gefangenschaft, schlugen uns durch die Wälder der Alb, suchten uns Wege fernab asphaltierter Straßen und bewohnter Dörfer, erbettelten uns Milch und Brot in einsam gelegenen Bauernhäusern und entfernten uns immer weiter von der großen Straße, auf der die Gefangenentransporte über Schwäbisch Gmünd und Stuttgart nach Heilbronn zogen. Hinter Wasseralfingen, bei dem Dörfchen Hofen, stürmten wir in der Mittagsstille aus einem Waldstück quer über die Wiese zum Bahndamm, der kaum sichtbar hinter blühenden Weißdornhecken lag. Wir hören das Stampfen der Lokomotive, das Rumpeln der Räder, Wasserdampf zischt, Kuppelstangen rasseln, und tollkühn, mit Siebenmeilenstiefeln setzen wir über den Schotter zum Sprung auf den letzten Wagen an – da schiebt sich mit behutsamem Schwenk der Lauf einer Maschinenpistole durch eine Luke des Postwaggons und richtet sein Mündungsauge auf unsere Köpfe. Jählings halten wir ein, kehren uns ab und stürzen mit rollendem Schwung in die Weißdornhecke. Nie hätte ich gedacht, amerikanische Soldaten könnten Jeeps oder Lastwagen verlassen und einen Zug besteigen. Die Lokomotive mit den drei Waggons bog in eine Kehre, wir lagen in der Hecke, die Beine vom Sturz verstaucht, Hände und Arme von Dornen zerstochen, und rührten uns nicht. Eine Viertelstunde verging, es blieb still: Die Lokomotive mit den Waggons kehrte nicht zurück. Von da an mieden wir die befestigten Straßen, umkreisten die Dörfer in noch größeren Bögen, und bei jedem Dampf aus dem Schornstein einer Lokomotive versteckten wir uns hinter Büschen.

Erst am Waldrand von Hülen, in Gesellschaft der Schnekken, fühlten wir uns sicher. Aus der Feldflasche gossen wir Wasser über ihre Rücken, narrten sie mit Grashalmen und bliesen ihnen mit sanftem Hauch ins Gesicht. Auf der Stelle hielten sie inne, ihre Fühler stülpten sich wie Handschuhfinger zurück, traten erst allmählich, vorsichtig tastend, wieder hervor und spielten erneut in der Frühsonne. Dann setzten sie ihre Erkundungsreise auf silberglänzendem Schleimpfad fort.

Wir waren frei, doch ich hätte nicht gedacht, daß die Freiheit etwas so Banales sein würde, erzählte ich fünfundvierzig Jahre später: Immer, wenn ich das Wort Freiheit höre, denke ich an unbekümmertes Liegen im Gras. Mir ist dieses sorglose Hingestrecktsein so eng mit dem Gefühl der Freiheit verbunden, daß mir jeder Satz, in dem die Freiheit als großes Wort auftönt, schal und oft lächerlich klingt. »Wenn das alles gewesen sein soll, dann war es ein schmählicher Anfang«, sagte ein junger Lehrer zu mir, »Sie würden besser die Fühler einziehen und sich schleunigst in Ihr Schneckenhaus verkriechen.«

An diesem Sonntagmorgen im Mai 1945 ist der Krieg für mich zu Ende, die deutsche Armee besiegt, das tausendjährige Reich zusammengebrochen. Einen Tag später unterschreibt Generaloberst Jodl in Reims die Kapitulation der deutschen Wehrmacht. Schutt und Asche bedecken das Land. »Aber der Glaube an eine Idee stirbt doch nicht mir nichts, dir nichts, wenn ein Krieg verlorengeht, eine Gewaltherrschaft entmachtet, ein ideologisch gefestigtes System gestürzt wird«, beharrte der Lehrer auf seiner Ansicht. Er stand vor mir, hochrot im Gesicht wie ein bis aufs Blut gereizter Puter, und fuhr mich mit laut erhobener Stimme an: »Sie als überzeugter Hitlerjunge haben doch an diesen Mythos des zwanzigsten Jahrhunderts geglaubt. Oder nicht? Jedenfalls haben Sie es uns in einem langen Roman allzu feinsinnig und wortreich weismachen wollen. Und dann dieses Ende? Und dieser lächerliche Neuanfang mit Geigen am Himmel und Schnecken im Gras? Das nimmt Ihnen doch niemand auf der Welt ab!« Der Lehrer schaute sich um, alle vierunddreißig Zuhörer in der Bücherei einer westdeutschen Volkshochschule nickten mit dem Kopf, verzogen ihre Mienen, einige applaudierten sogar. Ich wußte: Es war vergeblich, das entscheidende Erlebnis eines Augenblicks für andere herbeizuwünschen. Ich schwieg. Ein paar erklärende Worte, die sich aus meinem Kopf drängten, sprangen mir auf die Zunge, ballten sich zwischen den Zähnen, blähten sich auf, doch ich war nicht imstande, den Mund zu öffnen. Mir war, als schwölle der Wörterbrei in meinem Mund zu einer Blase an. »Sagen Sie lieber nichts!« rief der Lehrer, stieß mit spitzer Stimme in meine Wortblase hinein und fügte hämisch hinzu: »Was jetzt aus Ihrem Mund kommen würde, wäre nichts als leere Luft.« Mein Schweigen hielt an. Ich schloß die Augen und versuchte, mich an mein Erlebnis von damals zurückzuerinnern. Ich wußte, daß ich meinem Gedächtnis trauen konnte, doch ich war außerstande, mehr zu sagen, als ich schon erzählt hatte, und es kränkte mich der Vorwurf des Lehrers, mein Erlebnis am Waldrand von Hülen sei nichts als der trügerische Streich meiner Erinnerung. Ich schwieg beharrlich weiter. Doch daß ich mich zurückhielt, machte den Lehrer dreister. »Entweder sind Sie ein oberflächlicher Mensch, an dem alles abläuft wie an einer Regenhaut, oder Sie sind ein Lügner, ein raffinierter Provokateur, der seinen Lesern eine sentimentale Damaskusgeschichte auftischt, eine Bekehrung aus heiterem Himmel, in welcher der böse Saulus zum frommen Paulus wird«, wetterte er und attackierte mich mit schamlosen Vorwürfen. »So plötzlich, wie Sie es vorgeben, erlebt keiner seine innere Umkehr«, rief er mit kalter Verachtung in der Stimme, »so rasch wird man kein anderer Mensch. Und merken Sie sich das eine: Denken Sie nicht nur an Ihre eigene Verführung im Nationalsozialismus, denken Sie auch daran, daß sechzehn Millionen Deutsche vierzig Jahre lang im Sozialismus gelebt haben – und wir verlangen von ihnen ja auch nicht, ihren Glauben an eine bessere Welt wegzuwerfen, ohne mit der Wimper zu zucken.« Er sprach von notwendigen Zweifeln und Zusammenbrüchen, philosophierte über beglaubigte Reue und reinigende Sühne, klamüserte in umständlichen Beweisführungen an der Feststellung herum, zwölf Jahre Nationalsozialismus müßten doch in einer jungen Seele ebenso tiefe Spuren hinterlassen haben wie vierzig Jahre Realer Sozialismus in der Seele eines jungen Kommunisten. »Niemand wirft zwölf Jahre, geschweige denn vierzig einfach weg, so als sei nichts gewesen!«

rief er aus. Es klang einleuchtend, ja überzeugend, und die Volkshochschüler applaudierten wieder.

Warum redete dieser Mensch in der gleichen Sprache, die ich zwölf Jahre lang gehört habe? Warum führte er die gleichen Waffen ins Feld wie alle besserwisserischen Inhaber und Nutznießer der Wahrheit, seien es Priester oder Parteiführer?

Ich verstand wohl, was dieser begabte Demagoge mir erklären wollte, doch leider gibt es für seine Deutungsversuche nicht mehr zu erzählen als diese banale Hülener Geschichte. Die kitschigen Geigen und die harmlosen Schnecken hatten mehr bewirkt als alle spitzfindigen Argumente.

Wie schön wäre es fürs Erzählen, hätten mich Zweifel gequält und Zusammenbrüche erschüttert, wie ergiebig wäre es, hätten mich Reue gepackt und Sühne gepeinigt. Ich könnte von schlaflosen Nächten und bitterbösen Träumen, von herzzerreißender Gewissenserforschung und tränenreicher Trauer erzählen, könnte mit ergreifenden Episoden rühren und mit tiefsinnigen Betrachtungen überzeugen und dafür Lob und Anerkennung ernten – muß aber um der Wahrheit willen bei meiner Geschichte bleiben. An jenem Tag am Waldrand von Hülen war ich frei von Zwang und Gewalt, doch nicht frei von Schuld.

Und als ich mich später fragte, ob ich nicht schuld daran habe, daß der kleine René, mein Banknachbar aus der ersten Klasse, ausbrechen mußte aus Reih und Glied und im Waisenhaus verdarb, daß der arbeitsscheue Querulant aus unserer Straße im KZ verschwand und die Peitsche zu spüren bekam – mußte ich mir eingestehen: Auch ich hatte, ein Jugendlicher schon, meine Finger im Spiel, ich lauschte den verführerischen Parolen und folgte ihnen, schläferte mein Gewissen ein und spielte auf meine Weise mit. Nein, ich kann nichts ungeschehen machen.

Aber mir ist nicht geglaubt worden. Also muß ich von vorne anfangen. Statt eines Stück Papiers ist nun die Wiese am Waldrand von Hülen mein weißes Blatt. Voller Ungeduld bin ich dorthin zurückgekehrt, wo alles neu begann, diesmal nicht in

Gedanken, sondern leibhaftig mit wachen Sinnen, wollte im Gras liegen wie an jenem Sonntagmorgen, wollte schauen, ob die Wolken noch wie damals am Himmel hängen, wollte prüfen, ob die Schnecken noch ihre Kreise ziehen wie vor einem halben Jahrhundert. Brigitte sagte: »Du hast mich neugierig gemacht auf deinen Waldrand von Hülen, jetzt bin ich gespannt, ob du ihn überhaupt wiederfindest.« Durch einen klaren Vorfrühlingstag überquerten wir Kuppen und Buckel der Schwäbischen Alb, fuhren an Äckern und Wiesen vorbei, sahen Burgen an Felsschultern, Kapellen auf Bergrücken, doch trotz Sonnenschein und klarer Luft schien es mir, als sei ich durch einen Brodem aus Dunst und Dämmer unterwegs. Ich schaute nach links und nach rechts, versuchte mich zu erinnern, hoffte auf plötzliches Wiedererkennen irgendeiner Baumgruppe am Weg, eines Gebäudes auf dem Hügel: Es gelang mir nicht, alles war mir fremd und unbekannt. Erst als wir hinter Lauchheim aus dem Tal der Jagst in weiten Kurven auf die Höhe emporstiegen und ich das massige Geviert der Kapfenburg mit den gedrungenen Zwiebeltürmen erblickte, zerriß der Schleier, der vor meinem Gedächtnis hing: Im Sonnenschein lag das Dorf Hülen, das spitze Kirchturmdach stieß in den Mittagshimmel, und von linker Hand, hinter welligen Feldern, schimmerte der Waldrand herüber, altsilbern, mit grauvioletten Sprenkeln zwischen den Stämmen, wie eine kunstvoll gemalte Theaterkulisse. Auf den ersten Blick kam es mir vor, als sei kein Tag vergangen. Dort also hatten wir im Gras gelegen, Peter Zwick und ich, in Wolkenspiel und Schneckengang hatte ich die Freiheit empfunden, nichts, scheint es, ist schwerer zu glauben als das! Ich stand am Straßenrand, wie ein Denkmal erstarrt, ich fragte mich, ob ich mich nicht über die Jahrzehnte hin getäuscht hätte, zog die Hand aus der Hosentasche und streckte sie nach dem Waldrand aus. »Nach deinen Erzählungen hätte ich mir den Wiesenhang etwas steiler vorgestellt«, erklärte Brigitte und ergriff meine Hand.

Ein asphaltierter Feldweg führt vom Dorfrand zum Wald hinaus. Der Weißdorn hinter dem Wassergraben treibt noch keine Blüten, noch lassen die Birken ihre jungen Triebe vermissen, noch fehlen die Blätter an den Buchenzweigen, nur die Nadelkissen buschiger Föhren hängen zwischen den Ästen, blaßgrüne Flechten flecken die Stämme, Schimmel überzieht die verknorzten Wurzelstöcke. Die Weidenkätzchen sind aus ihren Kelchen hervorgekrochen, lauter kleine graue Perserkatzen. Im verwachsenen Gehölz tummeln sich Goldammern und zwitschern schrill, über den Waldboden liegt ein Teppich aus Immergrün gebreitet.

Ein Waldstück heißt »Geisel«, ein anderes »Stockhau«, ein Wegweiser zeigt in den Wald nach dem Pfad zum »Schönen Stein«. Bevor ich mich umdrehe, schließe ich die Augen. Gab es damals schon »Geisel« und »Stockhau«, führte damals schon ein Weg zum »Schönen Stein«? Ich versuche mich zu erinnern, doch was bedeutete mir im Mai 1945 eine Revierbezeichnung, der Name einer Gemarkung, der Hinweis auf einen mir fremden Ausflugsort? Ich öffne die Augen und drehe mich um: Es ist alles, wie es damals war! Den Waldrand im Rücken, sehe ich das Dörfchen vor mir wie vor fünfzig Jahren. Es ist etwas gewachsen, neue Häuser ziehen sich den Hang hinauf, die Zementfabrik zur Linken, in kalkweiße Staubwirbel gehüllt, erscheint mir näher und mächtiger, oder gab es sie damals noch gar nicht? Die Kapfenburg zur Rechten, von Häusern der sechziger, der siebziger Jahre und klobigen Silos zugedeckt, kommt erst zum Vorschein, wenn ich mich wieder vom Waldrand entferne. Ist es wirklich so, wie es damals war?

Ich strecke mich auf der Wiese aus, winkele die Knie an, atme tief und lausche. Es braust kein Motorenlärm, es tönt keine Radiomusik, es läuten keine Kirchenglocken. Auch die Goldammern sind verstummt. Ein mächtiger, alleinstehender Baum jenseits des Feldrains wiegt seine Äste im Märzwind, doch es dringt kein Lufthauch zu mir an den Waldrand. Ich erhebe mich aus der Wiese, klopfe den Tau von der Hose und schaue nach Brigitte, die auf dem asphaltierten Weg auf mich wartet. Mein Auge ist auf die Wolken gerichtet, mein Fuß stößt an Ammonshörner. Was ich am wenigsten erwartet hätte, ist eingetreten: Die Wolken, die so flüchtig sind und nicht einen Augenblick lang auf der Stelle stehn, hängen in schräger Doppelreihe wie Geigen an einer Schnur: Luftspiele, die sich mir zuliebe wiederholen. Die Schnecken von damals haben sich in Ammoniten verwandelt, kleine Denksteine, die mich an meine Wiedergeburt erinnern. Schon an diesem Sonntagmorgen im Mai 1945 wußte ich im geheimen, nicht vielbeschworener Märchenzauber, nur wahrhaftiges Erzählen macht einen neuen Menschen aus mir. Und wer's nicht glauben will, dem ist nicht zu helfen!

Leider kommt mir beim Ansetzen des Stifts eine andere Geschichte in die Quere und lenkt meine Gedanken für ein paar Augenblicke auf Abwege. Eine irische Erzählung, die Geschichte eines Mannes, den sein Ordnungswahn in die grauenvollste Vereinsamung treibt, zieht mich in fremder Leute Schwierigkeiten –, und während des Anfangens spüre ich, wie nah ich mit diesem Iren verwandt bin. Immer knistert's mir im Kopf, wenn ich an jenen Mister Duffy denke, der im Unterschied zu mir seine Bücher zwar nicht alphabetisch, sondern von unten nach oben der Größe nach angeordnet hat, dem auch, wie mir, alles ein Greuel ist, was auf körperliche oder geistige Unordnung hindeutet. Ein mittelalterlicher Arzt hätte ihn saturnisch genannt, schreibt der Erzähler: Wenn ich bedenke, daß der römische Gott in Horoskopen und anderen astrologischen Schriften heute noch über den Kopf des Menschen herrscht, kommt mich ein Grausen an. Armer Mister Duffy, nach allen Regeln der Kunst strenge ich mich an, deine sonderbare Gewohnheit zu unterlaufen, hin und wieder in Gedanken einen kurzen Satz über mich selbst zu verfassen, der ein Subjekt in der dritten Person und ein Prädikat in der Vergangenheit enthält, und beginne lieber gleich mit dem Subjekt in der ersten Person und einem Prädikat in der Gegenwart. Mit dieser grammatischen Entscheidung fange ich an.

Sorgfältig kalkuliere ich die Umstände, ordne meine Wahrnehmungen, meine Gedanken, meine Gefühle, bedenke die verheerenden Wirkungen und frage mich, ob wohl auch Brigitte sich aus Verzweiflung über meinen Ordnungsfanatismus vor einen Zug werfen könnte wie Frau Sinico in dieser irischen Geschichte. Ihr Erzähler ist James Joyce, dem sein Bruder Stanislaus eine geradezu wissenschaftliche Akribie bescheinigt, ein Maximum an Sorgfalt, um scheinbare Kleinigstkeiten in Prosa oder Versen aufs Papier zu bringen. Doch seine Frau Nora hielt an der Seite des saturnischen Ordnungsmenschen aus wie Brigitte an der meinen, er ging mit ihr spazieren, naschte ihre Süßigkeiten und sang bei Kaffeekränzchen mit seiner klangvollen, leider unausgebildeten Tenorstimme – was alles meine Nähe zu ihm bezeugt.

Ich wollte nicht abschweifen und habe es doch getan. Es war nötig, denn man wird sehen, was die Ordnung in einem Kopf ausrichten kann. Mein Ordnungssinn ist gewiß ein anderer als der von Mister Duffy. Im Gegensatz zu ihm übe ich mich glücklicherweise im spielerischen Umgang mit allem, was mich umgibt, und schon bemerke ich, wie jeder Gedanke aus seiner systematischen Ordnung herausfällt, sobald ich ihn aus seinen Zwängen erlöse.

II

Bewohnbare Sprache, bewohnbares Land

September, Oktober, November 1945: ein unwirtlicher Heimkehrerherbst! Der Frühling war trocken und warm, der Sommer staubig und heiß, im September regnete es nicht mehr als sonst, im Oktober blitzte und donnerte es noch, und der November war grau und trüb. Es war eigentlich ein ganz gewöhnlicher Herbst. Unwirtlich war nicht das Wetter, sondern das zerstörte Land. Auch dort, wo jeder Stein auf dem anderen geblieben war, herrschte Zerstörung: Salpeter fraß im Stein, Moos faulte in den Fugen, Schimmel lag auf dem Dach. Ein Jahr lang hatte sich niemand um unser Haus gekümmert, nun rosteten Balkongitter und Türbeschläge, und von den Fensterläden blätterte die Farbe.

Im August sind wir heimgekommen. Vater steckte den Schlüssel ins Schloß, drehte und rüttelte, die Tür ließ sich nicht öffnen. Jeder von uns vieren hatte drei Gepäckstücke angeschleppt, Koffer und Taschen, Pappkisten und Blecheimer zogen uns die Arme lang, und selbstgenähte Rucksäcke scheuerten uns den Buckel wund. Wir waren aus dem Schwäbischen zurückgekehrt, wo wir uns, in alle Winde zerstreut, ein paar Tage nach Kriegsende in Pfaffenhausen wiedertrafen. Mit Vater auf dem Rückzug des Wehrertüchtigungslagers Harburg – zweieinhalb Jahre lang war er als Schießausbilder kriegsverpflichtet – war Mutter dort bei einer alten Bäuerin untergekommen, und ich, nach meiner Entlassung aus dem Reichsarbeitsdienst auf meine Einberufung zur Wehrmacht wartend, von seinem Treck abgesprengt und in amerikanische Gefangenschaft geraten. Nach meiner Flucht und dem befreienden Erlebnis am Waldrand von Hülen war ich meinem Bruder, der sich nach seiner Evakuierung mit der NAPOLA auf amerikanischen Lastwagen aus Österreich durchgeschlagen hatte, unerwartet in Harburg wiederbegegnet. Als wir nach langen Nachtmärschen frühmorgens in Pfaffenhausen eintrafen, saßen sie zu dritt am Kaffeetisch: Vater am Kopfende, Mutter und die Bäuerin einander gegenüber, fix und fertig in bäuerlicher Arbeitskleidung, als hätten sie auf Hermann und mich gewartet, sogleich aufzubrechen zum Futtermachen für die drei Kühe im Stall. Mutter sprang auf und empfing uns mit einem ihrer unvermeidlichen, schlecht gereimten Sprüche: »Berge nie zusammenkommen, aber Menschen, wenn sie wollen!« Wir umarmten und küßten sie, uns zum erstenmal glücklich schätzend und nicht grausend vor ihren Lebensregeln aus dem Poesiealbum.

Drei Monate lebten wir in Pfaffenhausen, hatten der Bäuerin die Ernte eingebracht und dafür Viktualien, wie Frau Huber sich ausdrückte, mit auf den Heimweg bekommen – soviel wir tragen konnten. Nun standen wir mit unseren Säckchen voll Mehl und Kannen voll Schweineschmalz auf dem Treppenpodest unseres Hauses in Sulzbach und wußten nicht, wohin damit. Uns erging es nicht wie dem Heimkehrer in Märchen und biblischen Geschichten, wo am Ende ein gemästetes Kalb geschlachtet und fröhlich gegessen und getrunken wird. Uns schallte keine Musik herüber, keine Leuchtkugeln flogen, kein Fluß rauschte beseligend herauf. Wir konnten nicht sagen: »Es ist alles, alles gut!« Die Großeltern waren gestorben und die Eltern mit ihren Söhnen um ein Haar selbst verlorengegangen. Nun standen wir vor der eigenen Tür, doch das Schloß sprang nicht auf.

Herr Mehlwurm aus Püttlingen wohnte in unserem Haus. Er hatte das Türschloß ausgewechselt und einen Karton mit seinem Namen neben der Hausklingel angebracht. Außerdem hatte Herr Mehlwurm einen Pferdewagen voller Backsteine aus dem Saarbrücker Trümmerschutt herbeikarren lassen: Unverwüstliche dunkelrote Hartbrandziegel, die er putzen wollte, um damit ohne Federlesens eine Autogarage in Mutters Gemüsegarten zu bauen. Dieser Herr war für Anschaffung und Verteilung von Fleisch und Fleischwaren im Dorf zuständig, saß im Gemeinderat und trug ein ritzeratzerotes Ordensbändchen im Knopfloch. Unablässig pendelte er mit einem alten Mercedes zwischen Saarbrücken und Sulzbach hin und her, wechselte vom Schlachthaus ins Rathaus, vom Rathaus in eine Villa am Ortsrand, wo alliierte Offiziere residierten. Tante Else, Vaters Schwester, bei der wir Unterschlupf gefunden, erzählte darüber des langen und breiten: Sie beschrieb Herrn Mehlwurms Nacken, den sie einen Schweinenacken nannte, schilderte seine Auftritte in unserem Garten, die sie als Affentheater bezeichnete, dann schlug sie die Hände über dem Kopf zusammen, bleckte die Zähne in stadtbekannter Familienmanier und rief: »Louis, du wirst dein Haus nicht mehr von innen sehen!«

Die Zeiten hatten sich geändert: Herr Mehlwurm schwamm nun obenauf. Er war kein Goldfasan wie Großvater, kein Mitläufer wie Vater, kein Parteigänger wie ich gewesen; vielleicht hatte er sogar Parteiplakate abgerissen, Durchhalteparolen überpinselt, defätistische Flugblätter verteilt, war deswegen verstoßen, beschimpft, gefoltert worden, hatte sich todesmutig als Widerstandskämpfer hervorgetan und zum Lohn dafür unser Haus ergattert. Als er Vater im Dorf begegnete, trat er unerschrocken auf ihn zu und sagte frank und frei: »Sie dürfen es mir nicht krummnehmen, wenn ich jetzt in Ihrem Haus wohne. Nachdem der Krieg zu Ende war, hat sich jeder, der keinen Dreck am Stecken hatte, umgesehen, wo es etwas zu organisieren gab.« Was ihm sein Leben lang gefehlt und worauf er immer schon ein Auge geworfen habe, sei ein schmuckes Häuschen gewesen –, »also habe ich mir eines organisiert. Ihr Haus war unbewohnt, und es hat mir auf Anhieb gefallen. So einfach war das.«

Tante Else hatte mir Großvaters Dachkammer zugewiesen. Darin stand nach Kriegsende immer noch eine Kiste mit Büchern, die schon seit dem Frankreichfeldzug dort abgestellt war. Dr. Drüner, der mich als Sechsjährigen an den Mandeln operiert hatte, brachte die Kiste eines Tages zu Großvater und bat ihn, sie für ihn aufzubewahren, bis der Krieg zu Ende sei. Er hatte seinen Gestellungsbefehl erhalten, mußte sich umgehend auf dem Wehrersatzamt in Saarbrücken melden und hatte demnach keine Gelegenheit mehr, die Bücher auf andere Weise in Sicherheit zu bringen. Ich stand daneben, als Dr. Drüner die Bücher aus seinem Auto lud, er sah aus wie jemand, der sein Allerliebstes in die Arme schließt, um es vor Lüstlingen und Feinden zu schützen.

Ich war dreizehn. Ich begriff nicht dieses Holterdiepolter mit Büchern, diese überstürzte Aktion. Es rührte mich auf seltsame Weise, einen Menschen leiden zu sehen in der Sorge, seine Bücher zu verstecken, sie vielleicht retten zu müssen vor einem gierigen Zugriff. Warum aber brachte Dr. Drüner seine Bücher zu Großvater? Hatte er keine Verwandten, keine Freunde, keine Kollegen, die sie ihm über den Krieg hätten bringen können? Großvater und Vater kannten ihn zwar von ihrer Arbeit im Krankenhaus, wo sie alljährlich ihr Handwerk ausübten, Säle anstrichen, Flure tapezierten, Türen lackierten: Aber war das ein ausreichender Grund für Dr. Drüner, Vater und Großvater seine Bücher anzuvertrauen? Dr. Drüner, ein angestellter Hals-Nasen-Ohren-Arzt, konnte mit Vater und Großvater allenfalls ein paar beliebige Worte gewechselt haben, es gab für ihn bestimmt keinen Anlaß zu irgendeinem ausführlichen Gespräch, schon gar nicht über Bücher. Oder verließ er sich gerade deswegen auf die beiden, weil sie ihm viel zu rechtschaffen erschienen, einen Blick in fremder Leute Bücher zu werfen, vielleicht auch zu unwissend, etwas darin zu entdecken, was ihm hätte gefährlich werden können? Ich habe es nie herausgefunden.

Die Bücher ruhten in der Kiste, niemand kümmerte sich darum, bis ich sie im August 1945 entdeckte und darin zu stöbern begann.

Es war ein unwirtlicher Nachsommer, doch je länger ich in Großvaters Dachkammer zwischen den Büchern lebte, um so wirtlicher wurden die Tage, und halbe Nächte lang saß ich an meinem Tischchen, hatte ein Buch vor mir aufgeschlagen, stützte den Kopf in die Hände und versenkte mich in eine Geschichte aus dem vergangenen Jahrhundert. Sie erzählt das Leben eines jungen Mannes, der in angenehmer Umgebung heranwächst, aufgeschlossen für das Wirken der Naturkräfte und die Arbeit des Menschengeistes. Anfangs störte mich die Beschaffenheit dieser bürgerlichen Umwelt, von welcher der Schriftsteller erzählt, allzu aufdringlich erschien er mir in seiner Absicht, das längst schal und unglaubwürdig gewordene Gute, Wahre und Schöne in den Vordergrund zu rücken, allzu beflissen schien er mir seine Schilderungen eines weichen und milden Lebensgefühls aufdrängen zu wollen –, auch die betuliche Art des Erzählens mißfiel mir, dennoch konnte ich das Buch nicht beiseite legen, irgendwie bestrickte mich dieser weitgefaßte, panoramaartige Bildentwurf des besseren Lebens. Womöglich waren es die hartnäckigen Traumfolgen des Dichters vom Festhalten an Tugenden, die er für wertvoll, vom Bleiben und Dauern, das er für sinnvoll hielt. »Als ich achtzehn Jahre alt war«, begann ein Satz, den ich eigens für mich geschrieben hielt, denn auch ich war achtzehn und empfand manche Erlebnisse des Dichters, als seien es meine eigenen. »Ich lernte auch viel ältere Menschen kennen«, erzählt er, »aber ich achtete damals weniger darauf, weil es bei der Jugend Sitte ist, sich mit lebhafter Beteiligung mehr an die anzuschließen, die ihnen an Jahren näherstehen« – und so ging es mir selbst. In meinen Lesepausen trat ich ans Fenster und schaute auf den Vorplatz, wo Vater mit den Malergesellen eine Fuhre gebrannter Kalkbrokken löschte. Es brodelte und zischte, Wacken zersprangen, Knollen zerbarsten, Steinsäcke explodierten im Wasser und löschten ihren schier unstillbaren Durst. Auch mir klebte die Zunge am Gaumen, ich lechzte nach einem erfrischenden Schluck.

Nicht die ganzen Sommertage hockte ich unterm Dach und las. Am späteren Abend, wenn Teller- und Tassengeklapper vom Geschirrspülen verklungen, für eine Weile Ruhe im Haus eingekehrt und auch kein Mucks mehr aus Vaters und Mutters Schlafzimmer zu hören war, tönte pünktlich gegen neun ein spitzes Frauengekicher zu mir ins Dachzimmer, verwirrte mich beim Lesen und lockte mich in Tante Elses Wohnstube. Dieses entnervende Gekicher erzeugten ihre Freundinnen Gerda, Marie und ein eher ältliches Mädchen vom Quierschieder Weg namens Elfriede. Es waren dreißigjährige Frauen, deren Männer noch nicht aus dem Krieg zurückgekehrt waren wie Onkel Richard, Tante Elses Mann, der an der Ostfront gekämpft und dort allerhand mitgemacht hatte. Die Frauen saßen, wenn ich aus der Dachstube ins Wohnzimmer herunterkam, nebeneinander auf dem Sofa, stießen sich mit den Fingerspitzen in die Seite und ringelten sich vor Freude auf den gestickten Sofakissen. Gerda kicherte am spitzesten. Sie hatte eine glatte Haut, blendendweiße Zähne und schöne gedrechselte Beine, die sie unter ihrem kurzen Rock bis ganz oben hin sehen ließ, doch wenn sie, was des öfteren geschah, das eine Bein über das andere schlug und mir noch verlockendere Anblicke gönnte, wandte ich den Kopf und schaute flehentlich zu Beethoven und Mozart, deren Büsten aus bemaltem Gips auf dem Klavier standen.

Gerda, die Frau eines Offiziers, der in Frankreich gekämpft und vor seiner Gefangennahme beim Pariser Stadtkommandanten Dienst getan hatte, war die reizvollste von allen, Tante Else eingeschlossen. Mariechens Lachen war mir zu ordinär, und Elfriede roch nach essigsaurer Tonerde. Jedesmal, wenn ich zu den Frauen ins Zimmer komme, spulen sie das gleiche Programm herunter, es gab keine Abwechslungen, keine Steigerungen, keine überraschenden Höhepunkte, jedenfalls nicht für sie selbst, die sich von meiner Gegenwart bestimmt mehr erhofft hatten, als ich ihnen zu geben imstande war. Bald nach meiner Ankunft sitzt Tante Else am Klavier, Mariechen steht neben ihr, krampfhaft ans Instrument geklammert, in Augenhöhe mit Beethoven und Mozart – und singt. Abend für Abend erklingt ein Potpourri von Peter-Kreuder-Schlagern aus Filmen der letzten Kriegsjahre: *Ich wollt', ich wär' ein Huhn, Wenn die Sonne hinter den Dächern versinkt* und *Sag' beim Abschied leise Servus!* Tante Else, zehn Jahre zuvor noch Mitglied einer Spielschar, die mit Frau von Vopelius durch Europa reiste und Werbekonzerte des *Volksbundes für das Deutschtum im Ausland* gab, läßt ihre Finger über die Tasten hüpfen und bleckt die Zähne, wenn sie ihre ganze Fingerfertigkeit daransetzt, eine schwierige Stelle zu meistern. Die Freundinnen trällern die Melodien mit, sie tuscheln, sie gickeln, und ich sitze zwischen Gerda und Elfriede auf dem Sofa, tuschele und gickele mit. Ich sei doch ein Spaßvogel, der nicht kneife und allen Quatsch mitmache, meint Gerda, »und singen kannst du doch sicher auch!«

Ich war achtzehn, mir fehlte die Freiheit eines Sonnyboys und Schürzenjägers, es ging mir gegen den Strich, wie ein Schmachtlappen dazustehen und vor den jungen Frauen zu singen. Was für ein Gedanke, mich vom Sofa zu erheben, einfach hinzustellen und zu singen: »Ich wollt', ich wär' ein Huhn!« Was für eine Vorstellung, was für eine Blamage! »Nicht für eine Million«, sagte ich zu Gerda, und Schweiß brach mir aus. »Du kriegst mehr als eine Million«, versprach sie und legte mir die Hand aufs Knie. Gerda lächelte, zeigte ihre weißen Zähne, näßte mit der Zunge ihre Lippen und führte ihre Hand innen an meinem Oberschenkel entlang. Ich spürte sie durch die Hose, es war eine zarte, weiche, warme Hand, sie war schmal und sauber gewaschen, die Nägel nicht übertrieben spitz geschnitten, nicht gelackt, nicht poliert. Ich wußte beim besten Willen nicht, wie ich mich bei dieser Berührung anstellen sollte. »Du liest zuviel«, entschied Gerda. Es war ein Urteil aus heiterem Himmel. »Du liest vor allem die falschen Bücher«, sagte sie und ließ ihrem Urteilsspruch eine kleine Belehrung folgen: Falsche Bücher könnten Schlimmes anrichten in einem Menschen, der mehr dem glaube, was in den Büchern steht, als dem Leben selbst, erklärte mir Gerda, könnten ihn auf Abwege führen und verwirren, so daß er sich am Ende nicht mehr im wirklichen Leben zurechtfände. Sie jedenfalls nehme fest an, daß es die falschen Bücher seien, die ich oben in meiner Dachstube läse, und da es an der Zeit sei, endlich einmal die richtigen in die Finger zu bekommen, gäbe sie mir beim nächsten Zusammentreffen ein richtiges Buch zum Lesen. »Es sei denn«, sagte sie, »du willst eine Leseratte bleiben und kein richtiger Mann werden.«

Ich saß wie betäubt, schaute hinüber zu Beethoven und Mozart in der anderen Zimmerecke, viel zu fern, als daß sie mir hätten raten und helfen können. So weit ist es mit dir gekommen, dachte ich, das wirkliche Leben spielt sich anderswo ab, pulsiert in diesen Frauen, schwingt sich auf in dieser scheußlichen Musik und stürzt ab mit lächerlichen Wörtern wie *Huhn* und *Servus,* die dir partout nicht von den Lippen gehn. Gerda lachte spitz und herausfordernd zu allem, was sie sagte, sie beugte sich vor und zurück, der Saum ihres Rocks spielte das Auf- und Abgleiten mit und ließ mich nicht zur Ruhe kommen. Ein einziges Mal berührte ich sie, es war nur ein flüchtiges Streicheln ihrer Handoberfläche, doch noch anderntags haftete ihr Parfüm auf meinen Fingerspitzen: Sie duftete nach Nelken oder Lavendel ihrer französischen Seife. Als ich meine Hände etwas zu heftig hin und her schwenkte, schnüffelte mein Banknachbar im Klassenzimmer nach allen Seiten und rief: »Wem hast denn du heut' nacht Händchen gehalten!«

Das von Gerda mitgebrachte, fürs wirkliche Leben taugliche Buch stürzte mich in noch stärkere Verwirrung. Es war ein Roman von Frank Thieß, den Titel habe ich vergessen, vom Inhalt nur ein paar Bruchstücke im Gedächtnis behalten. Schon damals hatte ich den Verdacht, sie wolle mir mit dieser Liebesgeschichte eine Handvoll besserer Beispiele liefern. Eine junge Frau verführt einen achtzehnjährigen Schüler. An die Stelle eines Buchs tritt als Verführungsmittel ein großes dekadentes Gemälde mit einem splitternackten Mädchen. Täusche ich mich nicht, ist ihr Blick so herausfordernd auf den Betrachter gerichtet, daß der Verfasser dafür das Wort *infernalisch* verwendet. Der Junge errötet, die Dame streicht über sein Haar und beruhigt ihn mit flüsternder Stimme. Sie fragt nach seinem Alter. Er werde achtzehn, murmelt er, es kommt ihm wie eine Schande vor, daß er erst siebzehn ist. Beim nächsten Besuch erlebt er mit klopfendem Herzen, wie ihre Hand mit den blitzenden Nägeln über die gemalten Schenkel eines Knaben streicht, wie sie so etwas wie die künstlerische Mittelachse zeigt, welche vom Ohr über den Nabel bis zum leicht angebogenen Knie reicht –, und wie sie schließlich über den Körper einer unbekleideten Frau hinweggleitet, deren Gesichtszüge der Nasen-, Mund- und Wangenbildung seiner Gastgeberin bis aufs Haar ähnlich sind. Ich erinnere mich an ein seidenes Kissen, worauf sie liegt, an schwarze Locken und runde Brüste, an die Biegung ihrer Hüften und Schenkel und einige pompöse Formulierungen, die mich bis zur Weißglut hätten erregen müssen, wäre mir nicht damals schon eine Art spielerischen Zweifelns in die Quere gekommen, solcherlei Schwülstigkeiten nicht ernst zu nehmen. In meinem Gedächtnis hat sich nichts als die Beschreibung dieses Bildes unauslöschlich festgesetzt: Der Leib jener schönen Frau verwandelt sich in den Körper einer Göttin. Dank der hochgestochenen Sprache des Erzählers gebärdet sich die Schöne, als bringe der Zusammenklang ihrer Hüften und Schenkel, ihrer Füße und feinen Gelenke eine heldische Pose hervor, und ihre Wendung zur Wade sei derart explosiv, daß allein aus dieser Bewegung die Aureole einer Siegerin erwachse, welche die ganze Gestalt mit göttlichem Licht überstrahle. Ich kann nicht behaupten, meine Erinnerung sei unanfechtbar, es kann in dieser Bildbeschreibung gut und gerne weniger dramatisch vorgegangen sein, auch ist es möglich, daß diese mondäne Szene mir sogar gefallen hat – hätte ich sie sonst so plastisch im Gedächtnis behalten?

Es waren aufwühlende Abende bei Tante Else: Meine Lebenserfahrungen mit Gerda und meine Leseerfahrungen mit Frank Thieß, prickelnd und schauerlich zugleich, versetzten mich für diesen Sommer in große Unruhe, es gefiel mir ebenso, mit den Frauen zusammenzusein und Tante Elses Klavierspiel zu lauschen, wie alleine in meinem Zimmerchen zu liegen und Romane zu lesen, ja, ich konnte den langen Nachmittag über die Stunden dieser Genüsse kaum erwarten, auch wenn sie dann schal waren und mich unbefriedigt zurückließen.

Die Abendvergnügungen bei Tante Else hatten aber bald ein Ende. Im September kam Onkel Fritz aus Frankreich, im Oktober Onkel Richard aus Rußland zurück. Onkel Fritz kam aus den Gärten der Insel Guernsey, er war dick und fett, seine Wangenhaut spannte sich straff über die Backen. Onkel Richard kam aus den Sümpfen am Wolchow, er war rappeldürr, seine Nase stand spitz im Gesicht, und wenn er mit aufgekrempelten Ärmeln am Tisch saß und den Ellbogen aufstützte, konnten wir sehen, wie jedes Gelenkknöchelchen einzeln gegen die faltige Haut drückte. Onkel Fritz und Onkel Richard erzählten vom Krieg, jeder auf seine Weise: Onkel Fritz erzählte Geschichten vom Schlaraffenland, Onkel Richard Geschichten aus dem Feuerofen. Sie flüsterten und schrien, wie es ihre Geschichte gerade erforderte, sie quatschten und schwadronierten und überboten sich mit gepfefferten Pointen. Onkel Fritzens heitere Fabeln von Milch und Honig und appetitlichen französischen Mädchen fing Onkel Richard mit deftigen Greuelmärchen ab, doch wenn er selbst gar zu tief in der Blutbrühe wühlte und die schlaffen Muskeln spielen ließ, griff Onkel Fritz in die Trickkiste und brachte uns mit Freß- und Saufanekdoten zum Lachen. Eins war, bei aller Verschiedenheit, ihren Geschichten gemeinsam: Sie handelten samt und sonders davon, wie ein Ding geschaukelt, eine Sache geschmissen, eine Angelegenheit zum Klappen gebracht worden war. Sie handelten von Besorgen und Beschaffen, mal einiger Pakete Schokolade oder eines Fuders Wein bei Onkel Fritz, mal eines klapprigen Fahrrads oder einer ausrangierten Bretterkiste bei Onkel Richard – und immer mit einem Beigeschmack von Stehlen, ohne daß das Wort je gefallen wäre.

»Als der letzte Winter kam, haben wir die ganze Ernte eines Bauern ausgeräumt«, erzählte Onkel Richard, und Onkel Fritz konterte: »Aus einem piekfeinen Weinschlößchen haben wir sogar das komplette Meublement mitgehen heißen.« Von Abstauben und Erleichtern, von Verschwindenlassen und Böhmischeinkaufen wurde gesprochen – auch das Wort »organisieren« fiel. Wenn sie erzählten, sprang es über Onkel Fritzens Lippe wie eine Kette aus Kieselsteinen, die locker gefaßt in der Sonne glänzten, aus Onkel Richards Mund rollte es wie ein Gehänge aus schweren Bleiklumpen heraus. Es war das gleiche Wort, das auch Herr Mehlwurm benutzt hatte, als er mit Vater über seine Hausbesetzung sprach. Schon das Wort »Organ«, ein dunkles, unheilschwangeres Wort, hat mich immer erschreckt, ja gegraust, sooft ich es hörte. Ich erinnere mich bis heute an die Vorstellung von Schnüren und Strängen, die ins Hirn aufsteigen, sobald das ominöse Wort an mein Ohr dringt, an Lappen und Quallen aus klebriger, schwabbeliger Masse; mein ganzer Körper bläht sich auf und scheint ein solches breiiges Organ zu sein. Monströse Popanze bevölkern meinen Kopf, ausgestopfte schwammige Riesenpuppen, eingeklinkt in ein Räderwerk, von knirschenden Transmissionsriemen angetrieben. Mir schwindelte, ich fürchtete mich vor dieser Apparatur fremdgesteuerter Schreckgespenster, und später noch, wenn ich von beratenden Organen, beschließenden Organen, ausführenden Organen sprechen hörte, hütete ich mich, mit meinen Fingern in dieses geschmiert funktionierende Räderspiel hineinzugeraten. Wo eins so unbarmherzig ins andere greift, wirst du nicht heimisch werden, dachte ich mir und flüchtete vor diesen erschreckenden Prozessen.

Gleiche Brüder, gleiche Kappen, dachte ich, denn Onkel Fritz und Onkel Richard kamen mir wie Komplizen von Herrn Mehlwurm vor. Vor einem Jahr noch hatten sie auf gleicher Stufe und im gleichen Milieu operiert wie Herr Mehlwurm jetzt, was würde aus ihnen werden, wenn sie, wie Herr Mehlwurm aus Püttlingen, Oberwasser bekämen und voneweg mit dem Strom schwämmen, der in diesen Wochen gewaltig aufschäumte. Das sah aber nur für den Augenblick so aus, so lange nämlich, wie Onkel Fritz und Onkel Richard ihre Husarenstückchen aus dem Krieg erzählten. Nach ein paar Wochen verstummten sie. Als Weihnachten vor der Tür stand und das frisch geschlagene Holz im Ofen bullerte, saßen sie mit Vater unter dem Adventskranz, teilten Karten aus und ließen die Trümpfe übereinanderfallen. Sie hatten vergessen, wovon sie Wochen zuvor so aufgeregt geredet hatten, faßten jetzt die Nöte des täglichen Lebens ins Auge, entdeckten neues Terrain für ihre Handstreiche und setzten schließlich ihre Überlegungen in generalstabsmäßige Planungen um. »Was muß getan werden, damit wir heil über den Winter kommen?« fragte Vater, und was zu besorgen war, zählte er an den Fingern auf:

»Wir brauchen Kartoffeln, Mehl und Schmalz. Und wenn wir im Winter keine Eisbeine bekommen wollen, müssen wir noch einen zweiten Baum schlagen.« Wir packten die Axt mit Trummsäge und Fällkeilen auf die zweirädrige Malerkarre und fuhren in den Hochwald über der Hohl, wo der Förster uns eine prächtige Buche ausgesucht und markiert hatte. »An die Arbeit!« befahl Vater, »und kein Wort mehr über Hitler, kein Wort über Stalingrad, kein Wort über den verlorenen Krieg. Wir haben jetzt Wichtigeres zu schaffen.«

Und sagte kein einziges Wort: In Heinrich Bölls frühem Roman bewohnt der Trinker Fred mit Frau und Kindern einen einzigen Raum mit abgetrennter Kabine, in welcher der Kleinste schläft. Als ich Anfang der fünfziger Jahre diese Erzählung las, dachte ich an mein kleines, schmuckloses Kämmerchen ohne Bilder, ohne Spiegel, ohne Kleiderhaken, doch mit Dr. Drüners Kisten voller Bücher, die ich reihum ausschmökerte. Und ich dachte an Herrn Mehlwurm, der sich in unserm Haus breitgemacht, Küche, Wohnzimmer und Schlafzimmer vereinnahmt hatte, wie Freds Nachbar Franke in Bölls Roman. Doch Frankes Wohnzimmer war nicht das unsere. Was hätten wir mit puppengesichtigen Engelchen aus Glas am Weihnachtsbaum, mit einem Jesuskind aus Seife in der Krippe, mit einer Spruchtafel aus Gips und der Anpreisung »Friede den Menschen« über dem Sofa anfangen sollen! Unsere Wohnung sah anders aus. Sie war nüchtern möbliert und doch nicht schmucklos: Über Vaters und Mutters Betten hing das Bild

»Die Brautnacht«, das es in Hunderttausenden deutscher Schlafzimmer gab, im Wohnzimmer die Vergrößerung einer Fotografie aus dem Weltkrieg, worauf Vater als Zwanzigjähriger im Eingang seines Kompanieführerunterstands zu sehen ist. Unsere Weihnachtskugeln waren ohne Dellen und Bausen und unzerbrechlich, die Küchenstühle hart, doch stabil, vom Schreiner aus abgelagertem Buchenholz gefertigt, für die Ewigkeit gemacht. Auf einem davon saß ich zwanzig Jahre lang und las. Was für ein wohnlicher Stuhl! Darauf fühlte sich auch Herr Mehlwurm so wohl, daß er bis spät in den Herbst hinein nicht daran dachte, wieder nach Püttlingen zu ziehen, wo er hergekommen war.

Daß aber auch Bücher Wohnungen sein können, erfuhr ich von Heinrich Böll erst in den sechziger Jahren, als ich über einen Satz von ihm nachdachte, der mich beim Lesen merkwürdig berührt hatte. Es ist ein ungewöhnlicher Satz über jenes Buch, das ich als Achtzehnjähriger in Großvaters Dachstube gelesen hatte. Dieses Buch, heißt es da, ist »die großartigste Wohnung der deutschen Literatur«. Heinrich Böll hat diesen Satz über Adalbert Stifters *Nachsommer* geschrieben; mit bewegter Stimme weist er an zahlreichen Beispielen nach, wie man in einem Buch wohnen, einem Roman zu Hause, einem Gedicht daheim sein kann. Es sind die Dichter, die ihr Land mit ihrer Sprache bewohnbar machen. Mit vertrauter Sprache schaffen sie vertrautes Gelände: »Ein Land ist bewohnt und bewohnbar, wenn einer Heimweh nach ihm empfinden kann.« Davon erzählt Heinrich Böll ausführlich in seiner zweiten Frankfurter Poetikvorlesung, in der er von leeren Häusern und verlorenen Wohnungen, von Vertreibung und Wohnverbot, aber auch von Nachbarschaft und Menschenfreundlichkeit spricht, und mit Herzklopfen denke ich heute noch an den Spätsommer des Jahres 45, als ich in der Dachstube hockte und las.

Vater stand abends nach der Arbeit am Leiterschuppen und schaute über den Garten hinweg nach unserem Haus, in dem immer noch Herr Mehlwurm wohnte, der über die Woche

Fleisch und Fleischwaren organisierte und samstags morgens seinen Mercedes wusch. Damals fragten wir uns: Ist das Haus für alle Zeit verloren? Bleibt die Wohnung für immer verschlossen? Vater lief aufs Gemeindeamt, pilgerte aufs Liegenschaftsamt, belagerte das Wohnungsamt: Er wurde nicht müde, Recht und Verfügung über sein Haus zu fordern. Doch Recht und Verfügung, zwei dürre Wörter, zwei ausgetrocknete Begriffe! Bis tief in die Nacht hinein saß er über eine zerlesene Ausgabe des Bürgerlichen Gesetzbuches gebeugt, studierte Paragraphen, entzifferte Klauseln, die ihn über Einschränkungen, Vorbehalte, Nebenbestimmungen unterrichteten. Im Labyrinth von Erlassen und Verordnungen verlor er sich ins Dornengestrüpp der juristischen Sprache, tappte in Wortfallen, geriet in grammatische Hinterhalte, verwickelte sich in einen heillosen Papierkrieg, und noch heute sind die Blätter der alten Ausgabe unseres BGB beim Stichwort »Eigentum« gänzlich zerfleddert, und beim Stichwort »Sequesterverwaltung« wedelt ein abgegriffenes Eselsohr. Während Vater sich mit toten Wörtern herumschlug, rang ich mit lebendigen. Auf ausgerissenen Blättern eines Schulhefts heckte ich Sprach- und Denkspiele aus, die sich viel später zu den »Sprechstunden für die deutsch-französische Verständigung und die Mitglieder des Gemeinsamen Marktes« und der »Allseitigen Beschreibung der Welt zur Heimkehr des Menschen in eine schönere Zukunft« zusammenfügten.

Der Krieg war zu Ende, die Zeiten hatten sich geändert. Hatten sich die Zeiten wirklich geändert? Nachdem Herr Mehlwurm im Spätherbst 45 urplötzlich mit einem Lastwagen vorgefahren war, ein paar Kisten mit Wäsche, einen Stoß Kartons mit Geschirr aufgeladen und unser Haus verlassen hatte, kam es mir für einige Augenblicke so vor, als erwachten die heilgebliebenen Dinge aus einem bleiernen Sommerschlaf. Der Dauerbrandofen brummte bald wieder, Vater ging in der Wohnung auf und ab, stellte sich auf die Zehenspitzen und schaute hinter die Anrichte, bückte sich zur Erde nieder und betrachtete die Ofenecke. »Wo man hinsieht, Bruch und Dalles«, sagte er, »die Tapeten durchgewetzt, der Lack abgeblättert, aber am schlimmsten sind die Türen dran.« An der verwahrlosten Wohnung gab er nicht Herrn Mehlwurm die Schuld. »Nein, nein«, sagte Vater, »es ist alles so heruntergekommen, weil in den letzten Jahren nix mehr gemacht worden ist.« Er holte Töpfe und Pinsel aus der Werkstatt herauf, rührte eine rötliche Lasurfarbe an und meinte: »Tapeten und eine ordentliche Ölfarbe gibt's noch nicht wieder, also kommen erst mal die Türen dran.«

Es war eine arbeitsame, eine erfinderische Zeit! Es war die Zeit, mit der wir in eine schönere Zukunft einzutreten glaubten. Bis zu dieser Stunde waren unsere Küchen- und Wohnzimmer- und Schlafzimmertüren »Eiche, gemasert«, Vater hatte vor dem Krieg mit Stahlrädchen und Stahlstriegeln die erhabenen Maserungen der Eiche imitiert und Türen von täuschender Ähnlichkeit mit »Eiche, massiv« geschaffen. »Damit ist jetzt Schluß«, verkündet er, tauscht Rädchen und Striegel gegen Walzen und Kämme ein, was aus Stahl gewesen, ist jetzt aus Gummi, wo die Kerne der Eiche aus seiner Hand gewachsen, sprießen jetzt die Blumen des Mahagonis. Wenn ich aus der Schule zurückkehrte und über die Hausschwelle trat, sah ich vor der Wohnzimmertür Vater auf dem Schemel knien, vor ihm auf der Türfüllung quollen die exotischen Blüten des Mahagoniholzes auf, reihten sich zu Ornamenten, rannen zusammen und flossen ineinander. Ich stand vor der Tür, schaute in diesen fremdländischen Wald hinein und fühlte mich doch geborgen. Als Willy Alante-Lima, der karibische Dichter aus Guadeloupe, viele Jahre später zu Besuch kam und Vaters Mahagonitüren sah, verdrehte er die Augen vor Glück, denn wie aus heiterem Himmel tauchten die Wälder seiner Heimat hinter Bucht und Strand von Marie-Galante in seiner Erinnerung auf. »O sable noir des côtes du vent!« rief er aus, und Vater begriff, was er sagen wollte, ohne ein einziges Wort zu verstehen.

Bewohnbare Wörter, bewohnbares Haus! Bewohnbare Sprache, bewohnbares Land! Der wenigen unversehrt gebliebenen Augenblicke von damals gedenkend, wünschte ich mir: Ach, wäre es so geblieben! Oder ist es nur trügerische Erinnerung an ein paar gesellige Momente daheim – nach dieser unwirtlichen Heimkehrerzeit 45 im fremden Haus? Ja, die Zeiten hatten sich geändert, doch die Sprache war die gleiche geblieben. Schon Ende Oktober drangen die alten Wörter wieder an mein Ohr. Nicht nur Herr Mehlwurm hatte sie in den Mund genommen, auch zwischen den Zähnen alliierter Kontrollratsoffiziere sprangen sie hervor. Aus allen Soldatensendern drangen sie in allen Sprachen durch den Äther, englisch aus General Eisenhowers, französisch aus General Koenigs, russisch aus General Schukows Mund. Auch sie sprachen von Organen, von Organisationen; es waren zwar nicht mehr die alten Organisationen wie SA und SS, nicht mehr die *Organisation Todt,* die *Deutsche Arbeitsfront* und *Kraft durch Freude,* sie sprachen von neuen Organen, neuen Organisationen. Vor jeder politischen Maßnahme sei am wichtigsten die Organisierung einer zuverlässigen Militär- und Polizeimacht im eroberten *Transsilvanien,* entschied der Stab des Alliierten Oberkommandos, die Kontrollratsdirektive Nr. 24 zur »Entfernung von Nationalsozialisten und Personen, die den Bestrebungen der Alliierten entgegenstehen, aus Ämtern und verantwortlichen Stellungen« durchzusetzen. Die unter Kontrolle der alliierten Militärregierung eingesetzten parteiinternen antifaschistischen Organisationen, die »de facto in der Eigenschaft öffentlicher Verwaltungen« handelten, wurden nach kurzer Zeit von der Militärregierung verboten, lebten aber, vom *Counter Intelligence Corps* weiterhin geheim eingesetzt, als Untergrundorganisationen weiter.

Rasch und unaufhaltsam wuchsen die neuen Popanze heran, blähten sich auf wie die dauerhaften, immer noch schnaufenden, immer noch schnarrenden Kunstpuppen im Schreckenskabinett: Sie nannten sich UNO und NATO und Warschauer Pakt. Die Wörter waren wieder scharf gemacht. Bevor in Deutschland Butterfaß und Marmeladeeimer explosiv wurden, Molotowcocktails Rachen und Schlünde zerrissen, Zungen und Zähne zerstückelten, probten Parteiführer und Politiker das Klingenkreuzen mit Wörtern, daß die Fetzen flogen.

Eine neue Zeit war angebrochen. Vaters zarte Pinsel aus Feh- und Marderhaar landeten auf dem Aschenwagen, verbrannten in der Abfallgrube. Widerspenstige Stahlspachteln fuhren mit Schleifpaste über die Türfüllungen, und dröhnende Beschichtungsmaschinen erstickten die Mahagoniwälder unter giftigen Polyesterwolken. Acrylsäure stach in die Nase, Ammoniakdampf schlug auf den Atem. »Gib ihnen Saures!« riefen die Politiker. Die neuen Wörter sind vom Krankheitskeim der alten angesteckt, mit den aufgepäppelten alten wird wieder Staat gemacht. Sie haben sich hochgerappelt: Organe rotten sich zusammen, verschmelzen miteinander, infizieren sich gegenseitig. Wer mit den Wölfen heult, wird Wolf. Wer mit den Papageien plappert, wird Papagei. Wer mit den Schweinen grunzt, wird Schwein.

Diesen Herbst nach dem Krieg, rauh und unwirtlich, konnten die meisten der kleinen Nazifunktionäre nur mit Blessuren überstehen. *Säuberung* hieß die Prozedur, sie fand in Internierungslagern, in Entnazifizierungsprozessen, in Spruchkammern statt. Jedem, dem die alten Wörter flott über die Lippen gesprungen waren, blieb nichts anderes übrig, als auch die neuen so reibungslos wie möglich zwischen die Zähne zu nehmen. Es dauerte nicht lange, bis sich der neue Sprachgebrauch eingespielt hatte, bald lief alles wie geölt. Ich erinnerte mich an die großen Töne, die ich ein Jahr zuvor selbst noch gespuckt hatte, so kam ich eine Zeitlang nicht damit zurecht, meiner anerzogenen Weltanschauung oft mit den gleichen Wörtern zu widersprechen. »Es zittern die morschen Knochen«, rief mir der neue Polizeipräsident von Sulzbach, ein altgedienter Kommunist, der meine Hitlerjugendvergangenheit kannte, über die Straße zu und, sich auf die Brust klopfend, rezitierte er im altbekannten forschen Ton: »Mit uns zieht die neue Zeit.« Er meinte es nicht einmal spöttisch, doch mir drehte sich dabei der Magen um.

III

Armer Adolf

Am 1. Oktober 1945 stand ich frühmorgens um acht mit einem Notizblock in der Tasche auf dem Pausenhof der Saarbrücker Mittelschule. Es war mein erster Schultag nach dem Krieg, ein naßkalter Montag; ich wartete auf das Klingelzeichen. Ein Plakat, auf dem die Wiedereröffnung der Schulen im Saarland bekanntgemacht war, ersoff, vom Nachtregen heruntergewaschen, in einer Wasserpfütze. Schulbücher, Schreibhefte, Zeichenblöcke gab's noch keine, doch Mutter hatte mich beschwatzt, wenigstens ein Notizbuch einzustecken, mich fürsorglich mahnend: »Ganz ohne etwas zum Hineinschreiben kannst du doch nicht zur Schule gehn.«

Jungmann einer nationalsozialistischen Lehrerbildungsanstalt, vollgestopft mit nutzlos gewordenem Wissen in Volks- und Rassenkunde, doch ohne Lateinkenntnisse, die ich zum Eintritt in ein Gymnasium gebraucht hätte, blieb mir nur die Mittelschule zur Vorbereitung auf das Lehrerseminar. Was aus den alten Klassenkameraden geworden war, wußte ich nicht, kümmerte mich auch nicht darum, denn sie wohnten, wenn nicht im Krieg gefallen oder vermißt, in den entferntesten Dörfern des Saarlands verstreut und ließen, wie ich selbst, nichts mehr von sich hören. Nur zwei traf ich wieder, Toni Hunsicker, der im Dorf wohnte, und Kurt Groth, meinen besten Freund dieser Jahre. Dann, nach einem Jahr, beim Studienbeginn auf dem Lehrerseminar von Blieskastel, kamen drei weitere hinzu. Jeder wußte nur etwas vom nächsten Freund oder Bekannten –, und so sprach es sich allmählich herum: Die meisten der Ehemaligen hatten keine Lust mehr, Lehrer zu werden, einigen fehlte auch das Geld, weiterzustudieren, manche stürzten sich in eine Verwaltungs-, andere in eine kaufmännische Lehre, Heinz Schinkel, der aus einer Schneiderfamilie stammte, lernte den Beruf seines Vaters, Karlheinz Dietzen, der Verbindung zur Bergwerksdirektion fand, heuerte auf der Grube an. Toni Hunsicker, der schon zur Nazizeit in den Ferien lieber in Zivil als in Uniform herumgelaufen war, trug kurz nach Kriegsende schon eine Kombination aus Wollhose und Gabardinejacke, Krawatte mit Nadel und einen weichen Filzhut, dessen Krempe tief in die Stirn heruntergezogen war. Ich traf ihn hin und wieder, wir tauschten unsere Gedanken über den Zusammenbruch von Reich und Staatsidee aus, wobei ich als der Jüngere, auch in Wuchs und Entwicklung Zurückgebliebene, ganz in seiner Nachfolge lebte. So wie ich ihm auf der Lehrerbildungsanstalt beim Begreifen der nationalsozialistischen Denk- und Lebensweise nachgeeifert hatte, beeilte ich mich jetzt, die angedienten Überzeugungen so rasch wie möglich abzustreifen und mich den neuen Verhältnissen anzupassen.

Nur Adolf Sachs, ein ehemaliger Klassenkamerad von der unteren Saar, schaffte den Absprung nicht und blieb auf den unausgebrüteten Mythen sitzen. Immer noch war sein Hirn mit den Glaubensbekenntnissen für Führer, Volk und Vaterland zugekleistert, es fielen ihm keine Schuppen von den Augen, und er war nicht behende genug, die gelernten Wörter im Mund zu drehen und frisch gewendet auszusprechen. Schon 1941, in den ersten Wochen unserer Schulzeit auf der Lehrerbildungsanstalt von Idstein, hatte er es schwerer als wir anderen. Adolf stammte aus einer katholischen Bauernfamilie, war fromm und fleißig, erledigte seine Schularbeiten mit promptem Eifer, hatte samstags nachmittags immer schon seine fertige Arbeit für montags früh in der Schultasche, um bloß sonntags die Messe nicht zu versäumen. Doch zur gleichen

Stunde war Dienst angesetzt. So quälten ihn heftige Zweifel, in aller Herrgottsfrühe eilte er in die Messe, richtete sich mühsam auf abendliche Vespergottesdienste ein: Es nutzte nichts, der Dienstplan machte alle gleich. Bald hatten wir vergessen, wer Protestant, wer Katholik war. Uns Protestanten, lasch in der Lehre und ungefestigt im Glauben, fiel es leicht, Gesangbuch und Katechismus samt Luthers Erklärungen der Haupt- und Nebenstücke gegen Hitlers *Mein Kampf* und Rosenbergs *Mythus des zwanzigsten Jahrhunderts* einzutauschen; den Katholiken dagegen wurde es schwer ums Herz im Begreifen, wie jäh ihnen ihr kindlicher Himmel über dem Kopf zusammenstürzte. Ein wilder Trotz, es uns gleichzutun, uns womöglich zu überbieten im Ringen um den neuen Glauben, ließ sie zu noch fanatischeren Hitlerjungen werden, und Adolf Sachs war am Ende der besessenste. Bei einer Kundgebung in Limburg an der Lahn marschierten wir auf mit Trommeln und Fanfaren, brüsteten uns mit Sportabzeichen und Lametta und grölten: »Die Glocken stürmten vom Bernwardsturm«, und Adolf Sachs, der am schwersten mit seinen Zweifeln gerungen hatte, setzte mit uns die Strophe fort und schrie am lautesten: »Der Papst sitzt in Rom auf seidenem Thron, es hocken bei uns seine Pfaffen. Was hat einer deutschen Mutter Sohn mit Papst und mit Pfaffen zu schaffen.«

Adolf Sachs wurde mit den Ältesten unserer Klasse schon im Herbst 1944, als wir Jüngeren zum Schanzen an den Westwall ausrückten, zur Wehrmacht eingezogen, er eilte begeistert in einen Hafen der Kriegsmarine, eines der noch verbliebenen U-Boote zu besteigen. Am deutlichsten sind mir von ihm drei graue Haarsträhnen und ein blauroter Fleck über dem linken Backenknochen in Erinnerung geblieben. Bei der Abschiedsfeier auf dem Schloßhof von Idstein standen wir uns zum letztenmal gegenüber. Adolf Sachs atmete tief, seine schwarzen Augen glänzten, er hatte keine Ruhe im Leib, trat von einem Fuß auf den anderen, als könne er es nicht erwarten, endlich an die Front zu kommen.

Im Herbst 1945, er war weder gefallen noch vermißt, fehlte

er auf der Mittelschule, wohin außer mir nur drei Mitschüler gefunden hatten, und auch sonst war er nirgendwo aufgetaucht. Wir drei standen in der Regenpfütze, ausgehungert, armselig gekleidet, schauten uns mit hohlen Augen an und sagten die Namen unserer Schulklasse nach dem Alphabet auf – eine Übung, die jedem noch jahrelang geläufig war. Bei Sachs angelangt, erzählte der Schüler aus der Merziger Gegend, Adolf sei abgerissen und verwirrt aus englischer Gefangenschaft zurückgekehrt, habe nicht wieder Tritt gefaßt und pilgere nun weg- und ziellos durch die Gegend, beklage sein Schicksal und trauere den schönen Zeiten nach, in denen er noch Uniform getragen habe, allseits beachtet und weit über das Dorf hinaus anerkannt worden sei. »Die ganze Welt hat sich gegen uns Deutsche verschworen«, habe er immer wieder ausgerufen, »am Ende sind sogar die eigenen Landsleute dem Führer in den Rücken gefallen.« Adolf verfluchte Amerikaner und Russen, Engländer und Franzosen, aber die Juden seien die schlimmsten unter ihnen, an allen Ecken und Enden kröchen sie wieder aus den Löchern, es sei eine Lüge, daß sie vergast und verbrannt worden seien, was man jetzt allenthalben am Radio hören und in der Zeitung lesen könne.

»Adolf Sachs? Ein übriggebliebener nationalsozialistischer Wanderprediger war er«, erzählt mir ein Herr aus Merzig, der ihn zwar nicht selbst gekannt, doch aufmerksam verfolgt habe, was die Leute in der Umgebung von seinen verrückten Eskapaden zum besten gegeben hätten. »Der Sachs aus Ohlingen hatte ein Brett vorm Kopf wie alle Gläubigen«, erzählt er weiter, »ob Christ, ob Moslem, ob Jude, ob Nazi – das ist für mich alles ein und dasselbe Geraudel, armseliges verführtes Herdenvieh. Das sind doch alles Hosenscheißer, die einen Rattenfänger brauchen, dem sie hinterherrennen können.« Der Herr aus Merzig legt mir die Hand auf den Arm und sagt: »Nix für ungut, ich will Ihnen ja nicht zu nahe treten. Aber eins müssen Sie wissen, ob Sie's gern hören oder nicht: Glauben ist eine gefährliche Veranstaltung, und zwar für die Gläubigen und die Nichtgläubigen. Die Nichtgläubigen bekommen's von den

Gläubigen auf die Nase, wenn sie in der Überzahl sind, und die Gläubigen von ihren eigenen Einbläsern. Wer glaubt, bleibt nämlich der Dumme, und wer richtig fromm ist, der verliert schließlich den Verstand wie Adolf Sachs nach dem Krieg, der nicht begriffen hat, daß alles mal ein Ende hat . . . Das ist meine Meinung«, fügt er nach einer kleinen Pause hinzu, »aber wenn Sie etwas über Adolf Sachs schreiben, dann lassen Sie mich aus dem Spiel. Ich hab's ja nur vom Hörensagen. Leider können Sie den Adolf nicht selber fragen, der ist zum Glück bald nach dem Krieg gestorben. Aber fragen Sie seinen Schwager, der wohnt heut' noch im Elternhaus von Adolf, fragen Sie am besten seinen jüngsten Bruder, der lebt irgendwo in der Nähe von Völklingen, damit er nix mehr mit seiner Familie zu tun hat.«

Adolf Sachs hat sich zu Tode geschrien. Ein halbes Jahrhundert ist seitdem vergangen, doch heut' erst kann ich davon erzählen. Warum ich nicht früher nachgefragt habe? Ich hatte ihn vergessen. Als ich vorige Woche über den Ohlinger Friedhof ging, um nach Adolfs Grab zu suchen, begegnete ich einer alten Frau, die mir Auskunft gab.

»Adolf Sachs«, flüstert sie mit Stirnrunzeln und hebt den Zeigefinger an den Mund, »da kommen Sie ein paar Jahre zu spät. Das Grab ist ausgemacht.« Darüber schüttelt sie den Kopf, streckt beide Hände über den Kopf und ruft: »O gütiger Gott im Himmel, was damals vorgefallen ist, war schrecklich. Daran darf ich gar nicht denken. Der Adolf war ja ein braver Bub. Aber was nach dem Krieg aus ihm geworden ist, das kann Ihnen nur jemand erzählen, dem nicht das Blut in den Adern gefriert. O Gott, der arme Adolf Sachs! Es wär' besser für ihn gewesen, er wär' im Krieg geblieben!« Klaglos und bis zuletzt hat er den Vornamen des Unsäglichen und seinen Mongolenfleck getragen. Von seinen Knochen ist nicht einmal mehr eine Handvoll Staub übriggeblieben.

Armer Adolf Sachs! Nicht, daß er so früh gestorben und von ihm jetzt schon kein Stäubchen mehr übrig ist, erregt meine Trauer; nein, es ist der Gedanke an eine herzlose Schule, die den schwärmerisch Verzückten zuerst verführt, dann zerbrochen, schließlich um den Verstand gebracht hat. »Schön und gut«, sagt Heinrich Walden, Adolfs Schwager, »es liegt aber auch etwas im Blut dieser Familie Sachs, das wächst und macht sich im Kopf breit und verstopft am Ende die Nerven. Weiß der Teufel, was es ist, das diese Leute verrückt macht und sich von einer Generation zur anderen weitervererbt.« Heinrich Walden sitzt mir in Adolfs Elternhaus am Küchentisch gegenüber, seine Tochter hat Kuchen gebacken und Kaffee gekocht: Wir essen und trinken und schauen uns dabei in die Augen, einer des anderen Absichten zu ergründen. Auf der Anrichte steht ein gerahmtes Foto von Adolf in Marineuniform. »Das hat schon zu Lebzeiten von Adolfs Eltern dort gestanden, ein Fotograf aus Merzig hat es kurz vor Kriegsende gemacht und Naturalien dafür bekommen. Sehen Sie, die Haut von Adolf ist ganz zart, viel zarter, als sie in Wirklichkeit war. Der Fotograf hat auch die drei grauen Haare und den Leberfleck wegretuschiert.« Heinrich Walden fährt sich mit der Hand über die Stirn, als müsse er noch ein paar Schleier vor seinem Schädel wegziehen, dann zwinkert er mit den Augen, als sähe er endlich klar, räuspert sich und erzählt: »Die Eltern von Adolf waren arme Bauersleut', die hatten zwei Kühe und ein Pferd, ein bißchen Schlachtvieh im Stall, zwanzig Morgen eigenes Land und zehn Morgen gepachtet. Davon haben sie und die fünf Kinder gelebt. Keine Nebeneinkunft außer ein paar Lohnfuhren hie und da, aber keine Krankenkasse, keine Rentenversicherung. Nix von alldem. Jeder Pfennig wurde dreimal rumgedreht, bevor er ausgegeben wurde. Und da durfte niemand krank werden. Der Vater Sachs war froh, als der Hitler kam und ihm ein bißchen Kindergeld bewilligt hat.«

Später blättern wir in einem Fotoalbum, das Heinrich Walden aus dem Schrank geholt und vor mich auf den Tisch gelegt hat. »Gucken Sie alles von vorne bis hinten durch«, sagt er, schenkt sich noch Kaffee nach, läßt ihn aber stehen und kalt werden, schwenkt dann die Tasse in Ungedanken ein paarmal hin und her, stellt sie wieder auf den Tisch und sagt: »Sie werden hinter den Kinderbildern die Fotos von Adolf auf eurer

Nazischule sehen.« Am unteren Rand einer Postkarte des Idsteiner Schlosses steht von ihm, mit Kunstfeder geschrieben in Schwabacher Fraktur: »Unsere Residenz«. Das Klassenfoto zeigt ihn in der letzten Reihe unter dem Torbogen, ein zweites auf dem Schloßhof neben der Fahnenstange, ein drittes mit Sonnenbrille vor der Skihütte in Zöblen, ein viertes in Uniform mit Fanfare, ein fünftes als Bauer im Theaterstück *Ritter, Tod und Teufel.* »Das waren noch schöne Zeiten für Adolf«, merkt Heinrich Walden zu den Bildern an, »aber nach seiner Rückkehr aus der Gefangenschaft ging's rasch mit ihm bergab. Erst war's nur ein Ansturm, dann kam's immer schneller und knüppeldick. Nach drei Monaten hatte er den Verstand verloren, die Augen flackerten, die Lippen zuckten, und das ganze Haar war mit einemmal katzengrau. Kurz danach war er nicht mehr zu halten. Das fing damit an, daß er nachts aufstand und alles auffraß, was er im Haus zum Essen fand. Die Mutter sagte: ›Vor unserm Adolf muß man Messer und Gabeln verstecken.‹ Aber der hat kein Messer und keine Gabel zum Essen gebraucht. Wenn er nicht zweimal nach Homburg in die Klinik und dann endlich in die Anstalt nach Klingenmünster gebracht worden wär', hätt' er den Eltern und Geschwistern die Haare vom Kopf gefressen. Das war aber nicht der Hunger, den wir ja damals alle hatten, bei ihm waren's die Nerven, Adolf hatte gar kein Gefühl mehr dafür, wann er satt war.«

Heinrich Waldens Gesicht ist beim Erzählen fahl geworden und zusammengefallen, die Pein des Erinnerns hat ihm Gräben in die Wangen geschnitten. In einer unwillkürlichen Bewegung hebt er die Kaffeetasse an den Mund, doch der Kaffee ist kalt geworden, Heinrich Walden setzt die Tasse ab und schiebt sie ans andere Tischende. »Am liebsten würde ich mich nicht mehr an diese Zeit erinnern«, sagt er, »mir steht jetzt aber alles so klar und deutlich vor Augen, als ob ich's selbst erlebt hätte. Dabei weiß ich die ganze Geschichte nur vom Hörensagen. Aber wenn man so etwas über den eigenen Schwager im Dorf erzählt bekommt, vergißt man's sein Lebtag nicht mehr.« Es ist mucksmäuschenstill in der Küche, Heinrich Waldens Tochter, eine Frau von vierzig, steht regungslos im Türrahmen, die Hand vor dem Mund wie ein Kind, über das man ein Schweigegebot verhängt hat. Mit weitaufgerissenen Augen hört sie, was Heinrich Walden erzählt: »Zuletzt hat Adolf gar nicht mehr gewußt, was er macht. An einem Sonntag lief er durchs Dorf, hinten vom Friedhof bis vorne zur Kirche, wollte die Kirchgänger am Ärmel festhalten, damit sie stehenbleiben und anhören sollten, wie er seine nationalsozialistischen Reden schwang. Bis in die Kirche ist er den Leuten nachgegangen, hat den Vorhang vom Beichtstuhl heruntergerissen, die Monstranz aus dem Allerheiligsten geholt und vom Altar herab den Leuten in der Kirche vorgebetet, was er mit euch in der Idsteiner Schule gelernt hatte: ›Der Führer hat befohlen, es soll das deutsche Blut und die deutsche Ehre geschützt werden, denn eine ganze Welt hat sich zusammengerottet und ist über uns hergefallen. Jetzt schänden die Russen unsere Frauen im Osten, und im Westen sind mit den Amerikanern die Juden wieder nach Deutschland gekommen, um dort weiterzumachen, wo sie vor dreiunddreißig aufgehört haben.‹ All dieses Zeug hat er den Leuten gepredigt und am Ende ausgerufen: ›Ihr Gläubigen, seid zuversichtlich, ihr Ungläubigen, fangt an zu zittern: Der Führer lebt!‹«

Ich dachte mir, der damalige Küster von Ohlingen müßte sich erinnern. Ich fragte ihn ein paar Tage später, doch er schwieg sich lieber aus – bis auf drei kärgliche Sätze, die ihm schwer über die Lippen gingen. »Adolf kam in die Kirche und hat die Kerzenständer übereinandergelegt«, berichtete er mir, »das war alles. Er hat ein bißchen Durcheinander gemacht, keinen groben Unfug getrieben, nix aufgebrochen, nix mitgenommen. Mehr will ich nicht darüber sagen.« Der Küster war nicht gesprächig wie Heinrich Walden, dem kein Wort zuviel und keins zu schade gewesen. »Mir kann man erzählen, was man will«, sagte er, »wenn es auch mit den Nerven bei ihm nicht mehr gestimmt hat, entscheidend für seine Krankheit war, daß die richtige Ernährung gefehlt hat. Und was dazukommt: Damals hatten sie noch nicht die Spritzen und Tabletten, die sie heut' haben gegen diese Krankheit. Genauso wie ihm erging es Adolfs Schwester Therese, die hatte die Basedow-Krankheit. Aber zu der Zeit gab es noch nix für die Schilddrüsen, so wurde ihr Hals immer dicker und dicker, und als ihr der Kropf fast auf der Schulter hing, verzweifelte sie an sich selbst, sprang im Krankenhaus aus dem dritten Stock und brach sich das Genick.« Heinrich Walden atmet schwer, er schluckt ein paarmal und fährt fort: »Solange es keine Medizin dagegen gab, stand man vor dieser Krankheit wie der Ochs vorm Berg. Da fängt nämlich von heute auf morgen im Hals ein winzig kleiner Keim zu wachsen an und ist nicht mehr aufzuhalten. Die Fäden gehen nach unten ins Herz und nach oben in den Kopf. Das ist bei Adolf so gewesen wie später bei meiner Frau, die ja seine Schwester war« – und ich stelle mir vor, wie dieses gräßliche Gewächs unter Adolfs Schädeldecke Knospen schlägt und Sprossen bildet, die sich verzweigen, durch den Hals immer mehr frische Schößlinge zum Herzen treiben, bis die Gefäße platzen und das Geflecht nach außen dringt. Man male sich das aus: Über Nacht zerfallen die Wörter im Mund, nur noch zerstückelte Sätze kommen zwischen den Zähnen hervor und verlassen den Mund als unverständlicher Silbenbrei. »Das kann gut und gerne alles stimmen, was Ihnen der Heinrich Walden erzählt hat«, bestätigt mir anderentags Adolfs Bruder Edmund, »mit der fehlenden Nahrung und den fehlenden Tabletten hat er vielleicht auch recht, es kommt allerdings noch etwas Entscheidendes hinzu, was bei Adolf zuerst diesen Zusammenbruch und dann die schlimme Krankheit verursacht hat. Das ist sein ganz besonderes Erlebnis der deutschen Katastrophe. Es ist die von ihm und sonst niemand in dieser Stärke und mit dieser Wirkung erlittene Enttäuschung, seinen über alles geliebten Führer zu verlieren. Unser Adolf hat es nicht verkraften können, daß wir den Krieg verloren haben. Der verlorene Krieg war sein Untergang, wie es bei unserer Schwester Therese eine schlimme Familiengeschichte war. Das waren einschneidende Ereignisse für die beiden. Wären diese nicht eingetreten, könnte beide noch am Leben sein.«

Als Adolf Sachs nicht mehr zu halten war, die Ausbrüche immer rascher aufeinanderfolgten und an Gewalt zunahmen, brachte ihn sein Bruder Edmund mit dem Zug nach Klingenmünster in die Nervenheilanstalt. Auf freier Strecke hinter Saarlouis öffnete Adolf die Zugtür und stieg auf das Dach des Waggons, bei einem Aufenthalt in Saarbrücken floh er aus dem Bahnhof, wurde mit Hunden gehetzt, wieder eingefangen und mit gebundenen Händen ins Abteil zurückgebracht. Was in Klingenmünster geschah, das könne niemand wissen, erzählt Edmund Sachs, welche Behandlungsmethoden man dort angewandt habe, bleibe für alle Zeiten ein Geheimnis der Ärzte und Pfleger. Ob Gummizelle, ob Zwangsjacke, kein einziges Wort sei je zu ihnen nach Ohlingen gedrungen. Adolf starb zwei Jahre nach Kriegsende, im Vorfrühling 1947, er war zwanzig Jahre alt. Edmund holte die Leiche ab und brachte sie im Sarg nach Ohlingen. Als er in die Küche getragen wurde, standen Mutter und Vater angewurzelt neben dem Herd. Beim Öffnen des Leichenhemds entdeckte der Vater eine breite Schnittwunde am Hals. »Von hier bis da«, sagt Edmund und führt seine Hand vom Schulterblatt bis zur Mitte der Brust, »die Wunde war frisch, keine Nähte, keine Narben. Seine Haare waren nicht insgesamt katzengrau, wie immer behauptet wird. Nur ein Haarbüschel war ergraut und hing ihm in die Stirn.«

Ich sitze bei Edmund Sachs und seiner Frau am Küchentisch, Edmund ist schon über siebzig, ein großgewachsener, schwerer Mann, in dessen Gesichtszügen ich Adolfs Nase, Stirn und Mund wiedererkenne. »Die Brüder haben sich alle geglichen«, sagt Edmunds Frau, »alle vier. Nur bei Adolf waren die Augen ganz dunkel, kohlrabenschwarz. An seinen Augen hat man gesehen, daß etwas Schlimmes in ihm vorgeht. Ihm hätt' nur ein Mädchen aus dem Dorf noch helfen können. Mit der hat er im Sommer fünfundvierzig poussiert, und glauben Sie mir: Mit der wär's gutgegangen, die hätte die Kraft aufgebracht, ihn umzustimmen. Aber der Vater hat's nicht gewollt, der war ein harter Mann, und Adolf mußte es büßen. Aber auch er war ja ein starrköpfiger Sachs, wie alle Männer in der Familie. Die fressen den Kummer in sich hinein, und wenn das Maß voll ist und es aus ihnen herausplatzt, dann passiert immer ein Unglück.«

Wenn es, wie die Typenlehre behauptet, den gläubigen Menschen als Urmuster gibt, war Adolf Sachs ein gläubiger Mensch. Bei Kriegsende hat er sich nicht ins Gras gelegt wie ich und den lieben Gott einen guten Mann sein lassen. Er hat um seinen verratenen Glauben gerungen und dabei den Verstand verloren. Von Anfang an hat er das Gegeneinandertoben widerstrebender Glaubenssätze nicht ausgehalten: Ein gläubiger Katholik war zum gläubigen Nationalsozialisten geworden und trotzdem Katholik geblieben. Oder war beides ein unseliger Aberglaube? Wie heilsam wär's für ihn gewesen, hätte er sich ins Gras geworfen und alle viere in die Luft gestreckt! Wie nützlich, wär' er so rasch wie möglich auf die Beine gekommen, um seinen Garten zu bestellen, was ja der kluge Voltaire allen Abergläubischen empfiehlt: »Laßt uns arbeiten, ohne zu räsonieren, das ist das einzige Mittel, das Leben erträglich zu machen.«

Doch Adolf blieb verführt bis zuletzt, der Katholik hatte sich dem heiligen Reich und seinem Führer ergeben mit Herz und mit Hand, wie wir in sonntäglichen Feierstunden gesungen hatten. Aber dabei konnte er nicht bleiben. Er war krank: Ihm fehlte das Talent, zu vergessen; er hatte keine Begabung für den spielerischen Umgang mit Ideen. Die Maxime, daß der Wechsel allein das Beständige sei, hätte er für liederlich gehalten, im Gegensatz zu uns Schlitzohren, die sich schon ein Jahr nach Kriegsende in die Lektüre der Klassiker aus dem Offenburger Lehrmittelverlag stürzten und im Nu die neuen Wörter lernten. Ich las Lessings *Nathan der Weise* und übte mich im Rollenspiel der Toleranz, Jean Pauls *Friedenspredigt an Deutschland* und erfrischte mich im Wirbelwind politischer Moral, Rousseaus *Träumereien eines einsamen Spaziergängers* und sonnte mich im Immergrün der Gefühle. Erst die Plädoyers der Tugendlehrer, danach die Hohngesänge der rauhen und der sanften Spötter, Lichtenberg und Heinrich Heine. Als ich in Großvaters Dachstube zum erstenmal ein Buch von Oscar Wilde in der Hand hatte, fiel mir ein Zwiegespräch ins Auge, das mich auf Anhieb elektrisierte. Dieser Dandy, dieser fintenreiche Poseur, dem nichts heilig, nichts ein für alle Male gültig ist. »In der Ferne höre ich die mächtige Woge der Demokratie!« ruft der Zarewitsch aus, und Fürst Paul entgegnet: »Und in dem Fall müssen Sie und ich wohl schwimmen lernen.« Adolf Sachs hatte nicht gelernt, mit den Beinen zu strampeln, sich über Wasser zu halten: Während wir anderen auf jeder Welle obenauf schwammen und die neuen Sprüche ausspuckten, versank er im Dunkel und erstickte an den alten.

IV

Hose mit langen Beinen

Bei Kriegsende, ich war achtzehn und mein Bruder sechzehn, besaßen wir keine eigenen Hosen mit langen Beinen. Immer noch trugen wir die strapazierfähigen Hitlerjugendhosen, im Sommer die kurzen schwarzen und im Winter die langen dunkelblauen mit dem Überschlag. Doch Hosen mit langen Beinen und einem Umschlag gab's keine im ganzen Haus: Vaters Ausgehhose war durchgewetzt, und seinen schwarzen Anzug samt Hose und Jacke hatte Herr Mehlwurm aus Püttlingen requiriert. Als wir im Sommer 1946 mit der Straßenbahn nach Saarbrücken fahren und uns in der Tanzschule anmelden wollten, stellte sich Mutter uns in den Weg, reckte die Arme hilfesuchend zur Küchendecke empor und rief mit einer Stimme, in der ein gerüttelt Maß Verzweiflung mitschwang: »Woher eine lange Hose nehmen? Mit kurzer Buxe geht ihr mir nicht in die Tanzschule, und mit der häßlichen Überfallhose erst recht nicht. Was würden denn die Leute denken?« Wir haderten mit Mutter, appellierten an ihre Vernunft, beschworen sie inständig, für Abhilfe zu sorgen, denn ohne lange Hose war unser Eintritt in die Nachkriegsgesellschaft nicht denkbar.

Die einzige Hose mit langen Beinen hing im alten Kleiderschrank. Sie hatte Großvater gehört, doch keiner von uns konnte sie tragen, auch Vater nicht, der immerhin ein Paar Knickerbocker zum Auswechseln besaß: Die Beine von Großvaters Hose waren zu lang für uns und der Bund zu hoch und zu weit. Es war eine prächtige Hose, genoppt und braunmeliert mit einem Stich ins Rötliche, hatte Röhrenbeine und einen breiten Umschlag, doch was ihr über alle Form- und Farbenschönheit hinaus einen Wert beimaß, der ihren gesellschaftlichen Nutzen als Tanzhose vollkommen machte: Es war eine Zivilhose. Wer sie trug, war kein Uniformierter mehr, weder Soldat noch Parteigenosse, noch Angehöriger einer Formation, er war Zivilist, ein unabhängiger Mensch, frei vom Zwang, den Daumen hinter die Gürtelschnalle oder den Mittelfinger an die Seitennaht zu legen. Und was noch hinzukam: Eine Hose mit langen Beinen macht erwachsen. Als wir kurze Zeit später Heinz Dieckmann kennenlernten, einen quirligen, langhaarigen Endzwanziger, der statt einer schnittigen und in Falten gebügelten Kammgarnhose eine zerknautschte Manchesterhose trug, wurde uns die herausfordernde Wirkung einer solchen Zivilhose vollends bewußt: Sie macht ja nicht nur frei und erwachsen, sondern kehrt den selbstbewußten Außenseiter als Bürgerschreck hervor. Heinz Dieckmann arbeitete bei Radio Saarbrücken, schrieb Romane, Literaturgeschichten und feinsinnige Artikel für *Die Neue Saar,* eine Zeitung des franzosenfreundlichen Mouvement pour le Rattachement de la Sarre à la France. Auch wenn die Leute im Dorf hinter seinem Rücken rätschten und von Heinz Dieckmann behaupteten, er schlafe nachts in den Bohnen, was man ja unschwer aus den ungekämmten Haaren und der verkrumpelten Hose schließen könne, hielten wir zu ihm.

Hätte sie eine passable Größe gehabt, wäre gegen Großvaters braunrote Ausgehhose nichts einzuwenden gewesen. Mutters Kusine Gertrud saß in ihrem Nähstübchen und grübelte darüber nach, mit welchen Mitteln der Schneiderkunst diese Großvaterhose in eine für Hermann und mich tragbare Tanzhose verwandelt werden könne – das Abschneiden der Hosenbeine allein konnte keine befriedigende Lösung sein: Denn auch der Leib war zu hoch und reichte uns bis zu den Brustwarzen. Gertrud aber, durchdrungen vom Ethos der niederen Couture unserer Arbeiterklasse und unermüdlich damit

beschäftigt, durch erfindungsreiche Änderungen ganze Klei-
der- und Wäschestücke den Erfordernissen der wandelbaren
Zeiterscheinungen und Taillenweiten anzugleichen, geriet bei
der Überlegung, Großvaters Hose unserer Figur anzupassen,
in eine mißliche Lage. Sie überwand sie in einem bahnbrechen-
den Kompromiß, verengte oben den Bund der Hose und gab
der Jacke einen der künftigen Mode vorauseilenden Schnitt,
indem sie mit einem zusätzlichen Knopf das Revers so weit erhöhte, daß der hochreichende Hosenbund unter geschlossener
Jacke verborgen blieb. Diese Hose besaßen wir gemeinsam,
trugen sie abwechselnd in der Tanzschule, Hermann donnerstags, ich montags. In der brüllenden Sommerhitze des Jahres
1946 widerstanden wir allen Anfechtungen des Leibs, uns bei
aufgeknöpfter Jacke Erleichterung zu verschaffen. Über der
kuriosen Hose hielten wir die Jacke stets geschlossen. Der
Tanzlehrer, Herr Bootz, mochte uns nicht zu Unrecht für gut
erzogene, in allen Lebenslagen die Contenance wahrende
Gentilhommes gehalten haben, Fräulein Bootz, seine ihm assi-
stierende Tochter, fand jedenfalls Geschmack an unseren ta-
dellosen Umgangsformen, die sie etwas in Legere abzumildern
gedachte, denn sowohl Hermann an einem Donnerstag, als
auch mir am darauffolgenden Montag gestattete sie mit haar-
scharf gezielten Worten, unsere Jacke der Kühlung wegen auf-
zuknöpfen und die Schöße im leichten Abendwind wehen zu
lassen. Wir tanzten bei geöffnetem Fenster, doch den lauen
Windstößen gaben wir keine Chance, unsere Körper mit küh-
lendem Hauch zu berühren. In unbändiger Schadenfreude
würden sich die jungen Burschen und Mädchen halbtot gelacht
haben, hätten sie den grotesken Schnitt der Hose und ihren
lächerlichen Sitz an unserem Körper zu Gesicht bekommen.
Was hätte Herr Bootz gedacht? Und worüber hätte sich Fräulein Bootz ihren Kopf zerbrechen müssen, bevor sie uns beiden
künftig die Annehmlichkeit einer ungezwungenen Lebensart
empfahl?

Herr Bootz und seine Tochter führten uns die Tänze vor,
deren Schritte und Kombinationen wir in einzelnen Übungs-

teilen ausprobieren mußten. Es gab Schritte, deren Ausführung wir aus dem Fußgelenk schüttelten, andere mußten wir durchexerzieren wie Strafübungen auf dem Kasernenhof: Beim Galopp sprangen wir wie die Füllen, beim Wechselschritt zackerten einige wie die Ackergäule. Herr Bootz und seine Tochter demonstrierten das Lehrprogramm mit Umsicht und Erfahrung. Er hielt sie, wie ein Vater seine Tochter hält, sittsam auf Distanz, berührte beim Walzer nur andeutungsweise ihre Schulter, doch beim Foxtrott kam es vor, daß er in einem Anflug von Keckheit ihre Hüfte streifte. Dann wechselten sie ihre Partner, Herr Bootz befaßte sich mit den Tanzschülerinnen, Fräulein Bootz nahm sich reihum die Schüler vor. Schlank und von einer gewissen Kühle des Wesens, war sie für uns etwas zu groß. Infolgedessen variierten wir die einstudierten Tanzhaltungen und erlaubten uns Übergriffe in für uns mühelos erreichbare Körperregionen, die eigentlich mit einem Tabu belegt sind. Wenn man bedenkt, welch schlimme Folgen die Verletzung eines Tabus haben kann! Doch trotz der Warnung, daß jeder nähere Kontakt mit tabuisierten Körperteilen gefährlich wäre, wagten wir uns fast bis an die äußerste Grenze vor. Nichts fällt einem in den Schoß! Das richtige Hopsen, das korrekte Schieben, das vorgeschriebene Drehen und Wenden, Dreivierteltakt und Wechselschritt: Das alles mußte am lebenden Objekt geübt werden! Und dabei geht's nicht gerade zimperlich zu! Wenn's um den Walzer ging, war uns kein Schinden zuviel! Fräulein Bootz war zur Stelle im rechten Moment: Sie beherrschte die Schritte und setzte im wechselnden Rhythmus den Rechten und Linken geschickt aufs Parkett, mit dem Schwirren der Geigen im Gleichmaß, und wiegte sich schwungvoll nach hier und nach dort, strapazierte den Fuß erst links einwärts, dann rechts, und mit plötzlichem Drehschritt ergab sich daraus eine neue Figur.

So lernten wir Walzer und Schieber, Slowfox und English-Waltz. Die Burschen ahmten Herrn Bootz nach, weil es im Tanzen um Eleganz und Führungskraft geht, und die Mädchen seine Tochter, weil andererseits Charme und Anpassungsfähigkeit geboten sind: Die Rollen waren verteilt, die Plätze eingenommen, wir gehorchten aufs Wort, waren pflichteifrig und lernwillig, konnten am Ende sogar Rumba, Samba und Tango auseinanderhalten. Donnerwetter, was ist der Tango ein hinreißender Tanz! Wer je David Niven mit Angela Lansbury in Agatha Christies *Tod auf dem Nil* den Tango hat tanzen sehen, erahnt etwas vom Schmelz verzögerter Allabreve-Takte und vom Kitzel abrupter Synkopen. Peter Ustinov alias Hercule Poirot steht auf der Treppe, ihm schwant das bevorstehende Unheil, oft schon mit argentinischen Tangos beschworen, er faßt sich an sein Schnurrbärtchen und sagt: »Quel tragédie!« Dieses einzigartige Bauschen von Angela Lansburys Rocksaum, diese unnachahmliche Drehung von David Nivens Lackschuh: Die Ausführung der komplizierten Bein- und Fußbewegungen, die solche Augenwonne hervorrufen, blieb uns leider versagt. Zum Glück gibt es den deutschen Wechselschritt, dessen Grundform wir beim Marschieren in der Hitlerjugend gelernt hatten! Bei falschem Tritt einen synkopischen Halbschritt einlegend, um sogleich wieder in Gleichschritt zu kommen, übertrugen wir diese Kunstform des Wechselschritts künftig auf alle Tänze, die wir lernten.

Ich weiß nicht mehr, ob auf Bezugsscheine oder durch Tausch: Pünktlich zu Beginn der ersten öffentlichen Tanzsaison besaßen wir zwei Hosen mit langen Beinen, Hermann eine hellbeige mit feinen Streifen, ich die braunmelierte mit Pfeffer-und-Salz-Noppen. Samstags abends, frisch herausgeputzt und stets brüderlich vereint, stürmten wir die Tanzveranstaltung in der Sulzbacher Festhalle. Mutter, die darauf achtgab, daß wir die Haare gewaschen und die Zähne geputzt hatten, steckte uns ein Trinkgeld in die Tasche. Wir zahlten an der Kasse und empfingen statt Eintrittskarte einen Stempel aufs Handgelenk – und vom tosenden Geräusch der Blasmusik begrüßt, stürzten wir uns ins Hand- und Fußgemenge. Hatten wir auch im Geschichtsunterricht nicht an die ansteckenden Krämpfe und Zittergebärden der Geißlerumzüge, an Springekstasen und

Tanzepidemien in Zeiten bedrückender Seuchen- und Hungerperioden und nach Naturkatastrophen und verlorenen Kriegen glauben wollen, jetzt ergriff uns selbst eine ähnliche Massenerregung, und im Rausch der Klänge walzten und wirbelten wir in immer wechselnden Paaren auf dem frisch gewichsten Eichenparkett. Das Orchester dröhnte, von Jakob Preißer mit dem Taktstock angespornt. Er fuchtelte den Geigern vor den Augen, den Trompetern vor der Nase herum: Je stärker das Geschwirre, je härter das Geschmetter, um so lautloser und gespenstischer unser Tanz. Erst wenn das Orchester plötzlich in ein unerwartetes Piano verfiel, die Geigen nur noch wimmerten, die Flöten wisperten, die Bässe brummten, schwoll das Scharren der Schuhe zu einem gefährlichen Brausen an: Es klang, als rausche ein Stock schwärmender Bienen, dem der Hochzeitsmarsch geblasen wird.

Beim ersten Kostümball nach dem Krieg trat Hermann Rink als Graf von Monte Christo aufs Parkett. Kurz zuvor war der Film mit Jean Marais im Kino gelaufen; einige hatten sogar den Roman gelesen und schwärmten großspurig von der Heldengestalt aus der Abenteuerwelt, doch nun, angesichts eines gleichaltrigen jungen Manns aus dem Dorf, der mit den Augen blitzen konnte wie Jean Marais und einen gleichen schwarzgelben Kapuzenanzug trug, blieb uns die Spucke weg. Und erst, wie Hermann Rink tanzte! Welche Eleganz! Welches Selbstbewußtsein! Er schlang den Arm um die Hüfte seiner Freundin Hildegard, schob sein Kinn vor und zuckte damit wie der echte Graf – und tanzte Tango, wie der echte Graf es nicht vermochte! Der hätte sogar den Vergleich mit dem Tango von David Niven und Angela Lansbury auf der Nilbarke ausgehalten! Diese raumgreifenden Schritte, wenn die Musik einen Akzent setzt und er in der Sekunde vor der Synkope, zur überraschenden Drehung des Körpers entschlossen, sich auf dem Absatz umdreht und die Partnerin an sich reißt, daß der Tüll ihres Tanzkleids aufrauscht, als kratze der Mann am Schlagzeug einmal zu laut mit dem Stahlbesen über das Trommelfell. Wenn ich daran zurückdenke, Hermann Rink im Kostüm des Grafen von Monte Christo, Tango tanzend, aller Augen auf sich ziehend und in jedem Augenblick Herr der Lage, staune ich heute noch über so viel jungenhafte Unbefangenheit – obwohl wir schon achtzehn und keine Kinder mehr waren: Hermann Rink trat auf, als sei er der leibhaftige Graf von Monte Christo, und wir waren bereit, ihn dafür zu halten. Es schepperte und krachte, Mitternacht ging vorüber, es näherte sich die Polizeistunde mit jedem neuen Tanz, bis endlich das Stück *Salome* erklang und der Klarinettist sich nicht satt blasen konnte an den markanten Tonsilben der Melodie und mit tropfenden Läufen das blutende Haupt Johannes des Täufers auf der Silberschale beschwor. Dann hielten wir für ein paar Herzschläge mit dem Tanzen ein und schauten auf die Bühne, ob nicht Marianne Fey aus dem Oberdorf, die als Sängerin unter dem Namen Janine auftrat, einmal nur ihre dunklen Tremolos unterbreche und die Hüllen fallen ließe wie die Tochter der Herodias. Das Orchester überbrückte die schwülen Augenblicke mit sehnlich erwarteten Melodien, spielte *Steig doch ein, Violetta* und *Guter Mond, du gehst so stille,* damit wir stets wissen sollten, was die Stunde geschlagen hatte. Der Rausschmeißer war *Rosamunde.* Preißer Jakob hob den Taktstock und befeuerte die Trompeter, ihr Letztes zu geben, trieb die Geiger zu bewundernswürdiger Fingerfertigkeit und die Klarinettenspieler zu atemberaubendem Luftverbrauch, denn immer schneller ging es nun, immer hektischer flog der Taktstock, immer unbeherrschter das Bein des Tänzers. *Rosamunde* wurde zum wilden Hopser. Das Lämmerhüpfen ging in Schweinsgalopp über, dann sprangen wir drauflos wie die Gäule, denen der Fuhrmann Leine läßt – und Jakob Preißer war ein alter Fuhrmann.

Dabei tanzten wir wie der Lumpen am Stecken. Bei allem Können und aller pädagogischen Geduld war es Fräulein Bootz nicht gelungen, die Kunstfertigkeit ihres Vaters, des Tanzlehrers, auf uns hüftlahme Burschen vom Dorf zu übertragen. Wenn ein Walzer erklang, walzten wir wie die Wagenräder, wenn ein Schieber an der Reihe war, schoben wir wie die Pleuelstangen. Wer samstags abends an der Sulzbacher Turnhalle vorbeiging und hinhörte, erkannte am Geräusch, das unsere Kreppsohlen auf dem Fußboden verursachten, ob wir einen Walzer oder einen Schieber tanzten. Es scherbelte und quietschte auf dem Parkett, als wollten wir einen nicht endenden Güterzug nachahmen. Schon als wir über Mitte Zwanzig waren, galten wir als die Ausläufer der kleinbürgerlichen Tanzkultur. Wenn wir auf Kreppsohlen und in Ringelsocken auftraten, lachten uns die Jungen aus, und die Alten schüttelten verständnislos die Köpfe. Walzer mit Kreppschuhen und Ringelsocken, damit verstießen wir gegen Stil und Etikette der Alten, für die Jungen aber blieben wir in lächerlichen Ansätzen stecken, uns dem Althergebrachten zu widersetzen. Ihnen mißfiel unser zwiespältiges Anbiedern an das Neumodische, und schon bald fühlten wir uns nicht mehr wohl in unsrer Haut.

Das änderte sich mit einem Schlag, leider nicht zu unserem Besten. Bevor wir uns besinnen und etwas Wirksames gegen unser halbherziges Tanzgebaren unternehmen konnten, drang zu uns die Kunde von einem übermütigen akrobatischen Tanz der amerikanischen Jugend. Im Radio war diese ekstatische Tanzmusik zu hören, in illustrierten Zeitungen konnte man Fotos mit nie zuvor gesehenen Gliederverrenkungen und Körperverschlingungen bestaunen. Rock 'n' Roll heiße dieser Tanz, er sei ein auf sich selbst bezogenes und doch für andere herausforderndes Wiegen und Rollen, ein ungestümes fröhliches Aufbegehren gegen die harmlosen Hopser und Schieber der verklemmten Erwachsenenwelt.

In Memphis, Tennessee, sei ein Sänger namens Elvis Presley mit schluchzender Stimme und aufreizenden Posen aufgetreten, in Jacksonville, Florida, hätten Mädchen die Bühne gestürmt und ihm die Kleider vom Leib gerissen.

Während wir für *Verdammt in alle Ewigkeit* und *Rififi* anstanden, Burt Lancaster und Deborah Kerr sich liebestoll in den Wellen des Ozeans wälzen sahen und Jean Servais' melancholische Kälte bewunderten, mit der er einen Tresor knackt, stürmten die Jungen die Kinokasse, um Rock 'n' Roll zu sehen und zu hören. Bill Haleys *Rock Around the Clock* lief im Union-Theater, die Saarbrücker Jugendlichen waren, wie es der deutsche Filmtitel suggeriert, außer Rand und Band.

»Bei seiner Premiere für die Bundesrepublik spielte ich im ›Tabou‹ in Nürnberg«, erzählt mir der Pianist Fritz Maldener, ein Schüler aus meiner Hospitationszeit in der Altenwalder Schule. »Da ging's unheimlich ab«, erinnert er sich, »Junge, Junge, war das eine Zeit! Auf allen Parkplätzen wurde getanzt, in den Hinterhöfen übten die jungen Leute die neuen Figuren, und beim Anstehen vor den Kinos, wenn einer sein Transistorgerät eingeschaltet hatte, zogen die Pärchen ihre Schuhe aus und tanzten mit nackten Füßen.« Noch heute treibt die unverwüstliche Begeisterung von ehdem seine Stimme an, rascher und höher spricht er, das alte Wiegen und Rollen schwingt mit und stachelt ihn zu neuen Geständnissen an: »Damals ging's schon los mit Shit und Alkohol bei uns Halbstarken, aber das wußten die Außenstehenden nicht. Da wurde alles gesoffen, was kratzt, von Kölnisch Wasser bis zu Maggi. Tanzen macht Durst, und Rock 'n' Roll ist eine schweißtreibende Angelegenheit. Im Sommer hat's in den Tanzbuden gestunken wie die Pest. Wir saßen oben auf der Bühne und jazzten, da kam eine Wolke hoch, die war nur noch niederzuhalten mit Körperspray aus der Dose. Einige kamen mit Riesenspraydosen, die zogen sie aus der Jackentasche und verspritzten ihren Mist im ganzen Saal, und es roch wie auf dem Pissoir. Im Gesellschaftshaus in St. Arnual rockten die Frankophilen, in Burbach und Völklingen fanden Wettbewerbe und Ausscheidungen statt. Ein Paar aus Hühnerfeld beherrschte den Hüftwurf aus dem Effeff, und zwei Halbwüchsige aus Heiligenwald tanzten die Käskehre, als hätten sie in der Schule nix anderes gelernt. Aufsitzer und Rückfaller, Italiener und Landshuter, Herrenwurf und Rückenwurf und wie sie alle hießen standen auf dem Programm. Es galt die Devise: Höher, weiter, lauter und so lange wie möglich.«

Fritz Maldener entsinnt sich genau. Die Anstrengung des Erinnerns hat ihn nicht erschöpft. Er kramt tief in seinem Gedächtnis nach, findet hie eine Geschichte, dort eine Episode, in denen die handelnden Personen noch so lebendig sind, wie sie damals waren. »Ich erinnere mich an den Winter 54 auf 55: Im November rebellierte die Nationale Befreiungsfront unter Ben Bella in Algerien, Attentate, Massaker, Sabotageakte waren an der Tagesordnung. Die Zeitungen waren voll davon; wenn wir samstags über die Grenze nach Forbach fuhren, sahen wir die Greuelmeldungen in Großbuchstaben auf den französischen Boulevardblättern. Aber das kümmerte die Leute nicht, im Café Dolisy saßen die jungen Ingenieure aus Merlebach und poussierten mit den grünen Witwen, und obendrüber im Dancing *Calypso* wirbelten die Halbstarken ihre Mädchen durch die Luft. Aber nur die wenigsten waren ganz bei der Sache. Es ist wie mit allem, worauf's ankommt im Leben: Auch der Rock kommt aus dem Kopf!«

Mein Freund Eugen Helmlé, der zu dieser Zeit in Paris lebte, kam hin und wieder nach Hause und schaute sich unsere Misere an. Er trug einen hellgrauen Zweireiher mit aufwärts weisender optimistischer Reversspitze, hatte eine Hand lässig in der Hosentasche vergraben und sah mit Kennerblick, daß wir noch nicht einmal imstande waren, uns im Chassé zu bewegen, geschweige einen Kickschritt zu tun oder gar den Double Time hinzulegen. Aus der Jackentasche zog er ein Päckchen französischer Zigaretten, bot jedem von uns eine an, steckte sich selbst eine zwischen die Lippen und nahm Feuer bei einem von uns. »Rock 'n' Roll«, sagte er und strich genußvoll über sein rötliches Schnurrbärtchen, »in Paris tanzt man zur Zeit den Pariser oder Napoleon, dabei springt die Dame vom Boden ab und hebt gleichzeitig die gestreckten Beine; der Herr, in Grätschstellung, umfaßt die Dame mit der rechten Hand an der Hüfte, während die linke sie am Oberschenkel emporhebt, diese ihrerseits schwingt ihre Beine um die rechte Seite des Herrn und kommt mit eingewinkelten Knien auf den Rücken des Herrn zu liegen. Darauf erfolgt ein akrobatischer Gürtelwurf, dessen Beschreibung würde aber zu lange aufhalten, wäre aber jedenfalls nicht von schlechten Eltern. Ihr lieben

Freunde, davon macht ihr euch mit euren Walzern und Schiebern keine Vorstellung. Das geht wie der geölte Blitz, kaum hast du hingeschaut, ist so eine Geschichte abgewickelt.« Er würde uns ja gern mal einen zünftigen Rock'n'Roll vorführen, fachmännisch und kunstgerecht, wie es sich gehöre, immerhin habe er ja schon in den Vierzigern den Jitterbug beherrscht. »Doch wo soll ich bei euch hier eine Partnerin hernehmen, die der Sache gewachsen ist?«

Tanzten wir so verrückt, weil wir jung waren und uns einfach austoben wollten? Oder haben wir hinter der Tanzwut unsere Schuldgefühle verborgen? Manchmal habe ich den Eindruck, als hätten wir das Vergnügen gesucht, uns das lästige Erinnern zu ersparen. Ich weiß es nicht. Womöglich kann man unser zwiespältiges Verhalten gar nicht erklären. Warum suchten wir das Tanzvergnügen mit Lust und verachteten es zugleich aus höchstem Widerwillen? Woher kam es, daß wir heute altbacken waren und morgen modernistisch? Samstags schlich ich in die Turnhalle, ließ mich abstempeln wie ein Stück Schlachtvieh und legte mit meinesgleichen eine kesse Sohle aufs Parkett. Sonntags wusch ich die Stempelfarbe ab, setzte mich an den Plattenspieler und lauschte Dizzy Gillespie, auf dessen Musik kein Tanzen mehr möglich war.

Schließlich trieben wir's mit allem so, was uns im Leben als Pflichtübung in die Quere und als Kür zupaß kam. Das ging so weit, daß wir unsere deutschnationalen Väter attackierten und trotzdem verteidigten, sie ihrer militaristischen Neigungen wegen haßten und sie dennoch liebten. Später war ich so kapriziös und verweigerte beim Amtseid auf den Staat die Anrufung des Allmächtigen, war so barbarisch und schrieb nach Auschwitz wieder Gedichte.

Die armen Väter! Was sollten sie tun nach der gescheiterten Welteroberung? Mit *Hurra* und *Siegheil* hatten sie zweimal zu den Waffen gegriffen, die neidischen Feinde des Reichs zu bestrafen, waren für den Kaiser in die Grabenkämpfe vor Verdun und für den Führer in die Kesselschlachten von Wjasma und Stalingrad gezogen. Am Ende lagen sie tot in Schlamm und

Dreck oder saßen gefangen zwischen Wachtürmen und Stacheldrahtzäunen. Nach dem ersten Kriegsverbrecherprozeß wollte ich meinen Vater in ein Gespräch über die Verbrechen des Nazistaats verwickeln und fragte ihn nach seiner eigenen Schuld. Er hatte keine Lust, mit mir darüber zu sprechen, schaute mich an, schüttelte den Kopf und kehrte mir jäh den Rücken. Nach einer Weile drehte er sich um, zuckte mit den Mundwinkeln und sagte leise, mit klangloser, doch beherrschter Stimme: »Im Krieg hab' ich getan, was mir befohlen wurde, im Frieden, was ich selbst für richtig gehalten habe. Das kann doch nicht falsch gewesen sein. Daß am Ende alles in die Brüche ging, war nicht meine Schuld. Aber ihr Jungen wißt es auf einmal besser. Kaum habt ihr ein Paar Hosen mit langen Beinen an, bildet ihr euch ein, mit uns Alten ins Gericht gehen zu dürfen. Wir merkten ja nicht einmal, wie uns geschah. Eben ging der erste Krieg zu Ende, war auch schon der Hitler da und hat uns im Nu in einen neuen Krieg hineingezogen. Meinst du, ich hätte einen Krieg gewollt? Ihr führt euch auf, als wäre euch das alles nicht passiert. Aber hinterher hat man immer gut reden. Paßt nur auf, daß ihr nicht eines Tages in einen gleichen Schlamassel hineinschlittert.«

Mehr sagte er nicht. Aus dem wenigen war aber herauszuhören, daß nicht die Lustlosigkeit ihn davon abhielt, mit mir über Krieg und Schuld, Konzentrationslager und Scham zu sprechen. Er wußte sich nicht zu helfen, fand keinen Gesichtspunkt, seine Denkweise zu begründen, kein Argument, sich zu rechtfertigen, keinen Beleg, sich zu entlasten. »Es gibt Situationen im Leben, da muß man mit den Wölfen heulen«, fügte er hinzu, »sonst fällt man ihnen als Fraß vor die Füße.« So stand ich vor einem Mann, der schon mit neunzehn, im gleichen Alter wie ich bei dieser Auseinandersetzung, das Sprechen vergessen, die Sprache verloren, kein einziges Wort zur Verfügung hatte, seine Lage zu beschreiben. Das Grauen des Kriegs, Stoßtrupps mit Gasangriffen und Bajonettgemetzel saßen so tief in ihm fest, daß er sein Leben lang nicht imstande war, sie in sein Bewußtsein emporzuheben. Wie sollte er sich fragen, ob er nicht selbst schuld hätte an dieser Not? Nie aber wären ihm die Wörter *Schuld* oder *Scham* über die Lippen gekommen, sie waren viel zu groß für ihn, es genierte ihn, sich mit hochtrabenden Wörtern dickzutun. »Im Krieg hab' ich mich um mein Vaterland, im Frieden um meine Familie gekümmert«: Eher hätte Vater sich die Zunge abgebissen, als einen solchen Satz auszusprechen.

Wenn ich mir vorstelle, mein Vater hätte auch nur ein einziges Mal eines dieser bombastischen Wörter in den Mund genommen, wie Väter in Romanen und Fernsehfilmen es ungeniert tun, wäre ich in das nächstbeste Mäuseloch gekrochen. Damals antwortete ich ihm nicht. Ich hielt meine lose Zunge im Zaum. Ich wollte nicht mit hochgestochenen Begriffen wie *Frieden* und *Freiheit* und *Trauer* auftrumpfen, die wir ein paar Tage zuvor in der Mittelschule traktiert hatten – und Vater sollte nicht vor mir stehn wie ein begossener Pudel.

Erst fünfundzwanzig Jahre später, auf seiner Geburtstagsfeier zum Fünfundsiebzigsten, kam es zum Streit. Wir saßen im Wohnzimmer, hatten gegessen und getrunken, streckten alle viere von uns, rauchten und kippten zum Verdauen ein paar Schnäpse, als Robert Kunz erschien, einst Schulfreund, später Schützenbruder von Vater. Hoch aufgerichtet stand er in der Tür, ein mir seit Kindstagen verhaßtes breites Lächeln lief ihm über Augen und Lippen, als er tönte: »Glückwunsch, alter Frontkämpfer!« Und nach ein paar Bieren, die ihm Mut eingeflößt und ihn ermuntert hatten, noch ein paar Schritte weiterzugehen, sabberte er: »Wenn's nach dir gegangen wär', hätten wir keinen Krieg verloren.« Ich war außer mir. Ich sprang vom Stuhl auf, schrie ihn an, faßte Vater ins Auge und stieß auch gegen ihn die gröbsten Verwünschungen aus. »Vater!« rief ich, »hau jetzt bloß nicht in die gleiche Kerbe wie dieser alte Nazi, der nur Schindluder mit dir und deiner verlorenen Soldatenzeit treiben will.«

Doch Robert Kunz ließ sich nicht beirren. Er schnalzte mit der Zunge, fuhr sich großspurig über den Mund, quasselte von Recht und Ordnung einerseits, von Tapferkeit und Pflichterfüllung andererseits, und man dürfe keine Rücksicht nehmen auf Rotzlöffel und Feiglinge, die schon kurz nach dem Krieg den Schwanz eingezogen und sich bei den flaumweichen Demokraten lieb Kind gemacht hätten, statt sich an ihnen, den Männern einer Epoche, in der Treue und Ehre und Vaterlandsliebe noch etwas gegolten hätten, ein Beispiel zu nehmen. »Man muß an Tugenden wie Fleiß und Sauberkeit und Disziplin glauben, dann hat das Leben einen Sinn. Weil wir Alten das getan haben, ist es mit uns wieder aufwärtsgegangen. Und ihr jungen Friedensapostel werdet's noch erleben, daß wir eines Tages wieder eine Armee haben wie eh und je und es ein paar von denen zeigen werden, die sich jetzt einbilden, uns für immer in die Knie gezwungen zu haben.«

Vater erhob sich vom Stuhl, öffnete den Mund, suchte aber vergeblich nach Worten. Er fand nicht ein einziges, mich zu verteidigen, den Rotzlöffel und Feigling von mir abzuwenden. Ich verriß mir das Maul, hörte nicht mehr auf, die Männer als Kriegstreiber und Mörder zu beschimpfen, geköderte Militaristen, die nicht einmal den Mut gehabt hätten, ihre Söhne vor dem Nazismus zu bewahren – und warf Vater vor, Schule und Partei zu Willen gewesen zu sein, seine eigenen Söhne vor den Karren der Nazis gespannt zu haben. Vater stampfte mit dem Fuß auf, als wolle er die in seinem Kopf festsitzenden Wörter mit Gewalt losklopfen, brachte aber kein einziges heraus. Robert Kunz und ich lagen uns unentwegt in den Haaren, einer um den anderen hatten wir unseren Auftritt, warfen uns gegenseitig die härtesten Brocken an den Kopf. Wir zankten uns wie die Kesselflicker, hatten aber nicht gelernt, wie man sich vernünftig streitet. Jeder suchte nur nach dem Wort, das den anderen am meisten kränkte. Ich habe weder Robert Kunz' Vorwürfe noch meine Schmähungen wörtlich im Gedächtnis behalten, nur der häßliche Ton ist mir in Erinnerung geblieben, Robert Kunz' Geschnaube, mein Gegeifer. Wir fielen uns ins Wort, redeten durcheinander, keiner hörte dem anderen zu. Es war ein abscheuliches Theater ohne Sinn und Verstand.

Vater stand am Kopfende des Tischs, hinter ihm die Wand,

an der bis Kriegsende ein übergroß reproduziertes Foto aufgehängt war. Vor gesprengter Grabenwand, im zerschossenen Eingang eines Unterstands steht er zwischen Zeltplanen und Gasmaskenbüchsen aufrecht im grellen Lichtkegel, die Linke im Hohlkreuz, die Rechte in der Hosentasche: Glatt gescheitelt, ernst und streng blickend, mit heruntergezogenen Mundwinkeln, ein Zwanzigjähriger, der alle Greuel des Kriegs kennt, sein Erschrecken aber hinter angespannter Miene verbirgt. Schon die Schützengrabensprache konnte er nicht übersetzen, wollte sich aber meinen Fragen, die ihm Unrecht unterstellten, nicht entziehen, und er probierte eine Rechtfertigung, die ihm nur halb gelang. »Es ist immer das gleiche Lied«, sagte er, »alle Jungen behaupten: Die Alten haben uns die Zukunft vermasselt. Es ist ein Glück, daß du keine Kinder hast. Eines Tages hätten sie dir die gleichen Fragen gestellt wie du mir heute. Aber sie wären im Recht, weil ihr hie mit eurer terroristischen und dort mit eurer Atomenergie im allerschönsten Frieden mehr kaputtmacht als wir in zwei Kriegen.«

An Vaters fünfundsiebzigstem Geburtstag hing statt des ausrangierten Grabenfotos Hans Thomas Gemälde *Der Reigen* an der Wand, ein Bild mit fröhlichen Kindern, ausgelassen tanzend auf einer Blumenwiese. Ich antwortete Vater nicht. Ich schwieg. Ich hätte am liebsten heulen mögen. Mutter, mit ihrem Gespür fürs Theatralische, setzte den Schlußakkord. Die Augen voller Zorn, den Mund heruntergezogen, kam sie aus der Küche, blickte über den Tisch und verkündete feierlich: »Wenn das so weitergeht mit eurer Disputiererei, dreh' ich den Gashahn auf.« Sie quälte sich mit schweren Schritten in die Küche zurück, ohne den Eindruck zu hinterlassen, ihre Drohung wahrzumachen – obwohl sie damals schon unheilbar krank war und Ursache genug gehabt hätte, ihren Qualen ein Ende zu setzen.

Immer wenn ich an Mutters Krankheit denke und sie aufschreien höre bei ihren schmerzhaften Körperverrenkungen, eile ich mit Siebenmeilenstiefeln zurück in die Zeit kurz nach dem Krieg, als sie Nachmittag für Nachmittag im Garten arbeitete, Spaten schwingend, Pfädchen tretend, Bohnen und Erbsen und Sonnenblumenkerne legend, eine rührige und rüstige Frau, klein und kompakt, gesund von der Wurzel her. Vergebens suche ich ein Tagebuch, das ich damals geschrieben habe. Ihm hatte ich meine täglichen Wahrnehmungen und Erlebnisse anvertraut, es war ein *Journal intime,* in dem es auf die Sache ankam, zu keiner Zeit trat der Beobachter mit dem Beobachteten in stilistische Auseinandersetzungen ein. Spätnachmittags saß ich am Küchentisch und schrieb zügig auf, was am Vortag geschehen war. Dabei erinnere ich mich nur dunkel an Einzelheiten: Betrachtungen über Bücher, die ich gelesen hatte, Einfälle zu Gedichten, die ich schreiben wollte, Gedankenspiele, Ideenabenteuer, die mir so vertraulich vorkamen, daß ich zwei Löcher in die Außendeckel des Buchs stanzte und sie mit einem Vorhängeschlößchen versperrte. Mich haben Vaters Kraftakte, die Handwerksgeschäfte wieder in Gang zu bringen, und Mutters Anstrengungen, Haushalt und Garten wieder instand zu setzen, weniger beschäftigt als meine eigenen Spintisierereien; mich interessierte nur meine Bücherwelt.

Diese Gedankensprünge ins erste Friedensjahr gehen in weite Ferne, von heut' aus betrachtet, tut der Hunger nicht mehr weh, sind die Hamsterzüge fröhliche Ausflüge ins Ungewisse.

Im Winter 1945 lebten wir von den Vorräten, die wir aus Pfaffenhausen mitgebracht hatten. Noch gab es ein paar Kellen Mehl in den selbstgenähten Leinensäckchen, hielten sich einige Schöpflöffel Schweineschmalz in den roten Blechkannen. Und da war ja auch Vaters Tante Lina! Alle paar Wochen kam sie an einem Nachmittag zum Kaffeetrinken, kramte aus ihrer Tasche eine Büchse Erdnußbutter und stellte sie huldvoll auf den Tisch. »Aus Amerika ist wieder ein Paket mit Pinnobutter gekommen«, verkündete sie stolz, und mit einem Anflug von Gönnerhaftigkeit fügte sie hinzu: »Da haben wir auch an euch gedacht.« Tante Lina und Onkel Peter waren Zeugen Jehovas. Schon seit 1914, als mit dem Anfang des ersten Weltkriegs in ihren Augen das Ende der gegenwärtigen alten Welt herannahte, erwarteten sie inbrünstig die täglich bevorstehende Aufrichtung eines neuen Gottesreichs. Großvater hatte seine eifernde Schwester und ihren Ehemann als *bigottische Bibelforscher* geschmäht, nun waren wir gottlosen Verwandten froh, daß sie die milden Gaben ihrer Glaubensbrüder aus Amerika mit uns teilten. Und sie selbst durften felsenfest davon überzeugt sein, mit jeder hergeschenkten Dose Peanutbutter dem Himmelreich ein Stückchen näherzurücken.

Onkel Peter war Bischof. Hoffnungsvoll und unverdrossen, mit leiser, brüchiger Stimme predige er von der baldigen Wiederkehr Christi, erzählten Leute aus dem Dorf, die Gläubigen im Königreichsaal sähen während Onkel Peters Predigten immer wieder aus dem Fenster, denn er beschwöre die nahe Herankunft so eindringlich, als warte Jesus Christus ein paar Häuser weiter um die Ecke, von ihm hereingerufen zu werden. Uns stehe bevor die Schlacht von Harmageddon, in der die Könige des gesamten Erdreichs, von den bösen Geistern herbeigerufen, zum letzten Kampf zusammenträfen. »Jehova aber wird die Feinde seiner Herrschaft vernichten«, habe Onkel Peter immer wieder wörtlich versichert, »und nur wir, liebe Brüder und Schwestern, die wir gläubig für ihn zeugen, werden ein ewiges Leben haben auf dieser Erde, die zum Paradies umgestaltet sein wird.« Dabei habe Onkel Peter ganz glasige Augen bekommen, sich den Schweiß von der Stirn gewischt und mit matter Stimme prophezeit: »Christus wird den Satan an die Kette legen, und wir werden dabei zuschauen dürfen.« Viele Jahre später, als ich ihn im Königreichsaal in Dudweiler habe predigen hören, begann sich plötzlich, wie von Geisterhand bewegt, eine Schallplatte zu drehen, und alle Leute im Saal stimmten ein in eine feierliche, operettenhafte Melodie, ähnlich wie: *Ich tanze mit dir in den Himmel hinein.* Tante Lina und Onkel Peter haben durchgehalten, bis sie über hundert waren. Unlängst starben sie, zuletzt hatte Tante Lina, zuckerkrank, nur noch ein Bein, und Onkel Peter konnte kaum noch Luft ziehen, so kraftlos war er geworden. Die bösen Geister blieben in Lauerstellung und haben bis heute die Könige der Erde nicht zur letzten Schlacht zusammengetrommelt.

»Es ist alles ganz eitel«, sprach der Prediger Salomo, »und Haschen nach Wind.« In den Fünfzigern kam zu uns donnerstags nachmittags ein Zeuge Jehovas ins Haus, die Eitelkeit aller irdischen Dinge mit uns zu diskutieren. Seine Streitgespräche mit Brigitte und mir waren so intensiv, daß eines Donnerstags ein Topf voller siedendem Wasser bis auf den letzten Tropfen verdampfte und und das Ei, das darin kochen sollte, mit infernalischem Gestank verschmorte. Brigittes Vater, der gerade den Fundamentgraben für ein Haus seiner Tochter Ellen und ihrer Familie aushob, war kürzer angebunden als wir. Als der Zeuge Jehovas ihm zurief: »Was hat der Mensch für Gewinn von all seiner Mühe?« antwortete er, indem er die Hacke für einen Augenblick zwischen die Beine stellte: »Das kann ich Ihnen erklären. Ich hab' zwei Enkelkinder, da sitz' ich nicht rum und leg' die Hände in den Schoß und verlaß mich auf den lieben Gott.« Dann spuckte er in die Hände, schwang die Hacke erneut über des Zeugen Jehovas Kopf und lachte dabei. Mochte dieser noch so eindringlich die Vergeblichkeit von Arbeit und Reichtum und Kinderkriegen beschwören, aller Menschen Vorsätze schmähen und ausrufen: »Ein jegliches hat seine Zeit, geboren werden und sterben, pflanzen und ausrotten, Steine zerstreuen und Steine sammeln: Man arbeite wie man will, so hat man keinen Gewinn davon«, Brigittes Vater blieb unbeirrt, entgegnete: »Jetzt ist's an der Zeit, Steine aufeinanderzusetzen«, und karrte mit dem Handwägelchen die ersten Steine für das Fundament herbei. Sooft er sich donnerstags nachmittags auf die Baustelle begab, steckte er den Kopf bei uns zur Tür herein und fragte: »Ist der Prediger Salomo schon gekommen, mit euch den Lauf der Welt zu besprechen und mich von der Arbeit abzuhalten?«

Glanzstücke, Paradenummern, Theatereffekte, wie man sie sich besser gar nicht wünschen kann! Am 4. Adventssonntag 1945 trat ich bei einer Schulaufführung im Saarbrücker Johannishof als heiliger Joseph auf. Knaben und Mädchen der

Mittelschule wurden für die Rollen eines Weihnachtsspiels ausgesucht, es kam nicht auf Frömmigkeit, sondern auf schauspielerisches und musikalisches Talent an. Brigitte und ihre Freundin Margrit agierten als Engel und schwebten in batistenen Nachthemden über die Bühne, der kleine Hinkelmann spielte einen Hirten, schaute aus dem Stallfenster und fragte singend: »Wer klopfet an?« Und ich, in Kittel und Kapuze und meiner langen Hose ein bibelechter Joseph, faßte mir ein Herz, legte den Arm um Maria, die Nichte der Mittelschuldirektorin, und schmetterte mit ihr, zweistimmig, in raffiniert gesetzter Terz: »O zwei gar arme Leut!« Nach Regieanweisung der Direktorin sollte ich die Darstellerin der Maria zwar stützen, nicht aber umarmen, doch mich stach der Hafer, das pummelige Mädchen zu berühren. Ich handelte unserer gemeinsam erarbeiteten Auffassung der Josephsrolle zuwider und ging zu weit, führte die Hand oberhalb der Hüfte entlang nach vorn und spürte plötzlich den Ansatz einer runden, festen Brust. Das Blut schoß mir in den Kopf, mein Mund trocknete aus, die Wörter blieben mir im Halse stecken: Meine Sprachlosigkeit teilte sich den Zuschauern über die Rampe mit, sie wirkte wie echte Verzweiflung des Herberge suchenden Joseph, und die Leute waren ergriffen von meiner Darstellungskunst. Der Johannishof tobte. Schüler und Schülerinnen klatschten Beifall, scharrten mit den Füßen, bejubelten unser ergreifendes Spiel. Maria schwitzte auf den Nasenflügeln, mir klopfte das Herz bis zum Hals hinauf. Als wir an die Rampe traten, uns zu verbeugen, huschten die Engel hinter uns vorüber und ernteten Sonderapplaus.

Ein halbes Jahr später eröffnete das Stadttheater Saarbrücken seine erste Nachkriegssaison auf einer kleinen Seitenbühne. Von den frühen Inszenierungen ist mir nur ein einziges Stück in Erinnerung geblieben, genaugenommen nur ein Schauspieler. Es ist ein kleiner, burschikoser Blondschopf mit Pumphose und Pudelmütze, sturzbesoffen tritt er in einem Kellergewölbe mitten unter ärmlich gekleidetes Arbeitervolk, schwenkt pfeifend eine Handharmonika durch den Raum und ruft: »Heda, ihr Schlafburschen!« Die Bühne: ein fleckiger Vorhang, ein blecherner Samowar, ein klobiger russischer Ofen. Pritschen an den Wänden, Tische und Bänke und Werkzeuge aller Art. Und alle Leute um den Blondschopf herum in altmodischen Zivilkleidern, kein Mensch im Theaterkostüm. Mehr weiß ich nicht mehr. Halt, noch den Namen des Harmonikaspielers: Er heißt Aljoschka, und wenn mich nicht alles täuscht, ist er in seinen bequemen Zivilklamotten ein richtiges Früchtchen der unverwüstlichen Sorte, das in diese Welt paßt und trotz Hunger und Elend nicht zugrunde geht.

Nur einmal, mitten im Krieg, hatte ich Schauspieler in Zivilkleidern auf der Bühne gesehen. Es war in einem Stück von einer Frau, den Titel habe ich vergessen, auch die Leute beim Theater haben ihn nicht ausfindig machen können. Die meisten der alten Theaterzettel seien verschollen, erklärt mir der Dramaturg, doch aus dem wenigen, das aufbewahrt wurde, fische ich eine Kritik aus der *Saarbrücker Zeitung*, die mich auf eine Spur führt. Vielleicht war es das Schauspiel *Vagabunden* von einer Autorin namens Juliane Kay, ein eigenartiges Gesellschaftsstück, in dem Herren in Straßenanzügen und Damen in modischen Kostümen auftreten und unaufhörlich über Gefühle reden. Alle meine Erwartungen wurden auf den Kopf gestellt, ich erinnere mich dunkel an ausgefallene Szenen: Eine Dame tritt mit dem Fuß nach einem Herrn, der sogar in Tränen ausbricht. In der Kritik lese ich den Namen Johanna Zschokke. Sie habe mit ihrer herben und doch wieder weichen Fraulichkeit die Hauptrolle gespielt und in impulsiver und stark gefühlsmäßiger Wärme eine bezwingende weibliche Sicherheit ausgestrahlt. Johanna Zschokke! Sie hatte die Gudrun und die Iphigenie und die Grüne aus *Peer Gynt* gespielt, und wir Hitlerjungen von sechzehn, siebzehn schwärmten von ihr. Im Straßenkostüm stand sie auf der Bühne, nicht panzergegürtet wie Gudrun, nicht im weiten weißen Iphigeniengewand! Ich fühlte mich angezogen und abgestoßen zugleich. Theater, das war für mich bis zu diesem Augenblick immer auch ein atemberaubendes Kostümfest, Männer in Ritterrüstungen oder altmodischen Bratenröcken, Frauen mit mittelalterlichen Pelzhüten oder Biedermeierhauben. Aber Menschen, neumodisch gekleidet und obendrein in zeitgemäß möblierten Zimmern, Zeitung lesend und Zigaretten rauchend, mit flotten Sprüchen auf den Lippen, die sonst nur im Kino ertönten. Nein, das gehört nicht auf eine Bühne, dachte ich, bis ich nach dem Krieg die Männer in Handwerkerkitteln in dem verrauchten Raum arbeiten sah, den der unbekümmerte Blondschopf mit der Handharmonika betritt.

Werner Schmitt in Gorkis *Nachtasyl:* O ja, daran erinnere er sich auch noch, berichtet er mir, es sei zwar schon fast fünfzig Jahre her, doch wenn er jetzt davon erzähle, komme es ihm vor, als sei es erst gestern gewesen. »Am besten sind mir die Auftritte mit August Johann Drescher im Gedächtnis geblieben«, und er gerät ins Schwärmen: »Heilige Theaterbretter, war das ein Schauspieler! Ich mußte zwar den Besoffenen spielen, Drescher aber war immer besoffen. In meinem ersten Auftritt komme ich die Treppe heruntergetorkelt, Drescher stürzt auf mich zu, beschimpft mich, liebkost mich, begrapscht mich, Abend für Abend hat er mir fast die Kleider vom Leib gerissen. Und wenn er mit seinem besoffenen Kopf das Stichwort vergessen hatte, nicht weiterwußte und, schwerhörig, wie er mit Kopfschuß aus dem ersten Krieg zurückgekehrt war, auch die Souffleuse nicht verstand, faßte er sich verzweifelt an den Kopf, stammelte noch: ›Ich muß ja weg nach Wischiwaschi‹, und verschwindet in den Kulissen, wo er sich bei Dr. Sebrecht erkundigt, wie's weitergeht. Ich tanzte, ich spielte, ich sang. Schon 1938 im *Fliegenden Holländer,* als Hitler und Goebbels in der Loge saßen, bin ich als Statist aufgetreten, und im Krieg, auf bunten Abenden in Ostpreußen, habe ich als Clown im Plisseeröckchen und mit roter Perücke die Rolle vorwärts und rückwärts geschlagen und den D-Zug-Step getanzt, schneller und schneller und immer schneller, bis ich trunken war und mich in einen Spagat fallen ließ. Heute sitz' ich hier im Sessel, Sie sehen's ja, grauhaarig, mit rotem Stirnband und gestreiftem Pullover, ein alter, ausrangierter Rampentiger.«

Ich denke an den blonden Aljoschka und sehe ihn vor mir in der rauchgeschwärzten Stube des Nachtasyls. »Heda, ihr Schlafburschen!« ruft er, wiederholt es noch einmal, noch zweimal, noch dreimal, mir ist, als hätte er das ganze Stück über nichts anderes als diesen Satz gesprochen, ja, ich male mir aus, als wiederholte er ihn hundertmal, tausendmal, damit alle ihn hören sollten bis in den letzten Winkel. »Heda, ihr Schlafburschen!« ruft Werner Schmitt in den Pumphosen Aljoschkas, »macht die Augen auf, kommt auf die Füße, werdet endlich erwachsen!«

Ich erhob mich aus dem Theatersessel, strich meine Hose glatt und eilte auf die letzte Straßenbahn. Daheim war's still und dunkel. Nur in der Küche brannte noch Licht, wenn ich zu dieser Zeit aus dem Theater heimkam. Vater saß nach seinem schweren Arbeitstag bis tief in die Nacht am Küchentisch und füllte seit Wochen schon den Fragebogen aus, den ihm die Entnazifizierungsbehörde zugeschickt hatte. Obwohl weder Staatsbeamter noch alter Kämpfer der Partei gewesen, hatte die Behörde den Schießfeldwebel Harig aus dem Wehrertüchtigungslager ausgespäht, und eines Tages lag das vielblättrige Formular im Briefkasten. »An Schlafen darf ich gar nicht mehr denken«, sagte Vater und rutschte auf seinem Stuhl hin und her. »Hunderteinunddreißig Fragen«, erboste er sich, »und ich bin erst bei den Nummern 26 und 27 angekommen. Ich weiß nicht, was ich hinschreiben soll.« Ich wollte wissen, worum es in diesen Fragen gehe. Er legte den Bleistift beiseite, schlug mit den flachen Händen auf den Tisch und las: »In welchen Napolas, Adolf-Hitler-, NS-Führungsschulen oder Militärakademien waren Sie Lehrer? Haben Ihre Kinder eine der oben genannten Schulen besucht?«

Er bleckte die Zähne, breitete die Hände über den Tisch, die Handflächen nach oben, als wollte er zeigen, daß weder Dreck noch Blut daran seien, schaute mich an und erklärte mit unterdrückter Stimme: »Das hört sich alles ganz einfach an. Nach dem ersten Lesen meint man: Ich schreibe hin, wie's war, aber dann überlegt man ein bißchen und fragt sich: Muß das sein?

Ihr beiden habt ja solche Schulen besucht, Hermann die Napola und du eine nationalsozialistische Lehrerbildungsanstalt. Aber danach kräht doch kein Hahn mehr. Hermann erlernt das Maler- und Anstreicherhandwerk und wird einmal das Geschäft übernehmen, du gehst demnächst aufs Lehrerseminar und machst dein Studium zu Ende. Da hat man gedacht, das Richtige zu tun und seinen Kindern im Leben weiterzuhelfen, und dann war's grad das Falsche.« Was hätte ich Vater antworten sollen? Hätte ich ihn aufklären, belehren, beschimpfen sollen, wie ich es schon ein paarmal versucht hatte? Hätte ich mein Zusammenleben mit ihm aufkündigen und ein anderes Leben beginnen sollen? Ich schwieg. Ich wollte ihm nicht weh tun. Vater tat mir in seiner Ratlosigkeit leid. Er schluckte, schüttelte den Kopf und fügte noch hinzu: »Vielleicht würde es euch schaden, wenn ich jetzt die Wahrheit hier in das Formular schreibe.« Er ergriff wieder den Stift, setzte ihn aber nicht eher zum Schreiben an, bis er sich seiner Sache sicher war. Noch heute kenne ich seine Antwort auf diese Frage nicht.

V

Unser Hölderlin

Jedesmal ist es ein Stuhl, woran ich mich erinnere, wenn mir der Tag meiner schriftlich ausgefertigten Befreiung einfällt: Ein schmaler Stuhl aus Mahagoniholz, mit dem der französische Offizier, der darauf saß und seine langen, spindeldürren Beine übereinanderschlug, für alle Zeiten untrennbar zusammengewachsen scheint. Er fuhr sich mit flacher Hand über sein glattes, schwarzes Haar, liebkoste sein Lippenbärtchen mit regelmäßigen Strichen von Daumen- und Zeigefinger und bewegte sich auf dem Stuhl hin und her, als wollte er dessen wohlabgewogene Formen imitieren. Er sprach Französisch mit mir, ich verstand kein Wort. Im Gedächtnis geblieben ist mir sein Schaukeln auf dem grazilen Stuhl, womöglich einem großväterlichen Erbstück, von dem er sich offenbar nicht trennen konnte, weil es von Jugend an seiner geschmackvollen Lebensart entsprach. Unvergeßlich bleibt mir auch der Augenblick, in dem er mir das Blatt Papier über den Tisch reicht, das er zuvor mit gewundenen Federzügen und einem schwungvollen Oval, das seinen Namenszug umrahmt, signiert hat: mit Datum des 17. Oktober 1947, Stempel, Registriernummer und Daumenabdruck ein amtliches Papier, dessen Text mich von allen Schwüren und Gelöbnissen auf Führer, Volk und Vaterland entband.

Da es nur eine vorläufige, eine einstweilige Entlassung, eine »Libération provisoire« war, die Colonel Bailloux mir auf dem

Papier bescheinigt hatte, freute ich mich auf eine neue Begegnung mit ihm, sehnte den Tag herbei, an dem er sich vor meinen Augen wieder auf dem Stuhl hin- und herschwingen, die von Pomade glänzenden Haare streichen und mit französischer Geschmeidigkeit seinen Namenszug unter meine endgültige Befreiung setzen würde. Ich hatte mich nicht in Colonel Bailloux vergafft, keine wohlwollenden Gedanken, keine freundschaftlichen Gefühle nahmen mich für ihn ein: Er war schließlich ein Franzose, ein andersartiger, ein unbekannter, ein fremder Mensch – doch gerade dieses Fremde war es, das mich heftig anzog, und ich konnte nicht widerstehen. Dieser Stuhl und Colonel Bailloux' nachahmenswerte Schaukelkunststücke darauf beeindruckten mich so nachhaltig, daß ich nachts davon träumte, ich selbst gab auf einem solchen Stuhl halsbrecherische Balanceakte in einem Zirkus zum besten. Mich bedrängten Gefühle, die sich nicht mehr unterdrücken ließen: ein bißchen Eifersucht, ein bißchen Neid und eine gute Portion schwärmerischer Energie, es dem französischen Offizier in den eng anliegenden Beinkleidern gleichzutun.

Der Reiz des Fremden betörte mich, er wirkte mit Zauberkraft auf mich ein. Und dabei hatte ich alles Nichtdeutsche wenige Monate zuvor noch verachtet, hätte einen französischen Offizier für einen Lackaffen gehalten, der sich lieber elegant durch die Haare streicht, als daß er eine Handgranate zwischen seine Feinde geschleudert hätte. Wie oft stand ich, als Kleinster von allen, auf einem Schemel und plärrte meine Schmähungen gegen das Fremde in die sonntägliche Morgenstille! Wie gebieterisch brüllte ich die eigenen Hausgötter herbei, wie boshaft füllte ich das hohe Pathos Hölderlins mit Haß gegen das Fremde und rief den Dichter als Kronzeugen für meine Tiraden herbei! Es war Krieg, und je länger er dauerte, um so häufiger marschierten wir Jungmannen in die Dörfer der Umgebung, um den Heldentod eines gefallenen Hitlerjugend- oder Parteiführers zu feiern. In aller Herrgottsfrühe trabten wir aus dem Städtchen hinaus, die Trommeln dröhnten und die Fanfaren schmetterten, daß die Leute, die an der Straße wohnten, davon aus den Betten fielen; rücksichtslos bahnten wir uns den Weg mit Marschtritt und Kampflied durch die schlafenden Dörfer, und wenn wir an Ort und Stelle angekommen waren, hallten die Kommandos der Fähnleinführer über Mauern und Gartenzäune hinweg in die abgelegensten Winkel. Ein Ortsgruppenleiter war gefallen, ein Stammführer mit dem Flugzeug abgestürzt, ein Bannführer mit dem U-Boot verschollen: Am Kriegerdenkmal standen wir angetreten im Karree, »Nur der Freiheit gehört unser Leben!« sangen wir, die Fanfaren umspielten den Refrain mit grellen Läufen, und der am längsten Gewachsene vom rechten Flügel setzte die Fahne auf Halbmast.

O heilig Herz der Völker, o Vaterland! rief ich von meinem Schemel über die Köpfe der Trauergäste hinweg, *Allduldend, gleich der schweigenden Mutter Erd, / Und allverkannt, wenn schon aus deiner Tiefe die Fremden ihr Bestes haben!* Immer noch habe ich Bruchstücke dieses Gedichtes auswendig in meinem Kopf, erinnere mich halb mit Lust und halb mit Grausen an die Trauerfeiern sonntags morgens auf dem Lande. Die Wörter gingen mir flott von den Lippen, doch jedesmal, wenn ich *die Fremden* für mich beim Namen nennen wollte, fiel mir nichts anderes ein als Propagandaparolen vom barbarischen Russen und degenerierten Franzosen, vom Zigeuner, der im Komödienwagen umherzieht und unsere Kinder verdirbt, und vom Juden, der auf seinem Geldsack sitzt und das Volk bestiehlt. Den Russen nannte der Lehrer einen Untermenschen, den Franzosen nannte Vater unseren Erbfeind, Zigeuner und Juden gab's längst keine mehr. *O heilig Herz der Völker, o Vaterland!* rief ich aus, reckte mich auf dem Schemel, den Leute mir aus einem Nachbarhaus an die Ecke des Karrees gebracht hatten, grölte meinen nazistischen Hochmut gegen die Fremden in die ländliche Frühluft und gebärdete mich, als wollte ich mit eigener Hand den eisernen Besen gegen sie schwingen. Dabei hatte ich nie einen Fremden kennengelernt. Im Deutschunterricht saßen wir auf roh gezimmerten Stühlen, die Hände gehorsam auf der geschlossenen Kladde übereinandergeschlagen, und lauschten den Auslegungen unseres Lehrers. Ohne patriotisches Empfinden, ohne Pflichtbewußtsein gegen Volk und Vaterland, ja ohne jeglichen Sinn für Blut und Ehre und Führerstaat habe man sich auf den Professorenstühlen mit den griechischen Bagatellen unseres Hölderlin beschäftigt, klagte er und rief nach einem Stoßseufzer laut in die Klasse: »Jetzt endlich, in schicksalhafter Zeit, ist er als größter Dichter des Deutschtums in Walhalla eingezogen.« Nachdem er selbst in der Fremde gewesen sei, in der französischen Stadt Bordeaux Heimweh und Verachtung erlitten und schon vor seiner Abreise dorthin seinem Freund Böhlendorff in einem Brief geschrieben habe, das Eigene müsse so gut gelernt sein wie das Fremde, sei er, zur *vaterländischen Umkehr* entschlossen, endlich über die Anrufung der antikischen Götterbilder hinausgekommen. Gut und schön, dabei seien ihm ja die Griechen unentbehrlich gewesen, zitierte der Lehrer den Dichter, doch dann hob er das Buch, das er während seines Vortrags in rhythmischen Schwüngen seiner Hand auf- und abbewegte, für ein paar Momente in Augenhöhe vor seine Brust und las mit bebender Stimme Hölderlins Bekenntnis: *Das Eigene muß so gut gelernt sein wie das Fremde. Deswegen sind uns die Griechen unentbehrlich. Nur werden wir ihnen gerade in unserm Eigenen, Nationellen nicht nachkommen, weil, wie gesagt, der freie Gebrauch des Eigenen das schwerste ist.* Damit habe Hölderlin zwar die Dichtkunst gemeint, fuhr der Lehrer fort und klappte mit hartem Schlag das Buch zu, doch im *Gesang des Deutschen* habe er das Deutschtum gefeiert, also den Spieß umgedreht und sich nicht mehr als einen Lehrling der Fremden, sondern die Fremden als Ausbeuter der Deutschen bezeichnet. »Sie bereichern sich an uns und schütten zum Dank dafür Hohn und Spott über uns aus!« rief er und befahl, daß wir die Kladden aufschlagen und seine Bemerkungen notieren sollten zu unserem eigenen Besten.

»Auch ich bin in der Fremde gewesen«, polterte er und trumpfte mit Begegnungen auf, die er mit gefangenen französischen Offizieren in den Schützengräben vor Verdun gehabt habe. Er verzog angeekelt die Mundwinkel, schüttelte energisch den Kopf. Und ich, in Brand gesetzt von seiner vaterländischen Abscheu vor allem Fremden, rief bei der nächsten Trauerfeier auf dem Lande das Vaterland noch inbrünstiger an und plärrte noch feindseliger meinen Widerwillen gegen alle Fremden in die nüchterne Frühluft: *Sie ernten den Gedanken, den Geist von dir, / Sie pflücken gern die Traube, doch höhnen sie Dich, ungestalte Rebe! / daß du schwankend den Boden und wild umirrest.* Ich schrie mir die Kehle aus dem Hals, die Seele aus dem Leib. Heute kann ich nicht mehr sagen, wie wahrhaftig meine Abscheu, wie aufrichtig mein Haß gegen das Fremde damals gewesen ist, ob mich dieses Feuer der nationalen Begeisterung tatsächlich bis zur Weißglut gebracht, oder ob es nicht doch ein bloßes Strohfeuer war, das rasch aufloderte und ebenso rasch wieder verlosch. Mein Gedächtnis ist löchrig, durchgefallen sind die Wehklagen russischer Zwangsarbeiter, die ich beim Trümmerdienst in Saarbrücken, ukrainischer Küchenhilfen, die ich beim Geschirrwaschen im Wehrertüchtigungslager, französischer Kriegsfreiwilliger, die ich beim Strafexerzieren im Reichsarbeitsdienst traf. Hängengeblieben sind aber die Schlagwörter meiner ekstatischen Aufwallungen auf dem Bauernschemel. Nein, für die Fremden hatte ich kein Herz. Wie oft mühten sie sich, mir einen Gefallen zu tun, ohne ihren Stolz aufs Spiel zu setzen, doch ich blieb immer kalt, eher abweisend als einladend. Als Raymond Scholer, ein Freiwilliger aus dem Elsaß, mir eine französische Zigarette anbot, schlug ich sie ihm aus der Hand und sagte: »So ein Mistkraut rauche ich nicht.«

Ich hatte Hölderlin gelesen, aber nichts begriffen. Die dröhnenden Auslegungen meines Deutschlehrers im Ohr, war mir der Riß entgangen, der mitten durch das Wort *fremd* hindurchgeht. Ich war blind für die Unterscheidung zwischen dem Fremdsein im Fremden und dem Fremdsein im Eigenen. Ich hörte Hölderlin nicht sprechen vom *heimatlosen Sänger* und wie er sein eigenes ruhloses Leben beklagt: denn wandern muß *Von Fremden er zu Fremden, und die Erde, die freie, sie muß ja, leider! statt Vaterlands ihm dienen, solang er lebt.* Ich plärrte das Unverdaute hinaus in die Sonntagsstille, meine Lippen waren gerissen vom Frühnebel, die Nasenlöcher verstopft vom Stockschnupfen. Unter meinen Füßen knarrte der Schemel, ich hörte dabei die Knobelbecher knallen, die im Namen des Führers das Fremde zertraten. Auf allen Straßen Europas hallte ihr Knallen: Wo sie hintraten, wuchs kein Gras mehr. Erst als ich nach Kriegsende in Saarbrücken Colonel Bailloux auf seinem Stuhl sich räkeln sah, und zwei Jahre später in Lyon, als ich eine ganze Gesellschaft fröhlicher Franzosen auf Stühlen beobachtete, erschien mir das Fremde in einem neuen, freundlichen Licht. Es waren Caféhausstühle mit geschweiften Beinen, die vom Fuß herauf über die Sitzfläche hinweg ihren Schwung beibehielten, ihn bis in die Rückenlehnen fortsetzten und noch in den Schulterkurven und Armbeugen derer, die darauf saßen, sichtbar nachklingen ließen. Schlanke, elegante Stühle, auf denen schlanke, elegante Männer Platz genommen hatten, sich im Gespräch einander zuneigten, allen Biegungen und Windungen ihrer Glieder willig nachgaben und schließlich unter sanften Berührungen immer enger zusammenrückten. Es waren Herren, in dunkelblaue Anzüge gekleidet, die spitze Schuhe und schmale Krawatten trugen, wildfremde junge Geschäftsleute oder Journalisten mit raschen Gesten und beschwingtem Gebärdenspiel, wie ich es nie zuvor gesehen hatte. Ich saß mit Roland Cazet vor dem Café de la Paix, der breiten Eingangstreppe des Verlagshauses von Le Progrès gegenüber, manchmal erhob sich einer der Herren, sprang über die Straße und eilte die Treppe hinauf, manchmal hüpfte einer die Treppe herunter, überquerte die Straße und kehrte zu der plaudernden Gruppe an den Kaffeehaustisch zurück. Immer waren die Männer in Bewegung, entfernten sich voneinander, fügten sich wieder zusammen, ein geheimer Tanz war im Gang, ein Passepied unter Männern, eine unaufhörliche Polonaise treppauf, treppab.

Ich weiß heute nicht mehr, was mich so dreist machte, diese Einheimischen als Fremde anzusehen. Ich war ja der Fremde.

Als Assistant d'allemand war ich ans Collège Moderne nach Lyon gekommen mit Sack und Pack und dem Freudenschrei auf den Lippen: *Ich fühl es, mir ists besser, draußen zu sein* – wie Hölderlin ihn ausstieß, bevor er nach Bordeaux reiste, um dort eine Hauslehrerstelle anzutreten. Trotzdem war mir nicht zumute wie ihm, ich dachte nicht einmal mehr: *Deutsch will und muß ich übrigens bleiben, und wenn mich die Herzens- und die Nahrungsnot nach Otaheiti triebe.* Ich hatte Drillichanzug und Eßgeschirr auf dem Gouvernement Militaire abgeliefert, einen Meldeschein unterschrieben und den Abdruck meines rechten Daumens hinterlassen. Monsieur Bailloux war so gütig und drückte seinen Stempel des Oberkommandos der Besatzungstruppe auf meinen Entlassungsschein: Damit war ich, zwei Jahre nach Kriegsende, aus dem Reichsarbeitsdienst entlassen und amtlich vom fanatischen Deutschsein befreit. Aber wollte ich vom Vaterland geschieden, vom heiligen Herzen der Völker losgetrennt und plötzlich ein vaterlandsloser Geselle sein? Oder gar ein Franzose?

Ich schaute Monsieur Bailloux in die Augen, musterte seine khakifarbene Militärbluse, bewunderte die blitzblanken Silberknöpfe seiner Uniform; nur die Beinkleider – und ich bilde mir ein, daß er Wickelgamaschen trug – wären mir damals fast geckenhaft vorgekommen, hätten sie nicht so eng seinen Beinen angelegen und ihm die Möglichkeit verschafft, sie in unwiderstehlicher Leichtigkeit zu bewegen. Was für ein Mann! Monsieur Bailloux räkelte sich auf seinem Stuhl und war mit sich zufrieden, seine braunen Boxkalfschuhe, aus gleichem Leder wie Koppel und Schulterriemen, glänzten im sanften Septemberlicht. Er ließ sie vergnügt unter dem Schreibtisch kreisen, erst den einen, dann den anderen, er hatte es nicht mehr nötig, meinem Vaterland einen Tritt zu versetzen. Es gab kein deutsches Vaterland mehr, Hitler und seine Konsorten hatten dem heiligen Herzen einen tödlichen Stoß versetzt. Einst hatte der Dichter von *fruchtbaren Gärten* und *ländlich-schönen Städten* gesungen, davon war nichts übriggeblieben, die Gärten verwildert und verrottet, die Städte in Trümmer und Asche gefallen, *Gedanken* und *Geist* und *Genius* nichts als ausgeleierte Wörter, klingende Schellen, tönendes Erz. Wem sollte nützlich sein die Anrufung Athens, wo *Platons frommer Garten auch schon nicht mehr Am alten Strome grünt?* Wohin sollte führen das Wandeln des *Genius Von Land zu Land,* wo das hesperische Germanien kein lohnendes Ziel mehr war? Den Jünglingen war das deutsche Ahnen vergangen, die Frauen hatten Besseres zu tun, als sich um Götterbilder zu kümmern, und die Dichter, *die Kalten und Kühnen, die Unbestechbarn,* verbrannten ihre Hymnen auf den Führer, bevor sie mit neuen Tönen wieder zu singen begannen. Das Vaterland, *ein freudig Werk, ein neu Gebild, reifeste Frucht* sogar, worin unser Deutschlehrer das tausendjährige Reich in allen Farben des ewigen Frühlings abgebildet sah, war ein Schrotthaufen geworden, die Leier des frommen Sängers verrottet, und es schien, sie sei nie wieder zum Klingen zu bringen. Zum hundertsten Todestag Hölderlins im Sommer 1943 hatte der Parteidichter Hanns Johst kurz und bündig gefordert: »Es wird in Deutschland mit Blut geschrieben! Solche Schriftzüge sind karg und nähern sich dem Befehl.« Unser Hölderlin, wie ihn der Deutschlehrer kumpelhaft genannt hatte, wurde mit uns Halbwüchsigen in die Uniform gesteckt und kriegsverpflichtet. Mit uns zusammen ist er ausgezogen, seine Gesänge waren Waffen in unserem Tornister: Keine Handgranaten und Maschinengewehre zwar, doch Waffen mit raffinierterer Sprengkraft, die im Kopf explodierte. Hölderlin, nach dem Willen des Herausgebers unserer Tornisteranthologie dazu vergattert, »neben so vielen anderen Waffen auch die geweihte einiger Verse aus unserer großen Schatz- und Rüstkammer« bereitzustellen, pulverte die Älteren von uns auf und begleitete sie singend auf den Opferhügel.

Weihnachten 1947. Mein Bruder und ich hatten in der Tannenschonung ein Bäumchen geklaut, Vater spitzte es mit der Axt zu, damit es in den Ständer paßte, Mutter hängte die knallbunten Kugeln in die Äste und klemmte die Kerzenhalter fest. Als es soweit war, ging uns kein Weihnachtslied von den Lippen, die Wunderkerzen verspritzten ihre Funken und erinnerten uns an die Christbäumchen der alliierten Bombergeschwader, deren Sprühfeuer den Himmel über der Stadt taghell erleuchtet hatten. Der Krieg war seit zwei Jahren zu Ende, doch die Choräle aus unserer Kirche klangen falschtönend wie unlängst noch die Kantaten aus dem Parteilokal. Die alte Zeit war noch nicht vergangen. Als mich ein Brief der amerikanischen Militärregierung nach Idstein im Taunus beorderte, traten mir die fast schon vergessenen Aufmärsche mit Schulchor und Fanfarenzug wie Possenspiele vor Augen. Den ganzen Tag lief ich mit dem Brief herum, las ihn ein halbes dutzendmal, und die Erinnerung an die Deutschstunden mit Hölderlins Gedichten, an den SA-Dolch am Koppel unseres Schulführers und die plumpen Stiefel des Musiklehrers verfolgten mich bis in den Traum. Ein Nachtmahr saß mir auf der Brust, würgte mich am Hals, preßte mir die Rippen zusammen. Im Traum stehe ich mitten im Bombenhagel auf einem zyklopischen Bauernschemel, dessen Beinstempel, baumdick und mit Hakenkreuzfahnen umwickelt, ein Sitzbrett tragen, das die ganze Stadt überdeckt. Die Stempel sind außerhalb der letzten Häuser nach allen vier Richtungen in den Idsteiner Lehmboden gerammt, das Sitzbrett, das sich als brauner Himmel über die Stadt spannt, ist das Podium, auf dem ich stehe und falsche Hölderlingedichte deklamiere. Die richtigen Verse fallen mir nicht mehr ein, ich ändere den Text während des Vortrags, lasse Wörter fallen, wie es mir beliebt, nehme neue, erfundene hinzu und gröle, mich nach allen Seiten wendend, ein unverständliches Hölderlindeutsch herunter, dessen Silben zerhackt und zerstückelt über die Zunge springen. Dröhnen von Flugzeugen stört mein Getöne, ich beginne zu stottern, stammele und lalle und verhaspele mich in Silbengeklingel und falschen Lautfolgen. Als ich weitersprechen will, mir aber die Wörter auf den Lippen stokken und ich die Zähne nicht mehr auseinander bekomme und mit versperrtem Mund dastehe wie ein stummer Prophet, bricht der Schemel unter explodierenden Sprengbomben zusammen, zerschlägt Mauern und Dächer der Häuser und begräbt sie unter tausendfach zersplitterten Holzscheiten. Im Bombenhagel fangen sie Feuer und verbrennen mit den Häusern zu Schutt und Asche. Ich stehe mit nackten Füßen in der Glut, ohne mir auch nur ein Härchen zu versengen. Heute noch in Alpträumen schmerzt mich mein versperrter Mund.

Beim Aufwachen war ich käseweiß im Gesicht, wusch mich mit eiskaltem Wasser, streckte mir im Spiegel die Zunge heraus und las noch einmal den Brief, der mich nach Idstein befahl. Ich muß ihn eines Tages weggeschafft haben, vielleicht habe ich ihn verbrannt, vielleicht ist er verschlampt worden. Nur wenn ich die Augen schließe und genau hinhorche, was mein Gedächtnis flüstert, kommt mir ein Text in den Sinn, worin es in juristischer Verklausulierung heißt: »Zwecks politischer Säuberung, die unter Anwendung des Gesetzes Nr. 8 der Amerikanischen Militärregierung vom 26. September 1945 abgewickelt wird, ist es notwendig und mit Bescheid dieses Briefes amtlich verfügt, Sie im Entnazifizierungsverfahren gegen den Parteigenossen der NSDAP, Herrn Max Bischoff, Musiklehrer, wohnhaft in Idstein, Im Güldenstück 3, als Zeugen einzuvernehmen.« Beim zweiten Lesen quittierte ich die Nachricht, ohne mit der Wimper zu zucken, erschrak nicht einmal bei dem Gedanken, ich könnte in eine Sache hineingezogen werden, aus der ich nicht wieder so leicht herauskäme. Vielleicht hatte der Traum von dem Schemel seine Wirkung getan, war mit den verkohlten Holzscheiten auch das tausendjährige Reich noch einmal zu Asche geworden, und ich hatte allen Schrecken vor ihm verloren. Anderntags besorgte ich mir ein Reisevisum, das mir den Übergang vom französischen in den amerikanischen Sektor erlaubte, und fuhr mit dem Zug zum festgelegten Termin nach Idstein. Warum gerade ich? Hatte Max Bischoff mich noch als tiefbraun gefärbten Hitlerjungen in Erinnerung und deshalb als seinen Zeugen benannt? Oder hatten die Offiziere der Besatzungsarmee flüchtig im Schulregister geblättert und sind zufällig auf meinen Namen gestoßen?

Ich kam nach Idstein, klopfte an die Tür der Turnhalle, in der das Tribunal stattfand, und trat vor den Vernehmungsoffizier.

Was für ein Unterschied zwischen dem amerikanischen Lieutenant und Colonel Bailloux vom französischen Militärgouvernement in Saarbrücken! Stocksteif saß der Lieutenant in einem klobigen Sessel, unter dem Tisch die Beine wie Pfosten nebeneinander, und dabei hatte ich erwartet, einen lässigen Amerikaner anzutreffen, die Füße auf dem Tisch, die Beine in bequemen khakifarbenen Überfallhosen versteckt. Der Lieutenant saß unbewegt hinter dem Schreibtisch, blickte durch eine spiegelblank geputzte Hornbrille, deren Gläser im hellen Lampenschein funkelten wie Brennlinsen im Sonnenlicht. Er zog eine Filterzigarette aus dem Päckchen, das neben dem Heftordner und ein paar zugeklappten Büchern auf der Schreibplatte lag, entzündete sie mit der Benzinflamme seines mit zwei ineinander verschränkten Initialen geschmückten Feuerzeugs und blies mir einen Schwall süßen Virginiaduftes in die Nase. HL lauteten die Buchstaben, das weiß ich bis heute, denn es sind, in umgekehrter Reihenfolge, die Initialen meines eigenen Namens. Ich habe auch nicht vergessen, daß mich damals in Mister HLs Büro ein rasches Gedankenspiel mit diesen Initialen beschäftigte. Steht das H für Harold oder Hensley, fragte ich mich, ist in dem L ein Lewis oder ein Lawrence verborgen? Oder stehen beide Schriftzeichen für die Anfangsbuchstaben eines deutschen Vor- und Familiennamens, und Mister HL, vielleicht ein Politischer, vielleicht ein Jude, ist vor zehn oder zwölf Jahren aus Deutschland ins Exil nach Amerika geflohen und hat dort vergebens seine deutsche Eigenart abzustreifen versucht, ordentlich dazusitzen, gewaschen und gekämmt, die Beine nebeneinander unter dem Tisch. Der Lieutenant blitzte mit den Brillengläsern, paffte vor sich hin, wußte aber mit dem Qualm nichts Besseres anzufangen, als ihn gedankenlos aus Mund und Nase quellen zu lassen, während Colonel Bailloux' Zigarettenrauch sich in zarten Spiralen und Kringeln zu flüchtigen Phantasiebildern aufwölkte.

Lieutenant HL sprach ein akzentfreies Deutsch, er neigte sich über die Tischplatte, faltete die Hände und hob energisch den Kopf. »Was war das für einer, dieser Herr Bischoff?« fragte er und schlug eines der Bücher auf, die er sorgfältig auf dem Tisch übereinandergestapelt hatte, »hat er die Lieder gelehrt, die in diesem Liederbuch abgedruckt sind? Hat er seine Singstunde mit dem Hitlergruß begonnen, oder hat er guten Morgen gesagt? Hat Herr Bischoff Uniform getragen, oder war er in Zivil gekleidet? Wie hat sich das verhalten? Sie waren ein Schüler von ihm, Sie müssen es wissen.« Der Lieutenant hatte Sie zu mir gesagt, mich in gebührendem Abstand zu halten, und mir entging nicht der Hohn in seiner Stimme. Ich fühlte mich herausgefordert, antwortete knapp und unwillig. Max Bischoff habe Knickerbocker und eine Jacke mit Pfeffer-und-Salz-Muster getragen, nie habe er mit Heil Hitler gegrüßt, nie die ausgestreckte Hand gehoben, und mit dem Liederbuch habe es eine besondere Bewandtnis. Die Lieder Max Bischoffs seien einfach und schön, sagte ich, und wir hätten sie gerne gesungen. »Schauen Sie nach, wo die Seiten am meisten abgegriffen sind«, schwadronierte ich weiter, »von den Liedern auf die Fahne und den Führer haben wir kein einziges gesungen, dafür aber die Lieder nach Texten von Eichendorff und Manfred Hausmann. Es sind Feuersprüche und Jägerkanons, Bauerngebete und Arbeiterlieder aus der Werkschar, und ein Weihnachtslied ist auch dabei.« Der Lieutenant verzog Lippen und Backen zu einem Grinsen. »Und was ist mit diesen Kriegsliedern?« fragte er und rezitierte eine Strophe, die mir im Gedächtnis geblieben ist:

»Soldaten ist der Tod kein Schreck,
ihr Sterben ist ein leichts.
Sie haben auch kein schwer Gepäck,
doch für den Hügel reichts.

Euer hochverehrter Herr Bischoff hatte doch nichts anderes im Kopf, als euch mit seinen schönen Liedern in den Tod zu schicken!« Der Offizier stand auf, warf sich ins Kreuz, und mit einer launischen Geste, die Finger exzentrisch gespreizt, was gar nicht zu seinen sonstigen Bewegungen paßte, griff er nach seinem ledernen Gelenkschutz, den er wie das äußere Zeichen eines Geheimbundes am linken Arm trug. Ich stand ihm gegenüber, betreten und verwirrt, doch ich senkte nicht den Kopf. Ich tat so, als wären diese Lieder Bagatellen, und keiner von uns Jungmannen hätte an ihre Botschaft geglaubt.

Alles erstunken und erlogen! Alles aus der Luft gegriffen! Für seinen süßen Zigarettenqualm hatte ich dem Lieutenant blauen Dunst zurückgegeben. Ja, ich stand Max Bischoff bei, indem ich vor dem Lieutenant ein Gespinst von Lügen aufzog. Ich hatte falsch Zeugnis abgelegt, denn Max Bischoff war stets mit ausgestreckter Hand und Hitlergruß in die Klasse gestürmt, die Zivilkleidung hatte er nur außer Dienst getragen, aber er war immer im Dienst, und nur selten sah ich ihn ohne sein angestrengtes Nußknackergesicht. Max Bischoff war aus Berlin zu uns gekommen, von der Machtübernahme Hitlers an hatte er Lieder für Werkschar und Reichsarbeitsdienst komponiert, inbrünstig vertrat er die tapfere Widersetzlichkeit der polyphonen Stimmführung, und er erklärte uns, die Polyphonie sei tiefgründig und deutsch, jede Gegenstimme rufe ihr Echo aus fernen Gegenden herbei, begleite die Melodie, wie ein kommentierender Herold den Führer begleite, und mit beharrlichem Fanatismus trieb er uns beim Volksliedersingen die Terz als zweite Stimme aus. Einst ein leidenschaftlicher Wandervogel, hatte er die Schwärmerei des Zupfgeigenhansl mit völkischem Fanatismus geschärft. Als ein Geigenlehrer aus Wiesbaden, ein älterer, langhaariger Herr namens Bünger, zu uns nach Idstein kam und anläßlich eines Hauskonzerts schmelzende Filmmelodien und Zigeunerweisen zum besten gab, hörte ich Max Bischoff zu unserem Deutschlehrer sagen: »Dieser Kaffeehausgeiger gehört sonstwohin, aber nicht als Musiklehrer an eine nationalsozialistische Lehrerbildungsanstalt.«

Warum hatte ich Max Bischoff vor dem amerikanischen Lieutenant geschützt? Warum hatte ich ihn so hartnäckig zu verteidigen, so gründlich reinzuwaschen versucht? Gehörte er denn nicht zu den rabiaten Verführern, die uns mit falschen Heilsbotschaften erfüllten, mit menschenverachtenden Parolen scharfmachten, mit geharnischten Liedern in den Tod schicken wollten?

Bei diesem Wiedersehen nach dem Krieg trug er Knickerbocker und eine grobgekörnte Pfeffer-und-Salz-Jacke, aber wie lächerlich, die Knickerbocker waren zwei Nummern zu groß, und auch die Pfeffer-und-Salz-Jacke paßte ihm nicht. Er tat mir leid.

Ich lieh mir sein Fahrrad aus und fuhr am gleichen Nachmittag hinaus aufs Land, um noch einmal die Dörfer zu sehen, in denen wir im Herbst 1944 mit Trommelwirbeln und Fanfarenstößen zum letztenmal zu einer Trauerfeier aufgezogen waren. Doch es gab kein Wiedererkennen, die Erinnerung war schon verblaßt, das Gedächtnis ausgebleicht. Von unseren Auftritten in Uniform war nichts übriggeblieben als der schemenhafte Abklatsch eines Possenspiels in Litzen und Lametta.

Da es rasch dunkel wurde, verschob ich einen zweiten Ausflug auf den nächsten Tag. Aber auch an diesem Dienstag, es war der 16. Dezember 1947, dämmerte es mir nicht. In Eschenhahn fragte ich mich, wo der Schemel gestanden hat, auf dem ich prahlerisch den *Gesang des Deutschen* rezitiert habe, fragte mich in Michelbach, ob es tatsächlich Hölderlin gewesen ist oder nicht doch irgendein Parteidichter, Helmut Jahn oder Heinrich Anacker, dem ich die Stimme geliehen hatte – aber es kam keine Antwort. Die Erinnerung schwieg. Ich hatte die lästigen Einzelheiten dieser Auftritte schon so tief in meinem Kopf vergraben, daß nichts mehr davon aufzufinden war.

Zum Dank für mein Eintreten in seinem Entnazifizierungsverfahren schickte mir Max Bischoff Fritz Jödes Handbuch *Das schaffende Kind in der Musik*, mit handgeschriebener Widmung, die sich um ein gedrucktes Motto von Reinhard Goering rankt: »Mein lieber Ludwig Harig – wenn Du jemals im Zweifel bist, was Menschen miteinander verbindet, dann lies diesen ›Vorspruch:

> Wer es sagt, der muß es fühlen,
> wer es fühlt, der muß es sein,

wer es ist, der muß es spielen,
wer es spielt, dem wird es Schein,
wer es scheint, wird es den andern,
wer's den andern wird, wird's sich,
und so geht das Gute wandern,
Ich zu Du und Du zu Ich.‹ –

und gedenke dann unserer Verbundenheit, die sich nun in Zeiten der schwersten Not bewährt hat – dann wächst Kraft und Du ahnst, was Lebensaufgabe war Deines getreuen Max Bischoff.«

Erst als ich jetzt wiederkam, ein halbes Jahrhundert später, gingen mir Augen und Ohren auf. Zuerst hoffte ich, je mehr Orte ich wiederfände, um so klarer würde mein Rückerinnern sein. Hier könnte es gewesen sein, sagte ich mir, dort könnte es gewesen sein. Ich täuschte mich, es war überall und nirgends. Das einzige, was mein Gedächtnis stärkte, waren Sprüche, die ich wiederfand – ja, immer wieder sind es Sprüche, die meiner Erinnerung auf die Sprünge helfen, auch wenn sie noch so bieder, noch so abgegriffen, noch so verdorben sind. Flanierend zwischen Denkmälern und Blumenrabatten, versuche ich, die halbvergessenen Gedenkfeiern im Kopf neu zu beleben. Ich rufe mir die grob gezimmerten Schemel in Erinnerung, worauf ich, den Hals gereckt wie ein Hahn auf dem Mist, Hölderlinverse geplärrt habe, als seien es Parteiparolen. Verschwommen schimmern Farben, ich sehe Stiefmütterchen und Geranien, ein sattes Rot, ein kränkliches Violett, undeutlich säuseln Töne, ich lausche dem Plätschern der Friedhofsbrunnen, dem Knirschen meiner Schritte auf Kies, aber erst wenn ich einen Spruch entdecke, bin ich hellwach.

In Strinz-Margarethä, hoch über einer Treppe, die von der Straße zur Kirche hinaufführt, lese ich in einem Eisernen Kreuz: »Verweile und gedenke«. Ich bleibe ein paar Minuten vor dem Mahnmal stehen und lese die Namen der Gefallenen: 1942 waren es drei, 1943 fünf, 1944 sechs. Aber für wen haben wir getrommelt, für wen haben wir geblasen, für wen habe ich den *Gesang des Deutschen* aufgesagt? War es für Adolf

Fuhr, gefallen am 27. Juli 1942? Für Karl Hankammer, gefallen am 18. August 1943? Für Emil Gräter, gefallen am 12. Oktober 1944? Ich habe es vergessen. Nur die erzene Mahnung kommt mir bekannt vor, wie der Spruch an der Seitenfront der Kirche von Görsroth: »Wer den Tod im heiligen Kampfe fand, / ruht auch in fremder Erde im Vaterland«. In Breithardt, erinnere ich mich, standen wir damals im Karree um die mächtige Roß-kastanie. Der Baum steht immer noch da, er ist in die Breite gegangen, eine roh gezimmerte Holzbank schmiegt sich um den Stamm. Ich gehe um die Kirche, die aus Schiefersteinen gemauert ist, zweimal, dreimal herum, ich suche den Spruch, der mich an den Tag unseres Auftritts erinnern soll. Ein Wörter-stau löst sich auf, unerwartet klingt es in meinem Kopf: *Wo ist dein Delos, wo dein Olympia, / daß wir uns alle finden am höchsten Fest?*

Große Worte, Schaumschlägerei! Was war aus unserem Hölderlin geworden? frage ich mich heute, wie war er abge-nutzt und abgenudelt, aufgesogen, ausgelaugt von den völki-schen Barden, die wir alle für kleine Hölderlins hielten! Ich setze mich auf einen umgestürzten Grabstein, stütze den Kopf in die Hände und falle in Halbschlaf. Der Stein ist kalt und feucht, ich bedecke ihn mit Mütze und Schal. Eine Zeitlang geht es gut, dann kriecht die Kälte erneut hervor, fließt in meine Glieder, bringt sie zum Erstarren. In meinem Schädel dröhnen Max Bischoffs Lieder nach, als seien es Hölderlins Gesänge.

Aus dem Dorf heraus trottet ein bärenhafter Mann, nicht äl-ter als der amerikanische Lieutenant damals war, biegt zum Friedhof ein und kommt schnurstracks auf mich zu. Aber das kann nicht sein, ich muß es, schon halb erfroren, geträumt ha-ben wie vor fünfzig Jahren, als ich von Idstein zurückfuhr und mir dieser khakifarbene Bär nachts im Schlaf wie ein strafen-des Ungeheuer erschien, mir die Sprüche und Gesänge mit der Peitsche auszutreiben. »Weihnachten steht vor der Tür«, sagte er mit der Stimme des Lieutenant, »diesmal wird ›Stille Nacht, heilige Nacht‹ gesungen, und nicht das Weihnachtslied von Max Bischoff.« Ich kann nicht entscheiden, ob es der Lieute-

nant oder sein Doppelgänger war, immer noch muß ich auf-
passen, daß ich sie nicht verwechsele. Er war jedenfalls stark
behaart, zwar gab sein kurzgeschorenes Kopfhaar keinen Auf-
schluß über die Üppigkeit des Wuchses, doch auf dem Handrücken sproß ein dichtes Haarfell, eine krause Wolle kroch ihm
aus dem aufgeknöpften Hemdkragen und gab ihm etwas Tieri-
sches, das bei Colonel Bailloux völlig fehlte.

Ein paar Jahre später entdeckte ich Hölderlin als Schwaben,
das blieb nicht folgenlos. Josef Preiß, unserem Deutschlehrer
auf dem Seminar, war früh schon meine Hölderlinleidenschaft
aufgefallen, er sah mich Hölderlin lesen, hörte mich über Hölderlin sprechen, glaubte mich so eng mit Hölderlin verbunden,
daß er mich eines Tages fragte, ob ich nicht ein Referat über ihn
halten wolle mit Nacherzählung seines Lebenslaufs und Darstellung seines Charakters, mit Gedichtbeispielen und Deu-
tungsversuchen. Ich überlegte nicht lange und sagte ja, ohne zu
bedenken, daß ich nicht einmal ein Lexikon, geschweige eine
Literaturgeschichte besaß, die notwendigen Daten und Fakten
zu ermitteln. Ich griff zum Nächstliegenden. Das eine war Klabunds Literaturgeschichte, die ich mir schon ein paarmal von
Martha Cochlovius, Vaters Kusine, zur immer wieder bezau-
bernden Lektüre ausgeliehen hatte, das andere war eine *Literaturgeschichte der deutschen Stämme und Landschaften* eines
Literarhistorikers namens Josef Nadler, die ich bei Ernst Jost,
dem möblierten Herrn von Tante Erna, im Bücherschrank erblickt hatte. Ich lieh mir die Bücher aus, setzte mich tagelang
hin und geriet lesend auf die ausgefallensten Spuren.

Beide Werke taten ihre Wirkung. Nadlers großdeutsch-
tümelnde Darstellung von Dichtern mit Anrufung der Bluts-
gemeinschaft kam mir bekannt vor, erinnerte mich an die Beschreibungen des nordischen Friesen mit der rosigen Haut und
dem heldischen Denken und des fälischen Hessen mit dem
Quadratschädel und dem trotzigen Opfermut aus dem alten
Realienbuch meiner Kinderzeit. Für mich roch es nach Blut
und Boden, stank nach Schweiß und Scholle. Ich fürchtete erst,
einen abgedankten alten Kämpfer in neuer Montur anzutref-

fen, doch trat mir ein verhätschelter schwäbischer Jüngling entgegen, dessen leiblicher Schönheit, einem Erbgut der Sippe, stiller Eigensinn und *gedankenbelebte Seelenzartheit* beigegeben sei. Was für ein Schmachtlappen am Rockzipfel von Mutter und Großmutter! dachte ich, und was für ein Gefasel um dieses verwöhnte Muttersöhnchen! »Wie so mancher Deutsche trug er sein Leben lang an dem Unheil, daß ihn Frauenhände ins Leben geleitet haben«, lamentiert Nadler und besteht darauf, starrsinnig und verschroben, wie sich jeder eigenbrötlerische Spezialist nun einmal gibt, den unsoldatischen Waisenknaben auf die *Heerstraßen* zu schicken, worauf immer schon *deutsche Gedanken gewandert* seien.

Dann stand ich vor der Klasse, ein halbes Dutzend Blätter engbeschriebenen Papiers in den Händen, und mußte mein Referat halten. In meinen Schläfen hämmerte es, als marschiere Hölderlin durch meinen Kopf, in meinem Mund rumste es, als stolpere er über meine Zähne – und Nadlers Heerstraßentheorie in den Wind schlagend, schickte ich Hölderlin auf ein Pflaster, worauf er nur schwer Tritt fassen konnte. Da zog er also von dannen, der arme Dichter, hin und her gestoßen von baierischen Naturburschen und sächsischen Tatmenschen, zerrieb sich zwischen schwerfälligen mecklenburgischen Energiebündeln und dünnblütigen rheinischen Leichtfüßen, seine empfindliche schwäbische Seele auf schwärmerischen Wanderschaften zu entfalten. »Das Land der Griechen mit der Seele suchend«, zitierte ich Goethe, nahm aber Nadlers Gedankengänge wieder auf und schwärmte vom ewigen Fremdling auf dieser Erde, mit Himmel und Wolken, Sternen und Flüssen, Wäldern und Wiesen im Weltall lebend, wofür er aber nicht unbedingt Hellene zu sein brauchte. »Das war Schwabentum, goldechtes Schwabenerbe«, führte ich Nadler wortwörtlich ins Treffen, Hölderlins Landschaft trage die volle satte Grundfarbe Schwabens, und noch in jedem Gedicht von ihm glänze die Sonne Schwabens, säusele die Luft Schwabens, rausche der Neckar, töne die Nachtigall, schäume der schwäbische Wein. Das sei nun einmal das Schicksal der Deutschen, die sich in Sehnsucht nach dem Süden verzehrten, predigte ich meinen Klassenkameraden, jeder deutsche Dichter erfreue sich an der Idee, Hellene zu sein, und leide an der Erkenntnis, es nie werden zu können. »Die andern aber waren stärker und gesünder als Hölderlin«, trumpfte ich wieder mit Nadler auf, man denke nur an Goethe oder Wieland: »Sie wußten den Zwiespalt zu lösen, nur Hölderlin, ernster als sie alle, aber auch schwächer, ging daran zugrunde.« Ein Grieche, zur Zeit des Perikles in tiefen Schlaf gefallen und zweitausend Jahre später als Schwabe erwacht: Das ist Hölderlin, ein Mensch, der einerseits Grieche ist, aber nicht mehr zurückkehren kann ins Land des schönen Scheins, und andererseits Schwabe, der mit Fernweh im Herzen daheim bleibt und das Seine beschwört: *Zu euch, ihr Inseln! bringt mich vielleicht, zu euch / Mein Schutzgott einst; doch weicht mir aus treuem Sinn / Auch da mein Neckar nicht mit seinen / Lieblichen Wiesen und Uferweiden.*

Nadler über Hölderlin, ein Beitrag zur deutschen Ahnentafel! Heute, beim Wiederlesen der knapp vier Seiten, zweifle ich, ob es überhaupt das gleiche Buch ist, dem ich damals meine Einblicke verdankte. Nach fünfzig Jahren habe ich die Formulierungen meines Referats viel deftiger in Erinnerung, mit zähflüssiger Tinte dick aufgetragen, daß mir der echte Nadler dagegen weitaus harmloser vorkommt. Womöglich ist mir der ganze Nadler aufgrund einiger eingebildeter Ähnlichkeiten wie ein Blut-und-Boden-Schmöker erschienen, den ich noch übertrumpfen wollte mit höher tönenden Wendungen – oder Klabund hat mir ein paar grelle Laute vorgeblasen, die mir zu Trompetenstößen angeschwollen sind. Mein Referat war ein Volltreffer, trotz aller Bemühungen des Lehrers, es zu entschärfen. Herr Preiß, der seinen Nadler nicht nur im Bücherschrank stehen hatte wie Tante Ernas möblierter Herr, sondern ganze Redewendungen auswendig konnte, trug diese als Beweis dafür, daß er die Herkunft meines Theaterdonners genau im Kopf hatte, genüßlich vor. Dennoch war er verblüfft. Mein schräg komponiertes Dichterporträt, Nadlers schwäbisches Hölderlintableau, erhöht mit Klabunds Paraphrasen aus Bildern weltentrückten Vagabundierens ein bizarres Tongemälde, irritierte ihn.

Als ich aber in Klabunds Rolle des François Villon ausrief: »Mit vollen Segeln wollte er über die Wogen der Welt segeln, aber zerfetzt blieb sein Segel zurück«, stand Josef Preiß von seinem Stuhl auf, verließ den Katheder, trat vor die Klasse, was er sonst nie tat, und dämpfte meinen Enthusiasmus mit den Worten: »Schön, sehr schön, nur ein bißchen viel Segel«, obwohl es ja nur der mir bekannte Klabund war, der so protzig die Segel aufbläht.

»Höhnisch sauste um Hölderlins Stirne der Sturm«, deklamierte ich weiter, in diesem heftigen Sturm sei ihm der Nabelstrang zerrissen, der ihn mit der wirklichen Welt verband, nun schwebe er in den Wolken und wisse von dieser Erde nur so viel wie ein verklärter Geist, der auf seinem eigenen Gestirn wandele. »Ein schwäbisches Gestirn, von ihm selbst erschaffen und nur von ihm bewohnbar«, schwärmte ich und machte in landsmännischer Begeisterung aus Nadlers Mücke einen eigenen Elefanten.

Es war aber kein deutscher Blut-und-Boden-Rausch mehr, ein brennender Ehrgeiz hatte mich gepackt, meine eigene Herkunft zu ergründen, mich in meiner bisher so vertraut scheinenden Landschaft besser zurechtzufinden. Hier bei uns gibt es nämlich keinen Hölderlin und keinen Kleist, keinen Novalis und keinen Jean Paul. Auf dreitausend Seiten *Literaturgeschichte der deutschen Stämme und Landschaften* kommt das Wort *Saar* nur ein einziges Mal vor. »Hans Michael Moscherosch, Elsässer Stammes, Amtmann zu Vinstingen an der Saar«, heißt es wörtlich; aber dieses lothringische Vinstingen liegt hinter den Bergen und ist für mich ein Märchenstädtchen. Theobald Höck, der Limbacher, gilt Nadler als Pfälzer aus Zweibrücken, und Elisabeth, die Gräfin von Nassau-Saarbrücken, gibt er als Lothringerin aus. Otfried von Weißenburg und Hildegard von Bingen lebten weit weg, Friedrich von Spee, der Rheinländer, saß in Trier, und Johann Fischart, der Alemanne, wohnte in Forbach. Kein Dichter an der Saar, von dem es sich zu sprechen lohnte. Vielleicht gab's hier mehr Keltisches als Germanisches, dichtende Abkömmlinge des tapferen Vercingetorix, des listigen Asterix, des komischen Obelix, die aber art- und stammesgeschichtlich betrachtet Herrn Nadler kein Wort wert waren.

Obwohl mir Hölderlins Weihegesänge jahrelang wie Drehwürmer im Hirn gebohrt hatten, ich im Kreis gegangen war wie das Schaf, das davon befallen ist, wandelte sich mir mit dem Bild vom Vaterland auch das Bild des Dichters: Aus dem völkischen Barden war ein fahrender Sänger geworden. »Damit gehst du aber zu weit«, sagte Kurt Groth, mein Freund aus Idsteiner Zeit, »Hölderlin ist doch kein Wanderbursch, der mit der Gitarre über Land zieht und seine Lieder zum besten gibt.« Hölderlin und wir beide, ein wunderliches Gespann! In den ersten Nachkriegsjahren traf ich mich häufig mit Kurt zu langen Spaziergängen. Frei verabredet und in Zivil gekleidet, trabten wir über die hiesigen Felder, flanierten durch die Wälder wie zwei Jahre vorher, uniformiert und strikt nach Ausgangszeit, durch die Gegend um Idstein herum – und diskutierten über unsere gemeinsame Schulzeit. Im Klostergarten von Blieskastel lasen wir uns gegenseitig eigene Gedichte vor, kamen aber immer wieder auf Hölderlin und die Feierstunden in den Taunusdörfern zurück.

Meine Spaziergänge mit Kurt Groth begannen immer schon am frühen Nachmittag, zogen sich in den späten Abend hinein und nahmen kein Ende, bis uns ein neuer Hölderlin in die Arme lief. Da stand er vor uns, mit seinem offenen Hemdkragen über der grobgerippten Jacke, ein junger glühender Mensch wie wir selbst, und entfaltete *heiligkühne Gedanken* über den Wechsel der Verhältnisse und das künftige Werden. Ein *immerlebender Frühling,* der schon drei Tage nach meinem Kriegsende angebrochen war und mich vom Zerstörungswahnsinn des tausendjährigen Reichs zu heilen suchte, wärmte uns beide mit Bildern von unversehrter Erde und friedlich tönenden Echos. Er hielt an und war längst nicht in einen reifen Sommer übergegangen, als ich im Klostergarten von Blieska-

stel neben Kurt Groth herspazierte und ihm Hölderlins Insel-
gedicht wiederlas. Darin singt Hölderlin von grünem Gebirge
und fröhlichem Strom, Kinder blühen, Seelen keimen, und alle
bekränzen sich zum Fest – und im Gras liegen schlummernde
Jünglinge, denen unbesungen dieser immer lebende Frühling
heraufdämmert. *O die Kinder des Glücks, die frommen! wandeln sie fern nun / Bei den Vätern daheim, und der Schicksalstage vergessen / Drüben am Lethestrom, und bringt kein
Sehnen sie wieder?* hörten wir bei Hölderlin, schauten uns viel-
sagend an und wiederholten minutenlang das Wort *vergessen,*
bis es uns nicht mehr aus dem Kopf ging.

Diese schlummernden Jünglinge im Gras hatten es uns angetan, nicht mehr die siegend sterbenden Knaben auf dem
Schlachtfeld. »Was will uns Hölderlin eigentlich da erzählen?«
fragte Kurt, »daß es besser für uns sei, das Getöse von Führer,
Volk und Vaterland zu vergessen, auch die Siege, auch die
Niederlagen, auch die nie wiedergutzumachenden Verbrechen?« Kurt schüttelte den Kopf und fügte hinzu: »Vielleicht
ist es eine Frage, die überhaupt nicht beantwortet werden
kann.« *Kinder des Glücks, die der Schicksalstage vergessen:*
Dieser Vers setzte sich in unseren Hirnen fest. Wir wälzten das
Für und Wider, das Nützliche und Schädliche des Vergessens
hin und her, freuten uns im Erinnern all der unbeschwerten
Stunden im Schloß und im Tiergarten, auf dem Rosenhügel
und den blühenden Obstwiesen von Idstein, schämten uns im
Erinnern unseres guten Gewissens Auge in Auge mit gequäl-
ten Geisteskranken und vorbestimmten Opfern der Euthana-
sie. O ja, wir wollten vergessen, und wir vergaßen. »Das Wich-
tigste ist, daß wir an die Kraft des Vergessens glauben, an den
magischen Lethequell«, las ich unlängst in der *Autobiographie*
des englischen Romanciers John Cowper Powys. »Fragte mich
jemand, was das kostbarste Geschenk sei, das die Natur uns gemacht hat, so würde ich – Verehrer der Erinnerung – erwidern:
Die Kunst des Vergessens!« Ein skandalöser Satz, skandalös
wie die Wirklichkeit! Auch Hölderlin sah die glücklichen Kinder entlang des Lethestroms lustwandeln. Einst von ihm mit

vaterländischem Pathos vollgepumpt, zeigte er uns nun, wie wir den Kopf davon wieder frei bekämen. »Also ist er doch ein fahrender Sänger, der landauf, landab sein Lied vom nützlichen Vergessen trällert«, sagte Kurt, »er ist kein Jota besser als wir. Er dreht sich um hundertachtzig Grad und läßt sich mit uns entnazifizieren.«

Wenn Kurt Groth zu mir nach Sulzbach kam, sagte ich meinem Freund Eugen Bescheid, und wir trafen uns zu dritt. Dann stritten wir miteinander, denn Eugen Helmlé, kein Klassenkamerad von der Lehrerbildungsanstalt, aber Schulfreund aus Volksschuljahren, billigte unsere Hölderlinverehrung nicht. Seit eh und je verabscheut er Schwärmerei und Götzendienst, drum griff er uns heftig an. Er ist kein Gegner des Dichters, aber ein Verächter seiner Anbeter. Eugen war nicht verdorben vom hölderlinschen Beschwörungs- und Verkündigungswahn, den unsere Lehrer in Kurt und mir erzeugt hatten. Wir fielen Eugen auf die Nerven mit unserem Rühmen der dichterischen Sendung. Eines Nachmittags auf dem Philosophenweg zog er plötzlich ein Buch aus der Tasche, schlug es auf und las ein kühnes und respektloses Gedicht daraus vor, das ich nach langem Suchen und Blättern erst unlängst wiedergefunden habe:

»Zu fragmentarisch ist Welt und Leben –
Ich will mich zum deutschen Professor begeben.
Der weiß das Leben zusammenzusetzen,
Und er macht ein verständlich System daraus;
Mit seinen Nachtmützen und Schlafrockfetzen
Stopft er die Lücken des Weltenbaus.

Das ist von Heinrich Heine«, sagte Eugen und streckte uns das Buch entgegen, »könnte euch nicht schaden, es gelegentlich mal wieder zu lesen. Mir jedenfalls ist dieser Heinrich Heine am kleinen Finger lieber als euer Hölderlin an der ganzen Hand.« Kurt und ich waren Seriöseres gewohnt. Nun verglichen wir Hölderlin und Heine miteinander, wie man Birnen mit Äpfeln vergleicht, gerieten uns dabei in die Haare, schimpften und spuckten, staunten über die Beispiele, die wir gegenseitig ins Feld führten. Während für Hölderlin das Heidelberger Schloß eine *gigantische, schicksalsträchtige Burg* ist, apostrophiert Heine den Kölner Dom als einen *kolossalen Gesellen*; wo der einfältige Schwabe die reine und heilige Liebe besingt, macht der pfiffige Weltbürger sich darüber lustig. »Ich pfeife auf das dumme Geschwätz vom artgemäßen völkischen Deutschen Hölderlin und vom artfremden vaterlandslosen Juden Heine«, sagte Eugen, »alles Quatsch und intellektueller Firlefanz von Philologen, die sogar behaupten, Heines Gedichte seien nichts als den Franzosen nachgebildete Couplets, er habe etwas Abgeschmacktes und Parlierendes in der Stimme im Unterschied zu Hölderlins hohem, feierlichem Ton. Mir gefällt ein artfremder kolossaler Geselle besser als ein artgemäßer gigantischer Held.«

Eugen ließ sich kein X für ein U vormachen. Er holte uns aus dem Wolkenkuckucksheim auf den Boden der Tatsachen zurück. Er pries die poetische Macht der Ironie, der wir Deutschen so viel Mißtrauen entgegenbrächten, ohne die es aber keine Freiheit geben könne. »Ironie, wahre Freiheit!« habe der französische Schriftsteller und Staatswissenschaftler Proudhon ausgerufen, sie erlöse vom Ehrgeiz nach der Gewalt, von der Sklaverei der Parteien, von der Mystifikation der Politik, vom Pedantentum der Wissenschaft, vom Fanatismus der Reformatoren – und von der Bewunderung großer Persönlichkeiten. »Ich verstehe ja eure Anhänglichkeit«, räumte Eugen ein, »mit vierzehn ins Internat und mit achtzehn heraus: Ein Alptraum für mich! Das hat Hölderlin mit euch gemeinsam, ihr seid genauso alt gewesen wie er zu seiner Zeit und habt die gleichen Strangulierungen erlitten: Tageslauf nach der Hausglocke, streng geregelt durch Schulstunden und Andachten und vom ersten Ave- bis zum letzten Vesperläuten immer in Klostertracht ist nichts anderes als ein Leben nach der Trillerpfeife, eingeteilt in Unterricht und weltanschauliche Schulung und vom Wecken bis zum Zapfenstreich in der häßlichen Hitlerjungenkluft. Ihr wart eben Altersgenossen, ihr Jungmannen von der Lehrerbildungsanstalt und euer angebeteter Hölderlin vom Hohen Stift. Gleiche Brüder, gleiche Kappen, das schweißt zusammen! Weiß der Teufel, das ist aus euch nicht herauszukriegen. Beruhigt euch endlich mit eurem Hölderlin!«

Ich beruhigte mich nicht, suchte sogar mit Fleiß nach Ähnlichkeiten, Gemeinsamkeiten, Gleichartigkeiten, fahndete nach verborgenen Berührungspunkten und setzte mich auf seine Spur. So wie ich später nach Idstein fuhr, das wuchtige Schloß meiner Schulzeit wiederzusehen, suchte ich auch Hölderlins Wohn- und Lehrstätten auf. Denn Hölderlins Verpflichtung, den Statuten und Ordnungen des Stifts gemäß zu leben, »mit allem Ernst und Fleiß zu studieren..., sich auf keine andere Profession, dann die Theologiam zu legen... und unerlaubt in andere Dienste einzulassen«, hatte meinem Gelöbnis nichts voraus, zäh wie Leder, hart wie Kruppstahl, flink wie die Windhunde zu werden, in Reih und Glied zu stehn und meine ganze Kraft einzusetzen, »in der Hitlerjugend körperlich, geistig und sittlich im Geiste des Nationalsozialismus zum Dienst an Volk und Volksgemeinschaft« willig und freudig anzutreten.

Auch ich war wie er mit vierzehn aus dem Haus gegangen und mit achtzehn aus der Internatsschule zurückgekehrt. All diese Gemeinsamkeiten, so zutreffend sie auch waren und doch unzulässig in einem Vergleich erschienen, beschäftigten mich auf einmal; für geraume Zeit las ich nur, was der jugendliche Dichter geschrieben hatte. Meine Dankespflicht an unsere Erzieher wäre nicht viel anders ausgefallen als Hölderlins Dankgedicht an seine Lehrer, ungleich in der Silbenfolge, phantasielos im Reim:

> »Und was ist wohl für euch die schönste Krone?
> Der Kirche und des Staates Wohl,
> Stets eurer Sorgen Ziel, wohlan, der Himmel lohne
> Euch stets mit ihrem Wohl.«

Für *Kirche* hätte ich *Volkes,* für *Himmel Führer* geschrieben.

Im vorigen Jahr setzte ich mich auf die Fährte des vierzehnjährigen Hölderlin. Ich fuhr erst nach Lauffen, wo er geboren wurde, dann nach Nürtingen, wo er die Lateinschule besuchte, schließlich nach Denkendorf und Maulbronn. Mit den lichten Ockertönen Braun und Gelb im Farbwechsel der Säulchen über dem Seitenflügel empfing mich die Klosterkirche von Denkendorf freundlich auf ihrem Hügel. Die Pforte quietschte beim Eintreten, ich schaute in das flaue Halbdunkel des Raums und erblickte den Taufstein, in den Klosterschüler kreuz und quer ihre Namen eingeritzt haben, lüpfte die darübergebreitete Decke mit dem Saum aus gestickten Fischmustern: Hölderlins Namen habe ich nicht entdeckt. Das Kloster ist eine Fortbildungsstätte der evangelischen Landeskirche für Erzieherinnen, Mädchen sitzen vor dem Haus auf Treppensteinen und Gartenmauern in der Sonne, diskutieren miteinander, lachen und feixen. Es riecht nach Reisbrei, klingt nach Sommerglöckchen, kein Kohlgestank weht mir in die Nase, mein Ohr trifft kein Rauschen des Riegels, der die Klosterschüler gefangenhielt »vom Morgen an, eine Stunde des Tages ausgenommen, bis in die Nacht«, wie Hölderlins Freund Magenau in seinen Lebenserinnerungen schreibt.

Ein Mädchen, das an einem Pfosten des Gartenzauns lehnt, entdeckt in mir den Eindringling, schaut mich verdutzt an, fragt nach meinem Wunsch. Ob es Hölderlin kenne, der hier gewohnt habe vor zweihundert Jahren, will ich wissen, ob es hier im Haus vielleicht ein Hölderlinbild, ein Hölderlinzimmer, ein Hölderlinmuseum gebe. »Doch, doch«, sagt das Mädchen, »hier im Haus gibt es einen Hölderlinraum, ich weiß aber nicht wo.« Es wirft den Kopf ins Genick, schüttelt die Haare und ruft: »In dem Zimmer soll nix Weltbewegendes zu sehen sein. Ich meine ein Holzschemel, auf dem Hölderlin saß, wenn er seine Schuhe geputzt hat.« Ich suche nach dem Zimmer, doch niemand im Haus kann mir eine Auskunft geben, keiner will das Zimmer je gesehen haben.

In Maulbronn fehlt Hölderlins Name unter den eingekratzten Schriftzügen seiner Mitschüler nicht. Ich finde ihn im Paradies. Die gewölbte Vorhalle der Kirche, zur Mittagsstunde von Sonnenschein durchflutet, öffnet sich ganz weit nach der Lichtseite. Am Ende der zwölf Gewölberippen, die sich im Scheitelpunkt treffen, entfalten sich Rosetten wie künstliche Sonnen, das Paradies mit Goldglanz überstrahlend. In der linken Wand, zwischen dem Eintritt zum Wandelgang und einer vermauerten Fenstersäule, entdecke ich den Namen HOLDER eingeritzt, daneben in Brusthöhe den Schriftzug BILFINGER. Der sechzehnjährige Hölderlin hatte dem Freund ein Gedicht gewidmet, in dem es heißt: *Segne die Saite mir*, das er später verbessert und im hohen Ton ausruft: *Segne, segne mein Lied, kränze die Harfe mir*, und früh schon nimmt er seinen Bittgesang an die Parzen vorweg.

Im Kreuzgang, der das offene Geviert des Klosterhofs umschließt, tummelt sich ein lautes Studienvolk, das einem Autobus aus Lauffen entstiegen ist. Beim Geplätscher des Brunnenwassers, das aus Löwenmäulern in drei gefüllte Schalen sprudelt, trägt ein Mädchen das berühmt gewordene Prosastück von Hermann Hesse seinen Freundinnen vor. »Ich tauchte nur meine Hand in die kalte, strenge Flut, bis ich fror, und hörte stehend das Lied des Brunnens in die Gartenstille und die langen, toten Steinhallen strömen, zauberisch wie einstmals«, liest es mit singender Stimme und modelliert die schwäbischen ei mit besonderer Deutlichkeit. Durch das Steingerippe des Brunnenhauses leuchten sanftrosa Blütenblätter eines Magnolienbaumes, klaffen auseinander und werden bald zu anderen, längst verwelkten, auf das Steinpflaster fallen. Zwei junge Burschen sitzen auf der Mauer, die Köpfe einander zugekehrt, in lebhaftem Gespräch. In den Säulenkapitellen tummelt sich zwischen Ahorn-, Palm- und Akanthusblättern ein Schwarm seltsam geschuppter Vögel, einige von ihnen kopflos, andere mit geflickten Flügeln. Ich erinnere mich an einen Brief Hyperions an Bellarmin, worin er sich mit dem Adler vergleicht, *dem der blutende Fittich geheilt ist.*

Wie viele Jahre bin ich Hölderlin hinterhergelaufen, erst dem vaterländischen, dann dem schwäbischen, zuletzt dem hellenischen, der mir der liebste ist. Nun stehe ich im Schatten des Maulbronner Klosterbrunnens und stelle mir vor, daß die beiden Burschen über Hölderlin sprechen und ihre Gedanken austauschen wie Kurt Groth und ich zwei Jahre nach Kriegsende. Damals, so scheint mir heute, fühlte ich mich zum erstenmal von Grund auf frei, freier noch als unter dem blauen Maihimmel 1945 am Waldrand von Hülen. Dort tauchte die Freiheit aus Tönen der Jazzmusik und dem Duft amerikanischer Zigaretten auf, später mit Kurt ging sie von Wörtern aus. Ein ums andere Mal schlug ich im *Hyperion* nach und wiederholte mir immer wieder den schönsten aller Sätze: Es *regte mein Geist sich im Freien, und dehnt', als wäre sie sein, über die sichtbare Welt sich aus; wunderbar! es war mir oft, als läuterten sich und schmelzten die Dinge der Erde, wie Gold, in meinem Feuer zusammen.* Die Jugendjahre liegen ein halbes Jahrhundert zurück. Soll ich beim Anblick der beiden Burschen unter dem Magnolienbaum von Maulbronn meine Gefühle zerfasern und meine Gedanken zerpflücken? Mir ist es lieber, nur meine Geschichte zu erzählen. Kurt Groth hatte ein Hölderlinporträt mitgebracht; wir betrachteten es lange und haargenau. »Hölderlin mit Stiftsjöppchen und Perücke, gestiefelt und gespornt«, sagte Kurt, »mit sechzehn war er ein Bübchen wie wir damals.«

Inzwischen sind die beiden Burschen von Maulbronn ans Ende ihres Gesprächs gekommen. Sie erheben sich von der Bank, schlagen sich gegenseitig auf die Schulter und gehen auseinander, der eine wendet sich dem Internatsgebäude zu, der andere verschwindet im Paradies. Auch ich mache mich auf den Weg, schlage das Notizbuch zu, stecke den Stift in die Jackentasche und steige die flache Schräge zum Ausgangstor hinauf. Ich trete aus dem Tor ins Freie, steige ins Auto und verlasse das Städtchen. Im Fahren sehe ich die Felder an mir vorüberfliegen, spüre bei geöffnetem Fenster den Fahrtwind an meiner Wange entlangstreichen, und von Kilometer zu Kilometer kommt es mir vor, als führe ich zurück in meine Zeit mit Kurt Groth im Sommer 1947. Im Grollen des Motors klopft mein linker Fuß im Rhythmus betonter Silben. Wie herrlich war es damals für Kurt und mich, gestählte Gedichte zu schreiben im Stil Stefan Georges, streng im Rhythmus, rein im Reim wie Hölderlins frühe Gedichte in schillerscher Manier. Wir saßen auf unserer blankgewetzten Bank aus Marmor und lasen uns unsere Gedichte vor: Wir saßen hart, unsere Beine standen wie Pfosten auf dem Boden. Einmal zog Kurt ein zusammengefaltetes Stück Papier aus der Hosentasche, klappte es auseinander, glättete es und begann zu lesen. Es war ein Sonett, die Paraphrase des Gedichts *Der römische Brunnen* von Conrad Ferdinand Meyer – doch nicht nur kunstvolle Ausgestaltung des Themas, sondern dichterische Umwandlung des Leseerlebnisses. Beim Anhören des Gedichts kroch mir eine Gänsehaut über die Arme, ich senkte den Kopf auf die Oberschenkel, mir war heiß und kalt zugleich. Kurt saß unbewegt, nur die Fußspitzen in den Sandalen wippten im Takt seiner Verse:

»Die Hand hält deinen Vers, was aus dir drang
an Leidenschaft, grubst du so tief in keinen,
und doch, aus reinem Tempel, so will scheinen,
sprichst du, wie immer, strenge den Gesang.

Indes die Schale deine Glut umschwang,
erhärtete die Glut das Kleid aus Steinen,
so innig mußten Strom und Krug sich einen,
weil Kunst die Inbrunst zur Gestaltung zwang.

Wie reich, wer je dein Meisterwerk erlebte,
wo Sprache sich aus bloßen Wörtern webte:
So aus dem Marmor fließt des Lebens Flut.

Daraus quillt fort, was tief in dir begründet,
vereint mit allem, was in dich gemündet.
Zum Brunnen wirst du selbst, *der strömt und ruht*.«

In Lyon, zwei Jahre später im Café de la Paix an der äußersten Ecke der Place Bellecour, wünschte ich bei all den Fuß- und Schenkelspielen der jungen Leute an den Nachbartischen zu begreifen, was diese gelenkigen und dabei so reizvollen Bewegungen mit Freiheit und Glück zu tun hätten. »Ein Geschenk der Grazien«, sagte Roland, »nur die Anmut gibt Freiheit, nur der Liebreiz gibt Glück. Das hat euer Hölderlin schon an uns Franzosen bemerkt. Oder hast du's nicht selbst gelesen, das Lob vom Athletischen der südlichen Menschen, von den braunen Frauen, den gelockten Männern? Hölderlin hat sie in Bordeaux, in der Gascogne, in der Charante arbeiten und feiern gesehen. Ihr Deutschen habt zwar die schönen Wörter, aber die Wörter müssen leben, wenn sie etwas bewirken sollen. Hat das nicht auch euer Hölderlin gesagt?«

Sollte ich aufspringen? Sollte ich tanzen? Sollte ich einen gravitätischen Stolzierschritt vorführen? Es zuckte mir in den Beinen, ich streckte sie aus und versuchte, sie unter dem Tischchen in eine günstige Ausgangsstellung zu bringen. Roland war noch nicht fertig mit seinen Anspielungen auf Hölderlin. »Einen Augenblick noch«, sagte er, »bevor du ein neuer Mensch werden willst, denk daran, daß du ein Deutscher bist. Als Hölderlin sich nämlich die Deutschen betrachtete, fragte er sich: *Ist das nicht wie ein Schlachtfeld, wo Hände und Arme und alle Glieder zerstückelt untereinander liegen?*« Dann schlug er die Beine übereinander, aufreizend und graziös zugleich, lächelte herausfordernd und rief, indem er mir auf die Schenkel schlug: »Jetzt kannst du anfangen mit den Beinübungen für deinen Freiheitstanz.« Wenn Roland lächelt, glänzen seine Augen in unverschämtem Franzosenstolz. Er lächelte oft. Er wollte gar nicht mehr aufhören zu lächeln. Mir zum Leidwesen, denn ich gaukelte und schaukelte, trappelte und zappelte mit meinen zu kurz geratenen Beinen unter dem Kaffeehaustisch, eine Spottfigur für Rolands feines Lächeln. Ich habe meine Kindheit und Jugend auf harten und unbequemen Buchenholzstühlen zugebracht, saß in klobigen Schulbänken und stand auf einem Bauernschemel, um Hölderlins

Gesang des Deutschen aufzusagen. Wenn es mir eingefallen wäre, auf einem unserer Stühle zu balancieren, hätte Mutter mit erhobenem Zeigefinger die Geschichte vom Zappelphilipp zum besten gegeben, mein Deutschlehrer im Schillerkragen hätte die Würde des deutschen Zöglings ins Feld geführt, Ordnungssinn und geziemenden Ernst, die kein Ausscheren aus den Regeln der Gruppenzucht dulden. »Maß und Disziplin halten!« predigte er ein dutzendmal am Tag, bei uns gab's keine Jongleure und Schlangenmenschen, Geschicklichkeitskünstler waren verpönt. Wieder erinnere ich mich an die Zeugnisschelte meines Lehrers: »Manchmal müßte er sich mehr zusammenreißen.« Ich saß mitten zwischen biegsamen jungen Franzosen und legte mich ins Zeug, *zum Glück der heiligen Grazien* meine deutsche Plumpheit aus den Beinen zu schütteln.

VI

Pädagogische Provinz

Unser Seminardirektor hieß Wilhelm Meister. Der herzförmige Schnitt seines Gesichts erinnerte an eine Schleiereule, die Form seines mit Wasser gestrählten Haares war, von vorne gesehen, akkurat dem dunkleren Gefieder ihres Kopfes gleich. Ein Galgenvogelgesicht war es nicht, aber dieser Anflug eines Eulenantlitzes, vor allem die ungemein großen Ohrmuscheln, gaben Herrn Meister das Aussehen des Vogels der Göttin Minerva. Der zweireihige Anzug, mausfahl im Ton, doch mit perlgrauen und bernsteingelben Tupfen übersät, glich dem Eulenleib von den Schultern bis auf die Fußreihen hinab. Nur seine Stimme entsprach ganz und gar nicht dem heiseren Kreischen der Eule, das ein berühmter Vogelforscher als die widerlichste aller Vogelstimmen beschreibt. Im Gegenteil, Wilhelm Meisters Organ tönte sanft und voll: Sogar der abergläubischste Angsthase, vom Orakelruf der Schleiereule geschreckt, wäre unbesorgt um seine Zukunft geblieben, hätte er unseren Seminardirektor reden gehört.

Wilhelm Meister spazierte vor der Klasse auf und ab, rollte seine Eulenaugen, strich sich über das breite Revers seines Gefieders und dozierte mit wohlklingender Stimme, stets müsse es unser Ziel sein, Knaben und Mädchen zu erziehen in dreierlei Weise: zur Ehrfurcht vor dem, was über uns, was uns gleich und was unter uns sei, und zuletzt zur Ehrfurcht vor uns selbst. »Wir sind ein Menschenschlag, der sich zu seiner beschränkten

Lage, in die er geboren ist, fröhlich bekennt«, fügte er wörtlich hinzu, spitzte den Mund zu einem Eulenschnabel und hackte eine ganze Weile auf allem herum, was in seinen Augen weltläufig, ja großspurig aussah und demnach als erstrebenswertes Erziehungsziel für eine *Pädagogische Provinz* nicht taugte.

»Der Mensch ist nicht auf der Welt, um große Sprünge zu machen«, sagte Wilhelm Meister, »seine Füße passen nicht in Siebenmeilenstiefel, mit denen er weite Reisen machen und sein Glück finden kann wie der kleine Däumling, der vielen Herren gedient hat, aber spornstreichs weiterzog, wenn es ihm irgendwo nicht gefallen hat. Einfache, nahe, bestimmte Zwecke vermag der Mensch einzusehen, und er gewöhnt sich, die Mittel zu benützen, die ihm gleich zur Hand sind; sobald er aber ins Weite kommt, weiß er weder, was er will, noch was er soll ... einerlei, ob er durch die Menge der Gegenstände zerstreut oder ob er durch die Höhe der Würde derselben außer sich gesetzt werde. Es ist immer sein Unglück, wenn er veranlaßt wird, nach etwas zu streben, mit dem er sich durch eine regelmäßige Selbsttätigkeit nicht verbinden kann.« Wilhelm Meister streichelte wieder sein Jackenrevers, drückte den Krawattenknoten zurecht, schloß die Augen bis auf einen schmalen Schlitz. Unsichtbar auf seiner rechten Schulter saß die Eule Minervas und flüsterte ihm unaufhörlich ihre pädagogischen Weisheiten ins große Ohr. Ich konnte damals nicht wissen, daß die wohlformulierten Sätze unseres Seminardirektors wörtliche Zitate waren, auf deren Umsetzung ins tätige Leben er vielleicht nur deshalb so hartnäckig bestand, weil er Wilhelm Meister hieß wie der Namensvetter aus Goethes Roman, der ihm die Stichworte und Losungen lieferte.

Wilhelm Meister war unser dritter Seminardirektor, die Namen der beiden vorhergehenden habe ich vergessen. Jährlich fand ein Wechsel des Direktors statt, auch Schülerinnen und Schüler folgten den obskuren Umschichtungs- und Versetzungsplänen. Johannes Hoffmann, Ministerpräsident und Schrittmacher des politischen Katholizismus an der Saar, vertrat in peinlicher Strenge die Schuldoktrin seiner Partei und setzte in den Volksschulen und auf den Lehrerseminaren die Bekenntnis- und Geschlechtertrennung durch. Innerhalb von drei Jahren wechselte ich dreimal Schulort, Lehrer und Direktoren. In jugendlicher Unbekümmertheit ließ ich mich wie alle anderen auch hin- und herschieben von Blieskastel nach Saarbrücken, von Saarbrücken nach Ottweiler, kuschte vor den Oberen, gehorchte ihren Anweisungen wie zwei Jahre zuvor noch den Befehlen der Hitlerjugendführer. Doch wie ich's gewohnt war, hielt ich mich schadlos an den Freuden des täglichen Lebens. Jedes Schlechte hat sein Gutes, dachte ich und ließ keine Gelegenheit verstreichen, mich zu zerstreuen und zu amüsieren. Wenn ich an die uns aufgezwungenen mühsamen Bahnfahrten denke, habe ich sie mir in Abenteuerreisen verwandelt und wie Episoden aus Romanen im Gedächtnis behalten.

Wie viele Erinnerungen bestürmen mich immer noch beim Hin- und Herschlendern auf unserem Bahnsteig, der in Richtung Saarbrücken wie eine Mole gemauert ist, wo ich heutzutage manchmal mit klopfendem Herzen abfahre, als bräche ich auf ins dunkelste Afrika! Längst ist der Asphalt rissig geworden, ein sommers wie winters verwelktes Gras sprießt aus den Fugen, Moos hat sich angesetzt, ein grüner Schimmel überzieht die Fläche wie eine weitmaschige Gaze aus Glasfiber, worunter ein schwarzes Stück Erde zu brodeln scheint. Jetzt ist der Bahnsteig mit Geißklee und Johanniskraut überwuchert, eine Birke hat sich angesiedelt, und ganz weit draußen an der Rampe, wo niemand mehr hinkommt, wächst ein Lebensbaum, stranguliert von glänzendem Efeu. Am häufigsten denke ich an meine Seminarzeit, wenn ich durch die kleine Unterführung zum Bahnsteig hinaufgehe, denn nie zuvor und nie danach bin ich regelmäßig mit dem Zug gefahren. Zuerst ging's zwei Jahre lang nach Saarbrücken, vorbei an dem rostigen Staketenzaun, dem ein Stück reparierter Jägerzaun folgt, vorbei an dem Häuschen der alten Frau, der man die Kunst des Brauchens nachsagte, vorbei an Schrottplatz, Getreidelager und Schutthalde, wo die Gleise wieder dicht nebeneinanderher laufen und nur noch Schotter zwischen den Schwellen liegt.

Im ersten Jahr saßen wir Jungen und Mädchen, Katholiken und Protestanten noch in einer Klasse zusammen, gut aneinander gewöhnt durch die gemeinsamen Bahnfahrten. Alle Schüler und Schülerinnen von der Sulzbacher, Fischbacher und Völklinger Strecke trafen sich auf dem Saarbrücker Hauptbahnhof mit den Saarbrückern, die auf Bahnsteig 3 schon vor Ungeduld von einem Fuß auf den anderen traten, ihre Freunde und Freundinnen zu begrüßen. Wenn wir frühmorgens in stockdunklen Waggons die Scheidertal-Strecke hinauf nach Blieskastel fuhren, hielten die Pärchen sich an den Händen, streichelten und küßten sich, harrten hinter den mit Brettern zugenagelten Abteilfenstern im gnädigen Schutz der Dunkelheit aus, bis der Zug in Lautzkirchen quietschend bremste und sich holterdiepolter leerte. Was wollten Herrn Wahlster und Fräulein Bayer dagegen tun? Sie patrouillierten manchmal von Abteil zu Abteil, um ihre Aufsichtspflicht als Lehrer nicht zu vernachlässigen, sie stiegen erst in St. Ingbert zu, da hatten sich die Grüppchen längst gefunden und waren nicht mehr zu trennen.

Auf der Fahrt von Saarbrücken nach Blieskastel referierte ich Tag für Tag ausgewählte Passagen des *Parzival*, die wir als Hausaufgaben von Herrn Wahlster sorgfältig zu lesen und mit einfachen Worten zusammenzufassen hatten. Weiß Gott, meine flotte Art und Weise, diese Liebes- und Abenteuergeschichte zu popularisieren, tat ihre Wirkung, nicht nur auf Agathe, auch auf Herrn Wahlster! Da niemand außer mir sich mit solcherlei künstlicher Dichtung befassen wollte, die obendrein eine eher unverständliche als einleuchtende Handlung erzählt, las ich für alle und faßte für alle zusammen.

Lustvoll erinnere ich mich meiner volkstümlichen Redeweise, die Gestalten dieses Romans nachzuzeichnen und ihre Geschichte zu erzählen. Einige Schüler saßen auf den Zugbänken und hielten die Hände ihrer Mädchen, andere, mit der Schulmappe zwischen den Füßen, standen im Zwischengang.

Alle hörten zu, wie ich die Porträts von Parzivals Mutter Herzeloide und seiner Gemahlin Kondwiramur entwarf, den frommen Einsiedler Trevrizent und den leidenden König Amfortas umriß, die häßliche Kundrie und den tapferen Gawan skizzierte, vor allem aber, wie imposant ich im Wirrwarr der Verwandtschaftsverhältnisse Parzivals Halbbruder Feirefiz auftreten ließ. Diesen bunten Knaben, orientalisch gekleidet, gewandt im Ritterspiel, *schwarz und weiß gefleckt wie eine Elster,* verehrte ich von seinem ersten Auftreten an. »Ein unkomplizierter Heidenbursche«, charakterisierte ich ihn, »der machte keine Fisimatenten. Als Parzivals Schwert zerbricht, legt er sein's daneben ins Gras, stellt den Schild an einen Baum und sagt: ›Bruder, Schluß mit dem Kriegspielen, wir haben Besseres vor!‹« Ich versetzte mich in Feirefiz' Rolle, zog den Gürtel meiner Knickerbocker enger, blähte mich auf und ließ lieber meine Wörter als meine Muskeln spielen – nur ließ ich mich Agathes wegen nicht katholisch taufen, im Gegensatz zu Feirefiz, der die schöne Jungfrau Repanse de Schoye nicht bekommen hätte, wäre er Heide geblieben. Agathe war katholisch, schön und lieblich wie Repanse de Schoye, ihr Vater trug bei der Fronleichnamsprozession den Himmel, ihr Bruder redigierte Gebetbücher im Büro des Bischofs von Trier, und ihre Mutter, ein frommes, häusliches Wesen, wechselte die Farbe, wenn ich sonntags nachmittags beim Kaffeetrinken ihr gegenübersaß und sie mit Augen und Zähnen anblitzte. Das nutzte nicht viel, denn der Vater nahm die Mutter nach dem Kaffeetrinken mit in die Küche und befahl Agathe, unverzüglich mit dem Klavierspielen zu beginnen und nicht eher aufzuhören, bis er wieder hereinkäme, mich zu verabschieden. Es waren traurige, enttäuschende Nachmittage: Da wir zu unerfahren und aus verschiedenen Gründen – ich aus ungenutzten, Agathe aus mangelnden Gelegenheiten – nicht dazu gekommen waren, auch nur die allereinfachsten Liebestechniken zu entwickkeln, scheiterten unsere Umarmungsversuche schon im Ansatz. Wir wußten beim besten Willen nicht, wie wir es anstellen sollten, uns beim Klavierspielen zu küssen, ohne Verdacht zu erregen. Denn jede noch so zärtliche Berührung verwirrte Agathe, ihre Finger gerieten ins Zittern, sie irrten über die Tasten. Und wäre ich nicht rechtzeitig zur Besinnung gekommen und mir selbst in die Arme gefallen, hätte das verwackelte Musikspiel dem Vater in der Küche den Beginn eines ganz anderen Spieles signalisiert. Einmal, bei den ersten Takten der Mondscheinsonate, beugte ich mich seitlich über Agathe und wollte sie auf die Wange küssen. Ich erwischte die falsche Seite, die Notenfolge erforderte ein Abrücken ihres Körpers in die entgegengesetzte Richtung, und meine Lippen streiften nur flüchtig ihre Haut.

Mir gefiel Agathes Sonatenspiel, ich nutzte es schamlos aus. Nach jedem Sonatennachmittag schrieb ich ein Gedicht, und da das Wort *Sonate* sich so klangvoll auf ihren Namen reimte, ließ ich keine Gelegenheit aus, sie und ihr Musizieren in schwärmerischen Doppelversen anzudichten. So profitierte ich nicht von körperlichen Annäherungsversuchen, meinen Gewinn zog ich aus den Wörtern. Müßte ich nicht vor Scham im Erdboden versinken, würde ich augenblicklich eines dieser Gedichte vom Herbst 1946, das ich eben in einem alten Heft aufgespürt habe, in voller Länge zitieren. Agathe gefiel es, so überschwenglich angesungen zu werden, andererseits fürchtete sie die Folgen unseres Entflammtseins füreinander und klagte darüber, daß es mit uns beiden nicht gutgehen könne. Nein, nein, sagte sie, nicht ihr Vater und ihre Mutter und auch nicht sonst irgendein unglücklicher Umstand stünden uns im Weg, es sei einzig und allein der verschiedene Glaube. Als hätte dieses Bekenntnis sie für einen Nachmittag von Angst und Zwang befreit, schmeckten ihre Küsse zum erstenmal nicht nach Tränen. Vielleicht war es aber auch nur das ganze Drum und Dran dieses außergewöhnlichen Sonntagnachmittags! Agathe brauchte nicht Klavier zu spielen, denn der Vater, wegen ihrer Schwäche in den naturwissenschaftlichen Fächern besorgt, bat mich, bevor er mit der Mutter in die Küche verschwand, ich möchte Agathe den Mayerschen Satz von der Erhaltung der Energie erklären.

Das gelang mir auf bravouröse Weise. Agathe verstand meine plastische Darstellung der Wärmegewinnung durch gleitende und wälzende Reibung auf Anhieb. Es war auch nicht schwer, ihr klarzumachen, daß die Zunahme an Bewegungsenergie der am Körper geleisteten Arbeit gleich ist, ob nun ruhende oder bewegte Körper, die sich in einer Spannungslage befinden, den treibenden Kräften unterzogen sind. »Bringt man einen schnell rotierenden Mühlstein mit einem langsamer sich drehenden in Berührung, so vermindert sich die Bewegung des einen und vermehrt sich die des anderen so lange, bis beide gleich schnell laufen«, erklärte ich ihr; sie nickte, sie lächelte, mein einleuchtendes Beispiel brachte ihre Augen zum Glänzen. Als Beweis ihres Begreifens umarmte sie mich, und ich ahmte zur Bekräftigung meiner Theorie den rotierenden Mühlstein mit der Zunge nach, bis auch die ihre sich in den unaufhaltsamen Vorgang eingespielt hatte. Kurz danach ging die Tür auf, der Vater kam herein, um sich nach dem Stand der Kenntnisse zu erkundigen. Geistesgegenwärtig wechselte ich in ein anderes Beispiel über und fragte Agathe mit gespielter Strenge: »Um wieviel Grad Celsius erwärmt sich ein Kubikzentimeter Blei (spezifisches Gewicht 11,34), wenn es von der Turmhöhe der Münchner Frauenkirche (100 m) auf den Frauenplatz fällt?« Dieses Beispiel mit der Frauenkirche gefiel dem frommen Vater; wir waren noch am Rechnen, als er zufriedengestellt das Zimmer wieder verließ.

Trotz meiner zündenden Idee, sowohl Motive des höfischen Epos als auch Theorien der Wärmephysik auf so sinnfällige Art unter die Leute zu bringen: Herr Wahlster empfand meine Parzivaldarbietungen und meine Vermittlung physikalischer Lehrsätze als Illuminationen eines Luftikus, der seine Feuerwerke abbrennt wie der Kaufmannssohn seine Knallerbsen im fliegenden Koffer. Bei Herrn Wahlster bekam ich kein Bein auf den Boden. Obwohl er selbst, Liebhaber der Dichtkunst und der romantischen Musik, eher ein Schwärmer als ein Trockensputzer war, hatte er Angst vor seiner eigenen Courage und hütete sich, so gut es ging, mit dem Feuer zu spielen. Das gelang ihm nur halb, denn eines Tages sickerte das Gerücht eines amourösen Abenteuers durch, das ich von Anfang an für eine böswillige Erfindung hielt, den alternden Schwarmgeist in Mißkredit zu bringen. Ein Mädchen aus unserer Parallelklasse habe im Blieskasteler Klostergarten Herrn Wahlster auf den Knien gesessen, wurde erzählt, habe das Blümchenspiel mit ihm geübt wie Gretchen mit Faust, Blättchen abgezupft und dummes Zeug gemurmelt, am Ende jedoch, ihre Scheu überwindend, die Buchstaben seines Vornamens erst einzeln geflüstert, dann zum vollständigen Namen zusammengezogen und mit verliebter Stimme »Rudi« gehaucht.

Das kann ich mir heute noch nicht vorstellen. Herrn Wahlster mochte man eine auffällige Vorliebe für junge Mädchen anhängen, meinetwegen, doch eine handgreifliche Affäre mit einer Schülerin, nein, das war nicht sein Stil! Mir kann einer erzählen, was er will, ich glaube an seine Unschuld. Viel einleuchtender scheint mir die Version, das Mädchen habe geflunkert, um sich mit einer Romanze vor uns aufzuspielen. Gemessen an unseren Jahren war Herr Wahlster in einem Alter, da bekanntermaßen Übergriffe auf junge Mädchen nicht selten sind, doch hätte er sich niemals herabgelassen, mit einem jungen Ding von neunzehn auf den Knien das Blumenorakel aus dem *Faust* zu spielen – obwohl sein Mund weich und feucht und gar nicht so schlecht geeignet war, deftige Peinlichkeiten auszusprechen.

Ihm, dem moderaten Verehrer der klassischen Harmonie, mißfielen meine Übertreibungen. Ich mußte sie teuer bezahlen. Immer schon dem Ekstatischen zugeneigt, habe ich mit Vorliebe den Mund zu voll genommen, habe viel Trara um nichts und wieder nichts und aus jeder Mücke einen Elefanten gemacht – ein Charakterzug des Spielers, der gern mit einem Ball zuviel jongliert und doch hofft, es werde ihm keiner herunterfallen. Aber sooft ich Herrn Wahlster meine Zauberkunststücke vorführte, er durchkreuzte mein Spiel, und am Ende lagen die Bälle am Boden. Mein Spiel mit den Wörtern, ein Teufelswerk in seinen Augen! Schon mein erster Aufsatz, den wir frei nach Hebbels Gedicht *Ein Herbsttag, wie ich keinen sah* als Klassenarbeit schreiben mußten, nannte er ein hyperbolisches Machwerk. Zuerst dachte ich stolz, Herr Wahlster hätte diabolisches Machwerk gesagt, doch in seiner weichen und feuchten Aussprache hatte es nur so geklungen. Es hieß aber *hyperbolisch*, ein Wort, das ich bis zu diesem Augenblick nie gehört hatte. Erst ein Blick in Vaters Duden, wo es ganz in der Nähe von *Hyperbel* und *Hyperion* steht, lehrte mich seine Bedeutung. Ein Übertreiber, ein Prahlhans, ein Hochstapler: In Herrn Wahlsters Charakterisierung war überhaupt keine Wertschätzung zu erkennen.

Ein Jahr zuvor hatte ich Svend Fleurons Roman *Ein Winter im Jägerhofe* gelesen. Daraus war mir ein prächtiges Bild in Erinnerung geblieben, das ich am Anfang meines Aufsatzes in eine Theaterszene verwandelte: »Der Spätsommer, in einen modernen Anzug gekleidet, tritt in einen Salon und überreicht einer schönen Dame einen Blumenstrauß. Darin rauschen Georginen auf, entblättern sich Astern, fallen Schneebeeren auf den Boden und zerplatzen mit lautem Knall. Draußen im Garten, hinter breiter Marmorterrasse, brechen die Dolden der Eberesche auseinander, sie reckt ihre Zweige und weint blutige Tränen wie eine verlassene Geliebte.« Mit gereizten Schritten ging Herr Wahlster vor der Klasse auf und ab, schwenkte mein Aufsatzheft hin und her, und Satz um Satz zitierend zerpflückte er vor aller Augen und Ohren meine üppigen Stilblüten. Wie genüßlich er seine Nasenflügel blähte! Wie süffisant er sein Breimaul auseinanderlaufen ließ! Zwischen seinen Zähnen verloren die Georginen ihre aufrauschende Kraft, die entblätterten Astern flatterten schlaff von seinen Lippen, und der Knall der zerplatzenden Schneebeeren erstickte in seiner Kehle.

Dieser Tage, nach einem halben Jahrhundert, habe ich das Buch von Fleuron wiedergelesen. Ich bin enttäuscht. Sind die Sätze des Dichters zusammengeschrumpft? Sind seine Bilder verkümmert? Oder ist das poetische Herbstbild damals beim Lesen so mächtig angeschwollen, daß mein Gedächtnis es bis

heute als ein Monumentalgemälde festgehalten hat? Ich bin er-
nüchtert, ich erkenne mein Erinnerungsbild nicht wieder.
Schlicht und einfach heißt es bei Fleuron: »Der Spätsommer
stellt seine letzten Blumen auf den Tisch: bunte Georginen,
duftlose Astern, die weißen Schneebeeren...« Kein Salon,
kein moderner Anzug, keine schöne Frau auf einer Marmorterrasse! Und keine weinenden Ebereschen! Fleuron schreibt
nur: »Rundum in den Gärten hängen schon die schweren Dolden der Eberesche, von denen man sagt, daß sie an erstorbene
Liebe erinnern.« Herr Wahlster fuhr sich mit dem Taschentuch
über sein breites, teigiges Gesicht, als hätten ihm meine brün-
stigen Formulierungen den Schweiß aus allen Poren getrieben,
öffnete den Mund und stieß brockenweise abschätzige Wörter
aus. Jedes Wort war weich und feucht und schmeckte in seinem
Atem wie ein verfaultes Herbstblatt.

»Buntschillernde Pompons«, näselte er, betonte jeden
Selbstlaut mit genüßlicher Boshaftigkeit und verzog dabei den
Mund zu seiner sauersten Miene, »ist das nicht ein aufgeblase-
ner Vergleich für den Blütenkorb einer Georgine?« Spöttisch
betonte er das Wort *Blütenkorb* und begleitete es mit einem er-
staunten Augenaufschlag, als hätte er es in diesem Augenblick
erfunden, um es mir zum Gebrauch großzügig anzubieten.
»Übrigens Georginen«, fügte er hinzu und grinste, »hätten es
nicht genausogut auch Dahlien getan?« Ich zuckte zusammen,
schaute unter mich auf die Bank, kauerte auf meinem Platz wie
ein begossener Pudel. Damals wußte ich nicht, daß Georgine
und Dahlie zwei Namen für eine und dieselbe Pflanze sind, besaß noch kein Lexikon, in dem ich hätte nachschauen können
wie heute, wenn mir ein Wort vor Augen kommt, das ich nicht
gänzlich durchschaue. Es ärgerte mich, daß ich nicht *Dahlien*
statt *Georginen* geschrieben hatte, denn der winzige Unterschied, den es für ausgefuchste Pflanzenkenner dennoch zwischen beiden Blumen gibt, ist nicht entscheidend: Dahlie ist ein
viel schöneres Wort als Georgine, es klingt vornehm und skan-
dinavisch und hätte sich besser gemacht in meinem überkandidelten Aufsatz.

Herr Wahlster hatte sich über mich lustig gemacht. Auch wenn ich mich heute an ihm räche, indem ich den Gerüchten für ein paar Momente Glauben schenke und ihm das Allerschlimmste unterstelle: Mit dem Mädchen unserer Nachbarklasse auf den Knien hatte er sich beim Hoppereiter bestimmt klüger angestellt als ich in meinem Aufsatz, hatte zur zärtlichen Verführung unter Garantie mit idiotensicheren Goethezitaten gearbeitet und nicht wie ich mit unerprobten Wortgirlanden, die in der Luft hingen und beim ersten Windstoß auf den Boden fielen. Nein, Herr Wahlster konnte mein Übertreiben nicht leiden, nicht riechen den beklemmenden Duft, den meine Sätze verströmten, nicht dulden die ausgefallenen Vergleiche. In alten Kisten und Schachteln habe ich vergebens gekramt, mein Aufsatzheft vom Herbst 1946 wiederzufinden: Leider habe ich es nirgendwo entdeckt. Gottseidank sind mir die wirkungsvollsten Sätze in Erinnerung geblieben!

»Wie wirst du eigentlich mit alldem fertig?« fragte Walter Böhme, mein Banknachbar und enger Freund dieser Jahre. »Ich nehme mir Hebbel zum zweitenmal vor und wende einen Ausspruch von ihm hyperbolisch auf Herrn Wahlster an«, sagte ich zu ihm und freute mich schon darauf, mir die Schmach von der Seele zu schreiben. Walter wollte wissen, was mir dabei durch den Kopf spuke. Ich drückste herum, riß ein Blättchen aus meinem Notizheft und schrieb darauf: »Wenn ich Herrn Wahlster eines Tages schlachte und ihm das Fell über die Ohren ziehe, bleibt nichts von ihm übrig als eine mit schwabbeligen Wörtern ausgestopfte Deutschlehrerhaut.« Vielleicht hat Walter Böhme den Zettel aufbewahrt, so daß jeder, der es nicht glauben will, meine Schmähung von damals nachlesen kann.

Die Mädchen unserer Klasse ließen auf Herrn Wahlster nichts kommen. Sie schauten gläubig zu ihm auf, waren fleißig und brav, glänzten mit Hausaufgaben, die auf seiner Linie lagen, brillierten mit Aufsätzen nach seinem Geschmack, redeten ihm nach dem Mund und lasen ihm jeden Wunsch von den Augen ab. Ihren kessen Bemerkungen trat er mit entwaffnender Liebenswürdigkeit entgegen, ihren vorwitzigen Fragen antwortete er mit jovialer Zustimmung. Uns Jungen, die wir ihm nicht lieb Kind machten, gönnte er kein gutes Wort. Unseren Ausrutschern folgten gehässige Standpauken, unserem Spicken und Pfuschen zynische Strafgerichte. In der Klausur zur wissenschaftlichen Prüfung plazierte er Agathe genau hinter mich in die Bank und flötete mir ins Ohr: »Du würdest mir einen Gefallen tun, die Blätter mit den Antworten gut sichtbar für deine Freundin zwischen dich und Walter Böhme zu schieben.« Ich nickte und schaute in sein breites, teigiges Gesicht; er tat mir auf einmal leid in seiner flaumweichen Anfälligkeit für alles Mädchenhafte.

Herr Wahlster hatte auch sein Gutes: Er hat uns reden gelehrt. Bevor die Klasse nach Saarbrücken versetzt wurde, klärte er uns in einer scharfen Philippika über unsere sprachliche Ohnmacht auf. »Ihr seid nicht imstande, euch angemessen auszudrücken«, tadelte er, »ihr solltet euch schämen, als angehende Lehrer einer Herde von blökendem Vieh ähnlicher zu sein als einer Gesellschaft intelligenter Menschen.« Bei jedem Klassengespräch, worin es ja um Definitionen und Analysen, um Argumente und Gegenargumente gehe, stünden wir gleichsam wie die Hornochsen in der Gegend, nur ein Brummen sei unsere Regung, nur ein Muhen und Knurren unsere Antworten. Noch gab es keinen Sprechwissenschaftler Hellmut Geißner, der uns erst später begegnete und mit eloquentem Scharfsinn beibrachte, wie man im Fünfsatz alle gegnerischen Beweisgründe aushebeln und durch eigene ersetzen kann. Doch schon Lehrer Wahlsters Schelte fruchtete bei mir. Ich übte, ich lernte rasch. Bei nächster Gelegenheit, als Toni Hunsicker, der frühere Schulfreund und langjährige Gesprächspartner, mich in irgendeines unserer damaligen Probleme verwickeln wollte, deckte ich ihn schamlos mit einer Suada großspurigen Geschwafels zu. Ich zog ein Wortgewitter auf und schlug rhetorische Funken.

Schließlich wandte ich die dem Lehrer abgelauschten rhetorischen Kniffe auf jedermann an – und kehrte sie sogar gegen Herrn Wahlster selbst. Doch mein Hohn war ungerecht, mein

Sticheln billiges Wortgeklingel, mein Vorsatz böse, die Klasse zum Gelächter anzustiften.

Herr Wahlster hatte Hohn und Spott nicht verdient. Denn einmal, im entscheidenden Augenblick, zeigte er Größe. Der Kultusminister hatte seinen Besuch angesagt, energisch riß er die Klassentür auf, trat forschen Schrittes in den Raum, grüßte knapp und setzte sich vor die Tafel, auf der immer noch Herrn Wahlsters Gliederung von Goethes Naturphilosophie zu bewundern war. Der Minister folgte dem Unterricht eine Weile stumm, mit heruntergezogenen Mundwinkeln und gerunzelter Stirn. Plötzlich sprang er vom Stuhl auf und stand mit seinen kurzen Beinen an der vordersten Schulbank: Emil Straus, ein zum Katholizismus konvertierter Jude, der die schweren Jahre der Hitlerdiktatur im südfranzösischen Exil verbracht und dort eine seltsame Weltanschauung von germanisch-romanischer Kultursynthese ausgebrütet hatte. Ihm ging der Ruch des Eiferers voraus, der feindselige Blicke durch seine dicken Brillengläser schieße, wenn er die Erneuerung des konstantinischen Bundes beschwöre und mit rücksichtsloser Entschlossenheit die Leitlinien der katholischen Schuldoktrin verfechte. Die Umerziehung der Jugend von irregeführten Hitleranhängern zu saarländischen Staatspatrioten hatte er sich zur Aufgabe gesetzt, und so wie er nun vor uns stand und eine fanatische Rede hielt, regten sich in mir Haßgefühle, die ich nur notdürftig zurückdrängen konnte. Vor Wut blase ich mich auf, rümpfe die Nase über diesen falschen Juden, diesen scheinheiligen Katholiken, diesen Wechselbalg, der sein Fähnchen nach dem Winde hängt. Da öffnet Emil Straus den Mund und kräht: »Und jetzt mal aufstehen alle ehemaligen Schüler und Schülerinnen nationalsozialistischer Lehrerbildungsanstalten!« Ich erhebe mich aus meiner Bank, stolzer und größer, als ich von Natur aus bin, sehe Brigitte, Margrit und Anita, die drei Freundinnen von der Lehrerinnenbildungsanstalt Siersthal, dastehen wie Verbrecherinnen im Gerichtssaal, und höre die krächzende Stimme von Emil Straus: »Diese Herrschaften sind mir äußerst suspekt.« Er sagt nicht *anrüchig* oder *ver-*

dächtig, er gebraucht das Fremdwort, das besonders scharf und spitz klingt und ihm geeignet scheint, Angst einzujagen. Das ist Herrn Wahlsters Sternstunde! Er, brav eingebunden in die Glaubens- und Lehrsätze von Herrn Straus' pädagogischer Doktrin, wagt es, wider den Stachel zu löcken. Sein Gesicht wird schmal und kantig, sein Mund hart und trocken, als er sich zu uns bekennt: »Aber es sind meine Besten!«

Wir wechselten nach Saarbrücken über, verloren Herrn Wahlster aus den Augen. Gott befohlen, Herr Schönsiegel, Ihr Musikunterricht erlöste mich manchen Tags aus der Qual des Büffelns! Adieu, Mademoiselle Janin, Ihr Französischunterricht entfachte in mir die Lust zur Arbeit! Im dritten Band von Louis Marchands *Lehrbuch der französischen Sprache,* woraus ich zwanzig Jahre später meinen ersten Roman entwickelte, las ich Gedichte in strenger Form, rückte meinen Stuhl nach den Hausaufgaben ans Mansardenfenster, übersetzte Sonette von Lucie Mérille und Eugène Hollande, *Antonio und Kleopatra* von Hérédia und *Schneenacht* von Maupassant, Gedichte von Ronsard und Du Bellay, von Baudelaire und Verlaine und schrieb sie in ein französisches Schulheft mit blauem Deckel. Spätnachmittags hockte ich am Radio und hörte die Sendung *Rendez-vous à cinq Heure,* fuhr abends mit der Straßenbahn nach Saarbrücken, studierte in einem Literaturkurs die lange Zeit verbotenen und mir unbekannten Vorkriegsdichter, notierte mir Wissenswertes über Thomas Mann und Hermann Hesse, Eduard von Keyserling und Jakob Wassermann in mein Schulheft. Das Heft gibt es noch, über Friedrich Huch kann man darin lesen, er habe einen feinen, nicht spöttischen Humor besessen, und über André Gide, er sei, um den Dingen auf den Grund zu gehen, mit einem wandelbaren Charakter begabt gewesen.

Die Betonung auf wandelbar gefiel mir schon damals. Ich erinnerte mich meines Lustgefühls beim experimentellen Umwandeln von Stoffen im Physikunterricht in Idstein, wenn buntgefärbte Flüssigkeiten durch tierische Häute sickerten, sich gegenseitig austauschten, nach und nach ineinander verschmolzen und uns den Übertritt der Nahrungssäfte im Blut simulierten. Ich begriff den feinen Unterschied in den Bedeutungsnuancen des Wandelbaren: Wechselhaft ist nicht dasselbe wie schwankend, wer elastisch ist, muß nicht launisch, wer anpassungsfähig nicht wetterwendisch sein. In meinen Hirngespinsten verwob sich das Ungleichartigste miteinander: Äpfel mit Äpfeln und Birnen mit Birnen zu vergleichen, fand ich immer schon ein kleinliches Unterfangen. Alles fällt sowieso auseinander, dachte ich, nichts paßt aufs andere, warum soll ich nicht Äpfel mit Birnen vergleichen. Ich hatte meinen Spaß am Zusammenspiel des Unvereinbarlichen, liebte das Paradoxe, schwärmte für Hugo Ball und Ringelnatz und jeden poetischen Widersinn. Es imponierte mir auch Lafcadios *acte gratui*, seine Tat ohne Motiv in André Gides Roman *Die Verliese des Vatikan*, den ich mir in der Gemeindebücherei auslieh und las. Lafcadio stürzt einen Herrn, mit dem er das Coupé teilt, aus dem fahrenden Zug. Nur ein kleiner Schubs zur Nachhilfe, und der verknöcherte Bourgeois sinkt wie ein Plumpsack in die Finsternis. *Eine Welt liegt zwischen Vorstellung und Tat*, philosophiert der Mörder, *unwiderruflich jeder Schachzug*. Und geradezu verhexend die Idee: *Wenn man alle Möglichkeiten voraussähe, verlöre das Spiel seinen ganzen Reiz*. Das alles waren kostenlose Gedankenspiele, Kopfgeburten von Schriftstellern, ich konnte dem erfundenen Verbrechen frönen, ohne dafür zu bezahlen. Doch wenn's drauf angekommen wäre, selbst Hand anzulegen bei irgendeiner kühnen Tat: Ich hätte gekniffen und mich in mein Dachkämmerchen geflüchtet. Ich trug keine Bomben in der Tasche, nur meine Siebensachen für den Unterricht. Anstatt mich mit gefährlichen Ideen zu beschäftigen, schauspielerte ich, heuchelte eine künstlerische Überempfindlichkeit, machte mich interessant wie die Jungen und Mädchen mit ihrem Lederband am Handgelenk, jener modischen Stütze scheinbar schwacher Knöchelchen, die es heutzutage gar nicht mehr gibt. Sind die Gelenke stabiler, die Seelen unempfindlicher geworden?

Ich lernte. Das Zufällige kam zum Geplanten, das Belanglose zum Bedeutsamen. Leider sind mir nur Einzelheiten im Gedächtnis geblieben, konturlose Erinnerungsfetzen. Spukhaft fliegen sie vorbei. Hin und wieder verabredete ich mich mit Brigitte und Margrit, zum Jahreswechsel schrieb ich ein Gedicht für sie: *Die blaue Kugel,* ein mir heute unverständliches symbolistisches Planetarium, das vermutlich meine Verwandtschaft mit einem Wandelstern erklären sollte. Auf dem Schulweg stritt ich mit Theo Puhl, einem von allen Lehrern gebeutelten Rotschopf, der gerade Nietzsche las und mich mit dem Satz ärgerte: »Niemand ist für seine Taten verantwortlich, niemand für sein Wesen; richten ist soviel als ungerecht sein.« Samstags abends saß ich mit Eugen, auch einem Rothaarigen und Streitlustigen, in der Spätvorstellung eines der beiden Sulzbacher Kinos. Wir bevorzugten amerikanische Thriller, schauten uns die Filme mit George Raft und Edward G. Robinson an, bewunderten Barbara Stanwyck mit Cowboyhut und Virginia Mayo im Silberfuchs. Humphrey Bogart tritt auf, zupft an seiner Oberlippe, kneift sich ins Ohrläppchen, zuckt mit dem Kiefer. Dann bleckt er die Zähne, sagt zu Ida Lupino: »Hallo, Süße!« und zu Peter Lorre: »Ich habe selten so viele Revolver für so wenig Hirn gesehen.« War es in *High Sierra,* im *Malteserfalken,* in *The Big Sleep?* Die Titel habe ich vergessen. Aber wo's ums Hirn geht, bin ich hellwach. Dazu fällt mir ein späterer Film mit Bogart ein: *An einem Tag wie jeder andere.* Bogart spielt den Gangster Griffin, der eine brave amerikanische Familie mit Haus am Stadtrand terrorisiert. Er reibt sich seine Wange, bleckt die Zähne und sagt zu Fredric March, dem begriffsstutzigen Familienvater: »Denk nach, Paps«, tippt sich an die Schläfe und fügt hinzu: »Klickedi, klickedi, klick!«

Zu dieser Zeit war ich viel unterwegs. Ich denke an die Hamsterzüge nach Wustweiler und ins Rheinhessische zu den dikken Obst- und Kartoffelbauern, an die Schlachtenbummler auf den Kieselhumes zu Domingo und Ben Barek, den Fußballstars der französischen Nationalliga, an die Expeditionen ins Unbekannte zu Narziß und Goldmund und zum alten Kammernherrn Brigge ins dänische Landschloß.

Mein Freund Gerhard, ein entfernter Verwandter väterlicherseits, kam eines Tages mit einer Tafel Kirschbaumholz, setzte mich in Positur und fing an, ein Relief meines Kopfes zu schnitzen. Es ist ein gelungenes Porträt, das mir aufs Haar gleicht. Seit ein paar Jahren hängt es neben meinem Schreibtisch an der Wand: Ich sehe einen schwärmerischen Jüngling mit vollen Lippen, weicher Wange und der unvermeidlichen Schmachtwelle der Endvierziger, einen Jünger der Kunst, der sich noch nicht entschieden hat, ob er sich zu Weihnachten ein Schlagzeug wünschen soll mit Trommeln und Jazzbesen oder einen Aquarellkasten mit Pinseln und feinstem Fabrianopapier.

Von Kind an habe ich gezeichnet und gemalt. Ich erinnere mich an Wasserfarbenbilder von Giraffen und Elefanten, an Pastellbilder von eleganten Damen und an ein Buntstiftebild, das meinen Vater mit einer Leiter auf dem Rücken vor der Werkstatt zeigt. In einer Mappe liegt immer noch eine kolorierte Zeichnung von Großvaters Schäferhund Rex neben der Hundehütte. Leider sieht mein gemalter Hund einem wirklichen Schäferhund nicht besonders ähnlich, seine Schnauze ist viel zu dick, und mit seinen Schlappohren über dicken Backen gleicht er mehr einem vollgefressenen Metzgerhund. Bei meinem Versuch, die biblische Judith mit dem abgeschlagenen Haupt des Holofernes in der Hand zu malen, mußte Mutter Modell stehen. Dabei ging's mir nicht um die malerische Lösung für die Körpergestalt, für Schlachtmesser und Faltenwürfe des Kleides, sondern um die naturalistische Genauigkeit eines einzigen Details: Wie male ich einen abgeschlagenen Männerkopf, den eine Frauenhand umgekehrt herum an den Barthaaren hält? Denn das Haupt des Holofernes sollte nicht auf dem Boden liegen wie auf dem Bild eines italienischen Malers aus dem Zigarettenalbum. Was mir vorschwebte: Des Unterdrückers Haupt sollte, von Judiths linker Hand am Bartschopf gehalten, an ihrer samtglänzenden Körperseite herunterhängen und, blutüberströmt, Kleid und Schuhe beschmutzen. Mutter diente dem Genie ihres Sohnes eine geschlagene Stunde lang. Ihre Finger in die Borsten des Handfegers verkrallt, ahmte sie die mir so bedeutungsvoll erscheinende Stellung nach, bis ich den letzten Pinselstrich gesetzt hatte.

Das Bild ist mißlungen. Judiths Finger grapschen ungeschickt in Holofernes' Bart, er ist Kehrbesen geblieben und hat nicht einmal die malerische Verwandlung aus Besenborsten in Barthaar vollzogen. Entmutigt gab ich die Malerei auf und verbrannte meine Bilder in einem Anflug heftiger Enttäuschung. Hätte mein Bruder eines meiner späten Ölgemälde nicht über die Zeit gerettet, wäre kein Zeugnis von meiner Pinselkunst übriggeblieben. Das gerettete Bild stellt eine Mühle dar. Obwohl es nach einer Postkarte gemalt ist, verströmt es eine Stimmung, der ich manchmal gegen meine Natur allzu bereitwillig nachgab: Linker Hand von der Mühle ein Boot am Schilfrand mit aufgegebenem Ruder unter einem melancholischen Abendhimmel, dessen Silberglanz sich im Wasser widerspiegelt. Vielleicht ist das Gestrüpp im Vordergrund, mit wilden Pinselhieben hingehauen, ein bißchen dick aufgetragen. Heute wäre mir ein leicht hingehauchter Himmel, ein mildes Blau, ein weiches Rot im Bild lieber als dieses harte Silber.

Alle vierzehn Tage dienstags kaufte ich mir den *Tintenfisch, das humoristische Blatt des Saarlandes,* eine Satirezeitschrift mit deftigen Glossen und Karikaturen. Bruno Koppelkamm, Roland Stigulinszky und Bob Strauch waren die Zeichner. Sie witzelten und spotteten, sie karikierten Johannes Hoffmann, den Ministerpräsidenten, persiflierten Emil Straus, den Kultusminister, veräppelten die prominenten Politiker und zeichneten ihre Porträts als Gipsköpfe. Über allen Ulk aber erheben sich die Männchen und Weibchen von Bob Strauch in einen höheren Raum, worin der Spaß aufhört. In seinen Figuren verkörpert sich ein gespaltenes Menschenbild. Sie haben den Boden unter den Füßen verloren, sie hüpfen, sie springen, sie platzen aus allen Nähten, strecken Arme und Hände aus, halten sich Bauch und Backen, reißen Mund und Nasen auf und zerreißen sich schier in einem ungebärdigen Gelächter. Es ist ein schallendes Gelächter. Ich höre es heute noch beim Betrachten seiner Bilder. Aus diesen Blättern tönt eine überschäumende

Heiterkeit, grollt aber auch ein fernes Wetterleuchten. Die ganze menschliche Gesellschaft springt närrisch herum, möchte sich vor Schadenfreude zu Tode amüsieren, auf Kosten des anderen. Alle sind verlarvt und verkleidet, einer sieht wie der andere aus und freut sich, daß niemand ihn erkennt. Damals wünschte ich mir, Bob Strauch hätte den Eiertanz gezeichnet, den staatliche und kirchliche Würdenträger um die rechte Lehrerbildung aufgeführt haben, hie *evangelische Blauköpfe* mit dem Wunsch nach gemeinsamer, dort katholische *Rattenschwänze* mit dem Begehr nach getrennter Lehrerbildung: Schulrat und Monsignore, sich gegenseitig bei Rosenkranz und Portepee fassend, beim Pas de deux auf geweihtem Parkett.

In Saarbrücken traten wir vor andere Lehrer: Sie in ihrer christlichen Weltsicht, zu keiner Zeit vom Mythos des Nationalsozialismus beseelt, kamen andererseits nicht auf die Idee, unsere pädagogische Provinz mit Goethes Geist zu beseelen. In Geographie beschwor Fräulein Wagner die romanische Gläubigkeit im putzigen Kirchlein von Böckweiler, in Botanik verwies Fräulein Jung auf die göttliche Vielfalt der Schöpfung, in Psychologie beschrieb Fräulein Lamour die trockenen Willens-, Trieb- und Empfindungslehren mit ihren glatt funktionierenden Mechanismen und wagte sich an eine Überbauung des trüben endothymen Grundes mit einer Lichtkuppel aus christlichen Werten. Es ist nicht viel, was ich von alldem behalten habe. Aus dem Geographieunterricht: Hugo Pfeiffers Veranschaulichung von Fräulein Wagners Heimattheorie. Er beantwortete ihre Frage: »Was ist Heimat?« mit einer Episode aus dem Krieg. Halbverdurstet im russischen Hochsommer sieht er den jeden Abend eintreffenden Nachschub-Lkw mit einem saarländischen Bierfaß auf der Pritsche in der Steppe stehen. Da geht ihm das Herz vor Heimweh über. »Heimat«, schloß Hugo seine Erzählung, »das ist Beckers Bier!«, woraufhin Fräulein Wagner, Tränen in den Augen, ihre Fassung verlor vor lauter Glückseligkeit. Aus der Botanikstunde: Unsere Unterrichtsgänge von der Wackenbergschule hinunter ins Saartal, wo uns Fräulein Jung an den Wiesenrändern mit den charakteristischen Kennzeichen von Schafgarbe und Johanniskraut vertraut machen wollte, hinauf in den Stiftswald, wo es hinter Heckenrosen und Farnkraut dunkle Verstecke gab, die Mädchen zu küssen. Ich hatte es schwer, denn Marianne, deren Kniescheiben Tag für Tag schwarz waren vom Rutschen auf dem Gebetbänkchen in der Kirche, hing so hartnäckig an Agathes Rockzipfel, daß mir nur flüchtige Berührungen von Hand und Wange gelangen.

Aus der Psychologiestunde habe ich Fräulein Lamours aufatmende Erleichterungen im Gedächtnis behalten. Eindrücklich ihr Schnaufen, wenn sie den Luftstrom ausstieß und William Sterns personalistische Lehre zusammenfaßte: »Der Mensch besitzt Dispositionen, erlebt Phänomene und vollzieht Akte.« Unvergeßlich ihr tiefes Atmen, wenn sie die Luft hörbar über die Lippen strömen ließ und »Ach« sagte, was ich für einen Seufzer hielt, bevor ich begriff, daß Fräulein Lamour den Namen eines Psychologen meinte, der mit Nachnamen Ach, mit Vornamen Narziß hieß, mich aber an Ödipus erinnerte. Heute noch muß ich daran denken, wie sie über Freud redete, als dürfe man diesen anrüchigen Menschen nur mit den Fingerspitzen anfassen. »Ein schrecklicher Mensch«, sagte Fräulein Lamour, »er verdächtigt das Kind einer abscheulichen Sexualität und zerstört damit unsere christliche Auffassung von kindlicher Reinheit.« Fräulein Lamour seufzte tief, erhob sich, von rheumatischen Schmerzen gequält, aus ihrem Stuhl, den sie sehr selten verließ, und fuhr fort: »In welche Gewissensängste würden wir die uns anempfohlenen Kinder stürzen, bezögen wir uns auf das Dogma Freuds und machten sie zum Erziehungsgegenstand seiner pansexuellen Irrlehre. Es ist nicht auszudenken!«

Für die Erziehungslehre war Fräulein Prümm zuständig. Alles an ihr war klein, grazil die Gestalt, puppig die Füße, geschrumpft ihr verbissener Mund. Sie sprach kurz und bündig, in energischem Ton. Ihr Wille allerdings, uns die Ziele der katholischen Schuldoktrin zu vermitteln, war unbändig stark. Er nahm zuweilen monströse Züge an. Dann schien ein inneres Aufblähen die Hülle ihres zierlichen Leibes zu sprengen und ihr verkniffener Mund dehnte sich zum Sprachrohr. Wie alle Kleinwüchsigen blies sie die Backen auf und warf sich in die Brust gleich einem Insekt, das seinen zusammengerollten Körper gewaltsam aus dem Kokon drängt. Trotz dieser kreatürlichen Kraftentfaltung mißbilligte sie jede Art hemmungsloser Unbeherrschtheit. Fräulein Prümm war eine Feindin alles Tierischen, jede Trieb- und Gemütsregung verabscheute sie. Wir Menschen besäßen eine Großhirnrinde und ein sogenanntes überschaubares Neuhirn, dozierte sie, die Tiere mit ihren Instinkten entbänden aus dunklen Zonen des Althirns ihre ungezügelten Kräfte, seien keine plastischen Wesen wie der Mensch, der zur Erziehung tauglich und seine Kräfte unter Kontrolle zu halten mächtig sei. »Dazu bedarf es allerdings des Willens«, schnaufte sie und stieß den Satz hervor: »Es kommt im Leben des Menschen nur auf den Willen an, kraft dessen ist er für seine Verhaltensweisen verantwortlich – das Tier nicht!« Und doch gäbe es hie und da gräßliche Fehlhandlungen aus instinktiv begangenen Akten, sinnierte sie weiter, Greueltaten, für die manche Leute Verständnis aufbrächten, den vertierten Unhold sogar in Schutz nähmen. »Die Willensfreiheit kann man nicht psychologisch erklären«, sagte sie, »von Gott ist sie gegeben und Gott sind wir verantwortlich für alles, was wir tun. Gott hat uns Menschen das Gewissen eingepflanzt, damit wir jederzeit erkennen, was gut und böse, was recht und unrecht ist.« Fräulein Prümm richtete sich auf, spannte die Muskeln ihres kleinen Mundes, hob ihre Stimme und rief: »Die christliche Ethik hat das wunderbare Bild geprägt: Das Gewissen ist das Einfallstor des göttlichen Willens.«

Darüber geriet ich mit ihr in Streit. Durch Fräulein Lamours Schmähungen der Psychoanalyse auf Sigmund Freud aufmerksam geworden, lieh ich mir von Heinz Dieckmann ein paar seiner Schriften aus, war überrascht von *einigen Übereinstimmungen im Seelenleben der Wilden und der Neurotiker* und brannte darauf, Fräulein Prümm, mit psychoanalytischen

Erkenntnissen verblüffend, in eine Diskussion zu verwickeln. Das Zwiegespräch kam zustande, es war heftig, und es hatte Folgen. Als Fräulein Prümm wieder einmal in höchsten Willens- und Gewissenstiraden schwelgte, Fragen nach Schuld und Sühne aufwarf und Gottes richtenden Spruch als einzigen, weil himmlischen Akt der Gerechtigkeit pries, meldete ich mich, stellte mich naiv und fragte: »Ist man ein Mörder, wenn man beim Atmen ein unschuldiges Mückchen verschluckt?« Fräulein Prümm zog die Mundwinkel herunter, legte die Hände wie beim Gebet ineinander und schaute mich mitleidig an. »Nur die vorbedachte willentliche Tat ist verwerflich! Kein Mensch braucht je ein schlechtes Gewissen zu haben, wenn er einmal unwillkürlich einen Käfer zertritt oder in Gegenwehr eine Wespe zerquetscht.«

Ich gab mich nicht zufrieden, blieb tapfer in meiner Bank stehen und hakte mit einer zweiten Frage nach: »Hat der Menschenfresser beim Fressen eines Menschen ein gutes oder ein schlechtes Gewissen?« Eine Frage, die ich vielleicht besser nicht gestellt hätte, denn Fräulein Prümm, aufgebracht von so viel gespielter Unbefangenheit, fing nun an zu schreien. Sie stellte sich auf die Zehenspitzen und, statt ihn in ruhigem, womöglich wirkungsvoll leisem Ton vorzutragen, brüllte sie den Satz heraus: »Der Kannibale ist einem wilden Tier vergleichbar. Ihm fehlt die katholische Herzens- und Gewissensbildung. Folglich ist er noch kein Mensch geworden.« Da war es heraus! Fräulein Prümm, nur die katholische Richtschnur gelten lassend, hatte sich im Übereifer versprochen. Aber ich kannte keine Gnade und log das Blaue vom Himmel herunter mit der Geschichte einer Totemmahlzeit zweier Menschenfresser, die ihren Vater erschlagen und verzehrt hätten, um sich auf diese einverleibende Weise seine Eigenschaften anzueignen. »Der Verfasser der Geschichte heißt Sigmund Freud«, spann ich mein Garn weiter und nannte den Phantasienamen einer Zeitschrift, worin sie abgedruckt sei. Unverfroren setzte ich noch eins drauf und behauptete: »Freud vermutet, diese kannibalische Mahlzeit sei überhaupt die erste rituelle Hand-

lung gewesen, und die katholische Herzens- und Gewissensbildung, also Ihr Gottesgeschenk, habe seinen Ursprung im
genußfreudigen Kannibalismus.«

Fräulein Prümm war aber nicht sprachlos, sie gönnte mir
keinen billigen Triumph und wich auf eine Kampfstätte aus,
wo sie die besseren Waffen besaß. Sie befahl mich sogleich ins
Rektorenzimmer und knüpfte mit harten Vorwürfen an unser
psychoanalytisches Zwiegespräch an. »Im eigentlichen geht es
hier ja nicht um die Grundlagen der christlichen Erziehungslehre, die von Ihnen untergraben werden, das halten Staat und
Kirche aus. Hier geht es um einen Menschen, der von Ihnen
verführt und verdorben wird«, erklärte sie, »das aber können
Staat und Kirche nicht dulden, weil sie den Auftrag haben, ihre
Kinder vor dem Verderben zu schützen.« In unserem Zwei-
kampf hatte Fräulein Prümm die übelste Finte gewählt, sie
handelte überfallartig, schickte den Direktor in unser Klassenzimmer, Agathe herzuholen.

Im eigentlichen, hatte sie gesagt, ich erinnere mich genau,
weiß aber heute nicht mehr, ob sie sich auf den Begriff einer
pädagogischen Schule bezogen oder in ihrem Wortgebrauch
eine Idee zu hoch gegriffen hatte. Jedenfalls holte Fräulein
Prümm, nachdem Agathe ein- und vor sie hingetreten war,
weit aus, redete erst um den heißen Brei, erklärte weitschwei-
fig, wie ein flüchtiger Kontakt sich zum innigen Verhältnis entwickeln könne, das sich vom bloßen Kontakt nicht nur durch
die Dauer seines Bestandes unterscheide, sondern durch die
Tatsache, daß zwei Individuen in eigentümlicher Willensver-
bindung zueinander stünden, und faselte von wechselweisen
Beziehungsverflechtungen des Miteinander und Gegeneinander, der Annäherung und Entzweiung im umarmenden Geschlechterkampf. Beim Jonglieren mit diesen Begriffen, das ein
energisches Hin und Her des Kopfes begleitete, rutschte eine
Haarnadel aus ihrem Knoten. Sie griff danach, drückte sie mit
zwei Fingern zusammen und steckte sie in den Knoten zurück.
Urplötzlich, als habe nur noch diese Geste gefehlt, eine körperliche Unordnung zu korrigieren, kam sie zur Sache. »Ihre

Anschauung von der Welt und dem Leben, so wie ich sie aus mündlichen und schriftlichen Äußerungen her kenne, muß als nihilistisch bezeichnet werden«, entschied Fräulein Prümm mit spitzen Lippen, »sie ist nicht geeignet, in dem gefahrvollen Geschlechterkampf eine positive Wirkung auf ein unverdorbenes katholisches Mädchen auszuüben.« Fräulein Prümm baute ihr Plädoyer aus und rief ihre Zeugen auf, nannte Agathes Bruder, den Geistlichen aus Trier, der mit bitteren Klagen bei ihr vorstellig geworden sei, und einen Schulrat, Freund des Hauses, der von unerwünschter Verbindung gesprochen habe – und ich begriff, daß Fräulein Prümm es übernommen hatte, mich von Agathe zu trennen. Sie trat auf Agathe zu, nahm deren Hände in die ihren und befahl kategorisch: »Sie müssen dieses Verhältnis beenden!« Agathe senkte den Kopf, Tränen traten in ihre Augen, ihr Mund zitterte, doch kaum hatte sie geflüstert, nein, das könne sie nicht, aktivierte Fräulein Prümm ihre scharfen S-Laute und schrie: »Sie müssen!«

Fräulein Prümm war in ihrem Element. Nun konnte sie kampfentschlossen das Wort *Gewissen* ins Feld führen, wetzte und schärfte es und schleuderte es mir ins Gesicht. Schon im Jahre 1927, in einem kirchengeschichtlichen Lebensbild über die heilige Hildegard, hatte Fräulein Prümm missionarischen Eifer gezeigt. »Hildegards Prophetenaufgabe war mit ihrem Wirken hinter den Klostermauern noch nicht erfüllt«, schrieb sie damals, »Größeres und Schwereres erwartete sie. Gott erteilte ihr den Auftrag, als seine Gesandte selbst durch das Land zu ziehen, um die schlafenden Gewissen der Menschen aufzurütteln. Welch eine schwere und ungewöhnliche Aufgabe für sie!« Auch Fräulein Prümm scheute diese Aufgabe nicht, ihr war sie nicht schwer und ungewöhnlich genug, und jeder Eingeweihte konnte spüren, wie gern sie ihren Vornamen Agnes in Hildegard umgewandelt hätte, obwohl ja Agnes die Heilige, die Reine, die Keusche bedeutet und das Lamm in ihrem Wimpel trägt. Fräulein Prümm ruhte mit ihrem Gewissensfeldzug nicht eher, bis Agathe mich bat, sie nicht mehr zu besuchen. Am 13. Juli 1948, bevor katholische und evangelische Seminaristen per Staatsakt voneinander getrennt wurden, schrieb Fräulein Prümm in mein Versetzungszeugnis: »Muß sich eines verantwortungsvolleren Verhaltens befleißigen.«

Aber da gab's ja noch Herrn Müller, den rothaarigen Philosophen aus Rohrbach! Wie hilfreich wäre mir in Blieskastel sein geistreiches Plänkeln, wie nützlich sein raffiniertes Hakenschlagen im Kesseltreiben mit Herrn Wahlster gewesen! Wenn ich nur an das Hase-und-Igel-Spiel um das Wort *gleichsam* denke! *Gleichsam,* das war Herrn Wahlsters Lieblingswort. Die Wörter *gewissermaßen* und *sozusagen,* die er viel seltener benutzte, klangen ihm vielleicht zu sachlich, und das Vergleichswörtchen *wie* war ihm sicher zu gewöhnlich. Er sagte: »Gleichsam«; immer sollte das Besondere aus seiner Rede hervortönen. Wenn er das Wort *gleichsam* aussprach und dabei die Kreide hob, schwang das Wort *Gleichnis* mit, Sinnbilder flammten auf, rätselhafte Zeichen erschienen auf der Schultafel und sollten uns in Erstaunen setzen, doch gewitzt von Herrn Müllers philosophischer Sprechkunst, wäre es mir spielend gelungen, Herrn Wahlsters allegorische Ausdrucksweise nachahmend zu verspotten. An einem der letzten Blieskasteler Schultage, noch einmal auf Goethes Spuren unterwegs, hatte sich Herr Wahlster mit erwartungsvollem Augenspiel in dessen poetische Naturbetrachtungen verloren: »In allem, was die Natur dem Menschen mitgegeben hat, sucht dieser in der Außenwelt gleichsam die Gegenstände jener Urbilder und spricht sie in Dichtung aus.« Mit dieser hochgestochenen Formulierung seiner These im Ohr hätte ich mir in einem Anlauf kühnster Unternehmungslust die Freiheit genommen, seine Behauptung mit einem Beispiel aus Herrn Müllers Philosophie zu illustrieren. »Was halten Sie von folgender Veranschaulichung Ihrer Goethe-Theorie?« hätte ich Herrn Wahlster gefragt und geantwortet: »Da der Azteke glaubt, sein Mondgott Quetzalcoatl verbrenne beim Tagesgrauen und verwandele sich dabei in einen Morgenstern, gewinnt sein Leben gleichsam eine poetische Dimension hinzu.« Wie hätten Herrn Wahlsters Augen geglänzt, wie hätte er in die Hände geklatscht und seinen Mund zu einem breiten Lächeln verzogen, während sich die Klasse halbtot gelacht hätte wegen des Namens *Quetzalcoatl* und des Wortes *gleichsam*! Und dabei wäre mir die von Herrn Wahlster abgelauschte Wendung *gleichsam* nicht so zäh von den Lippen gegangen wie ihm.

Herr Müller war kein Moralist. Er drängte sich nicht vor wie Fräulein Prümm, unsere unschuldigen Liebesspiele zu belauschen. Wenn wir uns mit den Mädchen am Schulzaun herumdrückten, ihre Hand zu halten und zu streicheln, blieb er an der Haustür stehen und hing seinen Gedanken über Idee und Wirklichkeit nach, die er uns später am Beispiel griechischer Denker demonstrierte. Doch seine eleatische Erklärung, die sinnliche Welt sei gar nicht seiend, alles Sinnliche sei nur Sinnestrug, überzeugte mich nicht, denn Herrn Müllers handfester Körper stand im krassen Widerspruch zu seinem ungreifbaren Geist und entzog einer ganzen griechischen Denkerschule den Boden unter den Füßen. Auf seinem Handrücken wuchsen Sommersprossen und borstige kupferrote Haare, und die Hand selbst sah nicht so aus, als schriebe sie feine Gedanken über Gott und die Welt nieder, sondern hacke Feuerholz und nagele Hasenställe zusammen.

Fräulein Prümm scherte sich nicht um Philosophie, für sie war mein Händchenhalten mit Agathe nicht, wie der rote Müller es philosophisch ausgedrückt hätte, die praktische Wirkung einer poetischen Ursache, sondern abscheuerregende Verführung. Am Ende siegten Fräulein Prümms rigorose Taten über Herrn Müllers sanfte Gedanken, und ich hatte es nicht einmal in meinen kühnsten Hirngespinsten fertiggebracht, das eine mit dem anderen zu verbinden.

In den Sternen stand das goethesche Ideal vom harmonischen Menschen! Wahre Liebe, wahre Tat: Irdisches und Geistiges seien im neuen Menschen zur Einheit zu verschmelzen, würde nun bald auch Herr Meister in Ottweiler fordern, doch sein Postulat hing wie ein viel zu schweres Transparent an einem seidenen Faden. Wie sollte sich aus engbrüstigem, engherzigem, engstirnigem Philistertum und krähwinkliger Dumpfheit der so vollmundig beschworene neue Mensch entwickeln, beflügelt durch den Geist der Humanität und emporgehoben in luftige Räume, welche erhellt seien von einem aufklärenden Licht? Große Gedanken, große Worte wie Geist und Ehrfurcht in Verbindung mit Eintracht und Lebensgemeinschaft, die mich schon einmal betört und verführt hatten! Damals waren es nazistische Propheten und Eiferer, die sie herumposaunten, jetzt waren es christliche; anstelle von Landsknechtstrommeln und Fanfaren tönten nun Kirchenglocken durch die *pädagogische Provinz*. Herr Meister tirilierte mit seiner Eulenzunge wie Schulführer Gilbert zuvor mit seinem Terrierorgan kläffte: Reinigen und läutern wollten sie uns beide, und zu diesem Zweck nahmen sie dieselben vielbedeutenden Wörter in den Mund, die sich drehten und wendeten wie Fähnchen im Wind.

In Ottweiler lief alles wie am Schnürchen: Unser letztes Schuljahr verging wie im Flug. So glatt und schlankweg Herr Meister die *pädagogische Provinz* umriß, so kurz und bündig resümierte Herr Hecklau Geschichte, Inhalt und Bedeutung der gesamten Pädagogik. Aus dem Anstandsunterricht von Fräulein Hax ist mir das von ihr hoch und heilig beschworene Gebot im Gedächtnis geblieben, beim sittsamen Gehen ja nicht mit den Armen zu rudern, und von Herrn Schumanns Sprechkunde blieb nur seine vergebliche Mühe, uns zur Nachahmung stimmhafter und stimmloser Laute zu bewegen, in Erinnerung. Wir rieben die Reibelaute und sprengten die Sprenglaute, doch die feinen Unterschiede der S-Laute in den Wörtern Rose und Soße bemerkten wir nicht und schlugen sie beide über einen Leisten. Herr Stahl, unser Lehrer in Schulmethodik, redete Aphoristisches über Gott und die Welt, klatschte unvermittelt in die Hände und rief: »Kurz herhören, fünf Minuten Geschichte!«, und Herr Gallois, unser Französischlehrer, schrieb das Thema zu einem Klassenaufsatz an die Tafel, schaute die Arbeiten in der Reihenfolge der Abgabe nach und notierte unter der meinen: »Un point pour l'encre et le papier.« In den Pausen sang ich mit Alex Pillong *La Mer* von

Charles Trenet und *Mariandl* aus einem Heimatfilm, der gerade im Kino lief. Wir sangen zweistimmig in ziemlich raffinierter Manier, und Walter Groß begleitete uns am Klavier. Die Lehrer duldeten das Pausenintermezzo, Herr Hecklau, der seine helle Freude an unserem Gesang bekundete, bat uns sogar hin und wieder mitten in der Stunde, eine der beiden Schnulzen zum besten zu geben.

Nur in den Pausen vor den Religions- und Besinnungsstunden mit Frau Dr. Ranftl-Erra war Vorsicht geboten. Frau Dr. Ranftl-Erra, eine Dame mittleren Alters mit einem Namen wie aus einem österreichischen Liebesroman, der in Triest spielt, aber nicht gut ausgeht, verabscheute jedweden Klamauk. Sie war ein ostischer Typ wie aus dem Realienbuch, breitgesichtig und glattgescheitelt. Sie hatte einen schweren Gehfehler. Wenn sie ins Klassenzimmer eintrat, riß sie mit äußerster Gewalt die Tür auf, hinkte mit drei mutigen Schritten zum Katheder und setzte sich hinter das Schreibpult, um diesen Platz bis zum Ende der Stunde nicht mehr zu verlassen. Kälte und Strenge strahlte sie aus, schwer beschreibbar deren Herkunft, denn nicht einmal die Spur ihres privaten Lebens gab sie preis. Hatte Frau Dr. Ranftl-Erra vielleicht sogar ein ganz anderes Fach unterrichtet und nur das ferne Raunen ihrer Stimme ist mir im Ohr geblieben, ein Nachhall von lieblos ausgesprochenen Wörtern, in denen bitterster Lebensekel mitschwang: »Wenn Sie einmal Lehrer sind, wünsche ich Ihnen eine Horde solcher Schüler wie Sie!«

Gemessen an ihrem Wortgebrauch hätte es evangelische Religionslehre gewesen sein können, wäre nicht Pfarrer vom Berg zur Unterrichtung dieses Fachs zweimal in der Woche aus Saarbrücken gekommen. Er war ein prüder Mensch, ein herrischer paulinischer Glaubensapostel, das ganze Jahr über hatte er keinen Blick für die Mädchen übrig und tat so, als gäbe es das andere Geschlecht überhaupt nicht, im Unterschied zu Frau Dr. Ranftl-Erra, deren Augenmerk nur dem anderen Geschlecht galt. So waren die Mädchen unserer Klasse doppelt allein gelassen, hilflos ausgeliefert der Verachtung einer vom Leben Gebeutelten und dem harten protestantischen Anspruch, nur dem könne geholfen werden, der den rechten Glauben an Jesus Christus besitze. Wer weiß, irgend etwas mußte Pfarrer vom Berg und Frau Dr. Ranftl-Erra mißglückt sein, eine Verbindung zerbrochen, eine Karriere fehlgeschlagen, ein Stoßgebet unerhört geblieben, sonst wären sie nicht so verbiestert gewesen! Für unser Abschlußfoto haben sie Schulterschluß mit geistesverwandten Kollegen gesucht: Frau Dr. Ranftl-Erra hat zwischen Wilhelm Meister und dem braven Herrn Kreuzberger Platz genommen und lächelt maliziös; Pfarrer vom Berg, in hochgeschnürten Lackstiefeln, die Beine übereinandergeschlagen, sitzt nahe am Bildrand, von je zwei finster dreinblickenden Herren flankiert, und hat für einen Augenblick seinen paulinischen Ingrimm gemildert.

Zum Abschluß von der *pädagogischen Provinz* ließ ich mich kreuzigen. Ich hängte mich mit ausgestreckten Armen an die Querstreben des Kartenständers, legte die Füße übereinander und bat Walter Groß, meinem Leiden ein Ende zu machen. Er spuckte in die Hände wie ein waschechter Kriegsknecht aus der Leidensgeschichte, ließ die Muskeln spielen, und unter dem tosenden Applaus der Klasse zog er mich am Kartenständer hoch. Als Herr Hecklau ins Klassenzimmer trat, rollte ich die Augen, neigte den Kopf und hauchte: »Es ist vollbracht!« In den Sommerferien kam der amtliche Bescheid meiner Ernennung zum Assistant d'allemand für das Schuljahr 1949/50 ans Collège Moderne nach Lyon. Obwohl von Kindesbeinen an ein Mensch, der sich zu seiner beschränkten Lage, in die er geboren ist, fröhlich bekennt, genoß ich meine Berufung nach Frankreich wie ein Abenteurer den Ruf der Fremde, führte in unserer Küche einen Freudentanz auf, umarmte Mutter und küßte sie und sagte zu Vater, der meine Begeisterung mit Stirnrunzeln quittierte: »Mach dir keine Gedanken, ich gehe nach Frankreich ohne Knobelbecher an den Füßen und ohne Pickelhaube auf dem Kopf.« Ich hoffte im geheimen, die Söhne von Vaters einstigen Feinden als Freunde zu gewinnen. Ich stellte sie mir schlank und elegant vor wie Colonel Bailloux, fähig zu Tierbändigungen und gefährlichen Balanceakten, und wünschte mir im voraus, in ihrer Gesellschaft aufzubrechen mit Landkarten von Gegenden, worin es noch weiße Flecken gibt.

VII

Glocke in reiner Luft

Das Buch, das mein Leben verändert hat: Ich weiß nicht, wo es hingekommen ist! Jahrelang habe ich es wie meinen Augapfel gehütet, es stand im Bücherregal neben Rousseaus *Träumereien eines einsamen Spaziergängers,* aber unlängst, als ich einen Satz nachschlagen wollte, der mich einst so aufgeschreckt und verwirrt hatte, konnte ich es nicht mehr wiederfinden. Auch gestern und vorgestern habe ich vergeblich danach gesucht, mit Augen und Zeigefinger ging ich die Reihen durch: Das Buch ist nicht mehr da!

Ich rufe mir den Duft französischen Zigarettenrauchs in Erinnerung, möbliere das Gedächtnis mit Stuhl und Tisch und Schrank meines Zimmers im Fort St. Irénée, sitze auf dem Bett und lese. Nur ein Lichtpunkt aus dem Klapplämpchen fällt auf die Buchseite, er ist grell und gelb, und schon kann ich dem Sog der Buchstaben nicht mehr entrinnen. Wenn ich das Buch aus dem Lichtkreis rücke, liegt der Schein der Sterne auf den Blättern, dann ist mir, als klaubten sie Buchstabe um Buchstabe aus den Seiten heraus, und ich bin gezwungen, sie mühsam zu erraten.

Ich erhebe mich vom Bett, gehe zum geöffneten Fenster und schaue in die Nacht hinaus, immer noch den Lichtkreis vor Augen. Doch die gedruckten Wörter kehren nicht wieder in ihn zurück: Sie haben sich in meinem Kopf zu Sätzen gefügt, die ganz anderen Reizen zu folgen scheinen als im Buch. Ein

Scheppern und Gellen, ein Hämmern und Hallen hat eingesetzt, ich stehe reglos und lausche angestrengt, bis dieses Geräusch eines sich entfernenden Flugzeuges in den Schächten
des Himmels verklingt und der leer gewordene Raum sich nach
und nach mit französischen Lauten füllt, die ich vor mich hin
raune, als müßte ich das Gelesene auswendig lernen. Nun weiß
ich schon nicht mehr, ob das ferne Dröhnen der Flugzeug-
motoren wirkliches Geräusch war oder der eingebildete Wi-
derhall heraufbeschworener Motoren aus dem Buch, doch
heute, mehr als vierzig Jahre später, sind beide Geräusche in
meinem Kopf zu einem einzigen Klang verschmolzen. Ich
erinnere mich an mein karges Zimmer in Lyon, an Mondlicht
und Sternenschein, an glückliche Geborgenheit in einem
Buch. Der Postflieger Fabien ist von Patagonien nach Buenos
Aires gestartet, ein Wetterleuchten illuminiert den Horizont
und kündigt ferne Gewitter an. Der Gefahr trotzt er mit
Gleichmut. Flieger Fabien ist unterwegs, ich schaue ihm nach,
ich fühle ihm nach, ich beuge mich aus dem Fenster und horche
auf das Motorengeräusch, das hinter den Monts d'Or im
Nachthimmel verebbt.

Halbe Nächte lang lag ich auf dem Bett und las. Immer wieder schloß ich das Buch, schloß ich die Augen, schloß das Gelesene in meine Gedanken ein. Die Nachtluft strich über Kopf
und Brust, kühlte meine Schläfen, kühlte Arme und Hände.
Auch Mühsal schafft Behagen, auch Beschwernis gibt Zufrie-
denheit. Ich las Formulierungen, die mir nie zuvor unter die
Augen gekommen waren. Nicht die Geschichte allein war es,
die mich fesselte, es war die leise Stimme des Dichters, der
friedliche Ton des Erzählers. Mir gefielen seine sanften Wendungen, sein Französisch schmeichelte meiner Zunge, um-
warb mein Ohr, ich genoß es mit allen Sinnen. Obwohl es so
beruhigend klang, reizte es mich auf. Es erregte mich, anstatt
mich zu dämpfen. Ich verleibte es mir ein, es verwandelte mich,
und ich wurde ein anderer Mensch. Dieser organische Takt des
Flugzeugmotors, diese zuverlässigen Ausschläge der Instru-
mente schwangen auf den Wellen französischer Laute in mir

nach, ich atmete, ich fühlte, ich dachte im Rhythmus des Postfliegers Fabien, sein Tourenzähler, sein Höhenmesser, sein künstlicher Horizont waren zu meinen eigenen Meß- und Orientierungsgeräten geworden. Die Beschwörung der technischen Funktionen entzückte, ja berauschte mich, und meine Pulse flogen. Ein Kampf war im Gang, ein Streit um Vorherrschaft, ein Ringen um Übermacht, doch als ich dann aber von einem Sieger las, der das Verlangen spürt, die Waffen abzulegen, schloß ich das Buch und trat wieder ans Fenster.

Ein Flieger stritt gegen die Tücken seiner Maschine, rang mit den Kräften der Natur. Das waren starke Worte, pathetische Ausdrücke, hochtrabend im einzelnen, salbungsvoll im ganzen, doch sie störten mich nicht. Es war eine andere Art Kampf, wovon das Buch erzählte, ein Kampf, der sich von allem Kampf unterschied, wie ich ihn mir bis zu diesem Augenblick vorgestellt hatte. Kampf, das war immer Auseinandersetzung bis aufs Blut, Verletzen und Totschlagen, und einen Sieger verlangte es nicht danach, seine Waffen abzulegen. Deutsche Sieger blieben gegürtet und behelmt, und wenn es germanische Recken waren, aussichtslos wie die Könige an Etzels Hof: Sie schlugen Beine und Köpfe ab, solange sie ein Schwert halten konnten. Und nun auf einmal ein Held ohne Siegerpose, ein Zweifler, ein Träumer! Einer, der vor sich hin sagt: Irgendwo gibt es sie, diese Länder, die in süßem Frieden unter den großen Mondscheinschatten ruhen. Und während ich weiterlas und mir die kleinen Städte mit Häusern und Gärten in der Phantasie auftauchten, dachte ich an ein anderes Buch, in dem auch von lauter ruhigen, seßhaften Dingen erzählt wird, und ich kehrte in meine Kindheit zurück, in der ich das alles schon einmal erlebt hatte. Ich erinnerte mich an ein Buch, das auf sonderbare Weise über den Krieg gekommen war, nun auf einmal fielen mir wieder Gründe und Umstände ein, die mich dieses Buch haben finden lassen. Was war es, worin sich diese beiden Bücher ähnlich schienen?

Damals als Schüler einer nationalsozialistischen Lehrerbildungsanstalt hörte ich die Lehrer vom Mythos des zwanzigsten Jahrhunderts reden und lernte die Wörter Ehre und Treue, Rasse und Heimat, Blut und Boden neu. Nun bedeuteten sie nicht mehr nur das, was sie von ihrem Ursprung her ausdrückten, auf einmal kam ihnen ein gewaltiger Sinn zu, ein Nimbus von volkhafter Gläubigkeit schmückte und glorifizierte sie, sie tönten auf und dröhnten. Als wir die Erzählung vom Zug des Hauptmanns von Erckert zu lesen begannen, räusperte sich unser Lehrer lautstark wie der Pfarrer auf der Kanzel, wenn er einen besonders markigen Bibelspruch rezitiert, und sagte mit einem furchteinflößenden Beben in der Stimme: »Diese Erzählung ist nur der kleine Ausschnitt eines großen Romans, der mit dem Satz beginnt: ›Vor diesem Buche müssen Glocken läuten!‹« Dabei sträubten sich mir die Nakkenhaare.

Ich hörte die Glocken tatsächlich läuten, sie schallten, daß mir die Ohren zufielen, mir war, als schlage der Klöppel von innen gegen die Schädeldecke. Nichts hat mich seit eh und je leichter verführt als der Klang und geheime Hintersinn pompöser Wörter, ich lief in die Schulbücherei, schlug den Roman auf und las weiter: »Wenn die metallenen Stimmen dröhnen und schüttern oder auch nur beraubt und eintönig gellen und plärren zwischen Maas und Memel und zwischen Königsau und Etsch und im südlichen Afrika, dann sollen freilich alle Mann in Deutschland die Arme heben.« Der Roman heißt *Volk ohne Raum,* und immer, wenn wir im Hofe des Idsteiner Schlosses angetreten dastanden und die Arme zum deutschen Gruß erhoben und sangen: »Nichts kann uns rauben Liebe und Glauben zu unserm Land!«, hörte ich die Glocken tönen, die der Schriftsteller Hans Grimm vor seinem Roman zum Läuten rief.

In den Ferien saß ich in der Dachkammer auf Dr. Drüners Kiste und las ganz andere Bücher. Es waren keine Fachbücher, die der Doktor in die Kiste gepackt hatte, nichts über Kiefer- und Rachenräume, über Pauken- und Nebenhöhlen, kein *Hausschatz der Heilkunde,* kein *Klinisches Wörterbuch.* Was ich in der Bücherkiste fand, waren Gedichte und Romane. Ich schlug die Bücher auf, hier eins und da eins, blätterte darin und las. Hier traten keine Bauern andächtig an den Feldrain, stellten das Schwert neben die Furche und ergriffen den Pflug, jenes heilige Werkzeug der Deutschen, mit dem der faustische Mensch die Erde zur Dienerin, zur blühenden Spenderin, zur fruchtbaren Ernährerin macht. Hier betraten auch keine Soldaten das Schlachtfeld, keine Nordleute das Feindland, keine alten Kämpfer den gesegneten Boden des Reichs: In diesen Büchern traten versoffene Generäle und elegante Jazzmusiker als Helden auf, Bauern neideten einander den Besitz, Soldaten grauten sich vor Verstümmelung, und junge nervöse Aristokratensöhne kokettierten mit dem Tod. Ich fürchtete, es könnten Bücher verfemter Schriftsteller sein, ich fragte mich: »Sind das vielleicht Machwerke der entarteten Literatur?« und war in Sorge, ob ich nicht frevelte am deutschen Geist, wenn ich diese Gedichte und Romane verweichlichter Schriftsteller las, anstatt die Bücher in die Kiste zu stopfen, sie hinters Haus zu tragen und anzuzünden. Hatte man nicht 1933 schon nach verfemter Literatur gefahndet, sie noch vor der Sonnwendnacht auf Scheiterhaufen geworfen und verbrannt? Ich hockte hinter maserierten Brettern und stockfleckigen Leinwänden in Großvaters Kammer, die Hände zitterten mir, und lesend hörte ich das Geräusch des prasselnden Feuers tief innen in meinem Kopf. Im Haus herrschte Stille, und diese Stille war furchtbar. Als ich in einem der Bücher von solch einer furchtbaren Stille las, horchte ich jedem Geräusch in meiner Nähe doppelt aufmerksam nach, doch als der Dichter davon erzählte, daß diese Stille vor allem bei großen Bränden auftrete, lauschte ich dem Rascheln der Blätter und fragte mich, ob es nicht ein Vorzeichen solch lautlosen Feuers wäre, das bald verklingen und dieser äußersten Stille weichen würde. Ich las und verwechselte Wirklichkeit mit Phantasiewelt und konnte nicht wissen, daß ich fünf Jahre später ein Motorengeräusch am Nachthimmel von Lyon hören und mich fragen würde, ob es nicht der Nachklang einer Buchstelle und nur Ausgeburt überhitzter Einbildung wäre.

Verzückt las ich die Geschichte vom Todesflug Fabiens, halb lustvoll, halb widerstrebend, ich freute mich seines Mutes, doch ich litt mit ihm, weil er verloren war: So folgte ich dem strengen Ton des Erzählers und kehrte mich von allen Vorbetern ab. Der Flieger war in einen Zyklon geraten. Ich erinnere mich an den Kampf über den Wolken Patagoniens, an Angriff und Rückzug, an Muskelstraffen und Hautbleiche. War das Aufleuchten der Blitze am Horizont dem Schein eines Schmiedefeuers vergleichbar? Konnte der Flug des Piloten einem Ritt durch Feuersbrünste ähnlich sein? Das Landschaftstableau wurde zum Schlachtenbild, die Erzählung zum Heldenlied. Und doch gab es keinen Sieger, nicht einmal ein Ende des Kampfes. Es gebe keinen Frieden, keinen Sieg, keine endgültige Rückkehr aller Flugzeuge, schreibt der Erzähler, und je weiter ich las, um so besser begriff ich seine Vorstellung vom Menschen, seine Idee vom Leben, seine Vision von Humanität. Ich wollte mich dem hohen Ton widersetzen, den Anspruch von mir weisen: Es gelang mir nicht. Jemand klopfte an die Tür. Roland Cazet trat ein. Er sah mich am Fenster stehen, sah das Buch auf dem Bett im Lichtkreis des Lämpchens liegen, sah den Nachthimmel und die Sterne, und als er neben mir stand und mich anschaute, sagte er: »Du siehst aus, als hättest du Fieber.« Ja, die auffälligen Wörter und Wendungen, von denen ich immer noch nicht wußte, was ich von ihnen halten sollte, hatten mich erhitzt, ich glühte für einen Sieger, der keinen Sieg erringen würde, bangte um einen Verlierer, der keine Niederlage erleiden sollte. Roland wollte mich besänftigen, er halte das Gerede vom sieglosen Sieger für Larifari, das Getue vom siegreichen Verlierer für ein aufgedonnertes Gedöns. Sagte es und fügte hinzu: »Trau keinem, der auf dem Kopf steht und behauptet, er sehe die Welt, wie sie ist.«

Roland hatte gut reden. Er ist Franzose, sein Lehrmeister war kein Baldur von Schirach, kein Walter Flex, kein Turnvater Jahn. Ihn hatten die französischen Staats- und Morallehrer auf die Beine gestellt: Voltaire und Rousseau, und wenn er Lust hatte, einmal auf dem Kopf zu stehen und die Welt andersherum zu betrachten, war es ein leichtes für ihn, mit Robespierres Hilfestellung wieder auf die Beine zu kommen. Doch diesem französischen Erzähler war ich näher als Roland Cazet, obwohl er Franzose ist und ich Deutscher bin. Mir gefielen Fabiens Loopings und Luftsprünge, auch die Kapriolen, die er in seinem Kopfe schlug. Mal fühlte er sich wie von unsichtbarem Bergsturz bedroht, dann träumte ihm, er kehrte um und fände hunderttausend Sterne wieder. Sein Nachtflug war ein nicht enden wollender Salto mortale. Der Dichter erzählt: »Fabien irrt über dem Glanz eines Wolkenmeeres umher, aber tiefer unten ist die Ewigkeit. Er ist verloren zwischen den Sternbereichen, deren einziger Bewohner er ist. Er hält die Welt noch in Händen und gegen seine Brust gewiegt. Er umkrampft in seinem Steuer allen Lebensbesitz und führt den nutzlosen Schatz, den er bald hingeben muß, verzweifelt von Stern zu Stern.«

Ja, mir gefiel dieses Paradox der vergeblichen Anstrengung, die sich dennoch lohnt, diese Mühsal des Sisyphos, die sich als sein Glück erweist. Auch Fabiens Tätigkeit ist aussichtslos, doch er verzweifelt nicht. Ich öffnete mich diesem Denken – und wurde bekehrt. Gierig verleibte ich es mir ein, ich versetzte mich in die Haut des Postfliegers, der mit unerschütterlichem Gleichmut über seine Maschine gebietet, den Kampf mit dem Zyklon aufnimmt, bis zum letzten Augenblick die Hand am Steuer hält, so als gäbe es gar nicht die Gewalt des Sturms, der kraftvoll in die Propeller fährt, an Rumpf und Tragflächen zerrt, unter die Kanzel greift und die Maschine aus den Wolken heraus zu Boden reißt. »Komm, laß uns gemeinsam weiterlesen«, sagte ich zu Roland Cazet, »und du wirst sehen, daß der Flieger Fabien keine Kopfstände macht.« Wir setzten uns nebeneinander aufs Bett und lasen uns abwechselnd vor, Roland rasch und laut und mit schnarrendem burgundischem R, ich in holpernder Anfängermanier, mit falschen Verschleifungen und viel zu scharfen Betonungen. So lasen wir, und es kam uns vor, als säße der Flieger Fabien selber zwischen uns beiden auf der Decke, hielte das Wörterbuch aufgeschlagen auf den

Knien, als wäre es sein Bordbuch, aus dem er Systeme ver-schlüsselter Zeichen entziffern müßte. Lesend stiegen wir mit ihm über das Wettergewölk auf und genossen das Licht, das ihn ein letztes Mal beglückte und blendete wie ein gleißendes Meer. Mit der Sekunde, in der er aus den Wolken hervor-tauchte, sei das Flugzeug in eine Stille geraten, die wie ein Wun-der schien, erzählt der Dichter – und plötzlich dachte ich wie-der an das Buch, das ich vor Jahren gelesen hatte. Diese Ruhe im Unglück, diese Stille in der Katastrophe! An ein Wunder konnte ich nicht glauben. Ich erinnerte mich an Feuerstöße und Wasserstrahlen, an eine Stille, die aus der Erwartung kommt. Lautlos neigt sich ein Gesims, lautlos stürzt eine Mauer: Heißt es nicht so in dem Buch, das ich in Großvaters Dachkammer las, »alles steht und wartet mit hochgeschobe-nen Schultern, die Gesichter über die Augen zusammengezo-gen, auf den schrecklichen Schlag«? In Dr. Drüners Bücherki-ste war ich damals an *Die Aufzeichnungen des Malte Laurids Brigge* geraten. Heute noch weiß ich, wie es damals war. Ich schlug das Buch auf und war mittendrin. »Ich sitze und lese ei-nen Dichter«, heißt es, auch ich saß und las einen Dichter. Er sitze in der Bibliothèque Nationale von Paris und spreche von einem anderen, der in einem Haus mit verglasten Bücher-schränken und bauchigen Kommoden wohne, das Haus liege im Gebirge, und es sei ein glücklicher Dichter im Gegensatz zu ihm, der in Paris hause, und seine alten Möbel müßten in der Scheune verfaulen. Was ist das für ein Dichter? Was ist das für ein Mensch, von dem Malte Laurids Brigge spricht? »Der klingt wie eine Glocke in reiner Luft«, sagt er; im Einklang mit Rilke taucht er mir fünf Jahre später aus dem Gedächtnis auf. Ich erinnerte mich an jede Schwingung seiner Stimme, jede Färbung seines Tons, denn genauso wie jener klang der Dich-ter, der die Geschichte Fabiens erzählt. Oft klang er melancho-lisch, aber nicht verzweifelt, manchmal klang er hochtrabend, aber nicht falsch. Auch hier ist der Held nicht der Sieger, der Feigling nicht der Verlierer. Armer Malte Laurids Brigge! Er hatte eine Studie über Carpaccio geschrieben, die schlecht war, und ein Drama, das etwas Falsches mit zweideutigen Mitteln beweisen wollte. Armer Inspektor Robineau! Er hatte eine verrostete Propellernabe entdeckt und diese Tat für wunders was für ein Rettungswerk gehalten. Danach kam er sich überflüssig, mißachtet, ausgestoßen vor, und seine geschmacklosen Hemden, die kümmerlichen Fotografien und das durchgewetzte Reisenecessaire in seinem Koffer erinnerten mich an Malte Laurids Brigges schäbige Habe. Ein paar schwärzliche Kieselsteine aus der Sahara waren Fundstücke, Erinnerungsstücke, Rettungsstücke seiner geologischen Leidenschaft, seines verpfuschten Lebens. »Ich wehre mich noch«, sagte Malte Laurids Brigge, »ich wehre mich, obwohl ich weiß, daß mir das Herz schon heraushängt und daß ich doch nicht mehr leben kann.«

Ich hielt das Buch auf den Knien, Roland Cazet den Diktionär in der Hand. Wir lasen und rangen miteinander, auf eine herzerfrischende, eine fröhliche Weise. Derweil rauchten wir Selbstgedrehte, die wir mit dem beißenden Tabak von Zigarettenkippen fabrizierten. Er war in einer Blechdose gesammelt, in der sich zuvor meine Zigaretten der Marke *Balto* befanden: Die Gauloisekippen hatten den übersüßen Baltoduft angenommen und schmeckten entsprechend exotisch. »St. Irénée-Blend«, sagten wir dazu, es war eine bizarre Mischung, ein Spezialverschnitt. Roland lachte, sooft ich eine Wendung mißverstand und nach meinen Vorstellungen auslegen wollte, ich dagegen amüsierte mich über Rolands heftige Attacken, die meine Hirngespinste zerschmettern sollten. Einmal erregten wir uns über einen Satz, der Roland als eine überspannte Laune des Dichters, mir aber als etwas Neues, etwas Erhellendes, etwas Erhebendes erschien: »Das Ziel ist vielleicht fragwürdig, aber die Tat befreit vom Tode.« Roland winkte ab und sagte: »Genau das Gegenteil ist richtig. Es kommt nur darauf an, was du willst. Wenn du aber keine Lust hast, es zu tun, dann laß es bleiben, es führt sowieso zu nichts«, und ich fühlte, daß er sich nicht in einen philosophischen Hinterhalt locken lassen wollte. Er zog zwei Zigaretten aus einem Päckchen, steckte sie in den Mund und brannte sie an. Dann reichte er mir eine davon, und wir sogen den Rauch tief in unsere Lungen. »Nichts als schöne Worte«, sagte er zu mir, »du läßt dir diesen französischen Brei ums Maul schmieren und hältst ihn am Ende noch für eine schmackhafte Delikatesse.« Wenn Albert Camus zu uns in die Stube gekommen wäre und hätte gesagt, hier stünden sich ein ewiger Jüngling und ein gefestigter Mann, ein deutscher Traumtänzer und ein mittelmeerischer Gewaltmensch gegenüber, hier opponierten Sehnsucht und Macht, Natur und Geschichte gegeneinander, wir hätten ihn für einen überkandidelten Schlauberger gehalten und ausgelacht. Der Deutsche war fast zum Franzosen geworden, und der Franzose hatte begonnen, deutsche Züge anzunehmen. Wie war das nun mit den Siegern, die untergehen, mit den Untergehenden, die sich selbst besiegen? Ich versuchte, Roland auf meine Seite zu ziehen, und er versuchte das gleiche mit mir. Dabei lernten wir, daß es nichts Fix und Fertiges, nichts Abgeschlossenes, nichts Endgültiges gibt: keinen endgültigen Sieg, keinen endgültigen Frieden, keine endgültige Rückkehr aller Flugzeuge. Immer wieder würde der Stein bergab rollen, und immer wieder würde Sisyphos ihn bergauf wälzen.

Uns imponierte der heitere Gleichmut der beiden Männer im Flugzeug, Fabiens und seines Funkers: Sie lächelten miteinander, Lächeln war ihre einzige Verständigung. »›Ich bin völlig verrückt‹, dachte Fabien, ›daß ich hier lächle: Wir sind verloren.‹« Waren wir nicht selbst diese beiden Männer, Roland und ich, eingeschlossen in eine Kanzel, abgeschlossen von aller Welt? Wir buchstabierten ein von uns noch ungebrauchtes Alphabet, wir lernten die Wörter neu, und dann, in unserem Zyklon der Wörter verloren wie die Flieger in ihrem tödlichen Luftwirbel, lasen wir: »›Zu schön‹, dachte Fabien. Er irrte unter Sternen umher, dichtgehäuft ringsum wie ein Schatz, in einer Welt, wo nichts, absolut nichts Lebendiges war außer ihm, Fabien, und seinem Kameraden. Gleich jenen Dieben im Märchen, die in die Schatzkammer eingemauert sind, aus der sie nicht wieder herauskommen werden. Unter eisfunkelndem

Geschmeide irren sie umher, unermeßlich reich, doch verdammt.«

Zu allen Zeiten hatten mich Wörter berührt, war ich ihrem Anreiz gefolgt, ihrem Zauber verfallen, nun aber hatte sich etwas ereignet, das mich ihrer Verwandlungskraft auf Gedeih und Verderb aussetzte. Die Wörter hatten andere Gestalt angenommen, jetzt bedrängten sie mich heftiger als zuvor. Sie blieben nicht mehr aus Buchstaben zusammengesetzte Zeichen, die an den Augen vorüberhuschen und sich zu Sätzen, zu Folgen von Sätzen, zu ineinander verschränkten Reihen und Lineaturen von Sätzen fügen und schließlich einer gemusterten Tapete, einem nach der Schnur gepflanzten Tulpenfeld gleichen, woraus sich Blume für Blume eine Geschichte herauslesen läßt. Wie oft habe ich dieses Blütenlesen, dieses »Bäumchen, Bäumchen wechsle dich« gespielt! Und es war ein prächtiges Spiel, denn die Wörter glänzten in allen Farben, illuminierten mir den Erdkreis und zündeten Blitze! Nun auf einmal tönten sie. Sie klangen in meinem Kopf, mal lauter, mal leiser, rauschten auf und verhallten wieder, raunten, wisperten, schwangen nach – und waren danach keine Wörter mehr. Ich hörte die Glocke, der schon Malte Laurids Brigge gelauscht hatte. Eine Glocke in reiner Luft! Das ist nicht die scheppernde Glocke, die Hans Grimm in schwüler völkischer Stickluft zum Läuten bringen wollte, hier klingt Glockengeläut aus einer anderen Welt: das Brausen eines Flugzeugmotors, das Rauschen von Radiowellen und das Tönen von Sternenmusik, das allein die Stimme des Dichters hervorruft.

Dort in Lyon war es, wo ich dem Wirbelsturm der Wörter schutzloser ausgesetzt war als je zuvor in meinem Leben. Es waren französische Wörter, fremde Wörter, es waren die Wörter des Erbfeinds, wie mein Vater sich ausgedrückt hätte, und so war es ein Glück für mich, daß Roland Cazet bei mir saß und wir gemeinsam durch den Wirbelsturm navigierten. Ihn erregten die technischen Prozesse, mich stimulierten die grammatischen. Wie glänzten seine Augen in Funk- und Radioleidenschaft, wenn er aus dem Netz von Drähten, dem Gefüge von

Nickel- und Kupferadern die Stimmen der Kurzwelle empfing! Wie aber rauschte mein Ohr, wenn der Dichter aus Geisterstimmen seine Botschaft auftönen ließ: »Das einzige Band zwischen Fabien und der Welt ist eine summende Welle, eine Modulation in Moll. Keine Klage. Kein Schrei. Der reinste Ton, den Verzweiflung je hören ließ.«

Unser Zyklon war nicht todbringend. Als er sich verwirbelt hatte, hellte sich der Himmel auf: Ich sah über die Dächer der Stadt hinweg, erblickte die Rhône in ihrem Tal, die Dörfer an ihrem Ufer, die Wagen auf den Straßen, die Menschen auf den Brücken. Ich sah klarer als vorher: Ein Dichter hatte mir die Augen geöffnet. Und seine Stimme klang in meinem Ohr. Es war ein heißer Herbst, die Hitze drang durch die Wände des Forts, noch Ende Oktober klebte sie an der Decke, wälzte sich über das Bett, hing in den hintersten Ecken des Spinds und behauchte Kleider und Wäsche mit ihrem immer feuchter werdenden Atem. Fast wären wir, närrisch geworden von dieser Schwüle, aus Schule und Haus ausgebrochen, über die Hügel von Fourvière in die Monts d'Or entflohen, wohin wir schon einmal geeilt waren und mit unstillbarem Heißhunger eine Terrine voller Hechtknödel gegessen hatten, übergossen mit einer Sahnesoße und Krebsbutter, die uns im Munde zerflossen. Es wuchs sich der Spätherbst zu einem zweiten Sommer aus, in der Mittagsstunde liefen wir in die Stadt hinunter, vorbei an den offenen Seiler- und Schusterwerkstätten, auf deren Türschwellen die Handwerker bei der Arbeit saßen, hinter sich im Rücken die schmalen, langen, mit Pappschachteln und verrosteten Maschinen vollgestopften Räume. Die Teerdecke der Gassen dampfte in der Zwölfuhrhitze, unsere Schuhsohlen hinterließen Zyklopenstapfen im Asphalt.

Zu Mittag aßen wir im Foyer du Rhône, Quai Gailleton, von wo aus es nur ein paar Schritte zur Rue de la Belle-Cordière sind. Vor vierhundert Jahren wohnte Louise Labé, die schöne Seilerin, in einem der finsteren Häuser und schrieb ihre Sonette, die Rilke übersetzt hat. »Ich wünsche frei zu sein von meinen Nöten / und doch mich ihrem Grund zu unterjochen«, rezitierte ich sie, aber wir dachten an den Flieger Fabien, der frei war von Angst, doch unterworfen der Macht des Zyklons, der ihn aus den Wolken zur Erde niederzerren wird. Lyon regte sich, Lyon lebte. Das Wasser der Flüsse roch, und der Schweiß rann. Alle Menschen, an denen wir vorübergingen, schienen uns tapfere Fabiens zu sein, keiner ruhte aus, niemand stand still. Sie fuchtelten mit den Armen in der Luft herum und rieben sich mit ihren Taschentüchern den Nacken ab, sie taten so, als wüßten sie, was Monsieur Rivière zu Robineau, dem Zauderer, gesagt hat: »Sehen Sie, Robineau, es gibt keine Lösungen im Leben. Es gibt Kräfte in Bewegung, die muß man schaffen.« Rivière, der Direktor der Fluggesellschaft, sprach Französisch. »Il faut les créer!« hatte er gesagt, *créer* war das erlösende Wort, erschaffen, erzeugen, entfesseln. Rivière war der Antreiber, einer von denen, die handeln, als ob es etwas gäbe, das ein Menschenleben an Wert überträfe, etwas Dauerhafteres, das es zu bewahren und zu fördern gälte. Kräfte ins Leben rufen, ihnen den Atem des Besessenen einhauchen: Das war es, was zu tun blieb, wenn Rivière meinte, der Mensch sei ein ungeformtes Wachs, das man kneten müsse. Roland untermauerte die These mit Beispielen aus dem französischen Widerstand, seine Exempel waren Backsteine, die ich nicht verrücken konnte. Das war immer abends, wenn wir zu zweit über dem Roman brüteten, tagsüber bewegten wir uns unter Schülern: Roland saß in seiner Schulklasse und lernte, ich stand vor meiner Klasse und lehrte, doch anstatt uns auf die Arbeit zu konzentrieren, dachten wir an den Flieger Fabien, an seinen Lebenskampf im Zyklon, an die Stimme des Dichters, die von diesem Kampf erzählt. Oft konnten wir den Abend nicht erwarten, einmal stritten wir auf offener Straße. Wir sprachen laut, stießen uns in die Seite, blieben mitten auf der Rue des Macchabées stehen, wo uns ein Lastwagen mit Äpfeln und Trauben überholen wollte und im ersten Gang mit Geratter an uns heranfuhr. »Fabien spielt mit dem Leben«, sagte ich, »sind denn Briefe und Päckchen, die er nach Buenos Aires transportieren soll, den Einsatz seines Lebens wert?« Roland zog mich am Hemdsärmel von der Straße und rief: »Du spielst auch mit dem Leben. Aber darauf kommt's gar nicht an, du deutscher Traumtänzer. Es ist deine Einstellung, die entscheidend ist, deine ganz persönliche Haltung. *La tenue*. Du tust etwas, woran du Lust hast, wenn nicht, laß die Finger davon. Hast du noch nichts von Freiheit gehört?«

Am Abend lasen wir wieder. Ich las und las doch nicht. Ich las, und es war mehr als Lesen. Wie oft hielt ich nun beim Lesen inne und malte mir aus, wie es weitergehen würde, wenn ich den Fortgang der Geschichte bestimmen könnte, ging ohne Skrupel über die Geschichte hinaus, flog mit Roland darüber hinweg. Dann auf einmal war es nicht mehr der Flieger Fabien, der zwischen Gebirgen und Wolken durch einen Wirbelsturm fliegt, auch nicht mehr der Dichter selbst, der die Geschichte erzählt – da war ich es, der durch die Nebelsuppe steuert, stellte mir vor, daß ich eine Prise Salz zwischen den Fingern zerreiben müsse, die fade Suppe nach meinem Geschmack zu würzen, um auch so frei zu sein wie der Dichter. Freiheit und Spiel: Rolands Einwände schwirrten mir durchs Hirn, sie hielten mich wach, ich wälzte mich im Bett hin und her, sah den gestirnten Himmel im Fensterrahmen stehen und folgte mit den Augen dem Mond, der langsam über die Fensterbank aufstieg. Im scheinbaren Widerspruch von Freiheit und Spiel haben wir unsere Zeit verplempert; erst viel später, als ich wieder in Sulzbach lebte und die Übersetzung des Romans über Fabien las, fiel es mir wie Schuppen von den Augen. Mein Leben hatte sich längst verändert, doch nun fand ich ein Beispiel, das mir entscheidende Unterschiede im französischen und deutschen Denken aufzeigte, die in den Debatten mit Roland unbemerkt geblieben waren: Unterschiede, die sich als Übereinstimmungen erwiesen. Das Beispiel ist anspruchslos, fast läppisch. Ich las das Wort *Spiel*, schlug in der französischen Ausgabe nach und fand das Wort *Freiheit*. Es geht um nichts Geringeres als um eine blaugelaufene Achse. »Die saß zu stramm«, bemerkte Rivière, »man muß den Werkstätten sagen, daß sie die Lager mit mehr Spiel montieren.« *Ajuster plus libre*: Die Bewegung der Achse in ihrem Lager ist nichts anderes als das freie Spiel der Kräfte, das sich in spielerische Freiheit verwandelt, je nachdem, wer davon spricht.

Ich sagte »Spiel«, Roland Cazet sagte »Freiheit«: Was für ihn selbstverständlich ist, bleibt für mich zweifelhaft, zweideutig. Für ihn, von der rauhen Luft Voltaires angeblasen, war es kein leichtes, dem verlorenen Flieger Fabien spielerische Fähigkeiten zuzusprechen; mir war es nicht minder schwer, ihn in seiner Verlorenheit als freien Menschen zu akzeptieren. Bin ich französischer geworden als Roland, ist er deutscher geworden als ich? Er weiß es nicht, und ich weiß es auch nicht. Vielleicht ist alles Täuschung, ist alles Schein, und es gibt keine richtungsweisenden Sätze, kein lebensentscheidendes Buch. Oder alles ist ganz anders. Möglicherweise muß man um Bücher gebangt, vielleicht sogar gelitten haben wie Dr. Drüner, der nach dem Krieg zurückkam und seine Bücherkiste abholte. Ich weiß noch, wie er den Pappdeckel aufklappte und mit zärtlichen Fingerspitzen über die Buchrücken strich, so als streichele er die Wangen von Menschen, die er verloren wähnte, doch wiedergefunden hat. Bücher wie Menschen, ohne die man nicht glaubt, weiterleben zu können.

Im Frühherbst 1949, viereinhalb Jahre nach Kriegsende, hatte ich meine Stelle als Assistant d'allemand am Collège Moderne in Lyon angetreten. Tagsüber arbeitete ich als Deutschlehrer in der Schule, abends saß ich im Fort St. Irénée an meinem langen Tisch, hatte Gedichtbände und Wörterbücher vor mir ausgebreitet, wollte aufbrechen zu Expeditionen hinauf in die Eishöhen des französischen Parnaß, wo der Pegasus mit den Hufen scharrte, da ging die Tür auf, Roland Cazet stand auf der Schwelle, unter dem Arm einen Radioapparat, in dem die Röhren ihrer Bestimmung entgegenglühten, und in der Hand eine Konstruktionsanleitung auf deutsch. Obwohl ich hauptsächlich an der Dichtkunst, Roland ausschließlich an Radioapparaten interessiert war, sahen wir uns täglich, wurden Freunde. Wir fanden zueinander, ohne uns zu verabreden, und wir suchten uns, wenn einer gerade nicht dort war, wo er vermutet wurde. Es ist seither kein Jahr vergangen, in dem ich Roland nicht gesehen habe, und als wir letzten Sommer zusammen nach Lyon fuhren, um die Orte unserer Erlebnisse aufzusuchen, erinnerten wir uns an alles, was uns damals beschäftigt hatte. Basilika von Fourvière und Fort St. Irénée, stürmische Rhône und gemächliche Saône, herrschaftliche Plätze und malerische Gassen sind unverändert wie eh und je. Was uns auffiel: Die Buchhandlung *Flammarion* an der Place Bellecour hat ihre Schaufenster verkleinert. Seinerzeit waren zwei mächtige Fenster für einige Wochen von oben bis unten mit Büchern eines Schriftstellers dekoriert, der in Lyon geboren und dessen fünften Todestages gedacht wurde: Antoine de Saint-Exupéry. Er war auf großformatigen Fotografien zu sehen, ein Mann im Fliegeranzug, mit Fliegerkäppi, Fliegerbrille, Fliegerstiefeln, ein Mann mit vorwitziger Himmelfahrtsnase. Er war ein Held, erst ein Friedensheld, dann ein Kriegsheld, erst ein Held der Arbeit, dann ein Held des Widerstands, ein Held aus dem Lesebuch, ein Held fürs Lesebuch. In den Schaufenstern von *Flammarion* standen seine Bücher in langen Reihen übereinander, Zeitungsartikel aus *Le Progrès* und *Le Monde* flankierten sie vielspaltig, eine Doppelseite aus dem *Figaro* prangte mit dicken Titelbuchstaben in der Mitte der Auslage. Ich drängte mich an die Scheibe, um Saint-Exupérys Lebensgeschichte zu lesen, die kleingedruckt auf Pappe über der obersten Buchreihe angeheftet war: Der Dichter war als Postflieger nach Dakar und Casablanca geflogen, hatte Nachtflüge nach Punta und Buenos Aires eingerichtet, war notgelandet und abgestürzt, doch immer wieder auf die Beine gekommen und hatte sich Anfang des Krieges freiwillig zur Fernaufklärerstaffel 2/33 gemeldet. Im Sommer 1944 flog er auf letzten Einsätzen in das Kampfgebiet zwischen Rhône und Alpen und kehrte nicht mehr zurück. Jetzt, beim Wiedersehen der Buchhandlung *Flammarion*, fällt mir ein, daß damals über dem Roman *Vol de Nuit* ein vergrößerter Ausschnitt aus Saint-Exupérys Staffelzeitung hing: ein schwarz umrandeter Artikel. Ich reckte mich an der Fensterbrüstung empor, stellte mich auf die Zehenspitzen, riß die Augen weit auf, um ihn mir zu übersetzen, so gut ich konnte. Aufmerksam buchstabierte ich Zeile für Zeile, zuckte zusammen beim Begreifen der Wörter, erschrak vor mir selbst: Wie staunte ich über den freimütigen Umgang der Franzosen mit ihrem feierlichen Pathos und fühlte schmerzlich meine Ohnmacht dieser Unbefangenheit gegenüber! Auf der Zunge spürte ich den bitteren Nachgeschmack meines eigenen Pathos, das nun verpönt, ja geächtet war.

Nicht die Todesnachricht selbst: »Major de Saint-Exupéry ist nicht zurückgekehrt. Um 9 Uhr auf der 223 nach Savoyen gestartet, ist er bis 13 Uhr nicht heimgekommen. Alle Radiorufe blieben ohne Antwort, die Radarsignale suchten ihn vergebens. Um 14 Uhr 30 gab es keine Hoffnung mehr, daß er noch in der Luft war«: Nein, es war der Kommentar, der mich verwirrte. Ich fühlte mich an mein eigenes Kriegsende zurückversetzt. Doch was war das für eine Sprache, die auf mich einredete mit Phrasen, deren Verführungskraft ich noch lange nicht entronnen war? Hie großtönende Lobrede, da erbärmliche Selbstbezichtigung! Hier, im savoyischen Maquis, war ein Held gefallen, ein Sieger ins ewige Leben eingekehrt. Dort, im oberbayrischen Pfaffenwinkel, hatte sich ein Feigling gefangennehmen lassen, ein Besiegter auf den Boden geworfen. Aber sind das nicht hohle Worte, ist das nicht leeres Stroh?

Beim Lesen klang mir das Gewäsch der Parteiredner und das Gefasel meiner eigenen Rezitationen von den nationalsozialistischen Heldengedenktagen schauerlich in den Ohren nach.

Heiliger Exupéry! Nicht nur der teuerste Kamerad sei verloren, sondern ein bedeutendes Glaubensbeispiel! Nicht um das Risiko aller zu teilen, habe er mitgekämpft, sondern aus eigenem Bedürfnis. »Saint-Exupéry gehört zu den Männern, die groß vor dem Leben sind ... Wir werden ihn bald wiedersehen!« schreibt der Leichenredner in der Staffelzeitung und beschwört die vereinte Rückkehr in ein befreites Frankreich. Ich aber dachte an die uns vorgegaukelten Festmähler aus der germanischen Sagenwelt, die wir damals schon, so verlockend sie einerseits auch erscheinen mochten, auf bunten Abenden dem

Gelächter der Mitschüler preisgaben: Das schöne Walhalla der Deutschen, Odins Totenhalle, worin wir Krieger einst mit den gefallenen Helden festlich zusammensein würden, auf Bärenfellen lägen, Met tränken und Wildschweinbraten verschlängen. Nun, beim Rückerinnern an mein Kriegsende, überkam mich ein Ekel vor diesen erlogenen Verheißungen. Ich hatte mich ja nicht mit Waffen gegürtet, war nicht ins erste Glied vorgetreten, nicht mannhaft dem anrückenden Feind entgegengeprescht, war weder mit durchlöcherter Brust auf dem Felde der Ehre geblieben noch ins geheimnisvolle Dunkel der Vermißten entschwunden: Mit einem anderen Hitlerjungen in einer kleinen Gruppe flüchtiger Soldaten trat ich am 2. Mai 1945 aus einem Bauernhaus, worin wir die halbe Nacht zugebracht und unsere Waffen vergraben hatten, die Sonne ging auf, um die Ecke bog ein amerikanischer Jeep, ein GI hielt seine Maschinenpistole auf uns gerichtet. Der Jeep stoppte, ich stieg auf, der Jeep fuhr davon. Ade, Bärenfell; ade, Honigwein; ade, Wildschweinbraten! Mein Krieg war zu Ende. Ich lebte, ich brauchte nicht von den Toten aufzuerstehen.

Zwei Tage später streckte mich ein amerikanischer Soldat mit einem Faustschlag zu Boden, ein Schwarzer. Vor einem Lagerschuppen, in den wir als Gefangene einrücken sollten, standen wir uns gegenüber: Es war der erste Schwarze, den ich in meinem Leben sah. Er war großgewachsen und muskulös, steckte in seiner khakifarbenen Uniform wie ein gutgenährter Bär in seinem Fell. Doch ich fürchtete mich nicht vor ihm, trat vor ihn hin, schaute ihm keck in die dunklen Kulleraugen. Ich wollte ihn fragen, wohin es mit uns gehen solle, und knöpfte meine Brusttasche auf, um die Straßenkarte herauszunehmen. Da holte er aus und versetzte mir mit seiner Pranke einen Hieb ins Gesicht. Halb betäubt taumelte ich zur Seite, verlor das Gleichgewicht, stürzte zu Boden und schlug mit dem Kinn in einen Haufen von Splitt und Glasscherben. Aus der geöffneten Brusttasche fiel die Landkarte in den Schutt, mit ihr mein kleines, blaues Notizbuch und ein loses Blatt Papier, auf das ich ein Gedicht geschrieben hatte. Auf dem Boden liegend griff ich nach dem Blättchen, doch der Fuß des Soldaten kam mir zuvor. Unter der breiten Sohle seines Schuhes verschwand es für einen Augenblick, dann bückte sich der Soldat, zog es unter der Schuhsohle hervor, richtete sich wieder auf – und ohne es näher zu betrachten, zerriß er das Blättchen in winzig kleine Fetzen, die aus seiner geöffneten Hand wie Flaumfedern in den schwarzen Braschenstaub wehten.

Das Bild mit den Vogelfedern wird mir allezeit im Gedächtnis bleiben, denn beim Schreiben des Gedichts ein Vierteljahr vorher in der Eiseskälte des Reichsarbeitsdienstlagers von Ibersheim hatte ich mich sehnsuchtsvoll wie ein Vogel gefühlt und vom Fliegen in weiten Räumen geträumt. Es war einer jener romantischen Fluchtträume, die zu nichts führten als Katerstimmung beim Erwachen. Er hielt tatsächlich nur so lange an, bis das Gedicht geschrieben war, dann spürte ich wieder die Kälte und das Eingesperrtsein in einer stacheldrahtbewehrten Holzbaracke, aus der es kein Entrinnen gab. Daß der Soldat nun das Blatt Papier zerrissen und die Fetzen in alle Winde zerstreut hatte, war nicht schlimm, ich hatte das Gedicht längst auswendig gelernt und ein paar Tage später in mein Notizbuch eingetragen – doch immer noch scheue ich davor zurück, den Wortlaut preiszugeben. Lange Zeit versuchte ich zu begreifen, warum der Schwarze mir diesen Faustschlag versetzt hatte; ich dachte: Unseretwegen, ja auch meinetwegen mußte er sein Land verlassen, um in Deutschland sein Leben aufs Spiel zu setzen bei der Jagd nach Werwölfen und anderem nichtsnutzigem Kroppzeug. Heute bin ich mir nicht mehr sicher. Womöglich hat er mein Auftreten für dreist gehalten, vielleicht ist ihm der Mißklang meines miserablen Englisch auf die Nerven gegangen. Wer weiß schon, was in einem Menschen vorgeht, den der Krieg in die Fremde zwingt!

Viereinhalb Jahre später kaufte ich mir in der Buchhandlung *Flammarion* den Roman *Vol de Nuit* und las bis in den Winter hinein mit Roland die Geschichte vom Flieger Fabien. Einmal, auf dem Nachhauseweg, blieb ich auf der Saônebrücke stehen, spuckte über die linke Schulter ins Wasser und wünschte mir, daß einst einmal ein Buch von mir auf einem dieser Regalbretter von *Flammarion* ausliegen würde. »Du hättest über die rechte Schulter spucken müssen«, sagte Roland Cazet, als ich im Fort ankam und ihm die Geschichte erzählte, »nur dann geht ein Wunsch in Erfüllung.« Sei's drum: Als ich vierzig Jahre später mit Roland wiederkam, lag mein Vaterroman auf einem der Buchregale von *Flammarion*. Saint-Exupérys Roman *Vol de Nuit* hat mein Leben verändert. Leider habe ich das Buch nicht wiedergefunden, ja ich müßte unsere Lektüre von damals für eine Erfindung halten, wenn nicht Roland wäre, der zu mir sagt: »Weißt du noch, worüber wir debattiert haben?« Ich weiß es: Man gewinnt oder verliert nur nach dem bloßen Schein. Scheinsiege. Scheinniederlagen. Ja, ich erinnere mich, ich erinnere mich genau. Immer noch höre ich die schnarrende Stimme Rolands, und immer noch höre ich die Sprache Saint-Exupérys, eine Glocke in reiner Luft. Sie klingt spitz und hell, manchmal wie eine Kälberglocke, manchmal wie eine Fahrradglocke, und ich bin geheilt vom deutschen Feiertagsgetön.

VIII

Und sie fliegen über die Berge

Bis an mein Lebensende werde ich den Augenblick nicht vergessen, in dem ich Brigitte so überrascht angeschaut habe, als hätte ich sie nie zuvor gesehen! In den Weihnachtsferien war ich von Lyon zum Klassentreffen nach Hause gekommen, wechselte den Anzug und fuhr mit der Straßenbahn nach Saarbrücken. Wir waren im Nebenzimmer eines Cafés verabredet. Sogleich beim Eintreten in den kleinen, lärmerfüllten Raum nahm mich ein Bild gefangen: Vor dunkler Tapete mit Paradiesvögeln saß Brigitte, die Beine übereinandergeschlagen, im Gespräch mit zwei Freundinnen. Ihr langes, schwarzes Haar wellte sich über Kragen und Schulterteil einer bananengelben Jacke, ein schokoladenfarbener Rock bauschte sich in weiten Falten über Oberschenkel und Knie. Ein Bild, als säße ein schönes Mädchen einem expressionistischen Maler Modell für eine Farbradierung! Das Tapetenbild löste sich rasch auf, die Paradiesvögel schlugen mit den Flügeln, hoben von den Bambuszweigen ab und flogen über weißglänzende Gipfelspitzen davon. Das lebendige Bild bestand fort, denn Brigitte rührte sich nicht von der Stelle. So grub sich das wohlkomponierte Porträt in meinen Kopf ein, und dort blieb es bis zum heutigen Tag.

Zum Glück, schließlich konnte Brigitte nicht ihr Lebtag vor dieser kitschigen Tapete sitzenbleiben, nur um die Schaulust eines über beide Ohren verliebten jungen Mannes zu stillen.

Ich ging auf Brigitte zu, gab ihr die Hand, fragte sie, wie es ihr gehe – und da mir zu dieser Zeit noch, als übergösse mich ein flüssiges Feuer, in jeder peinlichen Lage die Schamröte über das Gesicht lief, versuchte ich, meine Verlegenheit mit Geplapper zu vertuschen. Noch im Stehen redete ich von den Schönheiten der Stadt Lyon, ihren Flüssen und Brücken, ihren Bibliotheken, wo ich die frisch erschienenen französischen Romane durchgeblättert, ihren Kinos, wo ich die neuesten amerikanischen Filme gesehen hatte. Damals war ich dünn wie ein Hering, trug einen Bürstenhaarschnitt wie Burt Lancaster in einem Kriminalfilm, der in den französischen Großstädten unter dem Titel *Les démons de la liberté* lief. Die alten Freunde vom Seminar bestaunten meine Frisur, die Mädchen amüsierten sich über meine Schnurren und prusteten bei jeder spaßhaften Bemerkung los. Nur Brigitte kicherte nicht mit, sie schaute mich an und lächelte, bat mich, Platz zu nehmen und fragte nach meiner Arbeit in Lyon, nach Freunden und Freundinnen und sprach mich auf die *Rosen von Saadi* an, ein Gedicht von Marceline Desbordes-Valmore, das ich in meinem großen kahlen Zimmer übersetzt und ihr nach Sulzbach geschickt hatte:

> Ich wollte dir heut' morgen Rosen bringen,
> Mein Gürtel brach, es sollte nicht gelingen.
> Die engen Knoten konnten sie nicht fassen:
> Er brach, und als sie auf der Erde lagen,
> hat sie der Wind zum Wasser fortgetragen.
> Ihm folgen sie und haben mich verlassen.
> Die Wogen sind wie rote Glut erschienen.
> Mein Kleid, o komm, es duftet noch nach ihnen.
> Komm heute nacht, ich will dich riechen lassen.

Es lag nicht an der bananengelben Jacke und nicht an dem schokoladenfarbenen Rock, daß dieses Bild von Brigitte sich so fest in mein Gedächtnis eingegraben hat. Es liegt überhaupt nicht an einer Jacke oder einem Rock, auch nicht an schulterlangen

Haarwellen und einer glatten Haut ohne Pickel und Sommersprossen! Knut Hamsun erzählt von einem Herrn, der sich Säure über sein Gesicht gießt, damit es verunstaltet werde und noch häßlicher sei als das Faltengesicht seiner leidenden Frau, die er mehr liebt als alles auf der Welt! O nein, wenn die Liebe ausgebrochen ist, verlieren die Liebenden mit ihrem Kopf auch Augen, Nase, Mund und Ohren. Manchen verursacht sie einen so grimmigen Schmerz, daß sie nicht wissen, ob sie weiterleben oder sterben sollen, andere spüren ein sanftes Kribbeln, das in der Höhe des Sonnengeflechts durch den Unterleib zieht, sich aus den sympathischen Nervenknoten herauswindet und die Wirbelsäule entlang bis in den Nacken emporsteigt. Es gibt unter ihnen solche, denen das Herz in die Hose fällt, und jene, die die Engel im Himmel pfeifen hören. Mich hatte der Blitz getroffen, einer von den Kugelblitzen, denen man nicht entgehen kann. Als ich nach meinem Lyoner Geschichtenerzählen, in das ich aus lauter Verlegenheit geflüchtet war, wieder ins gegenwärtige Kaffeehausgeschwätz zurückkehrte, waren auch die Paradiesvögel wieder da. Gravitätisch thronten sie auf den Bambuszweigen, Prachtstücke mit golddurchwirktem Gefieder und silberblitzendem Schnabel, jeder auf seinem angestammten Platz. Ich hatte mich in ein Mädchen verliebt, nicht in ein Bild. Nach meiner Rückkehr aus Lyon packte ich flugs die Koffer aus, stellte sie auf den Dachspeicher in die hinterste Ecke, lief zu Brigitte, umarmte und küßte sie. Von da an hatten wir unser größtes Vergnügen eins am andern wie Jorinde und Joringel – und so ist es geblieben.

Es begann meine Lehrerzeit in Dirmingen, einem Bauerndorf haargenau in der Mitte des Landes, wo Pferde noch die Egge zogen und Schafe über die Wiese gingen, wo aber auch die Maischpfannen einer Bierbrauerei und die Kupferkessel einer Wurstfabrik dampften, wo ich an Schlachttagen mit Säckchen voller hausgemachter Blut- und Leberwurst beschenkt wurde, an Wintermontagen im Gasthaus Schwingel bei Hasenpfeffer und Dampfkartoffeln saß, mir der würzige Fleischduft in die Nase zog und die fette Soße von den Lippen troff: Da überkam mich ein Gefühl des Wohlseins. Brigitte unterrichtete anfangs noch im Nachbardorf, dann wurde sie nach Dirmingen versetzt. Über viele Jahre marschierten wir in aller Herrgottsfrühe von Sulzbach über den Bergmannspfad nach Brefeld, von wo uns der Zug tagtäglich nach Dirmingen brachte.

Seither sind mehr als vierzig Jahre vergangen. Meine Erinnerung an diesen Ort mit all den Erlebnissen drinnen im Schulhaus und draußen auf den Feldern und Weiden war von Tag zu Tag immer mehr verblaßt; um aber meine Erinnerung aufzufrischen, habe ich mich wieder in den Zug gesetzt, noch einmal die altvertraute Strecke zu fahren. Es war ein Wagnis, zum Glück aber gibt es den Kopf mit seinen tausend und aber tausend Schubladen, die man auf- und zuziehen muß, den vergessenen Kleinkram in den hintersten Winkeln wiederzufinden. Die Örtlichkeiten außerhalb des Kopfs sind verschwunden, kein Stein ist auf dem andern geblieben, die Wiesen niedergewalzt, der Wald zu Kleinholz gemacht. Die Grube Brefeld gibt es nicht mehr, Förderturm, Maschinenhalle, Schornstein und Waschkaue sind abgerissen, erst als ich den Betonsteg entdeckte, der über die Bahnstrecke führt, und die Treppe betrat, die wir damals zum Bahnsteig hinuntergingen, fand ich mich wieder zurecht. Das Bahnhofsgebäude, aus Fachwerk gezimmert, mit Schiefer geschindelt, liegt abseits neben der Schutthalde. Klamme Wäsche flattert auf der Leine, ein Hund streunt zwischen kümmerlichen Tannen umher. Damals stampfte die Dampflokomotive hinauf nach Wemmetsweiler, rangierte ans andere Ende des Zugs, und auf glattgebremsten Schienen ratterten die Räder ins Illtal hinab. In Illingen stand noch das alte Schulhaus, wo wir uns einmal im Monat zur Arbeitsgemeinschaft versammelten. Im Café Schirra aßen wir zu Mittag, Brigitte ein Königinpastetchen, ich eine Portion Russische Eier. In Wustweiler, vor Guthörls Mühle, hätten wir manchmal gern mit den Enten nach Würmern gegründelt, so jung und kindisch waren wir, lebten in den Tag hinein, unbesonnen, unbedroht, unbesorgt, und jeder kommende Tag war schöner als jeder vergangene.

Als ich jetzt nach Dirmingen kam und am herrschaftlichen Pfarrhaus in die Urexweiler Straße einbog, nach der alten Metzgerei Ausschau hielt und mit verlorener Liebesmüh' jeden vertrauten Winkel nach den bäuerlichen Siebensachen ausspähte, standen mir die Haare zu Berg. Und wo ist das Schulhaus geblieben? »Vor mehr als zehn Jahren abgerissen«, berichtet mir der Hausmeister der neuen Mehrzweckhalle, die an der Stelle des alten Hauses in Fertigbeton dasteht. »Nicht an derselben Stelle«, korrigiert er mich, »etwas zurückversetzt, wenn Sie genau hingucken. Das alte Schulhaus war nicht mehr zu gebrauchen, zu nah an der Straße, zu klein und zu altmodisch.«

Es war ein wunderbares Haus, ein behäbiges Gebäude mit Walmdach, fast quadratisch im Grundriß, mit sparsam gesetzten Jugendstilelementen ein Schmuckstück des ganzen Dorfs! Seine Vorderfront mit der einladenden Freitreppe hatte keine Ähnlichkeit mit der aus gelben Hartbrandklinkern gemauerten preußischen Fassade des neuen Schulhauses in Sulzbach, dessen Türen und Treppen nach hinten und auf die Seite verbannt sind. Der Hausmeister schwätzte weiter, eintönig, ermüdend, ohne Punkt und Komma. Doch gegen das monotone Schnarren taucht mehr und mehr das Raunen von Kinderstimmen auf, erst tönen sie dumpf und unverständlich, bald klingen sie deutlich, Christels Wisperstimme, Siegfrieds Grummelstimme, Erwins Trompetenstimme. Ich schließe die Augen und lausche: Jetzt schallen sie laut und klar, überschlagen sich mutwillig und steigern sich zum Geschrei, dann schwirren sie nur noch leis und verworren, gehen in Flüstern über, das in Schweigen endet. Irgendeiner hat eine Geschichte erzählt, die zur laut beklatschten Räuberpistole anschwoll, jäh umschwang und als Gruselmärchen Erschrecken hervorrief.

Ich erinnere mich an ein immerwährendes Geschichtenerzählen: Geschichten von Königen und Rittern im Geschichtsunterricht, Geschichten von Seefahrern und Entdeckern im Erdkundeunterricht, und im Naturkundeunterricht waren Schmetterlingsfänger- und Fallenstellergeschichten dran, aber auch die Geschichte der Biene Maja und des Dackels Schnipp Fidelius Adelzahn. Wir erzählten selbsterlebte Geschichten und schrieben sie auf. Christel erzählte, wie sie über die winterlichen Felder spazierte und dabei Blutspuren entdeckte. Siegfried erzählte, wie er durch dichtes Dornengestrüpp tollte und dabei ein Auge verlor. Erwin erzählte, wie er ein Buch las und dabei Buchstaben wie Flieger durch die Luft schweben sah. Und ich erzählte von einem wirklichen Flieger, dem französischen Postflieger Saint-Exupéry, der schon vor dem Krieg auf Nachtflügen über die Anden und auf Erkundungsflügen durch die Wüste Sahara geflogen war.

»Wie kann sich ein Flugzeug überhaupt in die Luft erheben?« fragten die Kinder, und das gleiche frage ich mich selber und erinnere mich an meinen Flug nach Australien, als dreihundertfünfzig Passagiere mit Kisten und Koffern und Plastiktüten in den zyklopischen Jumbo einstiegen, und ich voller Schrecken dachte: Ein ganzes Reisevolk in einem viel zu schweren Apparat mit viel zu langem Rumpf und viel zu kurzen Flügeln, wie soll das gutgehen! Damals in meiner Schulklasse im kleinen Dirmingen plagten mich geringere Zweifel, denn die Flugzeuge waren noch aus Leichtmetall konstruiert, schraubenförmig gedrechselte Holzpropeller schnurrten vor den Motoren, und der geflügelte und geschwänzte Rumpf hob sich nach kurzem Anlauf, wie von Luftpolstern emporgetragen, federleicht in die Höhe. »Wir wollen zusammen einen naturgetreuen Flugzeugrumpf basteln«, kündigte ich an, »und dann werden wir sehen, wie der Gegenwind es fertigbringt, das Flugmodell in der Luft zu halten.« Aus einem Stück Pappe, in Form eines unten abgeplatteten, oben aufgewölbten Hohlkörpers, der sich von vorne nach hinten immer mehr abflachte, nahtlos zusammengeklebt, formte jeder einen seitlich offenen Flugzeugrumpf nach, steckte einen Bleistift durch die Öffnung und blies von vorne gegen die Rumpfkante. Und siehe da, die Papprümpfe hoben sich in die Horizontale und schwebten vibrierend auf dem unsichtbaren Luftteppich.

Was für ein Nachweis fürs Fliegen! Jungen und Mädchen

bliesen aus vollen Backen, eine ganze Luftflotte schwebte im Klassenzimmer: Flugzeuge auf Passagierflügen, Flugzeuge auf Postflügen, Flugzeuge auf Nacht- und Erkundungsflügen! Und vorneweg im Pulk der Flieger Saint-Exupéry! Couragierte mit Phantasie hatten sich ohne viel Federlesens in Piloten verwandelt, waren in die Maschine gekrabbelt und hantierten an den Schaltern und Hebeln im Cockpit: Der eine ergriff den Steuerknüppel, der andere das Handrad des Kopiloten, der dritte das Mikrofon des Funkers: »Jetzt fliegen wir über die Anden und später über die Wüste Sahara!« riefen die Navigatoren, »wo wir landen, da wohnen vielleicht Menschen, die noch nie vorher in ihrem Leben so jemand wie uns gesehen haben.« Fliegen mit Saint-Exupéry! Geschichten hören von Saint-Exupéry! Was gab's Schöneres? Eines Tages im Vorsommer, als wir wieder einmal eingestimmt aufs Fliegen und die Kinder fieberhaft gespannt auf neue Fliegergeschichten waren, las ich ihnen Saint-Exupérys Erzählung *Der kleine Prinz* vor.

Heute erst fällt mir auf, wie oft es ums Fliegen ging, wie begeistert wir immer wieder darauf zurückkamen! Im Sommer gingen wir ganz in Naturbetrachtungen auf, vertieften sie und beleuchteten sie in allen Fächern. Auf ausgedehnten Spaziergängen über Land schauten wir uns genau an, wie die Schmetterlinge flattern, und verglichen es mit dem Gaukelspiel der Seiltänzer, beobachteten das Schwirren und Auf-der-Stelle-Stehen der Libellen und verglichen es mit den Luftoperationen gewandt sich bewegender Hubschrauber. Kurz vor den Sommerferien belauerten wir Start und Flug eines Hirschkäfers, bestaunten sein rhythmisches Pumpen, seinen rotierenden Flügelschlag, seinen grollenden Motorenton und glaubten uns in einen Film versetzt, worin ein altes Flugzeug durch die Lüfte brummt. Und wir studierten den Vogelflug. Friedrich brachte seine Krähe mit, sie hüpfte aus dem Käfig, zeigte uns ihre kräftigen Beine, ihre mächtigen Flügel, ihre glatten, blauschwarzen, wie eingefettetes Metall glänzenden Federn, die dachziegelartig übereinanderlagen. »Hebt mal, wie leicht sie ist«, sagte Friedrich, und die Kinder wogen sie bedachtsam in den Händen und nickten mit dem Kopf. Friedrich trug sie stolz vor uns her auf den Schulhof, wippte ein paarmal auf und ab und warf sie mit weit ausholendem Schwung in die Höhe. Die Krähe schlug mit den Flügeln und schoß in die Luft, steuerte mit dem Schwanz, indem sie ihn beim Emporsteigen hob, beim Herabgleiten senkte, bei einer raschen Bewegung drehte und hinter dem Dach des Schulhauses verschwand. »Die kommt wieder zurück«, belehrte uns Friedrich, steckte zwei Finger in den Mund und pfiff. Die Krähe schwenkte um die Hausecke, führte uns noch einmal ihr geschicktes Schwanz- und Flügelspiel vor, und landete auf Friedrichs Hand.

Nach den Sommerferien hatte sich bei den Fischweihern im Finkenrech eine Schar Störche eingefunden. Zuerst waren es sechs, dann neun, doch schon ein paar Tage später hatte Heinrich auf einem Sonntagsspaziergang mit seinen Eltern ein ganzes Dutzend gezählt. Niemand wußte, woher die Tiere gekommen waren, doch als unsere Kundschafter von einer täglich wachsenden Schar berichteten, zogen wir zu gemeinsamen Beobachtungsgängen aus, belauerten die Vögel von der höher gelegenen Landstraße her, näherten uns ihnen über die Feldwege und erkundeten, hinter Büschen versteckt, ihr auffälliges Gebaren. Da hüpften sie durch die feuchte Wiese, tummelten sich in der sumpfigen Niederung, schwebten über die Teiche, kreischten und plapperten, bis sie sich eines Morgens aus dem Bruch erhoben, in der Luft ordneten, zuerst zur schrägen Linie, dann zum spitzen Pfeil, in dieser Formation noch einmal über den Geißberg kreisten und so schnurstracks der Sonne entgegenzogen, als flögen sie mittenhinein. Es waren einfache deutsche Hausstörche, vielleicht aber auch nur gewöhnliche Wasserhühner, denen in meiner Phantasie lange Beine und ein spitzer Schnabel gewachsen sind! Ins Schulhaus zurückgekehrt, trug ich das Herbstgedicht von Theodor Storm vor: »Schon ins Land der Pyramiden floh'n die Störche übers Meer«, ein Herbstgemälde aus Wörtern, das die Kinder in eine Stimmung versetzte, aus der sie sich lange nicht herausreißen ließen. Sie fanden sich in kleinen Arbeitsgruppen zusammen, schrieben ihre Beobachtungen in eigens dafür angelegte Hefte und trugen Bücher zusammen, die vorne auf dem Katheder als Handbibliothek aufgestellt wurde. Wir untersuchten das Warum und Wohin der Zugvögel, legten Tabellen mit Eigenschaften der Zugvögel, der Strichvögel, der Standvögel an, zeichneten Landkarten und trugen ihre Brut- und Winterquartiere ein. Aus einem Kosmos-Lexikon der dreißiger Jahre erkundeten wir Reiserouten und Reiseziele, ermittelten Flughöhen und Fluggeschwindigkeiten, nahmen Zirkel und Metermaß und berechneten die Reisezeit unserer Störche von Dirmingen nach Ägypten. Genau zwei Tage und neun Stunden bekam Heinrich heraus, der Sohn der Bierbrauers, der ein schneller und sicherer Rechner war, und er hatte sich nicht vertan. Wir gönnten unseren Störchen ein paar Verschnaufpausen für kleine Mahlzeiten und ein bißchen Schlaf, billigten ihnen Verspätung bei Sturm und Regen und erzwungenen Kursregulierungen zu und entschieden: »Auch wenn sie eine knappe Woche unterwegs sein sollten, hätten sie den Flugzeugen von Anno dazumal gründlich Konkurrenz gemacht.«

Abends saß ich in unserem Mansardenzimmer und zerbrach mir den Kopf. Während Hermann las und rauchte und seinen betäubenden Zigarettenrauch durch die Stube blies, dachte ich über die Arbeit mit den Kindern nach. Es war ein selbst zurechtgezimmertes Schalten und Walten mit elf- und zwölfjährigen Mädchen und Jungen im Heidi- und Ziegenpeteralter; sie waren hellwach und neugierig auf alles Unbekannte.

Mit den Prinzipien und Methoden der *Arbeitsschule*, in der Pestalozzis ideale *Kunst, den Menschen menschlich zu machen* und Goethes praktische Idee des tätigen Lebens in der *Pädagogischen Provinz* fruchtbringend nachwirken, wollte ich die Kinder dazu bringen, Augen und Ohren, Nase und Mund aufzusperren, damit sie die Welt sehen und hören, riechen und schmecken könnten, und ihre Hände sollten geschickt werden, die Dinge richtig anzufassen, um ihr Wesen zu begreifen – wie Friedrich es mit seiner Krähe verstand. Was ich von Rousseau und Pestalozzi und Goethe gelernt hatte, wollte ich den

Kindern weitergeben: Nicht nur der äußere, sondern vor allem der innere Sinn des Menschen für die Ordnung der Welt gründet auf der Anschauung! Und so hütete ich mich, *ein Lirilariwesen* in der Schule aufkommen zu lassen, *was den Kindern so eine Art gibt, mit dem Maul ein Weites und Breites über die Sachen zu machen, hinter denen für sie nichts steckt.* Das war nicht einfach, denn es drängte mich auch, die Kinder zwischen die Dinge, hinter die Sachen, über den Zaun blicken zu lassen, wo die Welt erst interessant wird. Ich war begierig, Buben und Mädchen den Doppelsinn der Welt, ihr Auseinanderklaffen in Sein und Schein zu illustrieren, doch Pestalozzis Schreckgespenst *Lirilari* saß mir im Nacken, und so wollte ich ihnen keine Flöhe ins Ohr setzen mit dem neunmalklugen Gerede, neben der Wirklichkeit gebe es auch immer die Möglichkeit, neben den Kriegsherden unserer Erde auch den Vorschein einer besseren Welt. Ich mußte mir auf die Zunge beißen, diese hochtrabenden Wörter und Vergleiche nicht auszusprechen, und dokterte herum, wie die Kinder selbst Mittel und Wege finden könnten, diese Zusammenhänge zu ergründen.

Eines Abends, nach meiner Unterrichtsvorbereitung für den nächsten Tag, las ich ein Gedicht von Wilhelm Lehmann über reisende Vögel im Herbst. Ganze Vogelscharen sieht er vor dem Mond vorüberziehen, der den fliegenden, ihren irdischen Weg längst verfehlenden Tieren eine Reiselaterne bietet. Ich versetzte mich in dieses Bild mit der übergroßen Mondscheibe, in die der Dichter phantasierenden Auges die Füße eines Kuckucks kritzelt, »wo er sie überflog, als er nach Syrien zog«. Sieht er tatsächlich einen Kuckuck vor dem Vollmond vorbeifliegen und erkennt seine Füße als Schattenriß vor dem grellen Licht? Strichelt er sie mit Auge und Hand in die Luft, oder sind sie, in die Mondoberfläche eingezeichnete Linien und Streifen, die ihn an Vogelkrallen erinnern, Sinnbilder für Fernreisen und Wanderzüge, für immerwährendes Unterwegssein in ein unbekanntes Land?

Anderntags erzählte ich den Kindern von diesem eigenartigen Gedicht, in dem der Dichter nicht einmal die Wörter *krit-*

zeln, stricheln oder zeichnen benutzt, sondern schlicht und einfach *schreiben* sagt, so als habe er in seiner Vorstellung die Füße des Kuckucks nicht mit dem Pinsel auf die Mondscheibe gemalt, sondern mit Feder und Tinte darauf geschrieben. Angesteckt von meiner Begeisterung, griffen die Kinder selbst zu Papier und Feder, es war buchstäblich ein Kinderspiel, sie zum Schildern zu bewegen. Noch war die Erde nicht von künstlichen Satelliten umkreist, keine Raumfähre ins All geschossen, keine Sonde auf dem Mond gelandet, der Traum vom Fliegen verwirklichte sich in Zukunftsromanen und Science-fiction-Filmen. Egon schrieb die Geschichte eines Drachens, der in den Weltraum vorstößt. Beim Schreiben verwandelt er selber sich in diesen Drachen, der sich seine Wünsche zu eigen gemacht hat. Erst als die Erde ihn losläßt, fliegt er unbedrängt, frei und schwerelos wie ein verliebter Weltraumfahrer.

Höher und höher stieg ich. Es wurde mir so langsam Angst. »*Wickel mich auf!*« *rief ich zu dem Seil. Dieses brummte:* »*Ich kann nicht, die Hände halten mich viel zu fest.*« *Aber es half nichts, ich stieg noch höher. Als ich so flog, sah ich in der Ferne ein schönes Drachenfräulein fliegen. In dieses verliebte ich mich so sehr! Ich wollte schnell bei es. Aber das Seil hielt mich fest und sagte:* »*Ja, ich bin vornehmer und stärker als du. Dich Bengel lasse ich nicht los.*« *Ich rief:* »*Lieber Freund Wind, reiß mich von dem vornehmen Seil los!*« *Da pfiff der Wind ganz gewaltig. Siehe da, ich war von dem hochmütigen Seil losgerissen. Die Tränen standen mir in den Augen, denn das Abreißen tat ein wenig weh. Aber das machte ja nichts! Ich flog weit über Wiesen und Felder. Nach einer Weile kam ich zu dem Fräulein. Dieses war sehr schön und fein. Es sagte:* »*O wie freue ich mich, daß du zu mir kommst.*« *Und sie flogen über die Berge, weit durch die Welt! Der gute Freund Wind trug sie, wohin sie wollten.*

Die Aufgabe des Lehrers sei es, Flügel zu schaffen und diese Flügel gebrauchen zu lehren, schreibt Wilhelm Lehmann, der selbst Lehrer war und die Methode der Arbeitsschule in der *Freien Schulgemeinde Wickersdorf* praktizierte, doch »wird der Mensch nicht eingeführt in den Garten der irdischen Dinge und Begebenheiten, so kann er auch nicht in das himmlische Reich der spirituellen Geschehnisse gelangen«. Mit dem himmlischen Reich hatten wir nichts im Sinn, das lag auch den meisten Kindern zu weit draußen im Ungefähren, wo Pfarrer Ritter mit der Bibel in der Hand herumspazierte; doch was im eigenen Kopf so alles vor sich gehen kann, spürten die Kinder von Tag zu Tag stärker, und sie trauten sich nach und nach, ihre Flügel der Phantasie zu gebrauchen. Denn nicht nur Störche und Krähen, Saint-Exupérys Flugzeug und Egons Drachen hat der Wind emporgehoben und fortgetragen, schon Wieland, der Schmied, und Daedalos, der griechische Künstler, haben sich Flügel geschaffen, Wieland aus Eisen geschmiedete und Daedalos aus Wachs und Federn modellierte, und sich darauf mühelos in die Lüfte geschwungen. »Der fliegende Robert ist sogar ohne Flügel geflogen«, warf Wolfgang ein, »er hat nur einen Regenschirm und einen kräftigen Wind gebraucht.« So waren wir vom Vogel auf den Drachen, vom Drachen auf den fliegenden Menschen gekommen. Im Traum könne sie wirklich fliegen, erzählte Marianne, »ich bewege die Arme auf und ab wie Flügel und fliege mitten in der Nacht über Rußland und China und den Stillen Ozean rund um die Erde. Der Mond steht hoch am Himmel, unter mir glänzt das amerikanische Felsengebirge und der Mississippi, der über seine Ufer getreten ist.« Doch um hinzufliegen, wo wir wollten, brauchten wir am Ende nicht zu träumen, ja nicht einmal Flügel waren nötig.

Wenn ich heute die Augen schließe und mich erinnere, sehe ich einen einzigen dieser Schultage vor mir: Ein Schultag für tausend andere! Es ist ein Wintertag, kalt und klar, die Sonne durchstößt rasch den Frühdunst und fällt schräg in die Schulstube hinein, malt eine rote Scheibe an die Wand und hüllt den ganzen Raum in ein warmes, heimliches Licht. Vielleicht war es der letzte Tag unseres abenteuerlichen Fliegens, das uns ein halbes Jahr in Atem gehalten hatte. Wir begannen unser Abenteuer mit einem einfachen physikalischen Versuch und beendeten es mit waghalsigen Ausflügen ins Luftreich der Vorstellung. Alle Pulte quollen über von Pastell- und Aquarellkästen, über die weißen Zeichenblätter huschten Stifte und Pinsel und illuminierten sie mit dem grellsten Bunt. Ein poppiges Puterrot, ein knalliges Kanariengelb, ein schreiendes Papageiengrün: Die Kinder gingen verschwenderisch mit den Kreiden und Wasserfarben um, und so wuchsen aus dem Linien- und Farbenspiel der Federn die Gestalten ihrer Lieblingsvögel hervor: der Vogel Greif und der Vogel Roch, der kluge Vogel und der goldene Vogel, Fundevogel und Fitchers Vogel, die Raben der Brüder Grimm und Andersens Schwäne. Aber die Vögel blieben nicht reglos und stumm auf dem Papier: Sie flogen auf und folgten der Taube Noahs in die Religionsstunde, verirrten sich mit französischen Gockelhähnen und österreichischen Doppeladlern in die Geschichtsstunde und scharten sich in der Musikstunde zum gemischten Chor. Die Kinder nahmen ihre Rollen ein und imitierten ihre Stimmen, heulten wie die Eule, krächzten wie der Rabe, schnatterten wie die Gans. Nach der Pause malten die Kinder ihre Bilder zu Ende. Ich stellte mich ans Fenster, schaute hinaus über die Wiesen und Felder, die auf der anderen Seite der Straße sanft anstiegen und bis auf die Höhe an den Waldrand reichten. Vor zwanzig Jahren ist dort ein neues Wohnviertel entstanden, Kalkstollen und Ziegelhütte kommen nur noch in den Straßennamen vor. Ich sah die Weiden am Bach, die Pappeln auf dem Schulhof, ein Schwarm Krähen flog über die dünne Schneedecke, landete auf den Zweigen, im Schotter, in den Ackerfurchen und stob immer wieder krächzend auf. Ich nahm ein Blatt Papier und einen Schreibstift aus der Pultschublade, und mit den Gedichten von Jacques Prévert im Hinterkopf beobachtete ich Kinder und Krähen und schrieb selbst ein Schulgedicht:

> Am Alsbach
> über den Weidenreihen
> kreisen die Krähen
> und schreien.

Auf dem Schulhof läuft das Kind mit der Schelle
und schellt im Kindergeschrei.
Die Kinder gehn in die Klassen
Reih um Reih.

Doch jedes hat heimlich,
ohne zu nahn,
einen Vogel
in seine Tasche getan.

Der Lehrer am Fenster
reibt die Hände sich warm.
In den Pappeln krächzt
der Krähenschwarm.

Jetzt kommen die Krähen,
schwarz wie Lakritz,
Schnäbel wie Schwerter,
scharf und spitz.

Sie schwingen im Kreise
und landen schwer.
Die Krumen liegen
im Hof umher.

Oder wurde nicht doch
der Lehrer geneckt?
Die Kinder haben ihre Vögel
unter der Bank versteckt.

Mitten im Rechnen
rauscht es im Raum,
die Tinte wird Wasser,
die Kreide ein Baum.

Und auf die Krumen
aus Schnitzeln Papier
stürzen die Krähen
und picken hier.

Die Wörter hatten Ort und Zeit verwandelt, ich fühlte mich
ganz leicht. Es kam mir auf einmal so vor, als würde sich die
verschneite Wiese mitten im Winter mit Hundsveilchen und
Ferkelkraut überziehen, und ich am Fenster, die Arme ver-
schränkt und den Bleistift zwischen den Zähnen, wäre das ver-
gnügte Schulmeisterlein Wutz in seiner Auenthaler Idylle.

Es war nur *eine Art Idylle*. Zwar fühlten wir uns, als lebten
auch wir auf Flügeln, doch in Wirklichkeit standen wir mit beiden Füßen auf der Erde und schlugen mit den Flügeln im Kopf.
Diesen Wintertag mit Kindern und Krähen werde ich nicht
vergessen, die Eisblumen auf der Fensterscheibe und die Som-
merblumen auf der Winterwiese blühen heute noch für die
schöne Idee der Arbeitsschule. Die frühen Fünfziger waren
eine erfinderische Zeit. Weit und breit gab es kein Gymnasium;
bis zum vierzehnten Lebensjahr saßen die Klügsten und Ge-
schicktesten mit den Dümmsten und Tölpelhaftesten zusammen in einer Klasse, vertrauten einander und halfen sich gegenseitig: Marianne zeigte Heinrich, wie man mit dem Zirkel eine
Entfernung auf dem Atlas abgreift; Heinrich stand Marianne
bei, wenn sie die Landkarte am Ständer befestigen wollte. Alle
zogen am gleichen Strang, jeder steuerte das Seine bei, und es
gelang, die härtesten Nüsse zu knacken. Wir sammelten die in-
teressantesten Aufsätze in einem dicken, schwarzen Heft,
woraus später ein Buch wurde, zogen mit Karten und Reisebe-
schreibungen in fremde Länder, tauchten mit Sagen und Balla-
den in die deutsche Geschichte ein. Zur Weihnachtszeit bauten
wir eine Theaterbühne mit naturgetreuen Kulissen, in die wir
Katheder und Lehrerpult einbezogen, erweiterten Theodor
Storms Märchenspiel *Schneewittchen* um ein paar Szenen und
spielten das Stück für die Kleinsten der Schule. An einem Som-
mertag wanderten wir über den Berg nach Wustweiler, trafen

Brigitte mit ihrer Schulklasse aus Hosterhof und spazierten eine Weile zusammen durch das Dusterbachtal. Heinrich stupste Marianne ein paarmal an die Schulter und sagte zu ihr: »Das Fräulein ist die Braut von unserm Lehrer. Meine Kusine aus Uchtelfangen hat's mir erzählt, wo das Fräulein bei ihrer Tante Kostgängerin ist.«

Nur im Religionsunterricht taten wir uns schwer, Licht ins biblische Dunkel zu bringen. Da ging's drunter und drüber, wir steckten unsere Nase in Familienverhältnisse, die uns in Erstaunen versetzten, und rätselten an Beziehungen herum, die wir nicht entwirren konnten. Es wechselten Herren und Knechte nach Lust und Laune ihre Frauen und Mägde: Esau verkaufte seine Erstgeburt für ein Linsengericht und nahm sich Weiber von den Töchtern Kanaans, soviel er wollte, zwei Töchter Lots wurden von ihrem eigenen Vater schwanger, und Jakob, der mehr besaß, als er gebrauchen konnte, bekam außer Lea auch noch Rachel zur Frau. Ich wollte es den Kindern erklären und sagte in meiner Verzweiflung: »Die hatten eine Ehe zu dritt«, worauf Heini mit dem Finger schnipste und ungefragt in die Klasse rief: »Mein Vater hat allein drei Ehen!« Das war zwar ein Mißverständnis, denn *Ehe* bedeutet in Dirminger Mundart *Egge*, doch was für eine Zweideutigkeit! Ich konnte den Irrtum ausräumen, doch alles lachte und quittierte meine Richtigstellung mit ausgefallenen Bemerkungen. »Alles in einen Topf«, meinte Wolfgang, »dann rumrühren und sehen, was dabei rauskommt.« Später kam Bruno in einer Bildbeschreibung des alten Königs von Georges Rouault noch einmal auf den Wirrwar zurück: *Im Gesicht steht die Rache des Herodes geschrieben. Die Nase hat er von General de Gaulle. Fidel Castros Bart schmückt sein Gesicht. Cassius Clays Muskeln blähen seine Arme. Die farbenfrohe Krone stahl er von Karl dem Großen.*

Verlockender Doppelsinn, verführerische Wechselspiele! Vor dem Wiederlesen meiner pädagogischen Jahresarbeiten habe ich mich ein bißchen gefürchtet. Ich erinnerte mich an meine hochfliegenden Ideen von damals und machte mich auf üppige Formulierungen und einen schwülstigen Satzbau gefaßt. »Wahre Dichtung vermag unmittelbar zu veredeln, ohne Moral zu predigen«, schrieb ich, »deshalb ist echte, nicht zurechtgemachte Dichtung zu fordern.« Jene, aus der Fülle des dichterischen Erlebnisses geschaffen, blicke in die Seele anderer und zeichne durch unmittelbare Beeinflussung eine höhere Lebenslinie vor; diese aber, mit pädagogischem Vorsatz geschrieben, wolle als absichtsvolle Zweckdichtung mittelbar belehren und verbiege die Wirklichkeit, indem sie Menschentypen gewaltsam zurechtmache. Auf die Verwandlungskraft der Sprache komme es an, und als Gewährsleute meiner Theorie nannte ich Lessing und Rudolf G. Binding in einem Atemzug.

In einer anderen Arbeit fuhr ich allerschwerstes Geschütz gegen die Feinde der Moderne auf. Ich war von Sinnen, attakkierte die Wandervogelromantik frontal, rückte altbackener Erbauungspoesie auf den Leib, nahm Saubermänner und Moralapostel auf die Hörner und geißelte alle, die sich hinter der Deckung eines Hirtenbriefs aus dem ersten Weltkrieg verschanzten. Darin hieß es, die deutschen Dichter der Gegenwart tauchten zwar in rätselhafte Abgründe der menschlichen Seele, gestalteten zarteste Naturstimmungen in erlesenster Feinheit der Form, gäben uns aber eine pathologische Literatur, »die in gemeingefährlicher Weise ihr Spiel und ihren Spott treibt mit allem, was die erste Lebensquelle und Lebenskraft des Staates ist«. Ich versetzte mich in eine regelrechte Kriegsstimmung, verstieg mich sogar zu wortspielerischen Kampfparolen gegen die Anhänger der »romantischidyllischen Eichendorffmörike und wohlanständigbürgerlichen Stormkeller« und forderte mit demagogischer Schärfe, das lesende Kind solle nicht den herrschenden Verhältnissen angepaßt, sondern ergriffen und verwandelt werden. Das Wort *verwandelt*, vom Schulrat mit Rotstift unterstrichen, gibt mir heute noch zu denken. Womöglich fragte der Schulrat sich, in was für Geschöpfe ich die mir in Obhut gegebenen Kinder verwandeln wollte: Auch ich wußte es nicht, denn ich war mit mir selbst ins Kreuzfeuer geraten und hatte den staatlich und kirchlich verordneten Kinderbuchautoren nichts entgegenzusetzen als die Klassiker meiner Kinderzeit. Ich hatte zu wenig neue deutsche Literatur gelesen, protzte nach außen mit Hemingways Kriegs- und Jägergeschichten, las aber im geheimen die Greuelmärchen von *Fitchers Vogel* und vom *Machandelboom*. Und so tummeln sich in der Schülerbücherei, die ich in meiner Arbeit entwarf, Robinson und Tecumseh neben Mümmelmann und den Bremer Stadtmusikanten, hartgesottene Zweibeiner in Tuchfühlung mit schlitzohrigen Vierbeinern. Ihrer abenteuerlichen Lebensgeschichten wegen wollte ich das ungenutzte Lehrerzimmer ausmisten und mit neumodischen Regalen bestücken.

»Junger Mann, es liegt mir fern, Ihnen Ihre Illusionen zu nehmen«, sagte Herr Hudler zu mir, »was Sie da im Kopf haben, ist alles schön und gut, aber nicht nötig.« Fritz Hudler war mein Schulleiter, ein Mann von Anfang Sechzig, hoch aufgeschossen, ja spindeldürr wie Don Quichotte in den Illustrationen von Salvatore Dali. Aber nur äußerlich ähnelte er dem Ritter von der traurigen Gestalt, vom Wesen her war er ein nüchterner Sancho Pansa, dem keiner ein X für ein U vormachen konnte. An den Nachmittagen saß er nicht grämlich in Bücher vergraben hinter dem Schreibtisch; belebt von frischer Luft, hackte er lieber Holz und trug Puddel im Garten aus. Er trug stets einen mausgrauen, vom jahrelangen Anstoßen an Bänke, Pult und Tafel abgewetzten Sonntagsanzug mit Gilet, und in seiner speckigen Aktentasche lag nichts als ein doppeltes Pausenbrot. Wer uns beide nebeneinander auf dem Schulhof hin- und herspazieren sah, wäre nie auf den Gedanken gekommen, mich für Don Quichotte und Fritz Hudler für Sancho Pansa zu halten. Aber es war so. »Junger Mann«, sagte er, »vergeuden Sie nicht Ihre kostbare Zeit und Kraft mit Büchern, die Ihnen ja doch nur Flöhe ins Ohr setzen. Hüten Sie sich vor allen Dingen vor den modernen Psychologie- und Pädagogikschinken, die Ihnen die alte Lernschule madig machen wollen, indem sie große Töne spucken von

Kindersinn und Herzensbildung und in ihrer Aufgeblasenheit behaupten, mehr Zuneigung und Hinwendung und wie all diese hochgestochenen Wörter heißen, könnten mehr bewirken als der bewährte preußische Drill. Wer dumm geboren ist, bleibt dumm sein Leben lang, ein Faulpelz bleibt ein Faulpelz, und ein Rotzlöffel bleibt ein Rotzlöffel! Von den Kindern, die dies Jahr eingeschult worden sind, könnt' ich heut' schon die Noten fürs Abgangszeugnis schreiben. Deren Großväter und Großmütter sind schon zu mir in die Schule gegangen, ich weiß ganz genau, wes Geistes Kinder sie waren und was man von ihren Enkeln erwarten kann. O nein, meine freie Zeit ist mir viel zu schade, sie an den Schnickschnack der modernen Schule zu verschwenden, die nur mehr Arbeit macht, wo aber nix dabei rauskommt.«

Fritz Hudler hatte weit ausgeholt, und sein Schlag saß. Nie zuvor und nie danach habe ich ihn so lange und an einem Stück reden gehört, seine ganze Überzeugungskraft lag in den kunst- und schmucklosen Argumenten seiner Lebenserfahrung, die ihn zum Fatalisten hatten werden lassen. Er ruhte in sich selbst und hatte es nicht nötig, intellektuellen Aufwand zu treiben; ohne Brimborium machte er mir klar: »Es gibt keinen Raum, keine Handwerker und kein Geld, Ihre noch so ideale Bibliothek einzurichten. Selbst wenn der Teufel auf Stelzen kommt und Ihnen einen Sack voll Geld vor die Füße schüttet, schlagen Sie sich dieses Hirngespinst aus dem Kopf, da wird nix draus! Denn wer garantiert mir dafür, daß nicht mit den Jahren eine Flut von diesem neumodischen Geschreibsel unsere Schule überschwemmt, das von A bis Z auf der schwarzen Liste der Regierung steht?« Nein, Fritz Hudler war kein Don Quichotte, obwohl er so aussah. Er ließ den lieben Gott einen guten Mann sein, hielt seinen Allerweltsunterricht, pflegte seinen Feld-, Wald- und Wiesengarten und schlief den Schlaf der Gerechten.

Enttäuscht von ihm, entschloß ich mich, alles zu tun, was den Schulerlassen zuwiderlief. Doch außer dem halben Kraftakt, den Lehrplan zu unterlaufen und jedes Unterrichtsfach mit den Kräften und Säften der Sprache zu durchwirken, brachte ich nichts zustande. Dabei übertrieb ich und verrannte mich auch. Einmal ging ich so weit, Geschichte, Erdkunde und Naturkunde auf so bizarre Weise miteinander zu verbandeln, daß Herr Hudler, nachdem er mein Klassenbuch geprüft hatte, mir die Hand auf die Schulter legte und mich in väterlichem Ton fragte: »Wär' das auch nicht viel einfacher gegangen?« Ich hatte den Habsburger Karl nicht nur als eine mächtige Kaisergestalt, Spanien als ein sonniges Mittelmeerland und den Maulesel als ein genügsames und fleißiges Tier ins Licht gerückt, Gott bewahre! Mensch und Landschaft und Tier spiegelten sich wider in der *Historie des berühmten Ritters Don Quichotte von der Mancha*, im dichterischen Gegengesang tönte ihr Lied in komisch klingender Kadenz noch einmal auf und mischte ins Scheitern des braven Idealisten einen humoristischen Ton. Eine Ähnlichkeit mit lebenden Personen ist rein zufällig, dachte ich in meiner Naivität, doch Fritz Hudler war Manns genug, seine Gestalt in jeder Verkleidung wiederzuerkennen und sagte: »So hoch hinaus braucht's nicht zu gehn.«

Als ich eines Tages den Einfall hatte, die Präambel des Lehrplans, die mit feierlichen Worten von *Förderung des Gemeinsinns* und von *Begeisterung für alles Gute und Edle* kündet, großzügig auszulegen, den Schlagwörtern der Schulbehörde auf den Zahn zu fühlen mit meiner Absicht eines Klassenausflugs ins ehemalige Konzentrationslager von Struthof, verdarb Fritz Hudler mir das Konzept, packte mich am Revers meiner Jacke, zog mich zu sich empor und flüsterte mir ins Ohr: »In Gottes Namen ja, aber bitte in Maßen. Erzählen Sie ein paar von diesen schrecklichen Geschichten, Sie müssen ja nicht gleich nach Struthof ins Elsaß fahren und den Kindern die Gaskammer zeigen. Eins müssen Sie sich merken: Lassen Sie die Finger von allen heiklen Dingen, egal ob es sich um die politische oder die sexuelle Aufklärung dreht, denn man weiß nie, wohin das führen kann.« Und noch leiser werdend erzählte er mir die Geschichte seines Vorgängers auf dem Schulleiterposten, der bei einem Klassenausflug im Autobus ein Mädchen unschicklich am Busen und oberhalb des Rocksaums berührt habe, wofür jener jetzt im Gefängnis sitze und Zeit habe, sich Gedanken über Zuneigung und Hinwendung zu machen. »Die Mädchen faßt man am besten nicht mal mit der Beißzange an«, sagte er, »das überläßt man den Burschen ihres Alters. Im Sommer gehen die Vierzehnjährigen zusammen ans Mühlenwehr zum Baden; wenn sie am Abend nach Hause zurückkommen, sind sie gründlicher aufgeklärt, als Sie es in Ihrer Aufklärungsstunde jemals bewerkstelligen können. Was wollen Sie also? Ihren guten Namen aufs Spiel setzen? Kopf und Kragen riskieren und dem freisinnigen Kollegen ins Gefängnis nachfolgen?«

Seine Befürchtungen, barsch und kantig im Ton, waren gut gemeint, Fritz Hudler wollte mich nicht ins Bockshorn jagen. Bei all den heftigen, scheinbar unversöhnlichen Meinungsverschiedenheiten zwischen uns beiden blieb er dennoch ruhig, hielt schützend die Hand über mich und setzte alles dran, mich als Lehrer in Dirmingen zu halten. Seine grobe Direktheit machte mich nicht beklommen, doch mehr und mehr spürte ich eine Lähmung meines Willens, die von ihm ausging: Unerbittlich durchkreuzte er meine hochfahrenden Pläne und zerriß sie mit Rektorenmacht. »Gehen Sie nicht weg von hier«, riet er mit erhobenem Zeigefinger, nachdem ich ein Gesuch geschrieben und um Versetzung in den Landkreis Saarbrücken gebeten hatte, »bei Ihren verrückten Ideen von moderner Schule werden Sie eine bessere Stelle als hier auf dem Land nicht finden.« Sechs Jahre war ich tagtäglich von Sulzbach nach Dirmingen gefahren, die letzten vier zusammen mit Brigitte, die mir bald von Hosterhof nachgefolgt und Lehrerin bei den Kleinsten war. Wie wunderbar waren die Zugfahrten übers Land, die Vormittage in der Schulstube, die Ausflüge in die Umgebung und auch die gemeinsamen Rückfahrten und Heimwege zu zweit! Es war meine glücklichste Zeit als Lehrer, nie mehr bekam ich, trotz Fritz Hudlers strengem Regiment, soviel Freiheit, meine pädagogische Vorstellung von Leben und Lernen zu verwirklichen. Auf meiner nächsten Stelle, schon in bundesrepublikanischen Schulverhältnissen, vereitelten Lehr- und Stunden-, Stoff- und Vertretungspläne ein sinnvolles Ineinandergreifen der Inhalte, immer häufiger gaben sich Lehrer und Lehrerinnen nach jeder Unterrichtsstunde die Türklinke in die Hand, und die Kinder, verwirrt vom ständigen Hin und Her, verloren die Orientierung. »Machen Sie sich keine Gedanken über die Absichten des Gesetzgebers«, sagte Schulleiter Paulus bei meinem Antrittsgespräch in Friedrichsthal, einem Bergmannsdorf zwischen Saarbrücken und Neunkirchen, »die Schule ist wie das Leben, da geht's drunter und drüber, und jeder muß sehen, wie er zurechtkommt. Leben heißt kämpfen!«

Herr Paulus, der schon das Pensionsalter überschritten hatte, räumte bald den Schulleitersessel für Herrn Born, einen forschen, scharfkantigen Mittvierziger, der lange auf die Stelle gewartet hatte und noch nach seiner eigenen Pensionierung darunter litt, viel zu spät berücksichtigt worden zu sein. Schon im Jahr darauf starb er, vermutlich an gekränkter Eitelkeit. Berthold Born, vor dem Krieg SA-Führer, während des Kriegs Frontoffizier, nach dem Krieg über Jahre hin immer wieder in Entnazifizierungsverfahren und Umerziehungsmaßnahmen verwickelt, fühlte sich unverschuldet zurückgesetzt und zeigte Gekränktsein und Enttäuschung mit zusammengebissenen Zähnen. Auf einer Kollegiumsfahrt in den Hunsrück erzählte er mir seine Lebensgeschichte, ging mit großen, jenen verzögerten SS-Schritten der Parteitagsaufmärsche, neben mir her, steckte eine Zigarette nach der anderen an und hielt den schmalen Kopf mit den streng gescheitelten blonden Haaren kerzengerade, als hätte er einen Stock verschluckt. »Keiner kann aus seiner Haut heraus«, sagte er und schaute mich mit seinen wasserblauen Augen von der Seite an, »auch wenn ich zwanzig Jahre älter bin als Sie und unter Hitler kein Kind mehr war: Mich hat die Zeit genauso geprägt wie Sie, doch ich bin dem nationalsozialistischen Regime heute noch dankbar, daß ich als arbeitsloser Lehrer gleich nach Hitlers Machtergreifung eine Stelle bekommen habe.« Er sei nie gerne Lehrer gewesen, und für die Zukunft sehe er kohlrabenschwarz. Noch seien die

Zeiten ruhig und nicht chaotisch wie in den zwanziger Jahren mit Demonstrationen und Straßenschlachten, aber für wie lange? Er entzündete sich eine frische Zigarette an der verlöschenden Glut einer ausgerauchten, gab mir Feuer und dozierte mit knarrender Stimme über die beklagenswerte Zukunft der Schule, schimpfte auf die lasche Demokratie, deren Rechtskraft zu schwach sei, die notwendige Ordnung zu sichern, und prophezeite schlimme Zustände, ja katastrophale Verhältnisse in den Schulen. Da er als Kinogänger seine Beispiele fast immer aus Filmen bezog, die er mit bissigen Kommentaren kritisierte, lenkte er mein Interesse auf den amerikanischen Thriller *Saat der Gewalt*, worin ein junger Berufsschullehrer sich mit seiner ganzen Kraft gegen die brutalen Schüler seiner Klasse stemmt, nur von einem farbigen Autoschlosser unterstützt. »Was heut' in Amerika passiert, das kommt in zehn Jahren auf uns zu«, sagte Herr Born, »doch wenn man sieht, wie ein Schüler gegen seinen Lehrer ein Messer zieht und Sidney Poitier sich mit ausgebreiteten Armen vor Glenn Ford stellt, könnte man fast glauben, die Schwarzen hätten mehr Herz und Verstand als die Weißen. Gott sei Dank ist es nur ein Film, sonst müßte man an der Welt verzweifeln.«

Berthold Born, im Leben hintangesetzt, tat mir leid. Zwar habe ich mich einige Male mit ihm gestritten, auch auf dem Jägerpfad im Hunsrück, wobei er aus Verärgerung sogar die Geschwindigkeit seines SS-Schritts erhöhte und mich zu einem beschleunigten Tempo zwang. Trotzig und wehleidig zugleich, schleppte er seine unbewältigte Vergangenheit mit sich herum, stöhnte oft unter ihrer Last, als könne er sie nicht mehr tragen, bildete sich aber ein, seine Kurzatmigkeit käme vom Zigarettenrauchen. Die ihm angeborene Leidenschaftslosigkeit ließ seinen Zorn rasch verrauchen, und mir widerstrebte es, ihn in seinen Lamentos zu stören und mutwillig zu attackieren. Er mochte die ganze Gesellschaft nicht, die ihm so übel mitgespielt und ihn mit ihren verhaßten demokratischen Gesetzen gebeutelt hatte, schimpfte unentwegt weiter auf diesen einerseits verweichlichten und andererseits korrupten Staat und seine Parteien und ließ auch an der Schule und ihren Lehrern keinen guten Faden.

Nur was mit Waffen zu tun hatte und ihn an den Krieg erinnerte, erregte sein Interesse. Verflogen war dann seine dumpfe Gleichgültigkeit, gänzlich verraucht sein lethargisches Nichtstun, als nach den häufiger werdenden Atomwaffenversuchen ein Erlaß des Ministers zu Strahlenschutzübungen aufrief. Herr Born verteilte an alle Lehrer eine feuerrote bebilderte Broschüre mit Anleitungen für Bau und Einrichtungen strahlensicherer Schutzräume samt Verhaltensregeln für den atomaren Ernstfall. Mit den Kindern seiner Klasse trainierte er Maßnahmen für den Fall, daß man sich bei der Explosion einer Atombombe mitten auf der Straße befände. Auf Herrn Borns Stichwort: »Zündung!« warfen die Kinder sich sofort auf den Boden, schoben ihre Schulranzen ins Genick und bargen ihr Gesicht in den eingewinkelten Armen. Sie übten im Klassenraum, unter der Treppe und auf dem Schulhof, wo das bizarre Exerzitium die Widersinnigkeit der Schutzmaßnahmen am auffälligsten vor Augen führte.

In Herrn Borns Kopf wirkte der Krieg verheerend, ja zerrüttend nach. Von mir schon vergessen, erschien er ihm in seinen schlechten Träumen übergroß. Uns Pazifisten zum Ärger erzählte er glänzenden Auges, wie beim amerikanischen Herbstmanöver in der Pfalz die neueste Abwehrrakete, genannt *Atom-Anni*, vorgeführt worden sei. »Ein schöner Name«, sagte er, »so schön wie *Dicke Berta*, der Kosename unserer schwersten deutschen Kanone im ersten Weltkrieg.« Und erst wie prächtig die *Atom-Anni* aufgefahren sei! Unsere Fahne, wenn auch schwarzrotgold, habe neben der amerikanischen im Wind geflattert, und das Armeeorchester habe dazu die wunderschöne deutsche Weise *Schlafe, mein Prinzchen, schlaf ein* gespielt. Und zur Illustrierung seines Sonntagserlebnisses heftete er das Foto dieser Rakete der Bauart *Nike* ans schwarze Brett. Fräulein Naumann, eine jüngere Kollegin, riß das Foto ab und warf es in den Papierkorb. Herr Born, käseweiß im Gesicht und sich wieder einmal in seinem Ansehen geschädigt fühlend, berief auf der Stelle eine Konferenz ein. Mit zwei langgezogenen Schritten trat er ins Lehrerzimmer, nahm Platz am Kopfende des Tisches, zündete sich eine Zigarette an, blies den ausgeatmeten Rauch wie eine über allem Unrat der Welt schwebende Kondenswolke gegen die Decke und sagte zu mir: »Sie sind ja ein angehender Schriftsteller oder wollen es noch werden. Hier können Sie Ihr Talent unter Beweis stellen. Nehmen Sie bitte Stift und Papier und schreiben Sie das Protokoll.« Von Anfang an hatte ich für diesen pikanten Fall etwas ganz Kokettes mit Wortspielen in einem geschraubten Stil im Sinn; ich rückte mich auf meinem Stuhl zurecht und schrieb:

»Fräulein Naumann, die vor Unterrichtsbeginn ein von Herrn Born an die kürzlich angebrachte Anschlagtafel geheft-zweckstes Foto des neuen Nike-Modells in – wie sich später herausstellte – spontaner Reaktion entfernte und Herr Born, der – wie es sich gleichfalls ergab – in ebensolcher Verfassung seine entschiedene Entrüstung zum Ausdruck brachte, gaben Anlaß zu dieser Konferenz, die alle Kollegen und Kolleginnen je nach Zuverlässig- und Pünktlichkeit zwischen elf Uhr und elf Uhr zehn im Lehrerzimmer vereinigte. Das Entfernen des *Nike*-Fotos, das als corpus delicti das jeweilige Anstoßnehmen provozierte, veranlaßte Herrn Born, einige Grundsätzlichkeiten bezüglich der auf seine Initiative hin angebrachten und von ihm bislang reichlich beschickten Anschlagtafel zu sagen, was sich dahingehend zusammenfassen läßt, daß er der Meinung ist, ein kommentarlos auf das Brett gewanztes Kalenderfoto enthalte nicht mehr und nicht weniger Informationsintensität als jedes andere aktuelle Foto auch. Diese Verlautbarung hatte natürlich die entschiedene Intervention des gesamten Kollegiums zur Folge, zumal sich das Kollegium nicht mit jener politischen Gruppe identifiziert, welche den Einsatz einer vermeintlichen Abwehrrakete, wenn auch nur theoretisch, befürwortet. Die beiden in Frage stehenden Anstoßpunkte der Meinungsverschiedenheit waren also 1. im weitesten Sinne politischer Natur und 2. als eine Kompetenzfrage zu verstehen, die darin gipfelte, daß man eine Entscheidung darüber verlangen mußte, wer für die Auswahl des Nachrichtenmaterials und für seine öffentliche Präsentation verantwortlich zeichne. Hätte man den Anspruch der moralischen Forderung ausgetragen, die auf demokratischer Ebene notwendige Gegenposition (in diesem Falle als Aushang mit Antirüstungstendenz) zu beziehen, wäre der Vorfall ein Politikum geworden. Diese Aussicht veranlaßte das gesamte Kollegium, den Weg des geringsten Widerstandes zu beschreiten und die Meinungsverschiedenheit beizulegen. In Zukunft wird das Aushangbrett auf *Niken* verzichten müssen, da eine Einigung dahingehend erzielt wurde, daß eine approximative Drittelung des Brettes im oberen Drittel Kinderzeichnungen, im mittleren unverfängliche Aktualitäten und im unteren schulische Nachrichten zeigen soll. Über die Unverfänglichkeit der aktuellen Meldungen wird künftiglich das gesamte Kollegium entscheiden. Die Konferenz schloß mit einem Hoch auf Fräulein Naumann und Herrn Born.«

Anfangs verwundert, manchmal sogar entsetzt vom rüden, in seltenen Fällen ordinären Friedrichsthaler Ton, wuchs ich allmählich in die Rolle des unerschütterlichen Kollegen hinein. Mit flotten Sprüchen bewies ich, daß ich dazugehörte, und hielt künftig mit im Rauen der Auguren. Aus dem Idylliker ist allerdings kein Tatsachenmensch, aus dem Schwärmer kein Realist geworden. Folglich war es nicht so einfach, das sanfte Gleiten im Luftmeer mit rabiaten Sturzflügen im Windkanal fortzusetzen. Während ich mit meiner Klasse nach wie vor deutsche Volkslieder sang, übte ein Kollege mit den vierzehnjährigen Jungen und Mädchen »Alles vorbei, Tom Dooley!«: Die Klasse sang mehrstimmig, in der Terz erklang die zweite, in einem ostinaten Brummton die dritte Stimme. Ein Tonband lief mit der Melodie als Playback, und der Kollege, ein Zigeunertyp mit wirrem Haar und gewichstem Schnurrbart, stand in gespielter Unauffälligkeit am Rand seines Chors, hielt in der Linken eine brennende Zigarette und schlug mit der Rechten lässig den Takt, als dirigierte er ein Pußtaorchester. »Herr Lehrer«, fragte ein Schüler meiner Klasse, »können wir nicht auch so etwas Modernes singen anstatt immer nur die Lieder vom Schneegebirge und dem Brünnlein im Tal?« Die Klasse trampelte Beifall, mir standen die Haare zu Berg. Auf die Gefahr hin, mir alle Sympathien zu verscherzen, sagte ich: »Nur über meine Leiche.« Doch ich brach mein Wort, und wir gingen noch über *Tom Dooley* hinaus.

Ich brachte Schallplatten mit, wir studierten die neuesten Tänze ein, Twist und Cha-Cha-Cha, bevor sich die Kinder ins Fastnachtvergnügen stürzten. *An Fastnachtdienstag schlüpfte ich mit Dagmar ins Café*, schrieb Doris in ihrem Aufsatz, *dort sollte ein Kindermaskenball vom Stapel gehen. Eine aufgeregte Frau fertigte uns schnell ab. Im Saal herrschte tolles Treiben. Ungewöhnlich flink stopften wir unseren Kuchen hinunter, denn schon erklang die erste Tanzmusik. Es begann mit einem Twist, und ich teilte ihn mit Bruno. Die kleinen Knirpse glotzten sich die Augen vor den Kopf. Nach einer halben Stunde Twist und Charleston schunkelten wir »Ich hab' den Vater Rhein in seinem Bett gesehen«. Alle grölten mit und schunkelten quer durch den Saal. Später bat der Cafébesitzer zur Polonaise. Um halb sieben, mit zwei Flaschen Coca Cola im Leib, stürzten wir freudetrunken ins Freie.*

Söhne und Töchter von Bergleuten, waren meine Schüler rauhen Ton und handfestes Angepacktwerden gewöhnt, die Mädchen hielten zwar neugierig Distanz, doch die Jungen, häufig von ihren Vätern mißhandelt, hie und da verstoßen, suchten kumpelhafte Nähe und scheuten sich nicht, mit mir wie mit ihresgleichen umzugehen. Der Proletenhafteste, aber auch Gefährdetste unter ihnen wohnte in einer der Straßen am Kolonieschacht, wo zu dieser Zeit noch die aus Brettern gebauten Aborte in langer Reihe den Wohnbaracken gegenüberstanden. Ihn verwirrte das Geschrei der Männer, die bei offener Aborttür über die Straße hinweg den vorbeigehenden Frauen ihre unflätigen Bemerkungen zuriefen, vom Gejammer vergewaltigter Mädchen war er so entsetzt, daß er einmal den Versuch machte, seinen Schrecken loszuwerden und mir die scheußlichen Vorfälle zu berichten, doch kein Wort herausbrachte bis eines Tages auf einem Klassenausflug, als er lange stumm neben mir herging, sich dann aber in qualvoll herausgewürgten Bruchstücken von seiner Last befreite.

Viel später, nachdem er selbst mit dem Gesetz in Konflikt geraten, verurteilt und eingesperrt, doch ausgebrochen und auf der Flucht war, wußte er nicht, wohin er sich wenden sollte, und rief in seiner Not bei mir an. Ich saß mit Gästen beim Abendessen, das Telefon klingelt, die Stimme am anderen Ende der Leitung verängstigt, verzweifelt, fast nicht zu verstehen. Ich fahre sofort los und finde ihn in der Telefonzelle unter der Autobahnbrücke, sein Gefangenendrillich von Kopf bis Fuß verdreckt. Zwischen den Blättern des Telefonbuchs steckt eine Pistole, die er dem Wärter aus dem Halfter gerissen hatte. Behutsam lege ich ihm die Hand auf die Schulter, rede ihm gut zu, stecke die Waffe in meine Jackentasche, ihm ratend, sich unverzüglich auf der Polizeiwache zu stellen. Er bestürmt mich, bei ihm zu bleiben, ihn aber um Gottes willen nicht nach Friedrichsthal aufs Revier zu bringen, wo er verhaftet, verhört, in Handschellen gelegt worden war. »Ich komme mit Ihnen nach Sulzbach«, sagt er, und mitten durch das lärmende Polizeiaufgebot fahren wir davon, geblendet von Blaulicht, betäubt vom Heulen der Sirenen. Am tiefen Atem und am wohligen Räkeln auf dem Rücksitz merke ich, wie ein Gehetzter die letzten Minuten seiner Freiheit genießt. Der Beamte auf dem Sulzbacher Revier, ein höherer Polizeioffizier, sprang wie von der Tarantel gestochen von seinem Stuhl auf, als wir auf der Wache erschienen, schnauzte mich an, was mich anfechte, mir nichts, dir nichts mit einem abgerissenen Kumpel ins Haus zu fallen. »Sehen Sie nicht, daß eine Fahndung läuft?« schrie er, »oder haben Sie keine Augen im Kopf!« Der abgerissene Kumpel an meiner Seite sei der Gesuchte, sagte ich und schob meinen Begleiter an den Schreibtisch heran, wo er in seiner grauen Gefangenenmontur besser zu erkennen war. Ich gab mein Erlebnis zu Protokoll, faßte den Hilflosen an beiden Händen und schaute ihn noch einmal an. In seinen Augen glänzte ein matter

Schimmer, vielleicht hoffte er auf ein Wiedersehen, das es aber niemals gab. Bis heute weiß ich nicht, was er sich damals hatte zuschulden kommen lassen, ich habe nicht danach gefragt, vielleicht aus Angst, ich könne schlecht vernarbte Wunden in ihm aufreißen.

Für mich ist es nicht immer so glimpflich abgegangen: Denn nicht jeder brauchte wirklich Hilfe im späteren Leben. Eines Tages klingelte ein ehemaliger Schüler an der Tür, tritt ein, stößt hilfesuchend beide Arme in die Höhe und ruft: »Für mich geht's um Leben und Tod!« Er will nicht Platz nehmen, akzeptiert keinen Willkommenstrunk, bricht meinen Versuch, ihn in ein Gespräch zu ziehen, abrupt ab, hebt noch einmal die Arme, als wolle er sich mir auf Gedeih und Verderb ergeben, und bekräftigt seinen Ruf: »Um Leben oder Tod!« Er brauche auf der Stelle dreihundert Mark, um siebentausend Jeanshosen einzulösen. »Ich hab' die Hosen geordert und angezahlt«, behauptet er, »jetzt fehlen mir lumpige dreihundert Mark, um den Rest auf den Tisch zu legen. Es ist ein Bargeschäft, und ich hab' einen Vertrag unterschrieben.« Von diesem Geschäft hänge es ab, ob er seine Existenz retten könne oder in einen wirtschaftlichen Ruin abstürze, der ihn womöglich für seine besten Jahre hinter Gitter bringe. »Drüben im Gasthaus *Zur Goldenen Au* sitzt mein Geschäftspartner«, versichert er mir, »kommen Sie mit und überzeugen Sie sich, ob ich die Wahrheit sage oder nicht.« Ich gab ihm dreihundert Mark. »Nicht ohne es Ihnen zu quittieren!« rief er und bat eindringlich um ein Blatt Papier, worauf er mit flotter Hand seine Schuld notierte und mit einer Unterschrift bezeugte, deren ausladende Schnörkel mir allein schon hätten anzeigen müssen, auf was für ein windiges Geschäft ich mich eingelassen hatte. Das Geld bekam ich nie wieder zurück. Ich hätte es ahnen müssen, denn der Kerl war schon als kleiner Junge mit allen Wassern gewaschen, und man konnte ihm nicht trauen. Weiß der Teufel, vielleicht hatte er in der Wirtschaft eine Wette abgeschlossen, er sei imstande, binnen einer Viertelstunde seinem alten Lehrer dreihundert Mark abzuluchsen; ich aber wollte ihn nicht aufs

Glatteis führen und dachte: Vielleicht hat er sich geändert und fühlt sich brüskiert, wenn ich seine Glaubwürdigkeit mit oberlehrerhafter Peinlichkeit auf die Probe stelle – ohne mich auch nur mit dem Anflug eines Gedankens an Fritz Hudlers Urteil zu erinnern: »Ein Rotzlöffel bleibt ein Rotzlöffel sein Leben lang!«

All die Abenteuer von Lehren und Lernen, die ich in diesem Kapitel erzählt habe, lagen freilich noch vor uns, als Brigitte und ich im Juli 1951 mit leichtem Feriengepäck in den Schwarzwald fuhren. Nichts stand unserer Entdeckerfreude im Weg, niemand trübte unsere Reiselust. Draußen vor dem Zugfenster glühte der Klatschmohn so farbensprühend wie in einem expressionistischen Feldblumenstrauß, und der goldene Hirsch auf seinem Felsgrat im Höllental spreizte sich so gravitätisch wie Sankt Hubertus' heiliger Platzhirsch: Es war kein Deutschlehrer da, der mich meiner Überspanntheiten wegen zum Narren machen konnte. In der Menzenschwanderhütte, am Fuße des Feldbergs in einer sanften Mulde gelegen, wo man von der Zubringerstraße aus schnurstracks unters Dach hineinfahren kann, bezogen wir zwei Einzelzimmer, doch nur für eine Nacht.

Wir hatten zwei Zimmer vorbestellt, doch schon in der darauffolgenden Nacht schliefen wir in einem Bett. Es war ein warmer, trockener Sommer, die Wirtin konnte dem Ansturm von Pensionsgästen nur durch geschickte Zusammenlegungen trotzen. Uns beide zur Seite nehmend, fragte sie, ob man Brigittes Kleider und Wäsche in meinen Schrank bringen könne; wir begriffen den freundlichen Fingerzeig, und schon bald nach dem ersten Stubenmachen hing Brigittes hellblaues Nachthemd am Kleiderhaken über meinem Bett. Es war ein schmales, für Brigittes Beine viel zu kurzes Bett in einer engen Kammer, einem niedrigen Holzverschlag mit Waschtisch, Waschkrug, Waschschüssel, im Service zusammengehörend durch ein gleiches Friesornament aus Tannen und Hirschen. In der Nacht war der ganze Himmel mit Sternen übersät, zwischen denen der Halbmond hin und her schwebte wie ein

Ruderboot in einem chinesischen Gedicht. Brigitte stand im Fensterrahmen, ihre Silhouette stach gegen den hellen Nachthimmel ab. Ich streckte die Hand aus, da sagte sie lachend: »Ich bin mal gespannt, ob wir beide in dieses Kinderbett passen.«

O ja, wir paßten hinein, als wäre es für uns gemacht worden. Sechs Wochen lang hüpften wir in dieses herrliche Bett, Brigitte hatte kein einziges Mal das Gefühl, als wüßte sie nicht, wohin mit den Beinen. Ob drinnen in unseren vier Wänden oder draußen in der von Hügeln und Bergen umgrenzten Landschaft: Wir lebten abwechselnd unter der schützenden Glocke einer weißgetünchten Zimmerdecke und eines blauen Sommerhimmels, waren unbedroht, unbezwinglich, unverwundbar. Tagsüber waren wir unterwegs, streiften durch die Wälder der Umgebung, fuhren mit der Bergbahn auf die Matten, lagen in der Sommerwiese hinterm Haus. Brigitte trug einen blau-weiß karierten Rock mit königsblauem Mieder, ein Kostüm mit Hahnentrittmuster oder ein Sommerkleid mit großen Blumen, je nach Lust und Gelegenheit. Am liebsten liefen wir den steilen Pfad zum Feldsee hinunter, der uns, bergwärts von kalkweißen Wänden gesäumt, einen abgeschiedenen Aufenthaltsort bot. Wir schwammen, planschten und prusteten im kalten Bergwasser, trockneten in der Sonne, sprangen auf, wenn der Hunger uns überfiel, und eilten den Steilpfad hinan zum Essen.

Oh, wie schmeckte es uns in der Menzenschwanderhütte! Es gab Waffeln mit Vanillecreme und Nudelauflauf mit Feldsalat, Maultaschen in Rinderbrühe gekocht oder mit Ei überbacken, sonntags Schweinebraten, Rinderbraten, Kalbsnierenbraten mit Gemüse, zur Vorspeise alle drei Tage eine Bouillonsuppe mit Nudelbuchstaben. Ich fischte die B, die R, die I aus der Suppe, buchstabierte Brigittes Namen auf das Silberpapier meiner Zigarettenschachtel und erntete dafür den Spott eines Mannes, der in der Ecke saß und mit neugierigem Blick über einen Malblock schielte. Er sah aus wie Luis Trenker in seinen Bergfilmen, hakennasig und mit graumeliertem Lokkenkopf, trug eine hellgraue Windbluse und kurze Hosen mit gelben, über die Nagelschuhe gewickelten Socken. Es war kein grober Sarkasmus, der Maler hatte meine Verliebtheit bemerkt, scherzte darüber und rief durch die Wirtsstube: »So geht's einem, der von Amors Pfeilen getroffen ist.« O ja, der Herr in mittleren Jahren war ein Künstler, kannte sich aus mit gewählten Sprüchen und malte Feldbergmotive. Heute, fünfundvierzig Jahre später, kommt uns der Gedanke, er könnte der Sohn des Feldbergmalers Karl Hauptmann gewesen sein. Er malte gediegene Landschaftsbilder wie jener: Tannenstücke, Weideflächen, Bachläufe, aber auch Bauerngehöfte, Jägerzäune, Holzstöße, und immer scharf gestochen, lichtdurchflutet, sonnenbeglänzt. Doch über die Gehöfte und Tannen hat er eine unwirkliche Brillanz gelegt, die schmerzhaft in die Augen sticht.

Auch hierher in die Menzenschwanderhütte sind wir zurückgekommen, sitzen in der Gaststube unter dem ausgestopften Schafbock, essen Kartoffelpuffer mit Apfelbrei, trinken Kaffee und ein Kirschwasser dazu. Sechs Wochen lang waren wir Abend für Abend die schmale Holztreppe hinaufgestiegen, standen bei gelöschtem Licht am offenen Fenster, schauten über den Klusenwald hinweg auf die Hügel der Bernau. Um die Tannenspitzen knatterten Fledermäuse, in der mächtigen Buche fauchte der Uhu. Die Sterne illuminierten das Nachtmeer, der Mond war Lampion und wieder Fischerboot geworden, am Ende drohte er zu kentern.

IX

Eine bessere Welt

Die Endvierziger waren die Jahre des Bebop. Dizzy Gillespie blies in seine Trompete, die Backen blähten sich, die Halsadern schwollen an, und aus der Messingröhre quetschten sich Töne, erst schrill, dann triumphierend, wie man sie nur aus den Trompeten von Jericho gehört hat. Er blies, als gälte es, unsere Städte noch einmal in Schutt und Asche zu legen. Die ohrenzerreißenden Töne drangen durchs Treppenhaus bis zu Mutter in die Küche, sie stürmte die Treppe hinauf, riß die Tür zu unserem Zimmer auf und rief: »Ist denn das die Menschenmöglichkeit?« Wir fuhren mit den Köpfen vom Lautsprecher unseres Radioapparats zurück, meines Bruders Ohren glühten, mir lief ein ums andere Mal ein Schauer über den Rücken. Mutter rang nach Luft, drehte den Lautsprecherknopf bis zum Anschlag zurück und richtete sich entrüstet auf. In die plötzliche Stille hinein deklamierte sie, lautstark und theatralisch wie immer, wenn ihr etwas Passendes aus ihrem Hausschatz deutscher Poesie auf der Zunge lag: »Die Musik ist heutzutage wohl der Menschheit größte Plage!«

Mutter hatte es gut. Irgendwann in den Zwanzigern, als sie so alt wie wir jetzt und fast noch ein Mädchen war, verschloß sie ihre Ohren vor der »scheußlichen Negermusik«, die aus Amerika gekommen und in den deutschen Tanzsälen zu hören war, und wiegte in ihrem Köpfchen die walzerselige Operettenmusik ihrer Jugendjahre weiter. Sie wollte sich nicht mit den neuen Tönen herumquälen, und wir sollten es auch nicht. Zeitlebens verabscheute sie Trompetenstöße, die das Trommelfell heimsuchen, mißbilligte Saxophonläufe, die sich gegen alle Regeln der Harmonie in atonalen Wirrwarr verflüchtigen und im Nichts verhallen. »Schluß mit der scheußlichen Negermusik in unserem Haus!« Das war Mutters Gebot in den Endvierzigern, und fortan mußten wir mit den Ohren in den Lautsprecher hineinkrabbeln wie die Jazzjünger, die schon während des Kriegs im geheimen an den Knöpfen ihrer Radioapparate herumgedreht haben, um nicht von den Parteischergen beim Hören der geschmähten Musik ertappt zu werden. Damals sangen wir Volkslieder, Marschlieder, Hitlerjugendlieder und grölten zwei- und dreistimmig völkische Gesänge in polyphonen Sätzen. Verglichen mit dem Trompetenblasen im Bebop-Rhythmus, bei dem die melodischen Fetzen fliegen, war unser biederes Fanfarengeschmetter im Marschtakt lachhaft, ein albernes Tuten wie bei Fastnachtsaufzügen. Jetzt ließen wir uns quälen von kreischenden Riffs und polternden Breaks: Es war eine süße Qual. Dizzy Gillespie blies uns den dumpfen Dunst aus den Köpfen. Auf einem Kalenderfoto, das wir an die Wand gepinnt hatten, steht er hinter Don Butterfields Tuba, die Röhre seines Kornetts ist im spitzen Winkel vom Bügel abgeknickt und ragt pfeilrecht in die Höhe. Er bläst, als gälte es sein Leben!

Und Vater? Er hatte seinen Narren an der Marschmusik gefressen, ihm gefielen flotte Melodien im Viervierteltakt, das Tschingderassabum mit Becken und Schellenbaum – und doch: Trotz seiner Vorliebe für den *Yorkschen* und den *Hohenfriedberger Marsch* war ihm zuzutrauen, daß er in dem Augenblick, da Mutter in unser Zimmer hinaufstürmte, unten in der Küche den Radioapparat andrehte, um Dizzy Gillespie zu lauschen. Vielleicht wegen des Spektakels, vielleicht aber auch wegen der Neuheit! Wenn ich diese Musik heute noch einmal erlebe, bewege ich mich in einem erfundenen Raum, einer erfundenen Zeit. So unwahrscheinlich es sein mag, daß Vater, der glühende Verehrer seines Onkels Julius, des Tambourmajors der Molsheimer Garnison, am Radio saß und Dizzy Gillespie hörte: Ich stelle es mir vor, weil ich mir wünsche, daß es so gewesen wäre. Aber eher hätte er sich Buddy Bolden angehört, eher Louis Armstrong als Dizzy Gillespie. Aus lauter Geniertheit, seine Leidenschaft für Louis Armstrong vor uns zu zeigen, sitzt Vater unten in der Küche und lauscht Armstrongs Trompetenspiel aus dem Radio. Armstrong bläst *Es war einmal ein treuer Husar*, und das ist ja seit den zwanziger Jahren ein Lieblingslied von Vater. Ein Grund mehr, Vater und Louis Armstrong traulich vereint zu wissen!

Zwei Strophen bläst Armstrong, seine rührigen All Stars umspielen die Melodie mit witzigen Einfällen der Posaune und Klarinette, dann nimmt Dick Cary die Melodie auf dem Piano ab, jeden Ton greift er viermal, sechsmal, die Tasten scheppern, die Töne fliegen auf wie spitze Steine, die unaufhörlich gegen ein Blech prallen, doch nach zweiunddreißig Takten setzt er jäh ab und gibt Armstrong die Melodie zurück. Louis Armstrong singt. Mit seiner kehligen Stimme preist er die Treue des Husaren, krächzt und knödelt, und plötzlich, als müsse er sich wundern, warum Husarentreue so unverbrüchlich ist, fragt er singend auf deutsch: »Oh, muß das sein?«, überschlägt sich mit gutturalen Lauten, ruft: »Jack!«, und Jack Teagarden, forsch und frech wie immer, gibt der Melodie mit schroffen Posaunenstößen einen Schubs ins Verquere, woraufhin Barney Bigard sie mit seiner Klarinette weiter fort ins Schräge treibt. Nun aber greift Armstrong wieder mit der Trompete ein, steigt eine Oktave höher, reißt das Stück an sich und spricht nun für alle. Besonnen geht er den Weg zurück zum Anfang, wo die Melodie noch in klarer Tonfolge erklang, wiederholt die Eingangsstrophe, schöpft mit bizarren Ideen aus dem vollen und setzt ihr ein Glanzlicht mit einer majestätischen Volte ins Komische. Ja, so muß es wohl sein, dachte ich schon am ersten Maisonntag 1945 auf der Schwäbischen Alb bei Hülen, als mir diese Musik zum erstenmal in die Ohren drang. Und daran gibt es nichts zu rütteln! Diese Musik im Viervierteltakt war keine Marschmusik, kam nicht im Paradetritt der deutschen Landser mit genagelten Knobelbechern daher, sondern im beschwingten Schritt leger gekleideter GIs auf weichen Gummisohlen. Ich lag auf dem Rücken im Gras, die Sonne schien mir auf den Pelz, und bei jedem Tonschwall, der aus amerikanischen Jeeps und Lastwagen zu mir an den Waldrand schwappte, räkelte ich mich wohliger in der Mailuft. Auch wenn ich an diesem Sonntagmorgen die Namen der Musiker und die Titel ihrer Stücke noch nicht kannte: Ich war entzückt, ich ließ mich mitreißen von ihrem traumwandlerischen Zusammenspiel, mir war, als stünde die Tür zu einer neuen Welt einen Spaltbreit offen. Auch ohne zu wissen, daß es Louis Armstrong war, der auf der Trompete blies und mit belegter Stimme sang: »Oh, when the Saints go marching in!« dämmerte es mir im Hirn, und ich begriff: Wer mit einer solchen Musik herüberkommt, der kann den Krieg nicht verlieren! Diese unbefangene Lässigkeit, einen musikalischen Einfall nach Lust und Laune auszuspinnen, erweckte in mir eine Idee von Freiheit, wie ich sie nie zuvor verspürt hatte.

Ich weiß, Freiheit ist ein großes Wort, nur für Sprücheklopfer kein Zungenbrecher! Sie führen es tagaus, tagein im Mund, werfen es mit der Zunge nach links, nach rechts, zerkauen, zerbeißen es und treiben allerlei Schindluder mit ihm. Auch ich schwadroniere gern, aber aus Scheu, das Wort Freiheit für irgendwelche Ausschweifungen und libertinäre Mätzchen zu mißbrauchen, beiße ich mir lieber auf die Zunge. Das Wort Freiheit gebrauche ich nur ungeniert, wenn ich mich an diese Musik erinnere, die in den ersten Tagen nach dem Krieg meine Ohren streichelte, manchmal ein bißchen weich und süßlich, ein andermal härter und herber, je nachdem, ob Saxophone jaulten oder Trompeten schmetterten. Vor mir braucht sich künftig kein Politiker, kein Lehrer, kein engagierter Journalist in die Brust zu werfen, um große Töne mit dem Wort Freiheit zu spucken. Tut es doch jemand, schließe ich die Augen und lausche Louis Armstrongs Trompetenspiel, erfreue mich an Jack Teagardens knatternder Posaune und Barney Bigards wimmernder Klarinette. Durch meine Träume stampft der neue Rhythmus, und ich höre, wie Armstrongs Schüler Charlie Shavers über die Rampe ruft: »Hört alle zu, wenn Louis bläst, öffnet sich eine andere Welt. Eine bessere Welt!« Ich jedenfalls empfinde bei einer Improvisation auf der Jazztrompete stärker, was Freiheit sein kann als bei irgendeiner politischen Rede, mag sie noch so kühn und pfiffig aus dem Stegreif gehalten werden.

Wenn ich mir ein paar Jazzthemen, die wir damals pfiffen und sangen, ins Gedächtnis rufe, klopft mir heute noch das Herz; wenn ich daran denke, wie wir selbsterfundene Improvisationen versuchten oder auch nur oft gehörte Armstrongmelodien trällernd zum besten gaben, muß ich tief atmen, damit mir das Blut nicht zu Kopf steigt; ja wenn ich heutzutage alleine im Auto sitze, weite Strecken zurückzulegen habe und das improvisierte Posaunensolo vor mich hin summe, das Bill Harris über das Thema von *Imagination* geblasen hat, fährt mir in übermütiger Erinnerungslust die Begeisterung in die Beine. Der rechte Fuß gibt Gas, mein Auto springt auf und stürzt in gewagten Sätzen davon. Dabei schlägt mein linker Fuß den Takt, und mit den Händen klopfe ich ungestüm auf das Steuerrad. Ich wiege den Kopf und blecke die Zähne, daß jeder beim Überholen zu mir ins Fenster schaut, zusammenzuckt im plötzlichen Erschrecken, bei mir sei der Veitstanz ausgebrochen. Aber abgesehen vom Blutsausen im Hirn geht's mir gut, ich singe, ich pfeife, ich bin frei, und wenn's mir besonders gut geht und mir die Melodien nur so zufliegen, erinnere ich mich an mein erstes Jazzkonzert.

Lionel Hampton mit seinem Orchester, was war das für ein Auftritt! Es war Anfang der Fünfziger, da standen die Musiker in den Big Bands noch Schulter an Schulter. Kopf an Kopf. Hier war es nicht ein einziger Trompeter, nein, es standen vier nebeneinander auf der Bühne der Saarbrücker Wartburg und bliesen. Oder waren es sechs? Sie bliesen dreistimmig, vierstimmig, bliesen sechsstimmig, wenn es sechs waren, wechselten sich mit den Posaunen und Saxophonen in spontan verabredeten Runden ab, und Lionel Hampton, offenen Mundes

mit Blick zur Saaldecke, führte seine Holzhämmerchen finger-
fertig über die Metallplatten des Vibraphons. Aus den Reso-
nanzröhren schwangen sich glasklare Töne in die Höhe, hoben
sich von der Bühne ab und füllten den Raum mit furiosen Klängen. Nicht einmal in den hintersten Winkeln verhallten sie,
sondern schwollen an wie Laute von Äolsharfen und ebbten
erst im Ineinanderströmen mit neuen Tonwellen ab. Die
Trompeter standen nicht die ganze Zeit über auf der Bühne,
meist saßen sie auf harten Wirtshausstühlen vorne auf dem
Schneppchen; nur wenn einer ein Solo blies, erhob er sich vom
Stuhl, stand die zweiunddreißig Takte über mit eingeknickten
Kniekehlen und setzte sich erst wieder hin, wenn der nächste
Bläser an der Reihe war.

Die Wartburg dröhnte, Fenster klirrten, Türen schepperten,
der Kalk fiel von der Decke. Es war der Teufel los. Ein Hexen-
sabbat war im Gang, und Lionel Hampton persönlich lallte das
verführerische Sechsereinmaleins, hob seine Hämmerchen
und gestikulierte mit ihnen in der Luft herum wie der Hexen-
meister mit seinen Zauberstäben. Die schwarzen Musiker
folgten seinen Gebärden, im Scheinwerferlicht sahen sie gelb
aus. Ihre Augen glänzten, ihre Zähne blitzten, die Trompeten
warfen schillernde Reflexe, als tanzte das Sonnenlicht auf einem bewegten Wasser. Plötzlich erhoben sich die Trompeter
wieder, stiegen von der Bühne in den Saal herab, trennten sich
voneinander und schritten blasend durch die Reihen. Am Ende
des Saals kehrten sie um, wechselten untereinander die Reihen,
kamen und gingen und tauschten ihre Wege, ohne ein Exerzier-
reglement zu befolgen, ohne Gleichschritt, ohne Reih und
Glied zu beachten. Sie schlenderten daher und dahin und bliesen, jeder für sich, und die Musik paßte doch zusammen. Ich
weiß nicht mehr wer, aber einer von den Trompetern, ob Clark
Terry oder Cat Anderson oder sonst irgendein anderer, bog am
Ende in die Reihe ein, in der wir saßen. Er ging ganz nahe an uns
vorüber, sein Gesicht war mit Schweiß bedeckt, und er sah
grün aus. »Ich dachte, die Neger sind schwarz«, sagte mein
Bruder, »der da ist ja ganz grün im Gesicht.«

Hermanns Stimme klang, als hätte er einen Frosch verschluckt. Ich erinnere mich an ein Schlingen und Würgen, das uns die Kehle preßte. Wir waren beide nicht mehr imstande, regelmäßig zu atmen, wir schnauften, keuchten, rangen nach Luft. Ich schaute meinen Bruder an, sah ihn stocksteif auf dem Stuhl sitzen, seine blonden Locken kräuselten sich noch wilder als sonst, und er griff sich mit Daumen und Zeigefinger an die Oberlippe, was er sonst nie tat. Da wußte ich, daß es auch ihn durchgeschüttelt hatte. Noch verharrten wir reglos auf unseren Sitzplätzen, während die ausgefuchsten Jazzkenner ringsum bereits mit unbeherrschten Füßen den Boden der Wartburg stampften. Einige waren schon mit allen Wassern gewaschen, kannten sich aus in den Ritualen; sie sprangen auf, klatschten nach jedem Chorus und pfiffen auf den Fingern.

Als wir endlich trocken hinter den Ohren waren, rührten wir Vaters vorsintflutliches Telefunkengerät und den altersschwachen Brummi, den ich aus Lyon mitgebracht hatte, nicht mehr an. Hermann kaufte einen *Braun*, es war ein moderner Radiokasten aus hellem Fichtenholz mit Glasfiberdeckel, unter dem sich der Plattenteller befand.

Wir studierten Joachim Ernst Berendts Jazzbuch und untersuchten darin den Jazz von allen Seiten. Hermann befaßte sich mit Geschichte und Stilen, ich eignete mir Sprache und Fachbegriffe an. Ein geheimnisvolles *Sesam, öffne dich!* führte uns zu unerschlossenen Schätzen, wir trafen Eingeweihte und tauschten Gedanken im Jazzjargon aus, was den Freunden der klassischen und der Kirchenmusik wie ein Abrakadabra in den Ohren klingen mußte. Bald galten wir selbst als Experten, die sich skurrile Anekdoten erzählten und mit exaltierten Ausdrücken der Diskographie herumwarfen wie Jongleure mit Zirkusbällen. In jeder freien Minute legten wir eine neue Platte auf, kletterten förmlich in Hermanns Schneewittchensarg hinein, lauschten Bix Beiderbeckes Kornettspiel, und beim Rhythmus der Synkopen sprang uns der Frosch aus der Kehle wie Schneewittchen beim Straucheln der Diener der giftige Apfelgrütz aus der Gurgel gefahren war, und befreit summten wir die Melodie mit. Märchenhafter Hörnerklang! Zwar sei der Ton der Trompete brillanter, schreibt Berendt, »aber der des Kornetts ist menschlicher, ein Kornett klingt, als singe eine Trompete«: »Mit Bix«, erzählt Berendt, »dessen Eltern aus mecklenburgischen Pfarrers- und Organistenfamilien stammen, ist die deutsche Romantik in die Jazzmusik eingemündet.« Sehnsucht und Schwermut: Wir waren verwirrt, der Jazz kam zwar aus einer anderen Welt, doch wir genossen es, daß in ihm auch das deutsche Waldhorn nachklang. Sten Kenton trat mit seinem Orchester in Kaiserslautern auf, Lee Konitz und Frank Rosselino bliesen *How High the Moon,* uns war, als flösse der Schmelz eines Mondgedichts von Eichendorff durch die Lauterner Fruchthalle.

1957 blies Miles Davis seine Musik zu Louis Malles Spielfilm *Fahrstuhl zum Schafott.* Wenn ich heute an die Szenen dieses Films und an die Musik zurückdenke, von der mir wundersame Zwiegespräche zwischen Miles Davis' Trompete und Barney Wilens Tenorsaxophon im Ohr geblieben sind, dann erscheint mir Jeanne Moreau mit stark aufgeworfener Oberlippe, wie sie, sich eine Zigarette anzündend, in einer Bar der Rue du Bac auf dem Stuhl zurücklehnt, die Beine übereinanderschlägt und ihr langes, welliges Haar aus der Stirne streicht. Nach meinem Erinnern hatte sie damals ihr Stichwort vergessen, war längst aus dem Film herausgetreten und lauschte nur noch dem Gedankenaustausch von Trompete und Saxophon. Der Film ist gerissen, es bleibt die Musik. Miles Davis' feste Trompetenstimme schlägt weitgeschwungene melodische Bögen, antwortet der Saxophonstimme mit tonloser Unnachgiebigkeit. Sie nimmt sich die Freiheit, kühl und abweisend zu sein, redet auf Jeanne Moreau ein und ermuntert sie, auch etwas mit ihrer Freiheit anzufangen. Oder war alles ganz anders, und meine Erinnerung erfindet sich Schauplätze und Auftritte nach ihrem Wunsch? Ich will mich nicht mit der Jazztrompete im allgemeinen beschäftigen, will nur erzählen, was sie damals in meinem Kopf angerichtet hat.

Nach Miles Davis kam Chet Baker, der schöne Trompeter

mit dem sanftesten Ton. Auf dem Militärflugplatz Ramstein traf er sich mit Gerry Mulligan im amerikanischen Club. Dort spielten sie zusammen *My funny Valentine*. Joachim Ernst Berendt erzählte später, Gerry sei vor dem Auftritt mit Chet ans Mikrophon getreten, habe nur gesagt: »Es ist heute abend jemand hier, der das genau kennt«, und alle amerikanischen Soldaten hätten sofort Bescheid gewußt. Dann habe Chet geblasen und gesungen, Berendt spricht vom mädchenhaften, streichelnden Klang seiner Stimme, der über die Haut gehe wie schmale Hände, in denen man die Adern sieht, wenn man sie gegen das Licht hält. Joachim Ernst Berendt hat immer etwas tief in die Farbe gegriffen und dick aufgetragen, überschlug sich gern mit kessen Formulierungen, griff dabei von Zeit zu Zeit daneben, war aber die ausgewiesene Autorität, der Hohepriester, der Guru dieser besseren Welt. Seine Sendungen im Südwestfunk verpaßten wir nie, Schularbeiten, Einkäufe, Verabredungen richteten sich nach dem Rundfunkprogramm. Als dann freitags nachmittags um Viertel vor sechs zum erstenmal *Jazz und Lyrik* zu hören war, gerieten wir vollends aus dem Häuschen, und wenn Dizzy Gillespie blies, drehten wir den Lautsprecherknopf wieder bis zum Anschlag auf wie in den Endvierzigern, als Mutter sich unten in der Küche vor dieser »scheußlichen Negermusik« die Ohren zuhielt. Dizzy Gillespie blies *Things to Come*. Beim Kreischen seiner Trompete setzte ich mich an mein Tischchen und schrieb ein Gedicht, das denselben Titel hat wie Dizzy Gillespies Musikstück. Es war zum erstenmal zu hören in meiner eigenen Jazz-und-Lyrik-Sendung *Auf den Notenlinien der Zeit*.

> Tausend Fackeln tragen Brand
> – nichts dergleichen ihres Fleißes –
> schon ist jede Stadt ein heißes
> rotes Haus am Kraterrand.
>
> Geigen kreischen, Trommeln irrn,
> wilde Jazztrompeten fetzen,

Finger auf Gitarren hetzen,
abgetrennt von Rumpf und Hirn.

Einer in die Nacht hinaus
– Erd und Himmel im Gesichte –
wendet sich vom heißen Lichte:
hell in Flammen steht das Haus.

Sterne kreisen ihre Bahn,
alle Finger aufwärts fassen,
Füße stehn in Magmamassen,
unten brodelt der Vulkan.

Und ein andrer geht hinein,
öffnet Tor dem Lavastrome,
um beim Tanze der Atome
mit dabeizusein.

Gert Westphal, der die Gedichte sprach, zerbiß jede Silbe, als
wollte er sich die Wörter mundgerecht kauen, sie verschlingen,
ohne daß auch nur ein Rest zwischen den Zähnen zurückblieb.
Den *Kraterrand* öffnete er mit einem Schnalzen, wälzte die
Magmamassen über die Zunge, bevor er sie im *Lavastrome*
sprudelnd über die Lippen goß.

Dizzy Gillespies Zukunftsmusik und mein prophetisches
Gedicht darüber: Waren das nun die Introduktionen für eine
bessere Welt, feierliche Vorspiele für eine Zeit, in der die alte
Schlange getötet ist und die Löwen bei den Lämmern liegen?
Oder suhlten wir uns hemmungslos im Genießen, ließen uns
berieseln von hochfliegenden Wörtern und aufgeblasenen Tö-
nen, dieweil eine amerikanische Wasserstoffbombe über dem
Bikini-Atoll detonierte und eine breite Wolke radioaktiven
Staub über japanische Fischerboote regnete. Die Bombe, hieß
es in Funk- und Zeitungsmeldungen, sei sauber, ihre Strahlen-
wirkung örtlich begrenzt. Ein Jahrzehnt war vergangen seit
Kriegsende, eine lange Zeit von Louis Armstrong bis Dizzy
Gillespie, die Bombennächte waren fast schon vergessen, die

radioaktiven Niederschläge weithin unbeachtet geblieben. Ich hörte Dizzy Gillespies *Things to Come* und schrieb ein Gedicht über den Tanz der Atome: Mir war erdenwohl dabei. Bikinis hießen die knappen, zweiteiligen Badeanzüge unserer Mädchen. Vom Stoff eines Badeanzugs war nicht mehr übriggeblieben als von der Haut eines japanischen Fischers im Bikini-Atoll. Nicht einmal den bissigen Spott der Modemacher bemerkte ich damals. Was kümmerten mich japanische Fischer mit Eiterschwären auf der Haut in meiner besseren Welt!

Zu keiner anderen Zeit lagen die großen und die kleinen Dinge weiter auseinander als Anfang der fünfziger Jahre. Was ging's uns an, wenn in Korea die Kanonen wieder krachten, wenn zur gleichen Zeit Konrad Adenauer und François-Poncet in einer engen französischen Militärmaschine Knie an Knie zusammensaßen auf dem Weg nach Paris, den Vertrag zum Gemeinsamen Markt für Kohle und Stahl zu unterzeichnen! Der wirtschaftliche Aufschwung spielte die erste Geige, vom Krieg hatten wir die Nase voll. Sollten die hirnverbohrten Kriegstreiber mit den Zähnen fletschen und sich die Nasen blutig schlagen, wir Schlitzohren hatten aus unserer Niederlage gelernt, schauten neugierig über die Grenzen und erwiderten nachbarliche Blickkontakte mit Augenzwinkern. Uns war das Hemd näher als der Rock. Im täglichen Leben galt keine raumgreifende militärische Strategie mehr, wir setzten viel lieber alle möglichen Arten raffinierter Kunstgriffe ein, unsere kleinen egoistischen Ziele zu erreichen. Wie wir Hermanns Plattenspieler unter der Dachschräge unserer Mansarde am zweckmäßigsten installieren könnten, war uns wichtiger, als über Panzerbewegungen und Bombereinsätze auf dem fernöstlichen Kriegsschauplatz nachzudenken. Zwar sahen wir Picassos Koreagemälde auf Postkarten und in illustrierten Zeitungen abgebildet, gehörnte Faune mit Dolchen und geschwänzte Schattenmänner mit Spießen in der Hand, es wäre uns aber nicht eingefallen, diese gräßlichen Bilder auszuschneiden, aufzuheben, gar einzurahmen und an die Wand zu hängen.

Nachdem Hermann und ich einen alten Waschtisch auseinandergenommen und im Stil des Bauhauses modernisiert hatten, indem wir nur noch die Teile in unser Konzept einbezogen, die den schmucklosen, konstruktivistischen Notwendigkeiten dienten, trennten wir uns auch leichten Herzens von einigen altmodischen und kitschigen Papierdrucken und Porzellanabgüssen, hängten Dürers Kupferstich vom *Heiligen Georg* und die Totenmaske der *Unbekannten aus der Seine* von der Wand ab und bepflasterten sie mit Fotos aus dem Jazzkalender: Louis Armstrong und Lionel Hampton, Benny Goodman und Duke Ellington. Fortan hausten wir mit unseren Idolen unter einem Dach, in einem Raum, kamen beim Anhören ihrer Musik mit ihnen ins Gespräch, das oft anhielt bis spät in die Nacht. Dizzy Gillespie lächelt, er trägt den obligatorischen Anzug mit silbernen Längsstreifen und weißem Kavalierstuch und betrachtet interessiert die Arbeit seiner Finger über einem Beutel oder Stück Stoff, die mir vor vierzig Jahren beim Betrachten des Fotos schon ein Rätsel war. Putzt er sein Mundstück? Dreht er eine Zigarette? Ich weiß es immer noch nicht, muß mir eine Erklärung zurechtphantasieren: Er hat gerade seinen Hit *Salt Peanuts* gespielt, und nun nestelt er auf Bitte des Fotografen ein Säckchen mit gesalzenen Erdnüssen auf; John Lewis schaut unter sich wie ein nachdenklicher Philosoph, Dave Brubeck blickt mir in die Augen, Lichtreflexe huschen über Stirn und Oberlippe, seine Linke, mit einem brillantenbesetzten Ring am Finger, liegt entspannt auf den Tasten des Pianos. Eben hat er das Stück *Laura* gespielt, langsam im Tempo, diskret im Ton, wie es dem Stück angemessen ist.

Laura ist der Titel einer Filmmusik. Über diesen *film noir,* der Anfang der Fünfziger bei uns in den Kinos lief, las ich unlängst in einem Nachrichtenmagazin die Bemerkung, es handele sich um einen Thriller, in dem keiner sich selber gleich sei. Nun verstehe ich erst mein Verhextsein von damals. Während ich mich in den verflossenen Jahren einer rätselhaften Schönen zwischen drei Männern erinnerte, von denen jeder sein eigenes Leben, aber auch stets etwas danebenher lebt, dachte ich unwillkürlich an mich selbst: heute ein Kleinbürgersöhnchen, morgen ein Rebell, vormittags ein braver Lehrer beim Volksliedersingen, abends ein aufrührerischer Musikjünger im Jazzkonzert. Obwohl mir Gene Tierney als Laura und Dana Andrews als Kommissar McPherson in lebhafter Erinnerung geblieben sind, hat die Musik einen stärkeren Eindruck hinterlassen: Ein wehmütiges Stück, das ich mir ein paar Jahre lang mit Hermann bei jeder Gelegenheit auf Schallplatte angehört habe. Noch vorgestern dachte ich, Lennie Tristano habe es gespielt, doch gestern beim Wiederhören las ich auf der Plattenhülle den Namen Dave Brubeck. Das Stück beginnt mit zarten Tastenspielen, spitze Schläge und quirlige Läufe wechseln sich ab, Ron Grottys Baß und Joe Dodges Drums skandieren verhalten den Rhythmus, der sich mehr und mehr der hindämmernden Melodie bemächtigt und sie mit gleichmäßigen Atemzügen vor dem Ersticken bewahrt. Heute, beim Wiedersehen des Films, ist alles ganz anders. Weder Lennie Tristano noch Dave Brubeck sitzt am Piano und läßt seine Finger über die Tasten gleiten, die Musik ist sinfonisch aufbereitet, Geigen zirpen, Saxophone wimmern, ein großes Orchester spielt.

Es blieb nicht bei unserer Jazzbesessenheit. Bald lagen zwischen den Plattenhüllen stoßweise Taschenbücher auf der Bettkante, dem Couchtischchen, dem Fußboden: *Zeichen und Gestalt*, *Homo ludens*, *Über das Geistige in der Kunst*, Bücher mit hochtrabenden Titeln, doch spannenden Inhalten, die uns fesselten. Unser Interesse an der neuen Malerei war erwacht. Vielleicht wäre es bei Mutters Mahnung geblieben, die Bücher immer ordentlich in das schmale Bücherschränkchen zu stellen, hätte sie nicht eines Tages eins davon, aufgeschlagen bei einem ungewöhnlichen Bild, neben dem Schränkchen entdeckt. Am Abend vorher war Eugen Helmlé bei mir gewesen, wir hatten erst Platten gehört, dann in den Kunstbüchern geblättert, schließlich mit gescheiten Formulierungen über irgendein Thema der modernen Kunst debattiert. Ich weiß noch, daß es um das Gemälde *Badende im Raum* von Ernst Ludwig Kirchner ging, das Mutter aus der Fassung gebracht hatte: Fünf nackte Frauen mit breiten Gesichtern und Schlitzaugen wie Sphinxe, in nervösen Gebärden und Stellungen verrenkt, als hätte sie urplötzlich ein elektrischer Schlag getroffen. Wir betrachteten das Bild mit zugekniffenen Augen und besprachen seine Teile bis in jede Einzelheit, nahmen uns Kirchners eigene Deutungsversuche zu Hilfe, die in dem Bekenntnis gipfelten, es erwachse ihm aus der Beobachtung von Bewegungen, die zu einem inneren Bild zusammenschmölzen, immer wieder ein gesteigertes Lebensgefühl, seine Menschenbilder seien Gleichnisse des Lebens, keine Abbildungen der Natur – und starrten bis tief in die Nacht hinein auf die kantigen, gezackten, zerspellten Figuren.

Das Buch lag noch aufgeschlagen auf dem Boden, als Mutter am anderen Morgen zum Bettenmachen in unser Zimmer ging. Was sie von einem solchen Bild hielt, bekam ich beim Mittagessen zu hören. Sie wartete, bis wir alle vier am Tisch saßen, holte tief Luft und sagte: »Hier im Haus gibt es Bücher mit unanständigen Bildern.« Vater schwieg, Hermann schwieg, mir schwante das Allerschlimmste. Ich saß da, stocksteif, und wartete. Mutter aber brachte nur noch den Satz über die Lippen: »Ein schamloses Bild! Schau sich das nur einer an. Zwei von diesen Schreckgestalten haben Sonnenbrand, eine sitzt auf dem Boden und beißt in einen Apfel, der aussieht wie eine Tomate, eine andere fläzt sich gegen den Türrahmen, und die fünfte, die vor dem Spiegel an ihren Haaren zaust, hat blutige Striemen am Hintern vom Gürtel des Zuhälters. Pfui Teufel!« Mutter schöpfte uns Suppe auf den Teller, wir löffelten sie stumm aus. Ich wollte Mutter anschauen, aber ich brachte es nicht übers Herz. Es ging mir wie ihr: Ich hätte beim besten Willen keine Worte gefunden, ihr meine Neigungen zu erklären. Wir saßen da, genierten uns vor uns selbst und schwiegen. Nach dem Vanillepudding stand Mutter als erste auf, blitzte uns an und entschied: »Wenn das nicht aufhört mit den Frauen- und Negerbildern und dieser schrecklichen Musik, setz' ich keinen Fuß mehr über eure Türschwelle. Dann müßt ihr zusehen, wie ihr eure Mansarde selbst in Ordnung haltet.« Was hätte ich ihr antworten sollen, da Tür und Tor sperrangelweit offenstanden für das närrische Künstlervolk, das mir bis in meine Träume nachfolgte.

In den fünfziger Jahren gingen die Expressionisten bei mir ein und aus. Ich war von hochtönender Begeisterung und schwärmerischer Einbildungskraft, schnupperte an Unbekanntem, liebäugelte mit Neuheiten aller Art und fraß in mich hinein, was mir gerade Appetit machte. Es war eine Zeit der Sucht und der Gier, und da ich auf einmal haben wollte, was mir zwölf Jahre lang entgangen war, erschienen mir Aufgaben in den Träumen, die ich tagsüber nicht bewältigen konnte: Ich sah Schreckgestalten auf mich zukommen, die ich tollkühn attackierte, ich kam mir vor wie einer, der auszieht, das Fürchten zu lernen und nachts mit Totenköpfen Kegel spielt. Schon beim ersten Lesen expressionistischer Gedichte sah ich die Dichter leibhaftig auf der Türschwelle stehen, laut redend, wild gestikulierend, als wären sie von den Toten auferstanden und rängen verzweifelt um ein zweites Leben.

Es waren Rendezvous in unserem Dachzimmer, eingebildete Verabredungen mit lang schon im ersten Krieg gefallenen und in Irrenhäusern gestorbenen Dichtern. Sie klopften mit harten Fingerknöcheln an meine Tür, es klang wie Stockschläge. Darauf traten sie geräuschvoll ein und rezitierten mit pathetischer Stimme. Des öfteren verabredete ich mich mit einem kleinen, gedrungenen Mann, der sich unter dem exzentrischen Namen Jakob van Hoddis vorgestellt und ein Gedicht über das Weltende geschrieben hatte.

Ich kaufte mir Kurt Pinthus' Gedichtsammlung *Menschheitsdämmerung*, Heinz Dieckmann schenkte mir Carola Giedion-Welckers *Anthologie der Abseitigen:* Erst stürzte ich mich blindlings in die Lektüre, verbiß, ja verbohrte mich in die Gedichte, dann, als ich Verse von Jakob van Hoddis entdeckte, las ich besonnener, ich versuchte, seine Wendungen zu enträtseln, seine Wörter zu deuten, ich konnte nicht genug kriegen von diesem halben Irren. Er war berühmt in seinen Kreisen, in den genannten Büchern gibt es ein Bild von ihm. Es ist eine

Zeichnung von Ludwig Meidner. Jakob van Hoddis, mit Himmelfahrtsnase und aufgeworfenen Lippen, schaut unter wirren Haarwirbeln und buschigen Augenbrauen angestrengt, doch schon mit halbgebrochenen Augen, in die Gefilde einer anderen Welt. Er ist von einem nächtlichen Stadtbummel mit Meidner zurückgekehrt, sie gehen eingehängt, torkeln über die Straße, Meidner flinkert mit den Augen, van Hoddis lauscht seiner Eingebung und dichtet:

> »Nach Hause stiefeln wir verstört und alt,
> Die grelle, gelbe Nacht hat abgeblüht.
> Wir sehn, wie über den Laternen, kalt
> Und dunkelblau, der Himmel droht und glüht.«

Ich blätterte in Gedichtanthologien, sooft ich Lust hatte, diese ekstatischen Gedichte zu lesen und Meidners Porträts anzuschauen. Ich sah Carl Einstein mit Brille und Pfeife, René Schickele mit Zigarette im Mundwinkel, Paul Zech mit dem Kopf eines Gnoms. Eines Tages, als ich im Saarlandmuseum ein Selbstbildnis von Meidner entdeckte, begriff ich: Hier ist das Gesicht eines Malers, in dem sich die Züge aller dieser expressionistischen Dichterköpfe versammelt haben, vom einen der breite Schädel, vom zweiten das fehlende Kinn, vom dritten das abstehende Ohr. Das Auge Meidners ist blau wie der verschwiemelte Nachthimmel von Berlin, breit und begierig sind die Nasenflügel, und unter einem zerrupften Schnurrbart bleckt er die Zähne zu einem entsetzten Grinsen. Wenn man nahe an das Bild herangeht und genau hinsieht, kann man nicht einmal erkennen, ob er sich mit Schnurrbart und Zähnen dargestellt hat, oder ob er nicht eine Schuhbürste unter der Nase trägt und statt Zähnen blausilberne Steckschrauben. Meidner schaut schräg nach oben, doch sein Blick ist nicht andächtig. Was er sieht, sind keine heroischen Schlachtenbilder mit Fahnen schwenkenden und Trompete blasenden Soldaten, kein Bildnis des Kaisers mit Gottvaterbart, kein Generalsporträt mit goldner Pickelhaube. In einem Anfall von Wahn dringen die Schreckensbilder in sein Auge ein, die Jakob van Hoddis vorausgesehen hat. Sie explodieren in seinem Hirn, Späne und Splitter schlagen gegen die Schädeldecke. Die Eisenbahnen sind von den Brücken gefallen, die Dachdecker abgestürzt und entzweigegangen. Der Krieg ist zu Ende und die Männer auf Krücken und Prothesen schleppen sich durch die kalten Straßen. Ein neuer Krieg steht bevor, es wird nur zwei Jahrzehnte dauern, bis die deutschen Städte in Schutt und Asche liegen. Ludwig Meidner verharrt längst nicht mehr im bloßen Schauen, nun steht er mittendrin in dieser apokalyptischen Landschaft, hört die Splitter sausen, spürt den Luftzug an seiner Wange, riecht den Gas- und Pestgestank.

Er harrt aus und wendet sich nicht ab. Aus der Landschaft tritt eine zweite heraus, eine nach der anderen verschwindet in seinem Kopf, eine nach der anderen taucht in der Ferne auf. Immer neue Landschaften treten auseinander hervor, allesamt sind es apokalyptische Landschaften, in denen die Erde birst und die Berge zerplatzen. Schon geknickte Häuser neigen sich über Bruchspalten, unterminierte Schornsteine fallen in sich zusammen. Ludwig Meidners Blick hält stand, sein Grinsen läßt nicht nach, dieser erschrockene Blick und das entgeisterte Grinsen gehören zusammen. Was er sieht, ist nur für ihn malenswert, und er malt es. Es amüsiert ihn im Grausen, graust ihn im Amüsement. Sieh an, sagen Blick und Grinsen, der Jüngste Tag hat begonnen, doch morgen wird es keine Neuschöpfung mehr geben.

In diesem Bild las ich Tumult und Raserei und ein schwärmerisches Pathos wie in Jakob van Hoddis' Gedichten. Ich wollte den Maler bei mir haben wie früher schon den Dichter. Ich lud ihn ein, er wollte nicht kommen zu den expressionistischen Séancen im Dachzimmer. Mir blieb nichts anderes übrig, als zu ihm hinzugehen, auch wenn es viele Türen gab zwischen ihm und mir, und vor jeder Tür, die ich öffnen mußte, rutschte mir das Herz ein bißchen tiefer in die Hose. Heute noch, wenn ich ein Zwiegespräch mit ihm suche, betrete ich die Moderne Galerie mit klopfendem Herzen.

Mir gruselt bei dem Gedanken, ich würde ihn eines Tages nicht mehr antreffen, weil der Direktor ihn ins Depot verbannt und einen anderen Kopf an seiner Statt ausgestellt hätte. Aber da hängt er, am Fuße einer Rampe, ganz allein an der Wand, und ich nähere mich ihm in gebührender Scheu. Manchmal kommt jemand vorbei, der mich vor dem kleinen Bild stehen sieht, und schüttelt den Kopf, als verdiene das unscheinbare Bildnis eines Verwahrlosten aus der Gosse keine eingehende Betrachtung. Entsetzt schaue ich in dieses zerklüftete Gesicht und finde in ihm alle gemalten apokalyptischen Landschaften wieder: Wolkenfetzen im Metallgestrebe einer Hochbahn, zerstückelt von Blitzen, haben in Wangenhöhlen und Stirnfalten Risse und Sprünge hinterlassen; die Zähne sind Sprengköpfe, das Barthaar ist ein Stacheldrahtverhau. »So stand ich, nicht wankend, die ganze Nacht und malte mich selbst vor dem grimassierenden Spiegel«, schreibt Meidner in seiner *Vision des apokalyptischen Sommers*, »oh, dann kamen selige Minuten. Ich rückte das Bild weit weg von mir und sah eine zukkende Stirne, einen mondhaften Leib sich recken.« Auf Meidners Kopf sitzt ein flacher, abgetragener Hut. Er lüftet ihn nie, wenn ich zu ihm komme und ihn höflich und freundlich begrüße.

Auch wenn es so scheint, meine Zusammenkünfte mit den Expressionisten fanden nicht auf spiritistischen Sitzungen mit Tischrücken und Pendelschlagen statt. Keine extravaganten Spukgestalten traten mir entgegen und sprachen mit verstellter Stimme. Es waren zwar Treffen in phantastischen Dämmerzuständen, doch die Personen bewegten sich und sprachen, als lebten sie. Kaum schloß ich die Augen, beim Einschlafen nach dem Mittagessen oder beim Auslesen eines Buchs, erschienen sie hinter den Lidern und entführten mich in abgelegene Gegenden. Atemlos stieg ich mit ihnen auf zerklüftete Berge und lief ihnen mit hängender Zunge an endlosen Stränden hinterher, so daß ich beim Erwachen, wohlig erschöpft, eine Weile brauchte, um ganz wieder zu mir zu kommen.

Eines Tages, nach abenteuerlichen Ausflügen in apfelgrüne

Wolken- und tomatenrote Steinlandschaften, war ich auf einen Schlag hellwach. Vor mir auf dem Küchentisch lag die neueste Nummer von Vaters Wochenzeitung *Deutsche Saar,* für mich aufgeschlagen bei einer bebilderten Seite mit doppelzeiligem Titel. In übergroßen Buchstaben las ich: *Vier Millionen Franken für ein »blaues Pferd«,* darüber die Oberzeile: *»Kunst-Papst« Dr. Groh war freigebig mit Steuergeldern,* und darunter die drei Zeilen: *Unter der CVP-Regierung wurden pornographische Bilder aufgekauft, die auf Anordnung der Staatsanwaltschaft aus dem Saarland-Museum entfernt werden mußten.* Ich blätterte die Zeitung auseinander, der ungezeichnete Artikel, nach Auskunft der Redaktion von einem *gut unterrichteten Sachkenner* geschrieben, nimmt fast eine ganze Seite ein. Bevor ich zu lesen begann, schaute ich mir die beigestellten Abbildungen an, drei expressionistische Gemälde, schwarzweiß gedruckt, halb so groß wie eine Postkarte, untertitelt: *»Die Kuh« von Kada-Bela: 350000 Frs., »Moorlandschaft« von Schmitt-Rottluff: 1000000 Frs., »Das blaue Pferd« von Franz Marc: 4000000 Frs.* Noch ohne eine Zeile des Artikels gelesen zu haben, ahnte ich: Hier ist die moderne Kunst zum Ereignis geworden, zu einem Gegenstand von politischer Bedeutung – und Silbe für Silbe zerkauend, verschlang ich jeden Wortbatzen bis zum letzten Bissen.

Ich las Namen von Malern und Politikern, von staatlichen Institutionen und politischen Parteien, um deren Programme und Ziele ich mich bisher nicht gekümmert hatte. Eines stand von vorneherein fest: Die reaktionäre Rechte blies zum Generalangriff auf die Kunst. Aus jeder Zeile des Artikels tönt die Trompete von Vionville, poltern die Rosse von Gravelotte, klappern die Veteranen von Mars-la-Tours. In scharfen Attacken gegen die Einkaufspolitik des Saarland-Museums schwenkt der Autor die alte Reichskriegsflagge, beschwört die Kunst des preußischen Historienmalers Anton von Werner, dessen patriotischer Saarbrücker Bilderzyklus vom Krieg 70/71 einer Erneuerung und Wiederbelebung harre. Beharrlich folgert er: »Es spielt keine Rolle, daß das Restaurieren der ganzen von Wernerschen Gemälde etwa 800 000 Franken kosten soll; man hat ja in der Vergangenheit für Kunst und angebliche Kunst Millionen an Steuergeldern ausgegeben.« Und erneut hebt er an und schreit seinen Widersachern ins Gesicht, bei diesen Monumentalbildern handele es sich »um Gemälde, die einer objektiven Fachkritik ruhig unterworfen werden können, die aber unabhängig von ihrem künstlerischen Wert ihres ideellen und historischen Wertes wegen restauriert und der Stadt Saarbrücken erhalten werden sollen«.

Da war es heraus: Zehn Jahre nach Kriegsende ruft ein unbelehrbarer Patriot die Ereignisse eines anderen, längst vergessenen Kriegs, die der Staatsmaler des Kaiserreichs so effektvoll glorifiziert hat, wieder herbei. Beim Lesen erinnerte ich mich an meine Kinderzeit, sah mich in der Küche an der gleichen Stelle sitzen und mit glühenden Augen die Zigarettenbildchen aus dem Album *Ruhmesblätter deutscher Geschichte* betrachten. Vater zeigte uns die Schlachtenbilder, die damals als unverwelkliche Ruhmesblätter galten: vom Teutoburger Wald und vom Lechfeld, von Lützen und von Roßbach, wir sahen die Erstürmung des Spicherer Bergs und die Ankunft König Wilhelms in Saarbrücken, prächtige Bilder, die Vater als Knabe schon von seinem Onkel Wilhelm im Alten Rathaus von Saarbrücken gezeigt und bis in die kleinsten Einzelheiten erklärt bekommen hatte. Da stürmt der preußische General von François der neunten Kompanie seines Regiments voran auf die Höhe des Roten Bergs von Spichern, wirft sich in die Brust und schwingt seinen Degen, Hornist Hasselhorst bläst *Avancieren!*, Tambour Wüstefeld rührt die Trommel zum Sturm. Ein Soldat, soeben getroffen, reißt den rechten Arm hoch, stürzt nach hinten in die Arme eines Kameraden: Es ist der Augenblick vor François' Tod.

Vater nahm die Lupe zur Hand, führte sie langsam über das Bild, um immer wieder die Situation von stürmenden und fallenden Soldaten zu studieren, und sagte mit belegter Stimme: »Oje, wie oft hab' ich das, was ihr hier seht, selbst erlebt im Chaumewald vor Verdun, wenn Leutnant Thiele den Arm hob und zum Sturm auf den französischen Graben blasen ließ.« Das andere Bild interessierte uns Kinder nicht: Der König kommt in Saarbrücken an, Leute stehen um die Kutsche herum, ziehen die Hüte, strecken ihm die Hände entgegen. Nein, das war für uns nicht sehenswert. Ich war neun, vielleicht zehn Jahre alt, ging ganz auf in Vaters Erzählungen vom Krieg, die aber stets nur aus Andeutungen bestanden. Vielleicht haben sie deshalb meine Phantasie so stark erregt – bis mir ein paar Jahre später im Katzenjammer vom Mai 1945 die Kriegs- und Heldenschwärmerei für mein Lebtag verging.

Ein Jahrzehnt danach blies nun der Hornist und trommelte der Tambour das alte Signal. Die *Deutsche Saar* bot einen Trupp kaiserlicher Schlachtrösser auf und führte sie ins Feld gegen eine Kuh und ein blaues Pferd. »Das ›Blaue Pferdchen‹ bringen wir in Abbildung, damit der Steuerzahler sieht, wie hier Steuergelder vergeudet worden sind«, schreibt der anonyme Einbläser, und damit sich im gesunden Menschenverstand ein Schreckensbild von dieser verkommenen modernen Kunst zusammensetzen könnte, holte er weiter aus und berichtete von einem aus Konservendosenblech gemachten Bild eines Homburgers und pornographischen Gemälden eines in Paris wohnenden Malers namens Jean Lerschu, alias Johann Schuler aus St. Ingbert. Nicht diese von der überwiegenden Mehrheit der Bevölkerung abgelehnten Machwerke der sogenannten abstrakten Kunst, sondern saarländisches Kulturgut gelte es zu bewahren, ruft der ungenannte Autor aus, »um der Jugend und der Bevölkerung einen lebendigen Anschauungsunterricht unserer Heimat in Gegenwart und Vergangenheit zu vermitteln«.

Ich schaute von der Zeitung auf und schob sie Vater unter die Augen. Er fuhr sich über die Haarlocke, die ihm in die Stirn hing, ließ die Hand an der Wange entlang über Hals und Brustbein hinunter auf den Tisch gleiten, wartete aber einen Augenblick, bis er nach der Zeitung griff. »Vier Millionen Franken«, sagte er, »meinst du nicht, das ist ein bißchen zuviel für ein Pferd, das blau ist?« Hätte ich Vater, dem Kenner der Farben, dem Liebhaber des Grünen, etwas erzählen sollen über die Farbe Blau, die im allgemeinen als fernliegend erfahren, doch in diesem Bild als naheliegend empfunden wird? Sollte ich ihm etwas vorfaseln vom nah herbeigeholten Wunschbild menschlicher Sehnsucht nach dem Unendlichen, das hier anstatt einer blauen Blume ein blaues Pferdchen sei? Vater hätte all meine Deutungsversuche für dumm und lächerlich gehalten, wäre ich auf die Idee gekommen, ihm etwas über die Reinheit vorzugaukeln, die allein das Tier sich bewahrt habe, diese »keusche Majestät«, wie sie der Maler Franz Marc umschreibt. Und hätte ich mir auf die Zunge gebissen und einfach nur gesagt: »Dieses blaue Pferd ist schön, und deshalb kostet es vier Millionen«, hätte Vater mich für verrückt erklärt. Da ich wieder einmal zu feige war, ihm zu widersprechen, den Mund hielt, vom Tisch aufstand und wortlos aus der Küche ging, blieb ihm nichts weiter übrig, als mir nachzurufen: »Vier Millionen für ein blaues Pferd! Was zu weit geht, geht zu weit!«

Vorbei waren die beschaulichen Spaziergänge mit meinen Freunden, den Expressionisten, beendet die fesselnden Gespräche. In unsere Mansarde wäre Alltag eingekehrt, aber schon rückten Stoßtrupps zerstörungswütiger Bilderstürmer an, sogar Vater und Mutter reihten sich ein. Ein Pferdchen war ins Schußfeld geraten, da konnte ich nicht länger abseits in meinem Wolkenkuckucksheim dahinspintisieren. Meine bessere Welt war in Gefahr, aus den Fugen zu geraten, so blieb mir nichts anderes übrig, als von meinem Elfenbeinturm herunterzusteigen, mochte sich die Muse noch so hartnäckig an meine Beine klammern. Die bessere Welt, das ist kein Konzertsaal, der sich bis hinten ins Paradies hinein öffnet, wenn Louis Armstrong auf der Trompete bläst, kein Dachkämmerchen, das einen Zugang zum Tummelplatz der Glücksritter bekommt, wenn Meidner und Jakob van Hoddis Arm in Arm auf der Türschwelle stehn. Ich erwachte aus meinen Träumen und stellte mich auf die Zehenspitzen, schaute über den Lattenzaun, der meine Spielwiese begrenzte, und sah zum erstenmal über meinen Horizont hinaus. Da erkannte ich wieder die japanischen

Fischer mit den Eiterschwären in ihren Booten und zehn Jahre weiter zurück die Kinder von Hiroshima im radioaktiven Staub. Und wieder schrieb ich ein Gedicht über den Tanz der Atome, diesmal keine wohltönende Rhapsodie, die Gert Westphal sich auf der Zunge hätte zergehen lassen können. Ich begann mit einem japanischen Haiku: »Laut, als sähe sie ihres Käfigs Stäbe nicht, singt die Nachtigall«, fuhr fort: »Keime gekappt schießen Pilze empor gestern in Hiroshima heut in Nevada morgen über den Tuilerien wir aber gesichert im Paradiese schattige Pergola Treibhaus Champignonzucht schießen Pilze empor rheinische Zucht Weinlaub im Haar mit satter Folklore und Funkenmarie Pilze und Pilze empor«, und je weiter ich schrieb, um so mehr entfernte ich mich vom Altvertrauten, worin ich mich wohl gefühlt hatte. Auch wenn es Rückschläge und Rückfälle geben würde, das Tor in meine bessere Welt stand einen Spaltbreit offen.

X

Vor uns wölbt sich das Meer

Wie oft sind wir bei dem Städtchen Serves im Rhônetal an der
hohen Bruchsteinmauer vorbeigebraust, haben mit Zeigefin-
gern die romanischen Arkaden in die Luft gezeichnet und laut
ausgerufen: »Hier fängt der Süden an!« Als wir zum erstenmal
hinkamen und von weitem schon diese zyklopische Wand auf-
ragen sahen, verschlug's uns die Stimme, putschte ein starkes
Gefühl uns auf, so daß wir nicht mehr sicher waren, ob wir
Auge, Nase und Mund noch trauen konnten: Auf der Mauerkrone blühende Agaven im Maulbeergestrüpp, stinkender
Goldregen vor dem Bahndamm und zwischen den Zähnen fei-
ner, von den Reifen der Autos aufgewirbelter Sandstaub, der
nach Salzwasser schmeckte.

So ist es geblieben, mehr als vierzig Jahre danach. Immer
noch blüht die Agave, stinkt der Goldregen, immer noch
schnarren Zikaden, krabbeln Schnurfüßler, dampft die mythi-
sche Erde: Pans Weinhumpen hängt mit abgegriffenem Hen-
kel am Lorbeerstrauch, wo ihn Vergil schon hingehängt hat,
und im Nymphengarten sitzt Aristophanes und speist Erdbee-
ren und Myrrhen, Mädchennaschwerk. »Nur sehe ich weit
und breit keine Nymphe mehr«, sagt Brigitte, »und der dicke
Pan hat sich sicher auch verdrückt. Nicht einmal die Mauer hat
gehalten, was sie damals versprach. Sie ist gar kein schönes altes
Bauwerk aus roten und braunen und gelben Natursteinen, wie
wir's in Erinnerung haben, sondern eine graue Betonwand,

durch Rundbögen verstärkt. Und was mir noch auffällt: Stand die Mauer früher nicht viel näher an der Straße?«

Schon mit zwanzig wollten wir den Süden sehen und es den Idolen aus Mode, Film und illustrierten Blättern gleichtun, in Nizza auf der Promenade des Anglais unter Palmen spazierengehen, in Cannes an der Croisette einen Pernod trinken, Eis schlecken im Eispalast, Austern essen an der Austernbude, baden in der Badebucht. Bizarre Geschichten aus der Boulevardpresse hatten Staub aufgewirbelt: Ein amerikanischer Millionär bewundert dreißig Jahre lang von seiner Yacht aus das Bergmassiv des Estérel und stirbt an einer Halsstarre, die ihm den Hauptnervenstrang abdrückt, eine schwedische Filmschauspielerin lehnt in ihrem Garten mit Vorliebe am Stamm eines Trompetenbaums, wird von einer Kreuzotter gebissen und stirbt am Schlangengift. Das war noch vor der Zeit, als Brigitte Bardot ihre Sommertage in St. Tropez zubrachte und Françoise Sagan im offenen Sportwagen durch die Gegend kutschierte und barfuß das Gaspedal bediente – doch es kitzelte uns in der Fußsohle schon ein paar Jahre zuvor, und so waren wir nicht mehr zu halten und brachen im Sommer 1953 zum erstenmal in den Süden auf.

Wir reisten zu dritt: Brigitte, mein Bruder Hermann und ich. Wenn ich mir das ganze Drum und Dran dieser Reise heute ins Gedächtnis zurückrufe, kommt es mir vor, als seien damals drei arglose bunte Vögel unterwegs gewesen, auf gut Glück ins Eldorado auszuziehen. Nur wer Tollheit mit Abenteuerlust verwechselt, hätte in uns Nachäffer der drei Musketiere vermuten können, die seinerzeit hoch zu Roß das halbe Europa unsicher gemacht haben. Wir hatten es nicht darauf abgesehen, unser Leben aufs Spiel zu setzen, an Halsstarre zu sterben wie der Millionär oder am Schlangenbiß zugrunde zu gehen wie die Filmschauspielerin – uns stach der Hafer, mit imposantem Automobil und forschem Auftreten ein bißchen Staub aufzuwirbeln.

Kaum in Lothringen angekommen, liefen uns die Kinder nach. Der Mercedes nämlich, den Vater gekauft hatte – Kabriolimousine, Typ 170V, Vorkriegsmodell –, war kein gewöhnliches Auto: Die Trittbretter schwangen sich ausladend an den beiden Seitenfronten des Wagens entlang, die Türgriffe, chromblitzend und solide gefertigt, lagen handlich zwischen Daumen und Fingern, der Kühlergrill glitzerte wie das Gitter eines mondänen Kachelofens, und wir dahinter, auf breiten Lederpolstern, lehnten uns bei heruntergedrehten Scheiben lässig aus dem Fenster, lauschten dem Rauschen der Reifen und dem behaglichen Brummen des Motors. Hermann hatte das Auto neu lackiert, das frische Grün aus Vaters Firmenfarbe hellte nun das vornehme Mercedesschwarz auf, die Farbenkombination war ungebräuchlich und so auffällig, daß die lothringischen Kinder dem Wagen oft bis ans Ende der Ortschaft hinterherliefen. Unterwegs wollten wir uns nirgends länger aufhalten als nötig. Nur in Seurre machten wir Station, dort blieben wir für einen Abend und eine Nacht bei Roland Cazet, dem Freund aus der Lyoner Zeit. Rolands Mutter, eine kleine, muntere Burgunderin, stand zwischen ihren Gladiolen und winkte uns einen Willkommensgruß zu, sein Vater, ein rüstiger Mittsechziger, schleppte uns zu einem ausgiebigen Spaziergang an den Fluß. Bei der Rückkehr dampfte schon der Braten auf dem Tisch, und in der Flasche schimmerte der vielgepriesene Charmes Chambertin. Rolands Eltern sind lange tot; er selbst, ein Globetrotter, in vielen Ländern der Welt von Äthiopien bis zu den Marquesas im Lehrerberuf tätig gewesen, erschien uns damals schon als Musterbild des Abenteurers.

Am nächsten Morgen brachen wir beizeiten auf: Es lockte der Süden. Nur ein paar Kilometer hinter Seurre bogen wir rechts auf die schnurgerade Straße nach Chalon ab, hinunter ging's durch das Saônetal, im dritten, manchmal im vierten Gang. Ich tauchte ein in den sanften Strom des Fahrens, gab mich dem einschläfernden Schaukeln des Wagens hin. Es war ein immerwährendes Wippen und Wiegen fast im Takt, die Sonne heizte meinen Kopf auf, für einen Augenblick war es mir, er schwölle zur doppelten Größe an, wüchse in einen luftleeren Raum und spränge im nächsten Moment auseinander.

Doch unter der blauen Kuppel des Himmels blies eine frische Brise, der heißgelaufene Kopf kühlte sich bald wieder ab.

Zwischen den Ortschaften erhöhten wir das Tempo, fuhren mit größerer Geschwindigkeit über die weitgeschwungenen Bodenwellen, rollten durch die burgundische Pforte der Saône entlang bis vor die Hügel der Monts d'Or: Das Verdeck war heruntergeklappt, Hermann und ich saßen vorn, weiße Schirmmütze auf dem Kopf, dunkle Sonnenbrille auf der Nase, Brigitte, geborgen im Fond, räkelte sich in der Sonne und ließ Kopftuch und Haare im Fahrtwind flattern. Tief im Unterleib spürten wir das gefederte Hingleiten auf dem Asphalt, die Sonne stand schräg und vergoldete die Berge, das Wasser der Saône glitzerte silbern im Spätlicht. Am Flußufer schlugen wir unser Zelt auf. Heutzutage verstellen Hochhäuser und Fabrikhallen den Ausblick auf den Hügel von Fourvière, das Flußbett ist ausbetoniert, die Wiese gepflastert: Verschüttet sind meine Empfindungen von damals. Ich fühlte mich nicht mehr wie der junge Jean-Jacques Rousseau, der einst flußabwärts in der Stadt Lyon eine Nacht an der Saône verbracht hatte: verzaubert vom rosigen Abendgewölk, verzückt vom Gesang der Nachtigallen. Hermann zog Schuhe und Strümpfe aus und setzte sich ans Wasser, Brigitte spazierte durch den Abendtau und fotografierte die Szene. Zwischen zwei dichtbelaubten Bäumen stehen Zelt und Auto eng beieinander, scharf beleuchtet von der Abendsonne.

Rousseaus Schlafplatz am Fuß der Terrassengärten sahen wir tags darauf. Am Parkgitter von St. Irénée, wo ich schon drei Jahre zuvor bei jedem Gang in die Stadt ein paar Minuten verweilt und flußabwärts in eine unbekannte, verlockende Ferne geschaut hatte, standen wir eine Viertelstunde lang in Betrachtung der Gärten und Ströme. Heute wie vor vierzig Jahren führt die alte N7 durch weit sich hinziehende Straßendörfer der Rhône entlang. Das verwaschene Blau und Gelb und Rosa der Häuserfronten ist noch blasser geworden und erinnert an die Charmeusefarben der Damenunterwäsche aus den Fünfzigern. In Montélimar schwenkt der Verkehr um die Altstadt herum, durchquert die breite Platanenallee, in der Kunstmaler und Souvenirhändler ihre Stände aufgeschlagen haben. Den weltberühmten Nougat von Montélimar gibt es immer noch in Pappschachteln, die den rot-weißen Kilometersteinen der Nationalstraße nachgebildet sind, klein- und großformatig, mit pfiffigen Werbeaufschriften. Damals fuhren wir in jede Stadt hinein, bestiegen das antike Theater von Orange, tanzten über die Brücke von Avignon, tranken vom warmen Brunnenwasser der Cours Mirabeau in Aix-en-Provence und brachten den halben Nachmittag an einem winzigen Café-tischchen zu, wo ich folgendes Gedicht von Jean Cocteau übersetzt habe: *Aix*.

> Es regnet, glaubt ein blinder Mann.
> Doch säh' er ohne Krückstock: Zehn
> Fontänen würd' er singen sehn
> das Loblied auf Cézanne.

»Hundert Fontänen« hätte ich schreiben müssen, doch im Eifer des Wortgefechts beim Übersetzen verwechselte ich »cent« mit »dix«: Da es ein Reimwort ist, muß es in meiner Übersetzung für alle Zeiten bei zehn Fontänen bleiben. Aix-en-Provence besuchten wir diesmal nicht, wechselten von der *Autoroute du Soleil* zur *Provençale* und entdeckten von weitem das Gebirge *Sainte-Victoire,* das Cézanne in vielen Abwandlungen immer wieder gemalt hat: ein mit bizarrer Spitze gezacktes ungleichschenkliges Dreieck, das beim Vorüberfahren wie ein umgedrehter Tanzknopf einen Halbkreis um die eigene Achse schlägt. Nach und nach gibt es den langgestreckten Gebirgs-rücken hinter sich frei, Buckel und Schultern scheinen mit Panzerstahl überzogen, der wie poliert in der Sonne glänzt. An den Böschungen der neuen Trasse, wo die Haut der Erde noch nicht wieder nachgewachsen ist, bündeln sich schräg liegende Gesteinsmassen zu einem gelbroten Adergeflecht. Brigitte gefallen die farbigen Querschnitte der Erdverwerfungen: Sie liebt das Reale, prächtige Landschaft und schöne Gegenstände, genießt wie eine Malerin überraschende Formen- und Farbenspiele und sagt: »Eine gut durchblutete Natur.« Im Kalkstein schimmern Ginsterkissen und üppige Bukette der Spornblume, hingehauchte Tupfer von Altrosa, gemischt aus Weiß und Karmesinrot. »Vor uns im Schein der virgilischen Sonne das Gebirge *Sainte-Victoire*, ungeheuer groß, zart und blau, die Täler des *Montaignet*, der Viadukt des *Pont de l'Arc*, die Häuser, das Rauschen der Bäume, die viereckigen Feldstreifen«, schreibt Joachim Gasquet, der vor hundert Jahren noch näher als wir heute bis zum Standort des Malers herangegangen war.

Vor der *Auberge de L'Issole* in Forcalqueiret rasten wir auf roten Plastikstühlen und trinken Kaffee. Unter Platanen tänzelt Marianne, fackelschwingend in grünspanfarbener Blässe, als Brunnenfigur. Motorradgedröhn umrauscht das malerische Plätzchen, mitten unter lärmenden Marsmenschen blättern wir verängstigt die Straßenkarte auseinander, Wege zu suchen, uns aus dem zunehmenden Abendverkehr hinauszustehlen. Vor vierzig Jahren fanden wir den rechten Weg wie im Traum. Zwischen runden, schwarzen Schieferkuppen, tief ins Dunkel getrieben vom Hartlaub dichter Kastanien- und Korkeichenwälder und nur selten erhellt von gelbweißen Kalkwänden, durchquerten wir schlafwandlerisch das *Massif des Maures*, stiegen von Paßhöhe zu Paßhöhe empor, wechselten in kurvenreiche Talfahrten über – und ich genoß, wenn ich am Steuer saß, das Zurückschalten in den scharfen Kehren. Es überrieselte mich bis hinunter in die Zehenspitzen ein Glücksgefühl, körperlich spürte ich das sanfte Arbeiten der Kupplung, wenn die Ringbeläge, behutsam gegen die Schwungscheibe gepreßt, das Drehmoment des Motors auf eine andere Getriebewelle übertrugen. Dabei gluckste und gurgelte es leise, die Zahnräder griffen mit einem satten Flutschen ineinander. Wie begierig hatten wir das Schalten gelernt, wie wollüstig übten wir es aus! Hermann beherrschte es virtuos. Es gibt den einen Moment des Gelingens: Nur ein genau dosiertes Zwischengas ermöglicht dann das reibungslose Wechseln der

Gänge. Kein Knirschen, kein Kratzen, kein ohrenzerreißendes Krachen, bei dem einem die Gänsehaut über Arme und Rücken kriecht! Es ist wie bei jeder Kunst: Wenn man weiß, wie die Räder zusammenspielen, genießt man es doppelt! So erreichten wir auf schmaler Serpentinenstraße tief drinnen im Gebirge die kahle, steinige Kuppe, von wo aus wir, wie aus allen Wolken gefallen, in den Garten Eden hinunterschauten. Die Bremsen quietschten, wir sprangen aus dem Wagen, standen stumm nebeneinander und rissen die Augen weit auf.

Rasche Wendung des Weges:
Vor uns wölbt sich das Meer.
Grün des Olivengeheges
rennt jetzt neben uns her,

brennende Fahnen aus Halmen,
Drahtverhau der Kakteen.
Weiße Villen mit Palmen
steigen, fallen, vergehn.

Feuer aus tausend Kaminen
kocht das Zypressengewächs,
hinter heißen Ruinen
starren Schlange und Echs.

Felder fliehen in Bahnen,
taumeln und stürzen zu Tal,
Maulbeerbüsche verzahnen
sich mit Masche und Pfahl.

Weggeschmolzen die Linien,
feurig flirrt der Asphalt.
Nur noch die schwankenden Pinien
haben Stand und Gestalt.

Es war der 5. August 1953, ein sonnendurchglühter Mittwochnachmittag. Ich saß auf einem Stein, mein Notizbuch auf den Knien, und kam mir vor wie Gottfried Benn beim Dichten, von Kopf bis Fuß wie ein Pantoffeltierchen mit Flimmerhaaren bedeckt. Es sind aber keine Sporen und Algen, die das Wimperhaar heranwedelt, sondern Wörter – es sind Wörter mit Rausch- und Wallungswert, Südwörter, Schamanenwörter, die den Himmel von Sansibar und das Meer der Syrten herbeizaubern können. Aber aufgepaßt: »nicht immer sind diese Flimmerhaare tätig«, verrät Gottfried Benn in seinem Marburger Vortrag, »sie haben ihre Stunde«. Und genau diese Stunde der unermüdlichen Flimmerhaare war an jenem Mittwochnachmittag hinter Roquebrussanne im Maurengebirge herangekommen: Ich sitze auf einem Felsbrocken und betrachte zum erstenmal in meinem Leben das Meer. Was für eine Aufregung, was für ein Glück! Mein Herz klopft, mein Schädel raucht, die geheimnisvollen Flimmerhaare zucken und zittern und tasten Südwörter herbei. Obwohl von diesem sagenumwobenen Mittelmeer nur ein matter Schimmer hinter Felsnasen zu sehen ist, fliegen Namen von legendären Buchten und Stränden durch die Gegend, liegt mythisches Gewese in der Luft. Unternehmungslustig, wie ihnen nachgesagt wird, sind diese Südwörter in Aktion, durchstoßen Zusammenhänge, zertrümmern Wirklichkeit und schicken sich an, die Welt neu zu erschaffen. »Sie brauchen nur die Schwingen zu öffnen und Jahrtausende entfallen ihrem Flug«, ruft Gottfried Benn, und so wirbelt mein Stift die Südwörter über das Papier, drängt sie in neue Zusammenhänge, verschmilzt sie zu neuen Wirklichkeiten. Wie die Wörter glänzen! Die Sonne streichelt sie und reibt sie immer wieder blank. Die alten sind in den Schatten gewichen. Heute kann ich's ja zugeben: An diesem ominösen 5. August, hoch oben im Kalkgeröll des *Massif des Maures*, fühlte ich mich als dichtender Halbgott, der sogar Gottfried Benn in den Schatten stellt. Als wir jetzt wieder hinkamen, fanden wir die Stelle nicht mehr. Wir irrten durchs Gebirge, vergebens. Hinter keiner Felsnase blinzelte das Meer hervor. Unver zagt suchten wir unser Glück in abenteuerlichen Kurvenfahrten, ließen Hügel mit wilden Kastanien und Hänge mit ruppigen Korkeichen hinter uns, stiegen durch Schluchten und Rinnen bis in kahle Einöden empor: Zwischen uns und das Meer schoben sich immer neue Berge. Am Spätnachmittag erreichten wir Hyères, durchquerten die Palmenallee, fuhren zwischen Flughafen und Salinen über die Halbinsel nach Giens. Damals wehte ein frischer Wind, und es roch nach Salz. Heute steigt aus dem verschilften Becken der Pestgestank von faulem Fisch und Vogelkadaver. In den Salzlachen verrotten Pflanzen, über den Salzhügeln kreisen Schwalbenschwärme auf der Jagd nach Insekten. In Giens ist Jahrmarkt mit Trachtenfest: Ein Reiter, zu Pferd auf dem Weg in den Friseursalon, stößt mit dem Kopf gegen den Türbalken. Wir sind in ein Tollhaus geraten, entrinnen ihm nur mit allerletzter Mühe. Gibt es am Strand von Hyères noch den geruhsamen Blick auf die Reede? Gibt es auf der Insel Porquerolles noch den begehrten Nacktbadestrand? Wir fahren immerzu, es gibt kein Halten, kein Rasten, kein Bleiben, die Parkplätze sind besetzt, die Straßen verstopft, wir quälen uns unentwegt voran in der Illusion, immerwährendes Fahren müßte ein lohnendes Ziel in Sicht bringen.

Auch Le Lavandou, einst Fischerdörfchen, jetzt Touristenzentrum, bietet alles fürs Vergnügen, alles für den Strand. Die modernen Hotels, mehrgeschossig in Beton gegossen, aufgestockt, ausgebaut, sind über sich selbst und ihresgleichen hinausgewachsen. Zwischen *Résidence de la Plage* und *Domaine des Mandariniers* dämmert das alte *L'Ilot Fleuris* im Halbschlaf vergessener Sommerpaläste hin. Tauch- und Segelschulen, in schäbiger Leichtbauweise konstruiert, verstellen den Blick auf die Mole. Über den Bootsmasten flattern blauweißrote Wimpelchen, winden und verdrehen sich, als müßten sie sich inmitten trostlosen Cabanen- und Budengewirrs vor Lachen krümmen. Ein alter Fischer mit Ringelhemd und Schirmmütze sitzt zwischen Fischladen und Crèperie vor einem Knäuel salzgebeizter Netze, schaut auf, nimmt seine Pfeife aus dem Mund und grüßt kopfnickend. Er lächelt, sein dicker Zeh hat sich in den Maschen verfangen und zwingt ihn, auf dem Pflaster zu verharren. Gestenreich winkt er einen jüngeren Fischer zum Plausch herbei. Zuerst schreien und lachen sie, dann werden sie leiser und ernster und haben schließlich keine Worte mehr. »Unter ihrem Ringelhemde spüren / sie den kalten Haifischzahn«, schrieb ich damals in einem Gedicht.

Reicht meine Gedächtniskraft aus, das *Camp du Domaine* am Cap Bénat mit lebendigen Menschen zu bevölkern? Ich erinnere mich nur an den Besitzer des Campingplatzes, einen schwarzgelockten Schönling im Waikikihemd. Über Vorder- und Rückseite des Hemdes zog sich das Panorama einer Hawaiilandschaft: Vorn auf der linken Brustseite öffnete sich ein Palmenwald, heraus quoll eine flache Sanddüne, die sich, wenn man rechts um den Schönling herumging, vor der seichten Lagune einer Koralleninsel im Rücken wieder verlor.

Das war der Süden! Das waren die Strände, die wir suchten! Wir steuerten den Mercedes über eine Bodenwelle, ließen ihn an der ausgestreckten Hand des Patrons entlang bergab unter eine Pinie rollen und schlugen im feingemahlenen Sand unser Zelt auf. Fast vergessene Tage an der Bucht von Le Lavandou! Wir schwammen, spielten Ringtennis, spielten Wasserball, spielten Fußball, einmal trat ich mit nacktem Fuß in einen Agavenstrunk. Eine tiefe Wunde klaffte, Blut lief über den Fuß, die Narbe ist heute noch zu sehen. Bei jedem Wetterumschlag rötet sie sich und ruft mit sanftem Kitzeln den Südseestrand vom Cap Bénat in Erinnerung zurück. Ist nicht der Schönling von damals immer noch aktiv? Ich begegne einem Siebzigjährigen, der bis aufs Haar nach ihm aussieht: Jugendlichen Schritts kommt er aus dem Pinienwald, begutachtet die frisch beschnittenen Platanen, die ihm ihre Astwurzeln wie verknöcherte Fäuste entgegenrecken, mustert hie die verstopften Papierkörbe, kappt dort ein verwelktes Lorbeerblatt, und verschwindet diensteifrig im Empfangspavillon. Oder ist er es doch nicht, und jeder in die Jahre gekommene Campingplatzbesitzer trägt den grauen Lockenkranz? Neugierig spaziere ich an den Rand des Abhangs, der zum Meer hinabführt. *Allée de la Plage, Chemin de Langouste, Corniche de la Ris* heißen die geschotterten Campingstraßen heutzutage, schneiden sich längs, kreuzen sich quer, folgen dem ausgezirkelten Lageplan. Ich schaue hinunter zum Südseestrand von einst: Er ist sauber gefegt, akkurat gerecht, kein gesplitterter Agavenstrunk liegt im Sand.

Ein Zelt ist kein Hotelzimmer, der blaue Himmel kein Ziegeldach. Eine Trainingshose ersetzt kein Beinkleid aus Gabardine, eine Gummisandale keinen Lederschuh. Wir liefen herum wie die Landstreicher, hausten wie die Pfadfinder, lebten von der Hand in den Mund. Wir hatten nicht gelernt, den feinen Pinkel hervorzukehren, und hinter unserer Kabriolimousine liefen dort unten in den mondänen Alleen keine kleinen Kinder mehr her. Wem waren wir eigentlich gefolgt in diesem Sommer 1953 beim Aufbruch in den Süden, der uns den Duft der großen weiten Welt in die Nase blies: irgendeiner zauberkräftigen Pansmusik oder dem aufputschenden Trommeln der Zigarettenindustrie? Wollten wir tatsächlich forsch auftreten, ein bißchen Staub aufwirbeln, ein bißchen Wellen machen, Geschmack am eleganten Leben finden? Wir stürzten uns kopfüber in die herzhaften Sommerlüste, schwammen im Meer, bräunten in der Sonne, fuhren ziellos mit dem Auto an der Küste entlang und ließen den lieben Gott einen guten Mann sein. Wir kurvten durch Croix-Valmer und Ramatuelle, kutschierten durch St. Tropez und Ste. Maxime, schauten nur mit halbem Auge nach den Häusern, mieden Kirchen und Kapellen, übergingen die bronzenen Standbilder auf den alten Stadtplätzchen mit Naserümpfen. Was kümmerte uns die Schloßruine von Grimaud, wenn die Tour de France durch Bormes rollte, Charly Scholz aus dem Reporterwagen von Radio Saarbrücken schaute, auf unseren Zuruf glänzende Augen bekam und zurückgrüßte: »Hallo, Landsleute!« Was scherte uns das gotische Triptychon in der Kirche von Cogolin oben am Berghang gegenüber den perlweißen Badestränden unten in der Bucht zwischen St. Tropez und Beauvallon! Die Neuigkeiten, die Überraschungen, die Verwirrungen des Alltags setzten uns in Feuer und Flamme, vor der unbekannten, imposanten Landschaft standen wir wie vom Blitz getroffen. Wir schauten gebannt aufs Meer, unsere Augen genossen den schillernden Wechsel seiner Farben vom lichten Türkis in der Nähe zum dunklen Ultramarin in der Ferne.

Sogar ein paar Jahre danach noch ließen wir Kirchen und Klöster und Museen trotz ihrer vielgepriesenen Schätze links liegen, stürzten uns lieber ins Wellenbrausen des Meers als in den Redestrom eines Reiseführers, lauschten lieber dem Zikadenschnarren als dem Tönen einer Orgel. Zweimal hintereinander verbrachten wir die Ferien in Ste. Maxime im Hotel *Mirador*, badeten tagsüber in der Bucht, ließen uns bräunen in der Sonne. Spätnachmittags, wenn die Gluthitze nachgelassen hatte, fuhren wir nach Ramatuelle ans Grab von Gérard Philipe, dessen Filme mit Martine Carol und Gina Lollobrigida uns von den wöchentlichen Kinobesuchen in Erinnerung waren, spielten Boule im Hotelgarten, tranken Gin-Fizz zum Aperitif, schlüpften in unsere schicksten Sommerkleider, kutschierten nach dem Abendessen nach St. Tropez und saßen bis spätnachts in der Tropicana-Bar. Dort tranken wir wieder Gin-Fizz, wechselten zum Pernod über und hörten Don Byas auf dem Tenorsaxophon. Er spielte vor unaufmerksamem Publikum, das immerfort am Quatschen war, blies *Stardust*, *Old Man River* und *Summertime* in seinem samtweichen Ton, ohne einen Blick in den verrauchten Raum zu werfen. In den Pausen unterhielten wir uns, tranken miteinander, ließen uns zusammen fotografieren. Er sprach nicht besser Französisch als ich, doch unsere Kenntnisse reichten aus, über seine Zeit bei Dizzy Gillespie zu reden. »Was lieferten wir uns Duelle«, erzählte er, »jeder blies in seinem eigenen Stil. Das klang, als würde ein Florettfechter mit einem Mann die Klingen kreuzen, der den Degen benutzt.« Dann nahm er sein Instrument wieder aus dem Ständer, spielte für uns *Don't blame me* und *Georgia on my Mind*, und in den weißen Augenbällen rollten die kohlrabenschwarzen Pupillen.

Damals fuhren wir mit dem Auto bis in die Stadt hinein,

parkten vor dem *Musée de l'Annonciade* oder an der Mole, spazierten durch die nächtlichen Gassen zur Tropicana-Bar, und vor der Rückkehr nach Ste. Maxime stiegen wir meist noch für ein paar Minuten zum Strand hinab und kühlten die heißen Hände im Wasser.

Jetzt, beim Wiederkommen, graust es uns. Was hat St. Tropez ein schäbiges Flair angenommen! Vom Parkplatz am Frachthafen, zwischen Lagerschuppen und Einkaufsbarakken, strömt die Menge an den Staffeleien der Kitschmaler vorbei zu den Anlegestellen der Yachten. Ein Tanklaster pumpt Öl in ein haushohes Motorboot, ein verdreckter Container steht quer zum Fußgängersteig. Von den alten Häuserfronten blättert die Farbe, vor den legendären Bars der fünfziger Jahre gammeln Markisen und Jalousielamellen in der scharfen Salzluft. Ein Serviermädchen, Typ Brigitte Bardot, X-Beine, Schmollmund, runde Brüste, mit quergestreiftem Ringelhemd und enger weißer Hose, balanciert mit Crèpes und Cidreflaschen durch die Holzschemelreihen. Ein graumelierter Herr in fleckigem Pullover führt eine Dogge spazieren. Das Tier zerrt an der Leine, bleibt an einem Poller stehen und spreizt die Hinterbeine. Es ist verstopft, trotz mühseliger Muskelverrenkungen verliert es nur ein paar erbsgroße, steinharte Kötel. Im Geknatter hochgesattelter Kawasakis verebbt das Geschrei spielender Kinder, verstummt das Gekreisch jagender Möwen. Die Berge der *Maures* sind hinter tief gestaffelten Metallkulissen in weite Ferne gerückt. Was uns früher anzog, stößt uns heute ab: Knalliges Gelb mischt sich mit schreiendem Rot der Reklameschilder, auf blankem Falschsilber des Blechs spiegelt sich das Geglitzer der Boote. Hinter Barrieren, Holzböcken und Palettenstößen steht Pierre André de Suffren, Landeshauptmann und Träger des Großkreuzes von Jerusalem, in Bronze gegossen vor dem Hotel *Sube*, Johnny Hallyday auf seiner Harley Davidson ziert ein farbenprächtiges Plakat.

Ste. Maxime auf der anderen Seite der Bucht hat noch etwas von seinem Charme bewahrt. Die Tauben auf den vorgekragten Dachbalken begrüßen uns liebenswürdig mit Flügelschlägen, Frédéric Mistral, der provenzalische Dichter im Bronzerelief, schaut freundlich auf die Blumenboskette wie eh und je.

Ich erinnere mich nicht an die Confiserie von Herrn Pierrugues im Zentrum der Uferpromenade, seine Schokoladencremetorte von heute zergeht uns auf der Zunge, als sei sie eigens für uns gebacken. Der Hotel *Mirador,* heute *Hotel de Ville,* erhebt sich majestätisch über breiter Treppe. Die Mimose unterhalb der Umfassungsmauer ist in den vier Jahrzehnten gewachsen: Sie steht hinter Zaun und Mauer an der letzten Spitzkehre der Straße, die von der *Côte des Maures* herab zur Küstenstraße führt.

Wie freundlich uns im Sommer 1953 die Landschaft entgegenkam! Sie stand nicht einfach da, sie spreizte sich mit Zypressenreihen, zierte sich mit Oleander- und Kakteengewinden wie die Bühne für ein bukolisches Theaterstück. Sie hob und senkte sich, drehte sich in den Kehren und kam uns, in verschiedenerlei Gestalt verwandelt, bis vor die Räder gerollt: Bestickte Paradeteppiche der Küstenhügel wallten über die Häuser hinweg und schütteten Blüten auf den Asphalt, klobige Steinriesen des *Estérel,* in goldbraune Panzer gehüllt, schritten über die Straße und setzten ihre Füße ins Meer. Ein ständiges Kommen und Gehen, ein Hin und Her, ein Auf und Ab lebendig gewordener Naturgebilde! Nur Faune und Silenen sahen wir keine. Kein Satyr tanzte hinter dem Porphyrfelsen des *Pic de l'Ours,* keine Nymphe badete im Quellwasser der *Siagne!* Dafür waren in Farbe gemalte und aus Pappe geschnittene Reklamefiguren zum Leben erweckt. Die drei Ripolinmänner mit Strohhut und Malerpinsel verließen ihre Hauswand in Miramar, und aus seiner Tankstelle von Théoule trat der aufgeblasene Gummimann von Michelin: Überlebensgroß postierten sie sich am Straßenrand, die Reifen rollend, die Pinsel geschultert, und wackelten in unserem Fahrtwind wie sich verbeugende Handelsvertreter mit steifem Kreuz. Wir griffen an unsere Mützenschirme und grüßten, Brigitte lachte und winkte den Pappmännern mit ihrem Kopftuch zu. Wir fuhren in der Sonne, und sie hörte nicht auf zu scheinen. Je trockener unsere

Kehlen wurden, desto gieriger schauten wir nach den schon von weitem sichtbaren Zauberwörtern SUZE CINZANO SAINT RAPHAEL, und zusätzliche Augenlust erregten die je nach Breite und Giebel auftauchenden Schriftzüge DU DUBON DUBONNET. Im kuriosen Letternspiel nahm schon das schmale DU in seinen markanten Großbuchstaben den vollständigen Namen voraus, ergötzte das Auge, wässerte den Mund. Wohlbehütet in kühlen Ledersesseln, uns fest verlassend auf die reibungslosen Abläufe des Wellen- und Räderspiels, rollten wir durch Cannes und Nizza.

Und doch, das Auto war nicht unverwüstlich. Schon in den *Callanques des Issambres,* wo Hermann in den engen Kehren ständig runter- und raufschalten mußte, drang aus dem Innern des Getriebes ein feines Sirren an mein Ohr. Zuerst knisterte es nur hin und wieder, zischelte und rieselte, schien mir aber nicht erwähnenswert. Es klang nicht immer bedrohlich, in guten Momenten tönte es sogar wie ein heiteres Charakterstück. Erst als das verhaltene Wispern überhandnahm und zu einem Glucksen und Gurgeln ausartete, faßte ich mir ein Herz und wies Hermann und Brigitte mit warnenden Worten darauf hin. Beide lachten mich aus, streckten ihre Köpfe aus dem Fenster, runzelten die Stirn, taten so, als lauschten sie zu meiner Beruhigung besonders aufmerksam. »Das ist der Fahrtwind oder der Wind vom Meer«, sagte Hermann, »vielleicht hörst du das Gras wachsen, oder jemand lobt im Augenblick dein Feingefühl, und es klingeln dir die Ohren.« Doch das Rappeln und Rasseln war nicht aus der Welt zu schaffen, und beim Hinauffahren nach Villefranche-sur-Mer krachte es in einer Kurve derart schrill und abscheulich, daß Hermann und Brigitte den Spektakel in meinem Ohr auf einmal nicht mehr für eine Einbildung meiner hypochondrischen Natur halten konnten. Am steilen Hang, im Garten einer Villa, bezogen wir einen Campingplatz. Unter einem Feigenbaum schlugen wir unser Zelt auf, stellten den Wagen in der Einfahrt ab und gingen in den darauffolgenden Tagen nur noch zu Fuß. »Das Getriebe muß sich von den Strapazen erholen«, meinte Hermann, »ihr werdet's erleben, in ein paar Tagen ist von dem Geräusch nix mehr zu hören.«

Wir erkundeten den Hang, an dem hinauf die Stadt Villefranche gebaut ist, Straße für Straße, Haus für Haus, spazierten an den Pinien- und Palmenterrassen entlang, stiegen zur *Moyenne Corniche* empor, schauten in adrett gepflegte Parks und fotografierten sie: Unterhalb eines schmiedeeisernen Geländers breitet sich ein verwilderter Garten mit behäbiger Villa aus; zwischen Geländerpfosten und dem Stamm einer Akazie erstrecken sich Ölbäume hangaufwärts bis zum Horizont; auf schlanken Säulen überspannt die Autostraße das Felstal eines Wildbachs, gibt einen Blick frei auf die Bucht und den Kiefernwald von Cap Ferrat. Obwohl wir dem Getriebe ein paar Tage Erholung gegönnt hatten: Das Geräusch war geblieben. Bei einer Ausfahrt nach Eze wurde das Rieseln zum Mahlen, bei einem Besuch von Nizza wuchs das Mahlen zum Stampfen an. War ein Ritzel zersprungen, eine Welle gesplittert, ein Zahnrad zerbrochen und taumelten im Schmieröl des Gehäuses? Wurden sie bei den Drehungen der Achse zu Stahlbrei zerstampft? Kronräder, Stirnräder, Kegelräder: Wir blätterten in der Betriebsanleitung, die Hermann im Handschuhfach mitgeführt hatte, doch wir fanden nur Bedienungs- und Wartungshinweise, darüber, wie wir die selbstzerstörerischen Kräfte bannen sollten, kein Wort. Im Exotischen Garten von Nizza bestaunten wir den Urtyp unserer Spezies, die das alles nach Jahrtausenden folgenschwerer Umwege und Irrwege hervorgebracht hat. Da stand er auf einer Mauerkrone, der Kopf irgendeines mittelmeerischen Neandertalers in Gips, vielleicht eines Cromagnon, eines Prokonsuls. Leider habe ich die genaue Kennzeichnung auf dem Metallschildchen nicht behalten. Hermann, aus einer überraschenden Laune heraus, setzte dem Urmenschen seine Mütze auf. Sie paßte – und ich fotografierte die beiden Hominiden nebeneinander auf der Mauer. Anderntags in aller Herrgottsfrühe schlugen wir das Zelt ab, packten unsere Sachen zusammen und traten die Rückreise an. Adieu denn, schöner krummer Feigenbaum von

Villefranche! Immer, wenn ich seitdem eine frische Feige esse, denke ich an ihn; immer, wenn unser Auto lauter brummt als gewöhnlich, kommt er mir in den Sinn! Irgendwo in Cannes, mitten im dichtesten Stadtverkehr, zerbarst das Gehäuse. Auf dem Weg zu einer Reparaturwerkstatt, nachdem das Mahlen und Stampfen die Ausmaße einer modernen kakophonischen Musik angenommen, holte Hermann mit einem letzten Fußdruck aufs Gaspedal zu einer schwelgerischen Kadenz aus, auf die ein Mechaniker, der beim Ausbruch des Lärms herbeieilte, den Schlußakkord setzte. Er stürzt aus der Werkstatt, springt in den Wagen, ergreift den Schaltknüppel, kuppelt und schaltet, das Auto macht einen Satz nach vorn – und mit ohrenzerreißender Detonation entlädt sich die Schlagzeugpartie in einem allerletzten Knall. Nur das Räderwerk der künstlichen Nachtigall im Märchen von Andersen hat sein Leben in einem so dramatischen Todeskampf ausgehaucht wie das Getriebe von Vaters Mercedes: »›Schwupp!‹ sagte es inwendig im Vogel, da sprang etwas! ›Schnurr!‹ Alle Räder liefen herum, und dann stand die Musik still.« Nach einer Schrecksekunde fiel das Wort *Differential,* dem ein paar andere hart klingende Wörter folgten: *brisé, cassé, éclaté.* Der kalte Schauer lief uns über den Rücken. O nein, meinte der Patron der Reparaturwerkstatt, es bestehe überhaupt kein Grund zur Sorge. Die zerbrochenen Teile seien leicht zu beschaffen, in zwei, drei Tagen habe er sie aus Nizza oder Toulon herbeigeholt, und der Schaden sei im Nu behoben. Wir räumten den Kofferraum aus, und mit Sack und Pack zogen wir auf den Campingplatz von La Napoule.

Sei mir gegrüßt, liebenswerter *Camp de la Pinède!* Hier, im schönsten Pinienhain des Südens, schlugen wir unser Zelt auf und lebten mit französischen und holländischen und schweizerischen Campern wie die Faune und Nymphen, sprangen im Wald umher, schwammen im Meer und kamen uns vor wie die unsterblichen Halbgötter. In diesem Hain hätten wir ausgeharrt, bis die Pinienzapfen gefallen wären! Und zu unserem Glück dauerte es nicht zwei, drei Tage, es dauerte zwei, drei

Wochen, bis das zersprungene Differential wieder repariert war. In Nizza und auch in Toulon waren die gesuchten Ersatzteile nicht am Lager, nur aus Paris konnten sie bezogen werden, doch es herrschte ein Eisenbahnerstreik, der erst nach einer Woche wieder abgeblasen wurde. So vergnügten wir uns an Ort und Stelle, bewegten uns vom Wald ins Meer, vom Meer zurück in den Wald. Endlich hatten wir, was wir suchten, tummelten uns den ganzen Tag am Strand, schwammen im Meer, bräunten in der Sonne – und kein mondänes Getue! Kein Chateaubriand konnte so schmackhaft sein wie Steaks und Pommes frites vom Budengrill, kein Mouton-Rothschild so süffig wie ein algerischer Mascara aus der Literflasche! Abends saßen wir um ein kleines Podium versammelt, sangen und tanzten, maßen uns im künstlerischen Wettstreit. Doch keine Volkslieder aus dem Zupfgeigenhansl und keine Volkstänze aus dem Heimatrepertoire standen auf dem Programm: Brigitte und ich wiegten und bogen uns im argentinischen Tango und errangen den zweiten Preis, mit Hermann sang ich zweistimmig *Wochenend und Sonnenschein* und betrat mit ihm das Siegertreppchen. Wofür die berühmten *Commedian Harmonists* ein ganzes Quartett gebraucht hatten, das schafften wir auf dem *Camp de la Pinède* im Duett. Ein junges Schweizer Paar, dessen Zelt neben dem unseren aufgeschlagen war, staunte Bauklötze, Herr Bergundtal, der Vater des Bräutigams, beglückwünschte uns in einem merkwürdig zerkauten Zürcherdeutsch, das Hermann, der ein Jahr zuvor dort gearbeitet hatte, von uns am besten verstand. Wir seien sauglatte Tänzer und Sänger, sagte Herr Bergundtal mit Krächzen im Rachen, sauglatt bedeute aber nicht nur mühelose Körperbeherrschung, sondern noch viel mehr: Gewandtheit in glänzender Vollendung. Dann sangen wir gemeinsam französische Trinklieder mit dem Refrain: »Oui, oui, oui, non, non, non«. Jeder mußte den Refrain mitsingen, ob Holländer, ob Schweizer, ob Deutscher; er ist nicht schwierig, aber auch nicht einfach: Dem deutschen Oui fehlt das Spitze, dem deutschen Non das Nasale. An diesen Mängeln krankt auch das Holländische, laboriert auch das Schweizerische, doch in unserem Zungenschlag gesungen hörte sich der französische Refrain damals schon ganz europäisch an.

Tagsüber in den Schwimmpausen und spätnachmittags vor dem Abendimbiß lag ich im Sand und schmökerte. Ein dickes Buch, rororo-Taschenbuchausgabe, das schwer in der Hand und noch schwerer hinter dem Schädel wog. Ich las Hans Falladas Roman *Wolf unter Wölfen*. In irgendeiner Pappschachtel gibt es ein Foto, darauf liege ich bäuchlings im Sand neben dem Zelt, das Buch in beiden Händen vor dem Gesicht, daß man den Titel lesen kann. Noch heute erinnere ich mich an die Geschichte vom verzweifelten Deutschen der Inflationszeit. Es ist die Geschichte des kleinen Mannes, der in allen Zeitläuften der Getäuschte, der Verratene, der Dumme ist – und der, wohin er sich wendet, an allen Ecken und Enden seinesgleichen antrifft: »Immer Bekannte. Oder Bekannte von Bekannten. Oder Verwandte. Oder Bekannte von Verwandten. Oder Kameraden vom Regiment. Oder Kameraden aus dem Krieg. Oder Baltikumer. Oder Muschkoten.« Eine Stelle, die ich mir vor vierzig Jahren mit Bleistift angestrichen habe, finde ich wieder und frage mich, was mich damals daran so brennend fasziniert hat: »Immer die Zähne zeigen, junger Mann, auch gegen 'ne olle Frau, spielt gar keine Rolle. Sie hat ihr Gutes gehabt – und ich soll mein Gutes nicht haben, bloß weil sie 'nen dußligen Krieg und 'ne Inflation machen? Daß ich nicht lache! Ich bin ich, und wenn ich nicht mehr bin, ist keiner mehr da! Und für die Tränen, die sie mir als braves Mädchen ins Grab weint (es sind aber bloß Drücketränen) und für den Blechkranz, den sie mir auf meine Madenkiste packt, kann ich mir ooch nischt koofen, und darum wollen wir heute lieber vergnügt sein!« Ich lag unter dem schmalen Sonnenschirm am Strand, unter dem breiten Pinienfächer neben dem Zelt, las vom Wolf unter Wölfen und glaubte mich in ein historisches Märchen versetzt, das von längst vergangenen Begebenheiten erzählt, die nicht das geringste mit unserem neuen Leben, unserem neuen Staat, unserer neuen Zukunft zu tun haben konnten. Ich fühlte mich nicht zugehörig diesem Raub- und Kroppzeug, das nur auf seinen Vorteil bedacht und seinen Artgenossen ein Wolf unter Wölfen ist. Vielleicht die anderen, dachte ich, ja, die anderen sind die Wölfe, räkelte mich im Sand und genoß das schöne Leben in der Sonne. Auf der Landstraße tummelten sich die Autos aus aller Herren Länder, verpuppt als eigenartige Objekte und Individuen: amerikanische Straßenkreuzer, französische Crèmeschnittchen, deutsche Käfer. Vielleicht, stellte ich mir vor, schlüpfen junge Wölfe aus den Puppen, wenn die Häute platzen und die Hüllen fallen.

Ende August kam Bescheid aus der Werkstatt: »Das Differential ist repariert, der Mercedes wieder fahrbereit und kann abgeholt werden.« Mit dem Bus fuhren wir hin, gingen schnurstracks an die Kasse und nahmen die Rechnung in Empfang. Die Höhe der Summe habe ich vergessen, doch erinnere ich mich an unser jähes Erschrecken. Nicht einmal unsere Armbanduhren und Brigittes Halskettchen mit dem vielgeliebten Aquamarin als Pfand samt aller zusammengekratzter Francstücke hätte ausgereicht, sie zu begleichen. Keine Bange, wir sollten die Rechnung getrost einstecken und von zu Hause aus die Summe per Banküberweisung herschicken, sagte der Patron, er habe sich die Autopapiere und die Nummernschilder genau angeschaut und schließe daraus, daß wir so gut wie keine Ausländer seien. Und auf unserem Führerschein, fügte er aufgeräumt hinzu, sei jeder Vordruck auch in französischer Sprache zu lesen, vom *moteur* über den *cachet* bis zur *signature*. Seine schlitzohrige Miene verriet uns: Er war alles haargenau durchgegangen, Zulassung, Führerscheine, Versicherungspapiere, vielleicht hatte er sich sogar die eingestanzte Motornummer aufnotiert. »Vous êtes Sarrois!« rief er aus und schnarrte die beiden r wie gut geölte Zahnräder, seine Nachbarin habe einen Sarrois geheiratet, das sei der freundlichste und vertrauenerweckendste Mensch von ganz Cannes. »Un homme de confiance«, sagte er wortwörtlich: Ich habe die Formulierung genau im Ohr und amüsiere mich noch heute über diesen Wolf im Schafspelz.

Als wir dann, schon auf dem Nachhauseweg, noch einmal am Camp de la Pinède vorüberfuhren, grüßten wir mit lautem Hallo und wilden Gebärden zu Herrn Bergundtal und seinem Sohn Heinrich mit Braut in den Pinienschatten hinüber. Bocksfüßiger, ziegenbärtiger Pan, so sanft hingeschmiegt zwischen den beiden Flüßchen haben wir deinen lieblichen Hain nie wiedergesehen! Vierzig Jahre danach, zum Golfplatz arriviert, liegt er, eingezwängt zwischen vierspuriger Fahrstraße, ausbetoniertem Flußbett und frisch geschotterter Bahntrasse, mit Hügelchen und Bodenwellen, Flachbahnen und Sandkuhlen, kurzgeschoren bis zum letzten Grün, hinter einem Maschendrahtzaun versperrt. An der Meerseite gegenüber protzen das Strandhotel und der Bootshafen, jenseits der Flußbrücke die Restaurants, Agenturen, Tankstellen und eine Reihe mehrstöckiger Hochhäuser mit Park- und Tennisplätzen dahinter. Haben wir damals das Schloß von La Napoule bemerkt? Haben wir jemals den Ort betreten? Wir fahren über die Brücke, an Strand und Pinienhain entlang, wir schauen, wir schweigen. Uns ist, als führen wir durch fremdes, unerforschtes Land.

Hinter Cannes biegen wir landeinwärts ab nach Vallauris. Ein Dörfchen mit schmaler, aufsteigender Straße ist uns in Erinnerung geblieben, am Ende, hoch oben links von der Kirche, ein Plätzchen mit dem Standbild eines Schafhirten. Hier arbeitete Picasso seinerzeit, zeichnete, malte, töpferte, modellierte die Hirtenplastik für das Plätzchen. Damals haben wir Ausschau nach ihm gehalten, wir haben ihn nirgendwo entdeckt. Heute ist die Straße vollgestopft mit Töpferwaren: Teller und Tassen, Vasen, Kännchen, Schüsseln, aber auch Hühner und Tauben, Stiere und Fische. Jedes Haus ist eine Galerie, jeder Keller ein Ausstellungsraum für Villen- und Brunnenanlagen aus Keramik. Obwohl es so aussieht, als hätte Picasso jeder Suppenterrine, jedem Eierbecher, jedem Sparschwein seinen Fingerabdruck hinterlassen: Die Töpfererde von Vallauris, der er ihre Körperlichkeit, ihre Schwere genommen und die er ins Stofflose der Kunst gewendet hat, ist unter den Fingern schlechter Keramiker wieder Material geworden: Eßgeschirr, Tafelzubehör, Gebrauchsgegenstand. In Picassos Bronzefigur *L'homme au mouton* auf dem Marktplätzchen neben der Kirche hat der alte Pan die Züge eines Menschen angenommen. Ein kahlköpfiger Hirt, den Blick nach innen gekehrt, mit breiten, schweren Händen, trägt das Lamm gegen seine Brust gepreßt: Tier und Mensch gehören untrennbar zusammen, drei Beine des Lamms und drei Finger des Hirten sind eng ineinandergeknotet.

Antibes, Herrenhaus Grimaldi, Picasso-Museum: Des Malers Fayencen sind Dinge fürs Auge, Dinge fürs Herz wie Musikstücke und Gedichte, für nichts anderes zu gebrauchen. Die Gesichter auf den Keramiktellern strahlen, als seien sie lebendig, und gehören doch zu keiner lebenden Person. Hart an einer brausenden Küste, im Pestgestank schleichender Autos, im Schweißdunst hastender Menschen, atmen sie reine Luft, die zwischen ihren eigenen Lippen herausweht, aus Mündern, die von Strichen und Linien gebildet sind. Lange verweilen wir vor einem Gemälde in Rot und Gelb und Blau, das *Die Lebenslust* heißt. Ein Zentaur flötet auf der Panspfeife, ein Satyr bläst auf der Schalmei. Und im ungebärdigen Tanz schlingt Aphrodite die Beine ineinander, schlagen geschwänzte und gehörnte Faune über die Stränge, springen wie Ziegenböcke und rufen laut: »Der alte Pan ist tot!« Ich stehe da, schaue und lausche, mir ist, als träfe eine wirkliche Musik mein Ohr. Es quäkt die Schalmei des Silen, es röchelt die Flöte des Pan in einer modernen Jam Session wie Saxophon und Klarinette. Und da die Faune in immer gleichem Takt auf dem Boden springen, mischt sich ein dumpfes Trommeln dazu.

Gesättigt von Farben und Klängen, treten wir auf die Terrasse des Herrenhauses, hoch über klobiger Bruchsteinmauer. Vor uns wölbt sich das Meer. Wir sind aber in einen anderen Süden zurückgekehrt. Hier, wo er mit unstofflichen Instrumenten über Menschenlärm und Autogetöse hinwegtönt, ist er eine schöne Idee.

XI

Drei Chinesen mit dem Kontrabaß

Jedes Spielzeug geht einmal kaputt. Mein Kaleidoskop hat zwanzig Jahre gehalten. Dann eines Tages, vielleicht glaubte ich, es nicht mehr zu brauchen und war unachtsam damit umgegangen, fiel es mir zu Boden und zerbrach. Die einzelnen Umstände des Malheurs habe ich vergessen. Schade, denn heute, fast vierzig Jahre danach, möchte ich gerne wissen, wie mir dieses Mißgeschick passieren konnte. Wenn es damals aus purer Nachlässigkeit geschah, muß ich jetzt sagen: Was für eine Dummheit, eine solche Annahme, man könne mir nichts, dir nichts auf ein Kaleidoskop verzichten, das eine ganze Kindheit und Jugend mit Bildern des schönsten Scheins begleitet hatte!

Wunderbare, zauberhafte Welt in einer einzigen Röhre! Ein Wunderwerk, ein Zauberding für mich und meinen Bruder! Unser Vater hatte das Kaleidoskop Anfang der dreißiger Jahre gebastelt. Es bestand aus einer rohhölzernen Sechskantröhre, in die am vorderen Ende das Einblickloch und am hinteren eine flache Glasdose mit einem Häufchen bunter Fenster- und Flaschenglassplitter eingelassen waren: ein Guckloch für Hünen, ein Glashaufen für Riesen! Vater war kein Feinmechaniker, er hatte mit dem Fuchsschwanz gesägt und nicht mit der Laubsäge, mit dem Handfäustel genagelt und nicht mit dem Leistenhämmerchen, die Winkelspiegel stammten von einem ausrangierten Waschtisch, waren mit dem Glasschneider zurechtgeschnitten und in die Röhre eingesetzt worden. Ich weiß nicht, ob Vater ein Gerät für die Ewigkeit hatte bauen wollen, so handfest war es entworfen, so dauerhaft zusammengefügt. Jedenfalls hoffte er, daß es lange halten möge, damit wir es über Jahre hinaus vor unsere Augen halten, drehen und schütteln könnten.

Und tatsächlich, bei jeder Bewegung der Röhre veränderte der Mosaikstern seine Gestalt und Farbenanordnung in unerschöpflicher Mannigfaltigkeit. Es war wunderbar, schöne Bilder zu schauen, wir konnten uns oft nicht satt sehen an diesem Wechselspiel der Formen und Farben. Was uns aber am meisten beeindruckte, war die stets neu entstehende Radialsymmetrie, die bei der geringsten Erschütterung wieder zerfiel, um einer anderen Platz zu machen. Ich erinnere mich an einen köstlichen Nachmittag am Wohnzimmerfenster, die Sonne stand schon tief und schien geradewegs ins Ausguckloch unseres Kaleidoskops: Ich hielt die Röhre unbewegt vors Auge, entdeckte ein Sternbild, wie es sich schöner nicht vorstellen läßt, und wollte meinem Bruder die Röhre reichen, solange das Bild noch nicht auseinandergebrochen war. Doch bei der ersten Handbewegung klickte es, die Splitter sprangen nach allen Seiten, und mein Bruder erblickte einen ganz neuen Stern. Er schaute lange, dann sagte er: »Schade, daß du ihn nicht sehen kannst, er ist noch schöner, als deiner war.«

Vater, der Anstreicher, der sich in der Welt der Farben auskannte, mit Binderbürste, Musterwalze, Lackpinsel umging und das Beschriften und Vergolden verstand, hatte es sicher gut gemeint, uns auch früh schon vertraut zu machen mit den Linsengesetzen, die alle Brechungen und Zerstreuungen des Lichts erklären: Doch weder Bildwerfer noch Filmkameras, weder Vergrößerungsgläser noch Mikroskope haben mich je interessiert. Nicht der Apparat ist es, es ist das Spielzeug, das mich beschäftigt. Meine optischen Abenteuer erschöpfen sich im Betrachten des Himmelsblaus und des Regenbogens, des Morgen- und Abendrots. Jedesmal, wenn die Glassplitter hinter den einwärts gewandten Spiegelflächen unseres Kaleidoskops sich zum Strahlenkranz ordneten, regte sich ein Gefühl in mir, das ich lange Zeit nicht erklären konnte, und ich fragte mich immer wieder: »Warum wird es mir so angenehm warm ums Herz, wenn ich etwas Wohlgegliedertes und Zusammenstimmendes betrachten kann? Wie schön wäre es, wenn es immer so bliebe!«

Nichts hält ewig. Um das zu begreifen, brauchte ich kein Kaleidoskop. Das wußte ich längst. Doch wenn in der Küche eine Tasse zu Bruch ging und die Scherben in alle Ecken sprangen, oder in der Werkstatt ein Faß mit Erdfarben umkippte und das Farbpulver über den Boden stäubte, waren im Handumdrehen Besen und Schippe am Werk, Scherben und Schutt zu beseitigen, so daß es im nächsten Augenblick aussah, als hätte es nie zuvor eine einzige Scherbe, ein Pfötchen voller Farbschutt gegeben. »Ordnung muß sein«, sagte mein Vater, »und wenn nicht gleich wieder jemand daran wackelt und rüttelt, dann kann die Ordnung gut und gerne eine Weile halten.« Den kleinen Jungen erfreuten die geordneten Lichtspiele des Kaleidoskops, er war enttäuscht, wenn die Harmonien wieder zerbrachen. Heute frage ich mich, ob nicht mehr dahintersteckt, nicht das kindliche Freud und Leid auf größere Zusammenhänge schließen läßt, und die Wörter *Welt* und *Leben* gehen mir durch den Kopf.

Welt und Leben! Bombastische Begriffe liegen mir auf der Zunge. Sind aber die Glasbilder im Kaleidoskop nicht unbrauchbare Sinnbilder dafür? Ist das schwankende Sternmosaik nicht ein ganz und gar ungeeignetes Kennzeichen für den Wechselgang der Geschichte, auch wenn sie bei jeder Wende stets dieselben Ereignisse unter anderen Konfigurationen hervorbringe, wie der Philosoph Schopenhauer meint? Stürzen tatsächlich ganze Geschichtsverläufe bei der geringsten Erschütterung in sich zusammen wie das Glasbild im Kaleidoskop? Ja, sind nicht die Wörter Welt und Leben und Geschichte viel zu große Wörter für diese schillernden Glassplitter, die außer sich selbst ja gar nichts bedeuten, nicht einmal, wenn sie sich in allerprächtigsten Bilderfolgen zusammenfügen! Unser Kaleidoskop war nur ein Spielzeug, die zauberkräftige Glas-

röhre nur ein verkürztes Fernrohr, in dem sich ein eingebildeter Sternenhimmel spiegelte, und mein Verlangen nach Wohl-
gestalt ein überanstrengter Wunsch, in geordnetem Gleichmaß
zu leben.

Beschwerter Wunsch, gekapptes Fernrohr! Just zu der Zeit,
als mir das Mißgeschick mit dem Kaleidoskop geschah, sprangen mir diese beiden Formulierungen in die Augen. Ich las sie
in der ersten Nummer einer gerade erschienenen Zeitschrift
augenblick, die ich von einem Freund geschenkt bekommen
hatte. Francis Ponge, ein französischer Schriftsteller, schrieb
darin über die Plastiken eines Bildhauers namens Giacometti.
Ich las den Aufsatz und war erschlagen. Es war eine zu harte
Nuß für mich. Doch so unverständlich mir die Ausführungen
waren, so kompliziert mir die Ausdeutung des Bildhauers und
seiner Bronzefiguren erschien, die kniffligen Sätze und die ver-
trackten Bilder in ihnen reizten mich auf, ich konnte nicht widerstehen und las den Text bis zum Ende. Es ging ums Modellieren, soviel wurde mir klar, ums Modellieren von Ton und
ums Modellieren von Sätzen. Am Ende angelangt, hatte sich in
meinem Kopf ein gigantischer Wörterknoten gebildet, der sich
nicht lösen ließ. Ein Wort gab das andere, ein Wort griff ins andere über, Wörter bildeten ein untrennbares Satzgeflecht wie
der von König Gordios geflochtene Knoten am Wagen des
Zeus. Ich bin aber kein Alexander, der ihn mit einem einzigen
Schwertstreich auseinanderhauen konnte, ich pusselte und
knoddelte herum, doch der Knoten ließ sich nur mühsam lösen. Ich quälte mich von Satz zu Satz, es war eine süße Qual, die
mehr und mehr nachließ, je leichter sich der Knoten löste. Tagelang trug ich das schwarze Heft mit mir herum, schlug es auf,
wenn ich Gelegenheit hatte, darin zu lesen, im Zugabteil, in der
Schulpause, in unserem Dachkämmerchen, zu jeder Tageszeit,
in jeder Stimmung. Manchmal studierte ich die Sätze kühl und
leidenschaftslos, öfters glühte mir der Kopf, und ich versuchte,
eine Verbindung zwischen der frisch gedruckten Zeitschrift
und dem zerbrochenen Kaleidoskop herzustellen. Ich wußte,
daß es eine Beziehung zwischen den neuen Erfahrungen und

den alten Spielen gab, ich konnte sie nur noch nicht herausfinden. Ich las, als sei ich von allen guten Geistern verlassen, die Zeitschrift bog sich, sie brach unter meinen Fingern fast auseinander und drohte, aus dem Faden zu gehen. Nie zuvor in meinem Leben habe ich ingrimmiger an Lösungen von Fragen herumgedoktert. Es kam mich hart an, aber ich ließ nicht locker.

Schließlich platzte der Knoten. Es war Max Bense, der Herausgeber der Zeitschrift *augenblick*, ein in Stuttgart lebender Philosoph und Wissenschaftstheoretiker, der ihn zum Platzen brachte. Ohne Umschweife und ganz persönlich wendet er sich in einer Gegenrede an den Dichter Francis Ponge und wirft ihm eine Mesalliance mit der Philosophie vor. Es gebe Schriftsteller, die Metaphysik betreiben möchten, aber Kunst hervorbrächten, schreibt Bense, und er fragt: »Haben nicht auch Sie, Francis Ponge, die Anstrengung des Begriffs durch ein Vergnügen am Begriff ersetzt? – Ich frage, ich entscheide nichts. – Die Chinesen haben auf eine unauffällige Art gleichermaßen Spiel und Arbeit in ihre Kunst hineingenommen. Letztlich gibt es nur eine Rechtfertigung dafür, daß man etwas macht: daß es gespielt werden kann. Tuschspiele, Bronzespiele, Sprachspiele. Annäherung von Kunstwerk und Spielzeug. Wesentlich sind alle Fälle, in denen sich das Dasein erleichtert, ohne an Ernst zu verlieren.«

Da auf einmal fiel es mir wie Schuppen von den Augen! Mit einer Lust, die mir heute noch Arme und Rücken in einer prickelnden Gänsehaut erschauern läßt, denke ich an jene Lesezeit im Winter 1955. Der Februar war schneidend kalt, aus der geöffneten Kaminluke strömte nur laue Luft in unser Dachkämmerchen, doch weder die zarten Eisblumen auf der Fensterscheibe, noch der nach Schneeschauern riechende Buchtitel auf der Rückseite des *augenblick* – Arno Schmidt: *Kosmas oder Vom Berge des Nordens* – brachte mich zum Frösteln. Ich las, und ich schrieb, und die Augen gingen mir vollends auf. Eine ganze Kindheit und Jugend lang hatte ich die Sprache, die ich hörte und die ich selbst sprach, als ein Mittel der Verständigung begriffen, hatte von Vater die Wörter *Ordnung* und *Pünktlichkeit* und von Mutter die Wörter *Fleiß* und *Sauberkeit* gehört, beachtete, beherzigte, befolgte, was sie meinten, und sprach sie brav und willig nach. Nun aber lernte ich das Sprachspiel kennen, und ich staunte Bauklötze. Hinter Vaters altehrwürdiger Arbeitswelt tauchte Max Benses neuartige Kunstwelt auf, dem Handwerkszeug hielt er das Spielzeug entgegen, und ich griff freudig danach. Beim Lesen in Benses Zeitschrift wurde es mir mitten im Winter immer wärmer, mir war zumute, als würde ich wieder in mein altes Kaleidoskop schauen. Ich sah Sterne auftauchen und wieder verschwinden, herbeigedrehte, herbeigeschüttelte, herbeigespielte Sterne aus immer neuen Gedankensplittern, die sich, tausendfach gebrochen, auf der Hinterseite meiner Augäpfel zusammenfügten. Sobald ich die Augen schloß, öffnete sich weit innen im Kopf ein perspektivisch zugespitztes Parkett, dessen spiegelblanke Nut- und Federriemen sich im Unendlichen trafen. Dieses Spielparkett war meine neue Welt. Es war spiegelglatt, bei jedem Fehltritt konnte ich auf die Nase fallen. Doch ich faßte mir ein Herz und betrat es wie ein waghalsiger Ballettänzer, der zum erstenmal auf die Bühne tritt: eine Bühne im geschlossenen Raum, eine Bühne im Kopf. Dieser Kopf, in ein Kaleidoskop verwandelt, schwirrte von Splittern, die in wechselnden Bildfolgen zusammenrannen. Gedankensplitter tanzten wie Glassplitter, kein Splitter kam hinzu, kein Splitter fiel heraus, es waren Tänze um des Tanzes willen, Spiele um des Spiels willen. Ich erzählte meinem Freund Eugen davon. Er lieh sich das Heft aus, und schon nach wenigen Tagen, auf unserem Samstagsspaziergang über den Philosophenweg, diskutierten wir Benses Theorien. »Vergnügen am Spiel: gut und schön!« sagte Eugen, zog den *augenblick* aus der Tasche, blätterte im Gehen darin und suchte eine Stelle, die ihn offenbar stärker berührt hatte als mich die Spieltheorie Benses, »hier gibt es einen Aufsatz, in dem geht es um mehr.« Er blieb stehen, ließ den Finger über die Seiten gleiten, hielt inne und las: »Ein wirklicher Dichter ist eben jener, der einem gesellschaftlichen Druck widersteht, welcher ihn zum konventionellen Lügner degradieren will.« Dann klappte er das Heft zu und meinte: »Du bist natürlich vor allem am Spielerischen der Kunst interessiert, aber lies mal die anderen Sachen, dann wirst du rasch feststellen, daß es Bense auch auf gesellschaftliche, auf politische, auf philosophische Gesichtspunkte ankommt. Lies mal Hildebrands Aufsatz über die Pfaffen, Widmaiers Gedicht über die Zerstörung, Arno Schmidts Satire über das westfälische Musterkönigreich!« Mir jedoch hatte es Benses Metaphysik des Schönen angetan, ich schwärmte von seinen eleganten und überraschend zugespitzten Formulierungen über Ponge und verfiel selbst in einen Wörterrausch, der mich zu anspruchsvollen, doch eigenartig selbstgefälligen Gedichten inspirierte.

Im Sommer schrieb ich an Bense und bekam eine Antwort. Ich war so erregt, daß ich nicht widerstehen konnte, bat Eugen um Beistand und Begleitung, und wir fuhren nach Stuttgart. In der Pischekstraße, wo Bense damals wohnte, standen wir eine halbe Stunde vor dem Haus und schauten nach einem Fenster im ersten Stock, hinter dem an der Wand ein modernes Gemälde hing. Ich atmete hektisch, fuhr mir alle paar Minuten mit dem Taschentuch über Handflächen und Schläfen; erst als ich wieder regelmäßig atmen und schlucken konnte, klingelte ich an der Tür. Ein Mann kam die Treppe herunter, öffnete und streckte uns freundlich die Hand entgegen. Er hatte eine entfernte Ähnlichkeit mit Charlie Chaplin, trug eine englische Tweedhose und einen beigefarbenen Pullover, an dem die obersten Knöpfe offenstanden. »Heißenbüttel hat einen Aufsatz über die Großmutter der amerikanischen Literatur geschrieben«, rief er, »eine Dichterin mit Namen Gertrude Stein.« Wir waren noch auf der Treppe, Bense ging voraus, drehte sich auf jeder zweiten Stufe um und rief: »Diese Gertrude Stein müssen Sie unbedingt lesen, die Bücher sind zwar schwer zu finden, doch wir wollen uns darum kümmern, daß diese Poesie bei uns bekannt wird.« Bense packte mich am Arm und zog mich in sein Arbeitszimmer. Schon dieses erste Mal und all die vielen Male in den darauffolgenden Jahren ist Max Bense geradewegs zur Sache gekommen. Ich habe ihn nie zaudern, nie schwanken, nie untätig herumstehen gesehen, für Fisimatenten und Sperenzchen hatte er keine Geduld, keine Zeit.

»Hemingway ist es gewesen, der Gertrude Stein die Großmutter der amerikanischen Literatur genannt hat«, sagte Bense, als wir in bequemen Polstersesseln Platz genommen hatten, aber es sei Hemingways Glück, daß er es nicht abschätzig gemeint habe, denn er selbst sei ja mehr oder weniger nur ein Geschichten erzählender Unterhaltungsschriftsteller. »Außer einem Dutzend Zeilen in dem Roman *Wem die Stunde schlägt,* wo der Amerikaner zum letztenmal bei dem Mädchen im Schlafsack liegt und beide spüren, daß ihnen die Zeit zwischen den Fingern zerrinnt«, rief Bense aus und blinzelte mit seinen schmalen Augen, richtete sich auf und rückte auf die vorderste Sesselkante. »Es geht um das Jetzt«, sagte Bense, »doch in der Art und Weise, wie Hemingway das Jetzt in seiner Romansprache vergegenwärtigt hat, gewinnt es bei weitem nicht die poetische Plausibilität, wie sie Gertrude Stein in ihren Sprachspielen erreicht; doch ich werde es Hemingway demnächst in einem eigenen Text über das Jetzt einmal vorführen.« Donnerwetter, dachte ich und schaute ihn ergeben an, dieser Mensch will es sogar mit Hemingway aufnehmen!

Wir saßen uns gegenüber an einem langen, schmalen Tisch, auf dem sich Bücher und Zeitschriften übereinandertürmten. Seitlich an der Wand hing das Bild, das wir von der Straße her gesehen hatten, es war ein nichtfigürliches Gemälde von Willi Baumeister mit Anklängen an Organisches. Ich erinnere mich an ein wüstes Bild, auf dem der Maler mit krakeliger Schrift herumgeschmiert hat, so als wollte er die Säcke und Schläuche der gemalten Därme selbst erklären. Bense stopfte sich eine Pfeife, entzündete den Tabak und blies den Rauch in kurzen, heftigen Stößen über die Bücher von Koeppen, Arno Schmidt und Gertrude Stein, die vor ihm auf dem Tisch zu einem Turm aufgeschichtet waren. Das Bild an der Wand zog meine Blicke magnetisch an. Sobald ich die Augen abwenden wollte, zündeten die kritzligen Schriftzeichen Blitze in meinem Hirn, wie gebannt schaute ich zu ihnen hin, und es verlangte mich danach, die unleserliche Schrift zu entziffern. Ich hatte solcherlei Bilder zuvor schon in Kunstzeitschriften, im Museum von Saarbrücken und in Schaufenstern an der französischen Riviera gesehen; nun zum erstenmal sah ich eins an einer Wohnzimmerwand hängen. Ich überlegte, ob Bense diese Hieroglyphen wohl aufschlüsseln könnte, um etwas Greifbares und Handfestes dahinter zu entdecken, doch ich traute mich nicht, es ihn zu fragen.

Bense hielt es nicht länger auf der Sesselkante aus. Plötzlich schnellte er in die Höhe, stand vor mir und breitete die Arme aus. »Vom einen Ende, dort wo die Sprache mit Laut- und Wortbildungen beginnt, bis zum anderen, wo sie mit Bezeichnungen und Benennungen aufhört, Kommunikationsmittel zu sein, reicht das Repertoire des konkreten Poeten«, sagte er, markierte mit einem Ruck zuerst der einen, dann der anderen Hand Anfang und Ende seiner Positionen, und rief: »Jede historische Analyse muß auf einwandfreie ästhetische und ontologische Begriffe und Sachverhalte rückbezogen werden können.« Bense ging hin und her, prononcierte mit den Lippen, dirigierte mit den Händen, verwandelte sich vor meinen Augen in einen leidenschaftlichen Vorsänger, und ich saß mit offenem Mund vor ihm auf dem Sessel, das Haar gesträubt, die Ohren gespitzt, ließ ihn weite Wege durch das Arbeitszimmer machen und lauschte den Worten aus seinem Mund. »Wir haben Hemingway und Gertrude Stein erwähnt, doch schauen Sie sich doch einmal die Einschätzung beider Schriftsteller durch unsere Literaturwissenschaftler an: Hemingway halten sie für bedeutend, wie wenig gilt ihnen aber Gertrude Stein. Es ist an der Zeit, die spätbürgerliche, konventionalistische und kunsthändlerische Pseudoästhetik der Qualität endlich zu überwinden!« entschied er apodiktisch, ereiferte sich und rief mit emphatischer Stimme: »Wenn's hoch kommt, ist diese Ästhetik der Qualität an den simplen Wertmetaphysiken des 19. Jahrhunderts orientiert. Wir müssen die Fundamente tiefer legen. Qualitätsfreie Ästhetik bemüht sich nicht um die Scheinfrage, ob ein Kunstwerk Qualität hat oder nicht, sie bemüht sich allein darum zu zeigen, daß ein Gegenstand ein Kunstwerk ist. Die Seinsfrage ist immer das Primäre. Die Qualitätenfrage ist das Sekundäre. Auch hier geht die Existenz der Essenz voran.«

Wie Hagelkörner im Gewitter brachen nun Benses Fremdwörter über uns herein. Es blitzten die ästhetischen, es donnerten die ontologischen, Bense war in seinem Element. Er verstieg sich in bizarre Begriffe, sprach von Intensionalität und von Extensionalität, von Kommunikationsgraphen, Kommunikationsketten, Kommunikationsschemata. Wenn ich mir bis zu diesem Augenblick eingebildet hatte zu wissen, was ein Repertoire ist, erfuhr ich nun mein semiotisches Damaskus und lernte, daß es nicht nur ein subjektives Repertoire, sondern sowohl eine objektive Repertoireimmanenz als auch eine objektive Repertoiretranszendenz und darüber hinaus ein ganzes Repertoiresystem gibt. Und die Demonstration ging weiter mit Ausdrücken und Wendungen, die so extravagant waren, daß mir die Ohren klingelten. Einfache Satzverhalte kleidete er in skurrile Wörter, schwierige Darlegungen hüllte er in üppige Sätze: Seine Sprachleiber tanzten auf glattem Parkett, seine Redefiguren balancierten über das hohe Seil, mir wurde ganz schwindlig im Kopf. Bense hielt inne und verschnaufte sich. Er schwieg. So wie der Wortschwall verebbt war in seinem Kopf, war auch der Tabak in seiner Pfeife heruntergebrannt. Aus dem Mund quoll ein letzter Rauch, es kam mir vor, als verschwömmen die blauen Spiralen mit Baumeisters Hieroglyphen zu vieldeutigen Zeichen.

Unter der betörenden Ausstrahlung dieser Zeichen begann ich zu ächzen. Doch ich hielt mich zurück und ächzte nur leise in mich hinein. Trotz meiner Beherrschtheit bemerkte Bense meine Not. Er kehrte an den Tisch zurück und klopfte seine ausgebrannte Pfeife mit einer solchen Wucht in einen Aschenbecher aus, daß ich fürchtete, das Glas, das über der Tischplatte lag, könnte unter den heftigen Schlägen zersplittern. Unentwegt attackierte er die Tischplatte, die Schläge fielen im Stakkato seines Sprechens. Aber das Glas hielt. Endlich steckte er die Pfeife in die Hosentasche, rieb sich die Hände aneinander und sagte: »Im Grunde ist alles ganz einfach, selbst das Allereinfachste brauchen Sie gar nicht zu wissen. Sie als schreibender Mensch halten sich an die Methoden, die aus der Theorie hervorgehen, Ihr Pfund, mit dem Sie wuchern können, ist Ihr Sinn für die Sprache. Mehr ist nicht nötig.« Er beugte sich über den Tisch, kramte in den Büchern und Zeitschriften und zog eine schmale geheftete Broschüre hervor. »Sprache bedeutet vor allem sich selbst«, sagte er, »wie jedes Ding sich zuerst einmal selbst bedeutet.« Und mit graziösen Handbewegungen schlug er das Büchlein auf, blätterte hin und her, fand gleich, was er suchte, hob den Kopf und rezitierte auswendig, indem er zwei nun aufeinanderfolgende Aussagesätze mit kleinen Zwischenpausen wie eine mathematische Gleichung skandierte: »Eine Rose ist eine Rose ist eine Rose ist eine Rose.« Er schaute mich an, kniff die Augen zusammen und legte den Finger an die Nase. »Das *ist* in der Mitte dieses Satzes ist der casus cnaccus, darauf kommt es an«, sagte er und schloß für einen Moment die Augen. Dann senkte er den Kopf, faßte den Text ins Auge und las weiter, indem er mit der freien linken Hand einen gravitätischen Halbbogen beschrieb: »Und als ich das dann später zu einem Ring gemacht hatte machte ich Poesie und was tat ich ich liebkoste, liebkoste ganz und gar.«

Ich dachte an mein Kaleidoskop: eine geschlossene Röhre, in der Glassplitter zu immer neuen Mustern zusammentraten. Ich hörte diesen rätselhaften Vers: ein geschlossener Satz, in dem Wortsplitter eine schöne Gleichsetzung zustande bringen. Unendlicher Wandel! Einmaliges Setzen! Spiele im geschlossenen Raum! Inzwischen war Benses Heftigkeit einer sanften, fast zärtlichen Stimmung gewichen. Eindringlich hatte er mir Gertrude Steins berühmtesten Vers deklamiert, diesen ominösen Satz, der noch in späteren Jahren zu folgenschweren Verwirrungen und Irrtümern führen sollte, zuerst unter den Fachleuten, die ihn falsch zitierten, dann unter den

Liebhabern, die ihn unvollständig zitierten, bis schließlich Politiker und Feuilletonisten, immer noch falsch und unvollständig zitierend, ihn als Waffe gegen alles Spielerische gebrauchten. Wie eine halb geheime Parole ging er von Mund zu Mund, doch wie oft ist er oberflächlich dahergesagt und ohne Sinn und Verstand ausgelegt worden, so als ginge es in ihm reihweis weiter und immer voran wie bei der Polonaise, die sich in einem endlosen Rosenspalier verläuft. »Ein Roter ist ein Roter ist ein Roter«, höhnt ein Parteigänger der Schwarzen und kommt sich besonders wichtig und überlegen vor. »A trumpet is a trumpet is a trumpet«, überschreibt ein Jazzkritiker seinen Artikel über Chet Baker und protzt mit falscher Gelehrsamkeit. O nein: »Eine Rose ist eine Rose ist eine Rose ist eine Rose«: Diese Gleichsetzung einer Rose mit sich selbst und obendrein eines Satzes mit sich selbst, dieser zarte Anhauch einer zauberischen Tautologie läßt die Polonaise zum Reigen werden, der sich im Kreise schließt.

Max Bense klappte das Büchlein zu. Ein listiges Lächeln kräuselte seine Lippen, ich spürte, daß er es nicht beim Tänzchen auf der umzäunten Spielwiese bleiben lassen wollte: Bense war kein Parteigänger des L'art pour l'art.

Bevor er sich an jenem Abend eine neue Pfeife ansteckte, rezitierte er den Vers noch zweimal, und sooft ich ihn später wiedersah, kam ihm dieser Satz über die Lippen, so als hätten wir beide ein Kennwort untereinander verabredet, damit wir uns im Dunkeln nicht verfehlen sollten. Wieder roch es nach Tabakrauch, wieder verwandelte sich das Zimmer in einen umbauten Raum mit undurchdringlichen Wänden voller hieroglyphischer Gleichungen. Frau Bense trat durch die Tür, eine dunkle Frau, die mir als eine mongolische Erscheinung im Gedächtnis geblieben ist. Sie brachte Kaffee und Gebäck, lächelte und schwieg. Benses Sohn ließ sich für ein paar Minuten blicken, immer neue schöne Töchter durchquerten den Raum, zupften an den Sofakissen, rückten an den Blumenvasen, beugten sich über die Schultern des Vaters und strichen ihm zärtlich durchs Haar. Es waren mindestens drei. Die älteste hieß Mo-

nika, sie sah besonders mongolisch aus, ihr Haar war schwarz-
blau, ihr Mund voll, ja üppig, sie zog einen berauschenden
Parfümduft hinter sich her. Elisabeth, die zweite, war schlank
und blond, sie machte sich erst an den Büchern zu schaffen,
rückte dann das Wandgemälde ins Lot und blitzte mich unentwegt mit leuchtenden Augen an. Greta, die jüngste, hüpfte ungebärdig über das blanke Parkett, Bense nannte sie Kasimir,
doch es war nicht zu übersehen, daß sie ein Mädchen und nicht
mit Georg, dem Bruder, zu verwechseln war. Die Mädchen bewegten sich leicht und geschmeidig im Raum, sie trippelten,
tänzelten, stolzierten auf den Zehenspitzen und huschten wie
erfundene Romanfiguren an den Gemälden vorüber. Auf ihren Blusen wiederholten sich die ineinandergeschlungenen
Hieroglyphenmuster der Bilder, es hätte mich nicht gewun-
dert, wenn Benses Töchter in atemberaubender Choreogra-
phie zum Reigen angetreten wären.

Bevor wir uns verabschiedeten, faßte Bense mich am Arm,
hob die Augenbrauen und spitzte die Lippen wie ein pfiffiger
Faun. Ich schaute ihn mit verhaltenem Atem an, denn zum
vierten-, vielleicht zum fünftenmal erwartete ich unser Lo-
sungswort, diesmal als Wahlspruch für den Nachhauseweg.
Doch Bense überraschte mich, er gab seiner verschmitzten
Miene eine leichte Wendung ins Verschlagene, knurrte wie ein
Fuchs und sagte: »Es gibt auch andere Lesarten für Gertrude
Steins Satz von der Rose, ich kenne eine, die ich kürzlich auf
einem Schulhof gehört habe: Sie gefällt mir deshalb so gut, weil
sie mit zarter Ironie die öffentliche Ordnung untergräbt. Ein
bemerkenswertes Kinderlied, das Gertrude Stein alle Ehre
macht. Sie kennen es sicher.« Und Bense rezitierte scharfzün-
gig, mit spöttischem Singsang in der Stimme:

»Drei Chinesen mit dem Kontrabaß
saßen auf der Straße und erzählten sich was.
Kam die Polizei: Ja, was ist denn das?
Drei Chinesen mit dem Kontrabaß.«

Davon sprachen wir noch oft. Solange ich mich zurückerinnern kann, gab es keine einzige Begegnung mit Max Bense ohne ein Gespräch über diese drei Chinesen, manchmal nur einen kleinen Hinweis, eine versteckte Andeutung, einen vertrauten Fingerzeig. Einmal sagte Bense: »Ob Gertrude oder die drei Chinesen oder wir beide: Gelobt sei das Ringelgedicht!« Dann lachten wir, und die Umstehenden wußten nicht, ob sie mitlachen oder uns nachsichtig belächeln sollten. Zehn Jahre später kamen wir immer noch auf die Chinesen zu sprechen. Es war bei einer Ausstellungseröffnung für Harry Kramers *Käfige*. Wir standen beieinander und betrachteten die sonderbaren Drahtgeflechte, in denen sich Räder drehten, die über Transmissionsriemen und zierliche Ketten ihre Bewegung auf Achsen mit Rollen und Scheiben übertrugen. Mich erinnerten sie an Türme und Fahrzeuge aus dem Märklinbaukasten, die ich als kleiner Junge mit dem Schraubenzieher konstruiert hatte, nur waren sie keine rechteckigen Stab- und Plattengerüste, sondern mit der Hand gebastelte organische Formen. Ich sah in diesen Käfigen filigran geflochtene Roboter mit abgehackten Köpfen und Beinen, in deren Innerem zahlreiche Rädchen, mal hoch-, mal quergestellt, die Funktion mechanisierter Organe übernahmen. Mir schien dabei, als müsse das Herz eines Roboters sich immerzu schnurrend um sich selbst drehen und seine Kraft an ausgeleierte Därme und Nierchen übergeben. »Nein, nein«, sagte Max Bense, er deutete diese Käfige als erfundene Maschinen, denen man zwar Energien zum Antrieb aus dem elektrischen Netz oder einer Batterie einflößen könne, die aber nichts mehr hergäben, »jedenfalls keine technische Leistung«, sagte er und ahmte mit rollenden Augen die folgenlosen Drehbewegungen nach.

»Mit diesen Käfigen verhält es sich wie mit unseren drei Chinesen«, stellte Max Bense apodiktisch fest und begann, aus dieser Behauptung eine kleine Philosophie zu entwickeln: »Die Chinesen sitzen mit ihrem Kontrabaß auf der Straße und erzählen sich unergründliche Geschichten. Wer sich dazugesellt und lauschen will, versteht kein einziges Wort. Die Chinesen behalten ihre Weisheit für sich. Und die Käfige?« Bense führte mich vor ein Gebilde mit zwei Hälsen und drei Beinen, knipste einen Schalter an, damit die Räder wieder zu schnurren und die Riemen wieder zu flattern begannen, und sagte: »Auch diese Käfige rücken nichts mehr von dem heraus, was ihnen an Energie eingegeben worden ist. Und mehr noch: Jede Maschine, in die man nur eingeben kann, die gleichsam alles bei sich behält, nichts herausläßt, korrumpiert die Arbeitswelt, bedeutet wie jeder Leerlauf einen Gegenzug zur Industrie, treibt die Kategorie des Nutzens in den Schatten zurück, vernichtet die Gewinne, die Mehrwerte, die Ausbeutung, das Unrecht der Gesellschaft.« Daraufhin knipste er den Schalter wieder aus. Die Räder standen still, die Riemen hingen schlaff im Hohlraum des Käfigs. Bense fuhr fort: »Wenn sie sich drehen, dann drehen sich die Rädchen dieser Maschine dennoch nicht für die Katz. Mit ihrem zärtlichen Zug zur Anarchie lösen sie den Ekel dieser Welt auf, und aus ihrem feinen Schnurren klingt dasselbe Lied wie aus dem Saitenschnurren des Kontrabasses unserer drei Chinesen: Es ist das Lied der Kunst, der Gegengesang zu Hammerschlag und Schwertergeklirr.«

Zum erstenmal in meinem Leben begriff ich die Macht des Spiels. Argumenten nimmt es den Wind aus den Segeln, Analysen zieht es den Boden unter den Füßen weg. Gertrude Steins Satz von der Rose hat keine Begründung nötig, Harry Kramers Käfige bedürfen keiner Erklärung. Das Lied von den drei Chinesen kommt ohne Vorder- und Nachsätze der Logik aus, auch ein Kaleidoskop will nicht recht behalten. Das Spiel braucht keinen Beweis. Als ich in den letzten Wochen darüber nachdachte, wie wetterwendisch und launenhaft, ja wie umstürzlerisch das Spiel ist, und in meinem Gedächtnis nach Beispielen aus jener Zeit mit Bense suchte, fiel mir außer dem wenigen, das ich erzählt habe, nichts Gescheites ein, und prompt habe ich nächtelang wieder schlecht geschlafen. Es ist ja auch kein Wunder: Wenn man sich wochenlang mit Erinnerungen herumschlägt, die oft dunkel und unscharf bleiben, so daß sie in ihrer Verschwommenheit nichts Greifbares hergeben und man gezwungen ist, der Wahrheit auf die Sprünge zu helfen, schreckt man alle paar Minuten aus dem Schlaf auf und hofft, sich wenigstens in den verworrenen Bildern des letzten Traums zurechtzufinden. Bei jedem Erwachen tanzten mir Buchstaben vor den Augen herum, rissen auseinander und fügten sich wieder neu zusammen. Aus Wortfetzen wurden Überschriften, aus Halbsätzen bildeten sich Schlagzeilen. Sobald ich die Augen wieder schloß, flatterten bedruckte Girlanden vor meinen Pupillen, und mir war, als sei die Innenseite der Augendeckel mit diesen Schlagzeilen beschriftet. Es waren tatsächlich Schlagzeilen, wie ich es erst beim Schreiben erkannt habe. Tagsüber war ich stundenlang mit der Lektüre alter Zeitungen und Chroniken beschäftigt, päppelte mein Gedächtnis allmählich mit Daten und Fakten auf und konnte nicht verhindern, daß mich Wortstellungen und Formulierungen bis in den Schlaf verfolgten.

Schließlich war mir das Jahr 1955 wieder gegenwärtig. In seinen Schlagzeilen sah ich es an meinen Augen vorüberziehen, und wo ich auch hinschaute, in Tageszeitungen und Nachrichtenmagazine, auf Bildunterschriften und Statistiken, entdeckte ich das immer gleiche: Es ist nicht zu leugnen, daß die Ereignisse dieses Jahres der Diagnose Max Benses willig gefolgt sind, so als hätte er die Geschichte gemacht. In seinem programmatischen Vorspann zum ersten *augenblick* kennzeichnet er das bundesrepublikanische Erscheinungsbild »das neue deutsche Nivellement«, was die Schlagzeilen auf verblüffende Weise bestätigen: In Bonn stimmt der Bundestag für den Beitritt zum Nordatlantikpakt. Bundesverteidigungsminister Blank überreicht den ersten Offizieren der Bundeswehr ihre Ernennungsurkunden. Auf der Mainau warnen achtzehn Wissenschaftler vor Kernwaffen und Atommüll. In Genf blicken Atomforscher mit Optimismus in die Zukunft. In Köln endet die deutsche Hausrats- und Eisenwarenmesse mit wachsenden Profiten. Die Hausbars werden mit Leder, die Damensessel mit Seidensatin und die Einbauküchen mit Resopal bezogen. In Dingolfing rollt das erste Goggomobil vom Band. In

Donaueschingen wenden sich die Traditionalisten gegen elektronische Klangversuche. Das Berliner Philharmonische Orchester wählt Herbert von Karajan zum Chefdirigenten. In Moskau empfängt Bertolt Brecht den Stalinpreis. *Sissi* erobert die Herzen der Deutschen. Das Wirtschaftswunder schlägt sich im Weihnachtsgeschäft nieder. Zu Weihnachten überfüllte Kirchen in Deutschland. Caterina Valente singt: *Ganz Paris träumt von der Liebe.* Dort treten die Kessler-Zwillinge zum erstenmal im *Lido* auf. Der Produktionsanstieg wird sich fortsetzen. Allerdings warnen Wirtschaftsfachleute vor einer Überhitzung der Konjunktur.

Bense hatte geschrieben: »Dieses Nivellement äußert sich in der politischen Stimmung, die keine Gesinnung ist; in den ökonomischen Wundern, die weder Erstaunen noch Mißfallen erregen; in den sozialen Flirts, die nicht auf Folgen bedacht sind; in den artistischen Regressionen der Literatur, Kunst und Philosophie, die sich auf Traditionen, statt auf Experimente beziehen; in der metaphysischen Gemütlichkeit, die den Autoritäten zugesteht, was sie der eigenen Existenz nicht zu überlassen wagt.«

Es ist das Wort *Experiment,* das mich entflammte. Das Wort bestrickte, betörte, verhexte mich. Am Ende war ich so verrückt davon, daß ich ganze Nächte lang an meinem Tischchen saß und mich im Experimentieren übte. Als unternähme ich physikalische oder chemische Versuche, arbeitete ich, isolierte sorgfältig und planmäßig Einzelelemente aus ihren Zusammenhängen, variierte und kombinierte sie, betrachtete die neu gewonnenen Verbindungen mit Aufmerksamkeit und imponierte mir mit Ergebnissen, die ich für außergewöhnlich, ja sensationell hielt. Ich experimentierte natürlich nicht mit Drosselklappen oder schiefen Ebenen, nicht mit Kupferacetat oder Leuchtpetroleum: Meine Elemente waren Buchstaben, Wörter und Sätze, meine Hand- und Kunstgriffe mit ihnen sahen allerdings den Manipulationen mit physikalischen oder chemischen Elementen aufs Verwechseln ähnlich, und die neu entstandenen Erscheinungsformen glichen den naturwissenschaftlichen wie ein Ei dem anderen. Mir war, als schaute ich in ein Kaleidoskop, mit Silben statt mit Buntglas bestückt. Bei dieser Arbeit saß ich nicht übers Papier gebeugt wie ein altmodischer Dichter im Samtwams, der am Federhalter kaut und schwärmerisch die Augenbälle rollt: Kühl und besonnen tüftelte ich mit meinen Wörtern herum wie der Wissenschaftler im Laboratorium, hier ein Bröckchen kalter Silben, dort ein Quentchen warmer Silben, Schere und Klebstoff und später die datenverarbeitende ZUSE 3 der Stuttgarter Universität waren mein Handwerkszeug.

Schon für den zweiten Jahrgang des *augenblick* brütete ich ein poetisches Musterstück aus, ich konstruierte eine Wortfuge. Zu meinem Thema wählte ich nicht Gertrude Steins Rosenrot, sondern das Blau, meine Lieblingsfarbe. Ich schrieb das Wort auf ein Blatt Papier, legte aus Vaters Farbkatalog eine ganze Palette verschiedener Blaus vor mir auf den Tisch, verglich sie, sortierte sie, ordnete sie nach zwei Seiten neben dem Wort *blau* an: Auf der einen Seite die Palette mit den kalten, auf der anderen die mit den warmen Blautönen. In Gedanken schweifte ich ab zu den Farben Gauguins, des Malers, der zweierlei Blaus benutzt, das eine, um den Himmel über der Bretagne, das andere, um den Himmel über Tahiti zu malen. Für Gauguin war die Helligkeit zugleich auch das Dunkel, die Wärme der Frost, das Späte die Vorzeit. In seinem Buch *Vorher und Nachher* las ich, was er vom Künstler schreibt: »Der Kritiker sagt ihm: da ist Norden und ein anderer sagt ihm: Norden ist Süden und bläst auf einen Künstler wie auf eine Wetterfahne.« Ist ein Künstler wetterwendisch? Dreht er sich nach der anderen Seite, wenn ihm von dort ein lieblicherer Duft in die Nase weht? Kehrt er um, wenn er von anderswoher verlockende Sphärenmusik hört? Oder ist nicht die Welt selbst ein lückenlos Zusammenhängendes, in dem es unaufhörlich braust und dröhnt vom Drehen und Wenden, vom Kommen und Gehen, und ist der Künstler nicht vielmehr wetterfühlig als wetterwendisch, der im Harten das Weiche, im Eis die Sonnenglut spürt? Auf das Blatt Papier schrieb ich neben die

Farbplättchen mit den kalten Blautönen die Wörter: Eismeer, Polarhimmel, Reykjavik, Eis und Schnee. Auf das Blatt mit den warmen Farben schrieb ich: Südsee, Äquatorhimmel, Atuana, Atoll und Kokosmilch. Ich ordnete Themen und Gegenthemen fugenartig einander zu, fand heraus, daß sie untereinander frei austauschbar sind, dem Thema antwortet beim Einsatz einer Stimme seine Umkehrung, oben und unten, rechts und links sind auswechselbar, der Text kann sogar im Krebsgang enden, indem er vom Ende zum Anfang hin gelesen wird. Er ist in sich geschlossen wie Gertrude Steins Satz von der Rose und wie das Lied von den drei Chinesen mit dem Kontrabaß: Kein Wort kommt hinzu, kein Wort fällt heraus, und doch spiele ich mit allen gegensätzlichen Eindrücken meiner Wahrnehmung und Phantasie. Atuana kocht im Korallenatoll, Reykjavik schüttelt sich Schnee um die Knie, doch auch Reykjavik brennt, und Atuana rasselt in Eisketten. Am Ende heißt es: »Erfrieren, verbrennen ist eins.« Es war ein Experiment in der Mitte des Jahrzehnts, in dem Konrad Adenauer, auf metaphysische Gemütlichkeit bedacht, einem ganzen Volk beschwörend zugerufen hat: »Keine Experimente!«

Zehn Jahre später nahm ich Ludwig Erhards berühmt gewordene Parole »Wir sind wieder wer« unter die Lupe. Nach einem festgelegten Zahlenschema tauschte ich die vier Wörter dieses Satzes sooft es möglich ist untereinander aus, kam zu schärferen Formulierungen, ohne ein Wort hinzuzunehmen oder wegzulassen, und endete bei Fragen. »Wer sind wir wieder?« las ich auf dem Blatt Papier, das bedeckt war mit den immer gleichen Wörtern, »wer wieder sind wir?« Im Spiel hat sich der Sinn des Satzes nicht verloren, die vertauschten Wortfolgen spitzen ihn zu, stellen ihn in Frage, und das von Erhard ausgesprochene Selbstbewußtsein entpuppt sich als Anmaßung, als Hochmut, als deutsche Arroganz. Beim Tüfteln verlor das Spiel seine harmlose Gefälligkeit, im Experiment entdeckte ich seine geheime Macht. Und so brachte ich die altväterlichen Sätze, die von weltlichen und geistlichen Würdenträgern wie

Bundespräsident Lübke, Bundestagspräsident Gerstenmaier, Bundeskanzler Kiesinger und dem ehrwürdigen Kardinal Frings bei Konrad Adenauers Begräbnis gesprochen wurden, ins Rollen, wirbelte sie respektlos durcheinander und ließ die Erhabenheit ihres Wortlauts als politisches Feiertagsgeschwätz in einer komischen Hörspieloper auftönen. Ich hatte keine Begründung für dieses launische Spiel, auch heute noch kann ich mich nicht rechtfertigen. Ich wollte spielen, und ich spielte. Ich wollte frei sein, und ich war frei.

Eines Nachmittags zur Kaffeezeit, das Giebelfenster stand weit offen und eine laue Luft wehte im Garten, drang Musik aus unserem Dachzimmer. Ich saß mit einer Tasse Kaffee auf der Gartenbank, ein Buch von Gertrude Stein auf den Knien, las abwechselnd ein paar Sätze und aß häppchenweise frisch gebackenen Kuchen von einem Teller. Ich hatte im Garten arbeiten sollen, Junggemüse düngen, Steckerbsen häckeln, Stangenbohnen gießen, doch daran war nicht zu denken, denn Gertrude Steins Wörter flochten schwebende Satzgirlanden in mein Gehirn, Gewinde mit Quasten und Schleifen, die weit hinaushingen in unbestimmte Fernen, aus denen ich sie nicht wieder so rasch herbeiholen konnte. Obwohl fast auf jeder Seite von Kaffee und Kuchen, von Krusten und Krümeln gesprochen wird und ich selbst, da ich gerade Kaffee trank und Kuchen aß, mit den beschriebenen Ereignissen im Buch hätte Kontakt aufnehmen können: Die Wörter standen anders im Satz als die Tassen und Tellerchen auf dem Kaffeetisch, denn die Namen der Dinge decken sich nicht mit den Dingen selbst. Sie standen verquer im Satz zueinander wie die Dinge in einem Stilleben von Picasso und ließen es zu keiner Annäherung kommen. Es war einer jener hitzigen Frühsommernachmittage, die plötzlich aufglühten und rasch vergingen, sobald die Sonne hinter den Quittenbäumen hinabsank. Mein Bruder hatte eine Schallplatte aufgelegt, deren Melodie mit einem Schlag einsetzte und ohne Umstände, so als sei sie zur Begleitmusik meiner Lektüre bestellt, mit der Satzmelodie Gertrude Steins verschmolz.

Louis Armstrong stampft zweimal mit dem Fuß auf, und nach wenigen Takten, strahlend und kompakt, bricht die Melodie auf und füllt Dachzimmer, Treppenhaus und Garten mit ihren Klängen. Es ist zwar *Muskrat Ramble,* von Louis Armstrong und seinen All Stars in der berühmt gewordenen Jam Session am 30. November 1947 in der Symphony Hall von Boston gespielt, doch diesmal, wie schon beim ersten Anhören und all die vielen Male in den späteren Jahren, erklingt für mich die Melodie der *Drei Chinesen mit dem Kontrabaß.* Sie ist eingeschlossen in diesem Jazzthema von Kid Ory, und immer wieder, sobald ich nur den ersten Takt höre, bricht sie aus ihm hervor und gehört ganz mir:

> »Drei Chinesen mit dem Kontrabaß
> saßen auf der Straße und erzählten sich was,
> kam die Polizei: Ja, was ist denn das?
> Drei Chinesen mit dem Kontrabaß.«

Immer ist Big Sid Catlett auf dem Schlagzeug zu hören, doch Trommeln und Becken sind für ihn keine rohen Schlaginstrumente, mit Trommelschlegeln und Jazzbesen entlockt er ihnen die Läufe der Melodie, die Louis Armstrong auf der Trompete bläst. Ich klappte das Buch zu, schloß die Augen, lehnte mich auf der Bank zurück und hörte ihn blasen, als ginge es ums ewige Leben. Prall und mit rollenden Augen wie auf dem Foto im Jazzkalender erscheint er mir im Kopf, alle Finger der rechten Hand sind damit beschäftigt, die Ventile zu bedienen, die linke, mit Goldkettchen am Handgelenk und weißem Taschentuch zwischen Daumen und Zeigefinger, ruht am Bügel, bis Jack Teagarden mit seiner Posaune in den Vordergrund tritt, ihm die Melodie abnimmt, eigenbrötlerisch weiterspinnt und ins Bizarre verwandelt. Armstrong läßt den Bügel los, bis Teagarden seinen Chorus geblasen hat, beschreibt mit ihr einen Halbkreis wie Max Bense, wenn er seine Theorien erklärt, dann greift er wieder danach, und im Duett mit Teagarden ruft er von neuem die drei Chinesen auf den Plan.

Weltabgeschiedene, fröhliche Chinesen, die mitten unter uns auf der Straße sitzen und sich Geschichten erzählen, die wir nicht verstehen! Seltsame Käuze, wunderliche Märchenonkel mit ihrem Lied, dessen Vokale wir als Kinder erst in ein a, dann in ein e, ein i, ein o, ein u und am Ende in ein au, ein eu, ein ei verwandelt hatten und uns zungenbrechend in einem merkwürdigen Geschichtenerzählen übten! Und ich dachte an Max Benses Bemerkung über die Chinesen und meinen Vorsatz, es ihnen gleichzutun, Spiel und Arbeit auf eine unauffällige Art in meine Kunst hineinzunehmen; erinnerte mich an Colonel Bailloux' Schaukelkunststücke auf seinem grazilen Stuhl und meine Zuneigung für alle Arten von Arabesken und Chinoiserien, die sich in Louis Armstrongs Improvisationen auf der Trompete wiederholten. Er erzählt seine Version von den drei Chinesen, setzt die Trompete ab, singt einen langgezogenen Ton der Erleichterung, überläßt Dick Cary am Piano und Big Sid Catlett am Schlagzeug die Ausschmückung der Geschichte, ruft laut: »Oh!« und seufzt erlöst auf. Arvell Shaws Finger hüpfen über die Saiten des Basses, er kehrt zur Melodie zurück, in die Sid Catletts Trommelwirbel wie Donnerschläge hineinkrachen. Barney Bigards Klarinette heult auf, doch bevor Louis Armstrongs Trompete noch einmal in allem Prunk aufblitzt und die Pointe setzt, knüpft Jack Teagarden eine letzte, wehmütige Posaunenbetrachtung an Armstrongs Solo. Nach dem letzten Ton brabbelt dieser sein Vergnügen am Spiel heraus, doch klingt es nicht auch so, als wollte er die enteilten Chinesen zurückrufen?

»Ein Klima, ein einziges Klima, all die Zeit gibt es ein einziges Klima, jederzeit gibt es einen Zweifel, jederzeit gibt es Musik, das heißt mehr und mehr zu fragen«, las ich in Gertrude Steins Buch. Mit einemmal lösten sich die verschlungenen Mäanderbänder auf, und ich begriff die Einzigartigkeit des Spiels. Sechs Minuten und dreizehn Sekunden hatte das Musikstück gedauert: Nicht nur die Röhre eines Kaleidoskops hat ein vorderes und ein hinteres Ende, auch die Röhre einer Trompete fängt vorne an und hört hinten auf. Glassplitter blitzen, Trompetentöne erklingen: Nicht nur der Raum, auch die Zeit ist geschlossen. Doch wie sich die Glassplitter über die Wände des Kaleidoskops hinaus ins gestirnte Universum fortsetzen, wird ein Trompetenspiel über den blechernen Schalltrichter und erst recht ein chinesisches Kontrabaßtrio über den Straßenlärm hinaus zur Sphärenmusik – auch wenn die Polizei noch so oft vorbeikommt und fragt, was da vor sich gehe.

XII

Der leere Thron

Die mittfünfziger Jahre hatten es buchstäblich in sich. Unüberhörbar drang eine aufsehenerregende Nachricht aus Hörsälen und Redaktionsstuben und pflanzte sich fort bis aufs platte Land. In den Klassenzimmern der entlegensten Schulen kam das Geschrei, pädagogisch aufgeblasen, als ein feierliches Lamento an. Es hieß: Die Mitte ist verloren! Genau zu der Zeit, als mein Kaleidoskop zerbarst und die Glassplitter nach allen Seiten auseinandersprangen, gebärdeten sich Lehrer und Politiker, angesteckt von dem Gejammer pathetischer Kunsthistoriker, als sei der Kessel explodiert, in dem die auseinanderstrebenden Treibgase von starken, beharrlichen Kräften für ewig zusammengehalten schienen. Der Tenor des Klagegesangs war grell und knallig, er platzte geradezu heraus. »Verlust der Mitte« stand als Titel auf jenem Taschenbuch zu lesen, das in den Schaufenstern der Buchhandlungen an herausragender Stelle auftauchte und im Nu vergriffen war. *Verlust der Mitte*: Das klang, als sei die Achse des Weltkarussells aus den Angeln gerissen, kein Eisenhans könne die auseinanderfliehenden Ketten mit noch so starken Händen zusammenhalten.

Die Eingeweihten kannten das Buch des Kunsthistorikers Hans Sedlmayr schon seit Ende der vierziger Jahre, mitfühlend wiegten sie die Köpfe, begegneten den Spielern und Hasardeuren fingerdrohend mit dem Hinweis auf das Motto von Pascal: »Die Mitte verlassen, heißt die Menschlichkeit verlassen.«

Aber es kam keiner, die Mitte zu retten. Wer sollte es sein, und woher sollte er kommen? Von der Kirchenkanzel herab? Vom Schulkatheder herunter? Vielleicht von einer Bonner Regierungsbank? Dort übte man seine Kräfte in der spät gewonnenen Freiheit, rief auf zu Wagnis in Wirtschaft und Wissenschaft und führte die Abenteurer an der langen Leine. Doch die einst zusammenwirkenden Kräfte drifteten unaufhaltsam auseinander, Flügelkämpfe entbrannten, es bildeten sich Rechte und Linke, es zeigten sich Konservative und Fortschrittliche, Schwarze und Rote traten hervor. Die Schwarzen strebten nach einer Mitte, die es schon lange nicht mehr gab; die Roten, die sich nie danach gedrängt hatten, suchten sie plötzlich. Es war ein Wirrwarr vergeblicher Bemühungen, von allen Seiten strömten Parteigänger verschiedenster Couleur in Richtung Zentrum, liefen sich vor die Füße, standen sich ratlos im Weg. Man trauerte der Mitte nach, als sie von den zentrifugalen Kräften längst ausgehöhlt und zersprengt war. »Eine ungeheure innere Katastrophe«, klagte Sedlmayr, und die arme Kunst sei die Leidtragende an diesen Erschütterungen.

Sedlmayrs Schriften habe ich daheim in unserer Küche gelesen. Ich saß am Tisch, den Kopf in beide Hände gestützt, das Buch vor mir auf der Tischplatte gegen die Kaffeekanne gelehnt. Es war unsere rot emaillierte Blechkanne mit geschwungener Schnute und klapprigem Deckel, die sonst neben dem Ofenrohr auf der Herdplatte stand. Wäre da nicht die Farbe Rot, hätte ich die Situation von damals bestimmt vergessen. Ich erinnere mich nur undeutlich an mein beharrliches Sitzen auf dem harten Stuhl, immerhin ist mir der Duft des Kaffees und das Schwirren der Buchstaben, vor allem aber dieses Rot ganz deutlich im Gedächtnis geblieben: ein kräftiges Karminrot, das in vielerlei Schattierungen auf einer Buchseite in Wörter verwandelt wiederkehrte. Sedlmayr schreibt von einem roten Königsmantel, einem roten Sonnenuntergang und rotem Blut, wobei die Farbe Rot immer einen anderen Charakter annehme, dem in der modernen Kunst, losgelöst vom Gegenstand, eine autonome Bedeutung zukomme. Ich habe die Stelle nicht wiedergefunden, doch wenn ich mich nicht täusche, hat Sedlmayr dem Rot des Königsmantels die Qualität des Feierlichen, dem des Sonnenuntergangs die der Pracht und dem des Blutes die Eigenschaft des Schrecklichen zugeschrieben. Ich las, und in meinem Kopf zerbarsten die Farben, sandten erst scheppernde Laute aus, begannen dann zu tönen wie in den Gedichten von Brentano. Doch was Adalbert Stifter angesichts einer farben-sprühenden Sonnenfinsternis in den Ohren geklungen haben mag und ihn bewog, von einer Musik der Farben zu sprechen, muß nach Sedlmayrs Auslegung etwas anderes gewesen sein als die schrillen Farbenexplosionen der modernen Malerei. Sedlmayr mißtraut dem autonomen Spiel mit Formen und Far-ben, zu Tode erschrocken sieht er die Mitte gefährdet, die bis-lang zusammengehalten war von greifbaren Gegenständen, sinnvoll geordnet, erkennbar gemalt. »Die Kunst strebt fort von der Mitte!« ruft er verstört aus, »die Kunst wird exzen-trisch!«

Eines stand für Sedlmayr von vornherein fest: Der Exzentri-ker an sich, das war Picasso! Fassungslos geißelte er das Pi-kante, Frappante, Schockante in Picassos Kunst, sah auf dessen Bildern das Reizvolle ins Gräßliche verkehrt, einen schauder-haften Mischmasch, ein schändliches Kunterbunt an Farben, Formen und Figuren. Schaut man Picassos Bilder an, kann man tatsächlich einerseits Arme und Kranke in traurig-blassen Blaufarben, andererseits Harlekine und Seiltänzer in heiter-zarten Rosatönen gemalt sehen; einmal posieren feingliedrige Epheben in manierierter Eleganz auf Stilmöbeln, ein andermal wälzen sich muskulöse Kraftprotze in naturalistischer Ath-letenpose im Heu. Hier locken schöne junge Mädchen mit griechischer Nase und Pferdeschwanz, dort drohen häßliche Weiberköpfe mit Nasen wie Dachtraufen und Haaren wie an-gebranntes Sauerkraut. Anstelle des Ohrs sitzt der Mund, anstelle des Mundes die Backe, und die Nasenlöcher sehen aus wie die Luken von Kanaldeckeln. Mal spielte der Künstler sich auf wie ein Parnassien im Elfenbeinturm, mal wie Rimbaud in der Hölle. »Mit seiner Mittellosigkeit, Grenzenlosigkeit und

Maßlosigkeit ist er das moderne Zerrbild des universalen Menschen«, schmähte Sedlmayr – und nannte Picasso einen Proteus.

Dieser Vergleich gefiel mir. Immer schon hatte mich das souveräne Verwandlungsspiel des Meergottes fasziniert, mal Schlange, mal Löwe, mal Stein, mal Baum, mal Feuer, mal Wasser zu sein. Ich versetzte mich selbst in die Rolle des Doppelspielers, jonglierte mit den Wörtern meiner Gedichte wie der Jongleur Picassos mit seinen Tassen und Stäben, kehrte das Unterste zuoberst, das Oberste zuunterst. Meine Wörter waren doppelseitig, doppelbödig, doppeldeutig, ich machte mir einen Spaß daraus, doppelgleisig mit ihnen zu fahren und alle Möglichkeiten auszuschöpfen, die mein Spiel mir eröffnete. Mich entzückte dieses Spiel mit den Möglichkeiten, dieses Ineinandertauschen der Rollen. So trat ich heute als Zauberkünstler im geblümten Zirkusrock, morgen als Rechenmeister im weißen Laborkittel auf, in der Rolle des Rechenmeisters schillerte ich aber wie ein Äquilibrist im Varieté, als Zauberkünstler haftete mir das Steife des Gelehrten an. »Die Möglichkeit besteht darin, daß man kann; daß man alles begreifen und mit allem spielen kann, ohne sich entscheiden zu müssen. Möglichkeit bedeutet Schweben, Freisein, unendliches Können, grenzenloser Reichtum, unablässiges Spiel mit unzähligen Daseinsformen. Ihre ganze dämonisch ängstigende Gewalt entfaltet sie erst im Kampf mit dem Gegenspieler, der Wirklichkeit.« Ein Gedanke Kierkegaards, der Sedlmayr zur Verzweiflung trieb.

Plötzlich fühlten wir Schüler der experimentellen Kunst uns alle als Proteuse, wollten Picassos sein, wenn wir Maler, wollten Rimbauds sein, wenn wir Dichter waren. Doch die Verwandlungen gelangen uns nur halb. So wollten wir es besser machen als Picasso und Rimbaud, nicht heute Vulkan und morgen Rose sein, heute Gott und morgen Sandkorn, sondern stets beides zugleich. Bauch- und Zungenredner in einem, erzwangen wir in unserem Kopf eine bizarre Harmonie der Widersprüche, brachten Zirkus und Labor zusammen, veranstalteten mit nüchternen Tabellen exotischen Zauber, beschworen in poetischen Bildern die nackte Zahl. Magie und Mathematik: Wenn ich heute manchmal mit dem Gedanken spiele, die immer wieder vereinbar scheinenden, doch fortgesetzt auseinanderstrebenden Pole noch einmal zusammenzubiegen, befällt mich heftige Nostalgie für eine Zeit, in der es uns spielend gelang, berechenbare und geheimnisvolle Mitte miteinander zu verquicken. Nicht nur in niedergeschriebenen Gedichten ordneten wir poetische Figuren nach mathematisch festgelegten Choreographien, wir führten unser Spiel der unbegrenzten Möglichkeiten auch in lebendigen Bildern vor. Da sich Sedlmayrs Vorstellung von Ordnung und Chaos vor unseren Augen aufwölkte wie ein breitgetretener Brei aus Pfaffen- und Professorenmund, machten wir uns einen Spaß daraus und stürzten diesen Quark mit viel Brimborium und schauspielerischer Bravour in den Feuerofen, worin alles unauflöslich Scheinende ununterscheidbar zusammenschmilzt.

Du meine Güte, wäre Sedlmayr uns auf der Biennale von Paris begegnet, er wäre in die Knie gegangen! Damals las ich ein langes kombinatorisches Gedicht, in dem sich die Wörter dreifach, vierfach überschlugen und unterstzuoberst über die Bühne flogen, auf der Bazon Brock für alle Franzosen und Spanier und Brasilianer, die kein Deutsch verstanden, Purzelbaum schlug mit Flickflack und Kosakensalto. Max Bense, unser Lehrer, Poet und Philosoph, Magier und Mathematiker, hatte uns ausgesandt, seine von Vater, Sohn und Heiligem Geist befreite ästhetische Botschaft dem Erdkreis kundzutun. Doch als Bazon Brock aus einem wassergefüllten Eimer lebendige kleine Plötzen auf die Bretter schüttete, ergriff mich Mitleid mit den zappelnden Fischen, ich stürzte auf die Bühne, sammelte die Tiere wieder in den Eimer und eilte zum nächsten Wasserhahn. Leider war mein Auftritt nicht eingeplant, ich hatte keine Idee von Bazon Brocks Absicht, dem Publikum lauter winzige, nach Luft schnappende Symboltierchen für Jesus Christus vor Augen zu führen. Ich verdarb das Spiel, niemand konnte mehr Bazon Brocks Botschaft verstehen. Oder war das alles ganz anders, und erst mein beherztes Eingreifen in Bazon Brocks Spiel mit den Fischen gab der durchdachten Szenerie die unerläßliche Wendung ins Zufällige, das in der experimentellen Poesie ja auch eine entscheidende Rolle spielt?

Kurze Zeit später trat Timm Ulrichs in Zweibrücken auf. Er war, wie immer, schwarz gekleidet: schwarz die Hose, schwarz die Jacke, schwarz das Hemd, und seine langen Haare, die ihm bis auf die Schultern reichten, waren auch schwarz. »Schaut ihn euch an«, sagte Max Bense, »die schöne Literatur, wie sie leibt und lebt!« Timm Ulrichs gab Flaggenzeichen. Ernst und gesammelt, unübersehbar wie ein kohlrabenschwarzer Längsstrich in der Zweibrücker Natur stand er da, seine Brillengläser funkelten vor den schwarzen Augen und strahlten zuckende Blitze aus. Timm Ulrichs hob und senkte die Arme, winkelte sie aus- und einwärts, streckte sie und zog sie wieder an. Die Signalflaggen in seinen Händen klappten nach allen Seiten und bewegten die Luft im Garten der Zweibrücker Fasanerie im Takt der geschwenkten Tücher. Wer bis zu diesem Zeitpunkt nicht wußte, was eine ästhetische Botschaft ist, der brauchte nur die Augen aufzumachen und sich Timm Ulrichs Flaggenzeichen anzuschauen. Inhalt der Nachricht? Sinn der Botschaft? Darum scherten wir uns nicht, es genügten uns Timm Ulrichs harmonisch gegliederten Flaggenspiele, seine Botschaft war die rhythmisch geordnete Elementenmenge der Kunst, die nach unserem Anspruch ohne Bedeutungen und Erklärungen auskommen mußte. Da mochte Sedlmayr um den Verlust seiner Mitte klagen, wie er wollte, auch seine Drohungen mit dem Evangelisten Lukas, das Neue käme nicht mit Aufsehen-Erregen, beirrten uns nicht.

Eine Clique extravaganter Künstler, standen wir auf der Gartenterrasse der Fasanerie in Zweibrücken und posierten vor einem verblüfften Publikum, der eine ganz in Schwarz, der andere mit blauer Hose und rotem Pullover, ein dritter in Nappaleder, ein vierter in Zwirn gekleidet. Wir standen da, scherten uns nicht um Gott und die Welt, steckten die Finger in den Mund und pfiffen auf Sedlmayrs metaphysische Mitte. Timm

Urichs agierte etwas erhöht hinter einer Balustrade, vor ihm, unterhalb des steinernen Podiums, auf der Terrasse, genau an dem Platz, wo man sich das Kraftfeld einer attraktiven Mitte denken muß, stand ein leerer Stuhl. Alle Augen schauten auf diesen Stuhl, worauf irgendein imaginärer, doch längst in nichts aufgelöster Halbgott zu sitzen schien, nach dem die Leute starrten wie vorzeiten das ganze Volk nach dem Kaiser mit den neuen Kleidern. Auch ihm galten Timm Ulrichs Flaggenzeichen. Er saß, wenn es ihn überhaupt gab, mit dem Rücken zu Timm und rührte sich nicht. Vielleicht würde es noch lange nicht möglich sein, etwas in die leere Mitte zu setzen, klagt ja Sedlmayr, »dann aber muß wenigstens das Bewußtsein davon lebendig bleiben, daß in der verlorenen Mitte der leergelassene Thron für den vollkommenen Menschen, den Gottmenschen, steht«.

Timm Ulrichs kümmerte sich weder um die verlorene Mitte noch um den leergelassenen Thron. Er hantierte mit seinen Flaggen wie ein von seiner sinnfreien Jongleurskunst besessener Äquilibrist. Er brauchte weder Pinsel noch Feder, weder Farbe noch Papier, mit seiner Körperkunst ging er weit über Picasso und Rimbaud hinaus. Da stand er hoch über dem leeren Stuhl, stieg aber nicht herab, um auf ihm Platz zu nehmen. Dort sollte inzwischen ja Picasso sitzen, wenn es nach den Jüngern der halbherzigen Moderne gegangen wäre. Picasso? Wer war Picasso? Eine Weile nach den Zweibrücker Kunsttagen sagte Timm Ulrichs in einer Fernsehsendung: »Die Nachricht vom Tode Pablo Picassos überrascht mich insofern, als ich diesen Maler seit bereits fünfzig Jahren für tot gehalten habe.« Picasso, den Sedlmayr noch für die Schlüsselgestalt des zu Ende gelebten Ästhetizismus gehalten hatte, war für uns zur Mumie geschrumpft. Nur noch sein Schatten huschte über den leeren Thron, der vielleicht immer noch im Garten der Zweibrücker Fasanerie steht, weichgepolstert für den neuen Gottmenschen der Mitte, der bis Ultimo auf sich warten läßt und dann doch nicht kommt.

Die Neugier hat mich nicht ruhen lassen. So setzte ich mich

eines Samstags ins Auto und fuhr nach Zweibrücken. Im Gewirr der Straßen, die stadtauswärts führen, suchte ich den Weg zur Fasanerie, die zu meinem Erstaunen viel weiter draußen am Rande des Tschifflicker Waldes und auch verborgener und geheimnisvoller in einer Bodenwelle liegt, als ich es in den vergangenen fünfundzwanzig Jahren in Erinnerung behalten habe. Die Balustrade, hinter der Timm Ulrichs damals sein Flaggenprogramm absolvierte, ist nur ein kniehoher Lattenzaun, eingerahmt von hohen Rhododendren; dort, wo in meinem Gedächtnis der Standort des Thrones ist, hat der Zweibrücker Kneippverein inzwischen ein Wassertretbecken angelegt. Auf einem Kinderspielplatz mit Schaukel, Rutsche und Karussell tummeln sich ein paar Halbwüchsige, im vorderen der beiden Teiche paddelt ein Pulk Enten zwischen Forellenschwärmen. Wo aber ist der Thron, Sedlmayrs leerer Gottmenschenthron der Mitte, hinter dem Timm Ulrichs seine Flaggen zeigte? Es ist kein Thronsessel mehr zu sehen, und ein Gartenstuhl ist kein Thron. Die Gartenstühle sind ineinandergestapelt, jeder von ihnen könnte der gesuchte Sessel sein – oder keiner, falls der Besitzer des Romantik-Hotels, der die alte Fasanerie heute bewirtschaftet, die alten auf den Müllhaufen geworfen hat. Auch wenn er in unserer Vorstellung damals wirklich dort unterhalb der Balustrade stand, der Thron ist leer geblieben. Kein Picasso ist gekommen, ihn zu besteigen, obwohl seine Jünger ihn für den Meister aus Vallauris reserviert hatten. Picasso, dem von Sedlmayr einst ein Platz ganz am Rande zugewiesen worden war, hätte nun kommen und den Thron einnehmen können, niemand hätte es ihm verwehrt. Dieser Tage noch, ein Vierteljahrhundert später, las ich, im Kunstmuseum Düsseldorf sei die Sammlung Kahnweiler ausgestellt mit bedeutenden Gemälden Picassos. Von ihnen schwärmt die Berichterin der *Saarbrücker Zeitung* in hohen Tönen, indem sie die Mitte gar zweimal im Hauptsatz beschwört: »Im Zentrum steht das Zentralgestirn Picasso.«

Auch Max Bense hat auf dem Sessel nicht Platz genommen. Wir haben ihn nicht gedrängt, sich draufzusetzen, und er selbst hätte sich den Teufel darum geschert, ob dieser Sesselplatz für ihn oder einen anderen freigehalten werden sollte. Er saß auf seinem Lehrstuhl in Stuttgart und sandte von dort aus seine Botschaften in alle Welt, bis nach Brasilien, bis nach Australien, bis zu den Semiotikern ins ferne Japan. Manchmal spazierte er auf dem Katheder auf und ab und kleidete die Botschaften in geschmeidige Sätze; ein andermal trat er vor die Wandtafel und demonstrierte sie in spröden mathematischen Gleichungen. Es ist vorgekommen, daß er im Fernsehen auftrat und sich auf Anhieb gebärdete wie der Hecht im Karpfenteich; eine Anekdote berichtet, in einer Diskussion mit einem Jesuitenpater, der zu seiner Zeit als einer der rabiatesten Betonköpfe und Saubermänner bundesrepublikanischer Kunstbetrachtung galt, habe er die härtesten Worte benutzt, die überhaupt denkbar sind. Niemand will sich heute mehr an diese Worte erinnern, doch wie hart und unerbittlich müssen sie geklungen haben, wenn der Pater sich vor ihnen atemringend bekreuzigte und in Ohnmacht fiel. Beim Erwachen habe er wieder besorgniserregend nach Luft geschnappt, doch Bense, ihm die Backe tätschelnd, sei neben ihm hingekniet und habe mit liebevoller Stimme zu ihm gesagt: »Bruder, verzeihen Sie die harten Worte.«

Ich saß in Sulzbach an Mutters Küchentisch, den Kopf voller Gedanken. Unaufhörlich las und schrieb ich, doch sobald ein Plätzchen im Hirn frei war, bevölkerte ich es mit Max Bense und seinen Stuttgarter Jüngern, die ich heute noch schwatzend und gestikulierend in den absonderlichsten Stellungen und Gruppierungen vor mir sehe. »Ja, in unserer schönen Welt der Poesie ist alles in Bewegung«, hatte er mir früh schon erklärt, »da gibt es keine Ruhe, keinen Stillstand, kein starres Verharren der Kräfte. ›Gleich wie ein Kehrichthaufen aufs Geratewohl hingeschüttet, ist diese schönste Welt‹«, hatte er mit Augenzwinkern den Aphorismus Heraklits hinzugefügt, und bald erschien mir der Stuttgarter Kehrichthaufen nicht mehr als ein Wanderzirkus mit Trapezkünstlern und Jongleuren, Seiltänzern mit Balancestangen und Kunstreiterinnen in glitzernden Trikots unter dem illuminierten Zeltdach in der Schellingstraße.

Nüchterne Schriftsteller und schwärmerische Naturwissenschaftler gaben sich ein seriöses Flair und gebärdeten sich wie Platons und Aristoteles' Schüler auf Raffaels Gemälde *Die Schule von Athen*: Helmut Heißenbüttel, der sophistische Satiriker, und Reinhard Döhl, der scholastische Agnostiker, bewegten sich in heftig diskutierenden Figurengruppen, konstruierte Texte und Gedichte rezitierend. Heißenbüttel, der die Redaktion *Radio Essay* beim Süddeutschen Rundfunk leitete, regte mich an mit der Bemerkung, Sprache müsse man sehen wie Erinnerungsdinge, und Döhl, seiner *missa profana* wegen der Gotteslästerung angeklagt, amüsierte mich, wenn er den Zeigefinger reckte und in apostolischer Strenge ausrief: »früh wenn die hähne krähn ... früh wenn ... früh wenn ... früh.« Es war eine muntere, eine schöpferische Gesellschaft mit bizarren Ideen: Hans Dahlem entwarf die ersten Blätter seiner graphischen Weltentstehungslehre, Konrad Balder Schäuffelen weckte pfundweise Buchstabennudeln in Haushaltsgläser ein, Klaus Burckhardt zog seine Alphabetenkreise und Manfred Esser zirkelte seine poetischen Gesellschaftraktate auf rotes Plakatpapier. Alles war möglich, alles trat mit jedem anderen in Verbindung, wenn es in der Sprache überraschende Neuheit zeigte und unbekannte Zusammenhänge hervorbrachte. »Die Urgestalt der lustigen Witwe war Goethes natürliche Schwiegertochter in ihrer Wiener Zeit«, schrieb Helmut Mader, unser neuromantischer Ethiker, in seinem *Gedicht für Witwenschleiermacher*, und wir konnten uns nicht mehr halten vor Lachen, als er es an einem Sonntagmorgen zur Kirchgehzeit in Niedlichs Bücherstube zum besten gab.

Bunte Splitter, bunte Hunde, bunte Vögel: Jedermann sah uns so an, entsprechend wurden wir behandelt. Als Eugen Helmlé die Treppe der unterirdischen Männertoilette am Stuttgarter Rathausplatz heraufstieg, wurde er augenblicks von zwei Polizisten aufgegriffen. Ihnen nachgekommen, sah ich, wie er, flankiert von den beiden Uniformierten, in der

nahe gelegenen Polizeiwache verschwand. Was war so auffällig, so extravagant an Eugen, daß er, kaum in Stuttgart angekommen, von der Polizei gefaßt wurde? War es sein langes, rot-
blondes Haar, das in weichen Wellen über den Hemdkragen
fiel, sein ausrasiertes Schnurrbärtchen, die spitzen, durchbro-
chenen Lederschuhe, der bequem sitzende doppelreihige Anzug aus allerfeinstem Kammgarn? Oder war es nicht vielmehr
die Angewohnheit, stets eine Hand in die Hosentasche zu stek-
ken und darin herumzufuhrwerken, als beschäftige er sich mit
gefährlichen oder anrüchigen Gegenständen, die in Mißkredit
standen und das Licht der Sonne scheuen mußten? Nach fünf
Minuten kam Eugen wieder zurück, drückte sich eine Haar-
welle, stäubte sich die Jacke ab, zog den Krawattenknoten
stramm und steckte die Hand wieder in die Tasche. Wir fuhren
in die Pischekstraße, schenkten Bense die Schallplatte mit
Armstrongs *Muskrat Rumble* und erzählten ihm den Vorfall.
Er drückte Eugen anerkennend die Hand wie einem weitgerei-
sten Weltmann, der in neuester Mode mit ungewöhnlichen Gesten unter den Einheimischen Aufsehen erregt. Er legte die
Platte auf, wir hörten Louis Armstrong krächzen und fühlten
uns wie die drei Chinesen mit dem Kontrabaß vor imaginären
Polizisten, die verblüfft das Maul aufreißen und rufen: »Ja, was
ist denn das?«

Texter und Typographen, Maler und Philosophen, Wissenschaftstheoretiker, Dichter und Dichterinnen der *Stuttgarter
Schule* trafen sich regelmäßig in Wendelin Niedlichs Buchla-
den. Der hellwache, geschäftüchtige Mann verstand es von
Anfang an, Schriftsteller und Künstler auf Trab zu bringen, jeder tanzte nach seiner Pfeife, und der kleine Laden in der
Schmalen Straße, einmal in Schwung gebracht, blühte und gedieh. Bei Lesungen und Ausstellungseröffnungen war der Laden vollgestopft mit Leuten: junge Männer in Strickwolle,
Mädchen in Nappaleder auf Stühlen hockend, gegen Bücher-
regale gelehnt, auf den Fußboden hingefläzt. Abseits in der
Ecke saß meist ein Mann von Mitte Vierzig mit dichtem brü-
nettem Haar und randloser Brille, korrekt gekleidet trotz offe-

nem Hemdkragen unter der Jacke. Er hatte ein sympathisches Gesicht, beobachtete aufmerksam unsere akrobatischen Sprechakte und lächelte immer ein bißchen, so daß ich, wenn ich zu ihm hinüberblickte, ins Grübeln geriet, ob er unsere Darbietungen für gelungen hielt oder sich darüber lustig machte. Es war Hermann Lenz, unbeirrbarer Erzähler der alten Schule, der uns später unter erfundenem Namen in seinem Roman *Ein Fremdling* porträtierte. Ihm war der Rundfunkredakteur im grün-schwarz karierten Anzug mit gelben Pumps aufgefallen, er hörte den Verlagslektor von Londoner Stoffen schwärmen, die ihm lieber als Aachener Stoffe, und italienische Schuhe lieber als solche aus Kornwestheim seien. Vor allem entgingen ihm nicht die sehenswerten Auftritte unserer Revuenummern. Er sah Gerhard Rühm in Pfeffer-und-Salz-Jacke, Gedichte in Wiener Mundart raunzend, sah Friederike Mayröcker im schwarzen Pullover, zugespitzt Metaphorisches wispernd, sah mich im Lederjöppchen auf das kleine Podest springen, meine Übersetzung von Raymond Queneaus *Taschenkosmogonie* deklamierend, halb im schelmischen Hanswurst-, halb im verstiegenen Predigerton.

Und er sah Max Bense, der den Kopf reckte und seine Krummnase hin- und herbewegte, als dirigiere er mit ihr eine unsichtbare Zirkustruppe, die sklavisch seinen Befehlen gehorcht. Er habe aber von Max Benses Ausführungen nie ein Wort verstanden, erzählt Hermann Lenz, viel zu gescheit sei seine verwickelte Rede gewesen, viel zu verzwickt die Gedankenführung, er habe die Leute bewundert, die Benses avantgardistische Theorien begriffen hätten, denn hernach sei so stürmisch geklatscht worden, als rauschte der Nesenbach. An einer Stelle schwingt Sympathie mit. Hermann Lenz hört aus einer Antwort Benses den Dichter heraus, spürt in einem einzigen Sätzchen nur die poetische Einfühlungsgabe, die um die Grenzen des mathematisch Machbaren genau Bescheid weiß. Auf die Forderung eines Studenten, da nun einmal die Philosophie und die Literatur mathematisiert seien und alles darauf hinauslaufe, auch die Assoziationen zu mathematisieren, damit man endlich so weit komme, die Formel für eine Assoziationskette an die Wandtafel zu schreiben, habe Max Bense geantwortet: »Das kann man nicht.«

Bei einem Bekannten lieh ich mir ein Buch von Hermann Lenz aus, *Spiegelhütte*, eine Sammlung von drei Geschichten, die davon erzählen, wie schwer es dem schnellebigen Menschen fällt, im Fortschritt das Errungene zu bewahren. »Wer stehen bleibt, rückt weit vor in der Zeit«, behauptet das Motto des Buchs: Ich war schockiert. Längst eingeschwenkt auf Max Benses kribbelnde Vorstellung einer durchlässigen Welt ohne Zeit und Geschichte, eines lückenlos zusammenhängenden Gefüges, in dem es kein Vorher und kein Nachher mehr gibt, kam mir plötzlich ein Konservativer in die Quere und bestand frech und unlogisch darauf, wer stehenbleibe, rücke vor. Schon hatte ich meinen Rucksack gepackt zur abenteuerlichen Reise in Benses zeitlose Wortwelt, da verwirrte mich dieser Spiegelhüttenerzähler mit traumhaften Geschichten aus wunderlich entrückten Vergangenheiten, in denen die Uhren anders gingen. Ich stand ratlos vor meinen eingerahmten Bildern von Vieira da Silva und Vordemberge-Gildewart aus einem billigen Monatskalender mit geometrischen Formenspielen aus Hunderten farbiger Splitter, schräg verwehte Traumarchitekturen, wenn man sie von weitem betrachtet. Die Kalenderblätter zeigten keine Zeit an, ich hatte die Streifen mit den Daten abgeschnitten und wagte mich in Linienlabyrinthe, deren Gänge weder Anfang noch Ende hatten.

Darüber gab's auch Streit. Nach einer heftigen Auseinandersetzung entzweite ich mich eine Zeitlang mit Reinhard Döhl. Ich war nicht bereit, seine Meinung zu teilen, die moderne Kunst sei universal, Vasarélys Ornamente könnten ebenso von einem Japaner wie von einem Mexikaner gemalt sein, und Max Bills in sich geschlossene und dennoch offene Schleife fände man in den Lassoschlingen der Urmenschen wie in den Häkelmustern schwarzer Afrikanerinnen wieder. Wir warfen uns die abscheulichsten Beleidigungen an den Kopf, Döhl nannte mich einen Verfechter regionaler Kleinmeisterei, ich schalt ihn einen Windbeutel, der mit großkotzigem Anspruch Stimmung mache für eine platte Allerweltskunst. Wir gingen erzürnt auseinander. Reinhard Döhl hat damals die Lehrsätze Benses mit Heißblut verteidigt und lieber ein Zerwürfnis in Kauf genommen, als an einer heiliggesprochenen Theorie Verrat zu üben.

Der ärgste Streithansel war ein Student namens Knepper. In den Diskussionen des Studium generale griff dieser rabiate Mensch seine Kontrahenten frontal an, nannte sie Dummköpfe und kleinmütige Ignoranten, die nicht den Mut besäßen, das Kind mit dem Bad auszuschütten und Tabula rasa zu machen mit dieser beschissenen Gelehrtenrepublik. Jede Gegenthese malte er auf die farbigste Weise als einen Luftballon aus, den er mühelos mit einem einzigen Stich zum Platzen brächte. Einmal fuhr er Fräulein Oderbruch bei der probeweisen Verteidigung ihrer Doktorarbeit so heftig in die Parade, daß diese in Tränen ausbrach. Sie hatte sich vorgenommen, auseinanderstrebende physikalische und künstlerische Entropie auf höherer Ebene wieder zusammenzuführen und darauf versteift, den deutschen Begriff *Nichtumkehrbarkeit* einzuführen. Es sei ein Unding, von Nichtumkehrbarkeit zu sprechen, warf Herr Knepper ein, der deutsche Wortungetüme haßte und deshalb als ein glühender Liebhaber von Benses Fremdwörtern galt, »und bitte, wie definieren Sie den Begriff Nichtumkehrbarkeit?«. Das war Herrn Kneppers Trick: Er ließ keine Gelegenheit aus, seinen Widersachern Definitionen abzuverlangen. Fräulein Oderbruch verhaspelte sich, ihr fehlten die richtigen Worte, den unglücklichen Begriff per Definition aus der Welt zu schaffen. Sie griff wieder nach dem Taschentuch, um sich die Tränen abzuputzen, worauf Herr Knepper wie immer, bevor er zum entscheidenden Schlag ausholte, seinem Gegner das Schmähwort »blutiger Dilettantismus« an den Kopf warf und dann zu einer Belehrung ausholte, der niemand außer ihm selbst folgen konnte.

Herr Knepper war zu dieser Zeit Stuttgarts berühmtester Diskutant, ein selbsternannter Philosoph und Techniker, der später seine Kinder nicht zur Schule schickte. Er galt als gerichtsnotorischer Anfechter von Urteilen, erfand eine völlig unbrauchbare Reinigungsmaschine für Teller und raste eines Tages mit seinem alten Ferrari in den Tod, als er in aussichtsloser Situation die Vorfahrt erzwingen wollte, in der festen Überzeugung, seinem Recht mit besonderem Nachdruck Geltung verschaffen zu müssen. Ich habe den Studenten Knepper nur flüchtig gekannt. Er wollte mir zwischen Tür und Angel Heraklits Lehrsatz »Alles fließt!« als eine falsche Behauptung auslegen, die darüber hinaus auch noch dumm und arrogant sei, doch ich wies ihn darauf hin, daß mein Zug in ein paar Minuten gehe, und sagte: »Wenn ich meinen Zug verpasse, wartet meine Frau in Saarbrücken vergebens am Bahnsteig. Bei einem Zug ist es wie bei einem Fluß nicht möglich, zweimal in denselben hineinzusteigen.«

Mein angewandter Heraklit, leicht hingeworfen, salopp formuliert, war verworren und widersprüchlich im Gedanklichen, doch zum wiederholten Male genoß ich den Triumph des Spielerischen über das Logische. Herr Knepper, an durchdachte Unter- und Oberbegriffe, an scharfsinnige Schlußfolgerungen gewöhnt, kapitulierte vor so viel frecher Unvernunft, mied mich fortan und wandte sich an Bense, hämisch bemerkend: »Dieser Spielhansel wird Ihnen noch viel Kummer bereiten.« Doch Bense selbst war ja ein Spieler, hüpfte vom Parkett auf das Katheder und schlug mit den Flügeln der Phantasie, glitt aber rechtzeitig vom Katheder herunter, um wieder Boden unter die Füße zu bekommen. In diesem unaufhörlichen Wechselspiel fragte er nicht nach gestern und morgen, kümmerte sich nicht um früher oder später. Wenn er gedankenspielend seine alltägliche Einfälle zum besten gab, vergaß er den philosophischen Überbau und kaprizierte sich auf Nuancen und Bagatellen. Daß Herr Knepper leicht stotterte und sich öfters versprach, war ihm das sicherste Anzeichen für ungebremste Diskutierfreude; daß Georg Pfahler schielte, hielt er für den erotischen Antrieb zu seiner konstruktivistischen Malerei; daß Eugen Gomringer nicht schwitzte, galt ihm als körperliche Voraussetzung für seelenlose platonische Gedichte. »Der schwitzt nicht«, sagte Max, »der ist ein Indianer! Er hat die kaltblütige indianische Doppelzüngigkeit in die konkrete Poesie eingeführt.«

Aber auch Gomringer hatte seine Vorbehalte. »Bense war eine viel zu poetische Natur, uns Konkrete richtig zu verstehen«, erklärte er mir unlängst bei einem Vortrag, »der strukturale Prozeß war ihm innerlich fremd, vielleicht sogar zuwider.« Dieses völlig unromantische Jonglieren mit allerlei Spielbällen sei etwas typisch Mediterranes, vor allem Südamerikanisches. »Unsere Bewegung ist von Buenos Aires und São Paulo ausgegangen«, sagte er und setzte verschmitzt hinzu: »Womöglich von Cahuela Esperanza, wo ich als Sohn einer bolivianischen Mutter geboren wurde.« Gomringer sprach in Saarbrücken über ein lange Zeit unbeachtet gebliebenes Wirkungsverfahren der Geometrie. »Die Kunst des Heilens« nannte er es, ein sensibles epikureisches Grundprinzip, wie es ein schöneres nicht gebe. »Der Mensch mißt, und indem er das tut, heilt er«, sagte Gomringer, »Raum wird Raum durch Heilen, Ungeheiltes ist ohne Perspektive.« Er sprach vom Feststellen und Abheilen, vom Selbstheilen und Mitheilen, blitzte pfiffig mit seinen schwarzen Augen, und auf seiner glatten, trockenen Haut zeigte sich keine Falte. »Heilen ist eine sinnstiftende Methode«, entschied er, »ihre Schönheit beginnt mit dem Goldenen Schnitt.« Schon wollte es mir so vorkommen, als nähme der berechnende Geometriker von einst Züge des Schamanen an, der mit Trommelschlegeln und klirrenden Metallglöckchen die Geister der konkreten Poesie beschwört – da erst merkte ich, daß ich mich verhört haben mußte. Er hatte nicht *heilen,* sondern *teilen* gesagt. Seine Anspielung auf den heiligen Martin, der aus Barmherzigkeit mit einem frierenden Bettler seinen Mantel geteilt hatte, zerriß schließlich meine Hirngespinste: Der Geometriker billigt keine metaphysischen Phantastereien.

An einem Silvestertag kam Max Bense mit Elisabeth Walther und ihrer beider Tochter Caroline aus Paris. Es herrschte strenger Frost, den ganzen Tag über hatte es geschneit, und hoher Schnee lag auf den Straßen. In dichten Flockenwirbeln waren sie durch Lothringen gefahren, hatten die Kathedrale von Metz wie ein von Zuckerwatte umhülltes Lebkuchenherz angeschaut und den Chemiegestank von Carling als Mottenpulvergeruch aus Nikolaus' Weihnachtsmantel erschnüffelt. »Heut' abend will ich nix Feierliches hören«, sagte Max, »aber bei euch brauch' ich keine Bange zu haben, daß ein Jammerlappen eingeladen ist, der die halbe Nacht über die Vergänglichkeit redet und klagt, daß wieder einmal ein Jahr ins Land gegangen ist.«

Eugen und Margrit waren aus Neuweiler, Hans Dahlem, der Maler, und seine Frau Hanno aus Saarbrücken gekommen, zusammen mit Max und Elisabeth, Brigitte und mir eine komplette Silvestergesellschaft, in der jeder einen anderen ergänzte. Hanno, der Temperamentvollen mit dem Herzen auf der Zunge, entsprach Margrit, die stumme Sphinx, und Elisabeth, mit Blondhaar und sympathischem Rapunzelgesicht eine zweite Giulietta Masina aus Fellinis Film *La Strada,* paßte haargenau zu Max, dem kettensprengenden Zampano. Begreiflicherweise war sie aber auch seine Queen, während er Brigitte Messalina nannte. Er habe von Anfang an dabei nicht an die männermordende römische Hetäre gedacht, erklärte er mir später einmal, es sei allein der Klang des Worts, doch in sinnvoller Verbindung mit ihrer Person. Max hatte nichts gegen Frauen, die sich an Männer ranschmeißen, er ließ sich gern von ihnen berühren und küssen, »aber Brigitte«, sagte er, »mit dieser verführerischen Unnahbarkeit, ist wie die Frauen, die ja auch Gottfried Benn geliebt hat«, und er zitierte: »Unwahrscheinliche Beauties / langbeinig, hoher Wasserfall / über ihre Hingabe kann man sich gar nicht erlauben / nachzudenken« – o ja, er könne sich gut vorstellen, wie lustvoll es wäre, wenn eine solche Frau ihm das Herz durchbohre.

Es war Silvesterabend, ich weiß nicht mehr das Jahr. Wir waren jung und unbeschwert von Sorgen, lebten in den Tag hinein, als würden unzählige folgen in einer nicht endenden Gegenwart, ohne zu altern, ohne zu leiden, ohne zu sterben. Davon sprachen wir nicht, und auch Max wollte ja kein Wort darüber verlieren. Doch niemand außer ihm kam immer wieder auf die verfließende Zeit zurück. Der Wunsch war Vater seines Gedankens. »Messalina«, sagte er zu Brigitte, »heut' an Silvester darf ich doch zur Abwechslung ein wenig biblisch werden und mit dem Prediger Salomo behaupten: *Alles hat seine Zeit!*« Doch Max lenkte rasch von der allgemeinen Einschätzung dieses Wortes ab und steuerte auf die persönliche Auslegung eines Schriftstellers hin, die ihn offenbar überzeugte. Er führte dessen neues Buch als Reiselektüre mit und nannte uns Titel und Autor: *Grande Sertão* von Guimarães Rosa. Bense kramte den dickleibigen Roman aus seiner Reisetasche, blätterte darin herum, fand die Stelle, die er suchte, und las: »Alles ergibt sich von allein. Genauso, wie es eine Zeit gibt für die Reise, fürs Ernten, für den Übergang von einem Zustand in den anderen, gibt es eine für die Monate der Trockenheit und des Regens. Ist es nicht so? Vielen anderen erging es ebenso wie mir, auch die fühlten nichts und dachten nicht nach.«

Mir gefiel das Zitat, ich begriff, warum er es ausgewählt hatte, doch spürte ich auch, daß er vergeblich gegen seinen Vorsatz anging, nicht über Zeit und Geschehenes nachzudenken. Ich erinnere mich an einen Ausflug mit Max Bense nach Weil der Stadt, wo wir beim Spaziergang über den Marktplatz einen Spruch über das Eilen und Weilen, Teilen und Heilen der Zeit entdeckten. Ich weiß nicht mehr, ob an Keplers Geburtshaus oder unter der Rathausuhr, Bense hatte mir Keplers Gesetze der Planetenbewegung erklärt, von Sonnen- und Sternzeiten, Ablaufs- und Umlaufzeiten gesprochen und fragend hinzugefügt: »Aber was ist die Zeit? Sie ist ein böser Krebs, der rückwärts geht und jeden Schritt in Schritte zerteilt.« Stürmisch ging er die Zeit an, als sei sie ein tückisches Geschöpf, das ihm sein Leben vergälle. So zeit- und geschichtsfern er sich gebärden wollte, er spielte die Rolle des *existentiellen Rationalisten* und *logischen Empiristen,* die ihm das Lexikon zuschreibt, nicht zum Schein. Vielleicht nur uns zuliebe sprang er an diesem Abend über seinen Schatten und stimmte sogar freudig dem Bleigießen zu, das Brigitte vorbereitet und angeregt hatte. Während sie das Blei in einem gußeisernen Tiegel aufs Gasfeuer setzte, einen Topf mit Wasser bereitstellte und Löffel zum Ausgießen verteilte, erzählte Max von Guimarães Rosa. Er hatte den brasilianischen Schriftsteller mit Freunden in Rio de Janeiro zum Mittagessen getroffen, erinnerte sich der dichten Atmosphäre von Geselligkeit und Gespräch, des Zusammenrückens, ja Aneinanderdrängens, entsann sich der Dichte der Dinge, die auf dem Tisch standen, und der Dichte der Wörter, die über den Tisch flogen: Teller und Schalen, Flaschen und Gläser samt Hokko-, Steiß- und Pampahühner. »In Brasilien treibt man nicht auseinander«, schwärmte er, »man strömt zusammen. Man ißt zusammen, spricht zusammen, denkt zusammen, und niemand bezweifelt die Rolle des Restaurants als Tummelplatz für gelungene Redefiguren.« Max war entflammt, er glühte, er schwitzte, warf Wörter aus wie ein Vulkan feurig-flüssiges Gestein. Bei Guimarães Rosa werde das uralte rhapsodische Vermögen der Sprache noch einmal wirksam, lobte er, und im Rückerinnern an diesen Lunch in Rios Restaurant *tim-tim por tim-tim* berauschte er sich an den handfesten Gegenständen des Gesprächs. Wir redeten über den Roman, ereiferten uns über die Kraft des neuen Erzählens und wären bestimmt in den Wolken einer Idee entschwunden, hätte uns nicht Elisabeth wieder auf den Boden der Tatsachen heruntergeholt. Bei dem Wort *erzählen* spitzte ich die Ohren. Erzählen, das wollte ich auch! Erzählen wie James Joyce und Gertrude Stein, erzählen wie Guimarães Rosa, dessen Name mir immer nur verschwommen in den Ohren klang wie ein flüchtiger Mandolinenakkord.

An jenem Silvesterabend saßen wir um den langen, schmalen Couchtisch mit der roten Polyesterplatte und lauschten Bense mit angehaltenem Atem. Vor jedem stand ein Getränk, Kognak, Cinzano oder elsässischer Riesling. Nur Max nippte an einem Glas mit Portwein, er trank in kleinen Schlucken, stellte das Glas immer wieder ab, stopfte die Pfeife, riß ein Streichholz an und gab auch uns Zigarettenrauchern reihum Feuer. Im Nu war die Stube voller Qualm. Obwohl er selbst, aus Angst, seine grauen Zellen zu zerstören, nur wenig trank, mochte er Menschen, die, vom Alkohol stimuliert, Geschichten erzählen, Wortspiele erfinden, Bonmots setzen. Nur die geistlose Trunkenheit widerstrebte ihm, er fürchtete sich vor dem willenlosen Trinker, der ein Alibi braucht, sich zu besaufen, unerträglicher Sommerhitze, mißliebigen Zeitgenossen, verdrießlichen Lebensumständen die Schuld an seiner Trunksucht zuschiebt. Hans Dahlems Augen glänzten, Eugen Helmlés Schnurrbärtchen zitterte, Max Benses Lippen schmatzten, und seine Pfeife entsandte Rauchschwaden über den Tisch, dessen rote Platte durch den Tabaksqualm schimmerte wie die verwischte Farbfläche eines modernen Gemäldes. An der Wand lösten sich die geometrischen Formen der Kalenderbilder auf, ihre Konturen flossen ineinander, und es schien, als wehten durchsichtige Farbgardinen, von einem imaginären Wind bewegt, leicht zur Seite, um die Aussicht freizugeben auf einen Hintergrund voller brasilianischer Romangestalten.

Brigitte rief zum Bleigießen in die Küche. Zuerst waren die Frauen an der Reihe. Eine nach der anderen schöpfte ein Klümpchen geschmolzenes Blei aus dem Tiegel und kippte es in den danebenstehenden Topf mit Wasser, worin es sogleich zu einem bizarren Gebilde erstarrte. Elisabeth goß ein Ginkgoblatt, Brigitte ein Einhorn, Margrit einen Rosenstrauß und Hanno den treuen Johannes mit dem wilden Haarschopf. Oder war es der Eisenhans, dem die Strähnen über das Gesicht bis zu den Knien herabhängen? Max krümmte sich vor Lachen und rief: »Das alles läßt tief blicken!« Und noch bevor die Männer mit Gießen begannen, stürzten wir uns in gewagte Deutungen der von den Frauen aus dem Wasser gefischten seltsam geformten Figuren. Wir priesen die Doppelform des Ginkgoblatts, das Ebenmaß der Rosenblüte, die Märchengestalt des Einhorns als Liebes- und Verwandlungskräfte und prophezeiten den Frauen die schönsten Aussichten.

»Für alle Zukunft bleibt beschlossen, was du dir hast in

Blei gegossen!« hätte Mutter gesagt und sich in die Brust geworfen. Leider habe ich vergessen, was wir Männer gegossen haben, ausgenommen die heftig diskutierte Figur von Eugen, die er selbst für eine starkbusige und breithüftige Frau mit extrem schlanker Taille ausgeben wollte; Max aber deutete sie als einen Kontrabaß und fügte erklärend hinzu: »Das ist bis in die feinsten Schneckenwindungen hinein ein Kontrabaß der drei Chinesen, die zum Ärger der Polizei auf der Straße sitzen und sich gegenseitig komische Geschichten vorerzählen.«

In diesem Augenblick klingelte das Telefon. Max, mitten im allerschönsten Philosophieren, hält inne, stutzt und flüstert, als könne ihn der Teilnehmer am anderen Ende der Verbindung hören, schon bevor der Hörer abgenommen war: »Das könnte der Döhl sein! Der braucht aber nicht zu wissen, daß wir hier sind.« Es war Reinhard Döhl in Stuttgart. In bester Stimmung begrüßt er mich, schwadroniert von den künftigen Zeiten, in denen wir es den Feinden der experimentellen Poesie schon noch zeigen würden, wünscht einen guten Rutsch ins neue Jahr und fragt, bevor er den Hörer auflegt: »Halt, fast hätt' ich's vergessen: Wer gehört denn in diesem Jahr zu eurer Silvestergesellschaft?« Ich zähle sie auf, außer Max und Elisabeth. »Eine nette Gesellschaft«, sagt Reinhard Döhl, »aber sind Max und Elisabeth nicht mit dabei?« Max, mit dem einen Ohr nahe am Hörer, schüttelt energisch den Kopf. Ich leugne es schlankweg, was aber gar nicht gut war, denn im nächsten Frühjahr, als wir in Benses Stuttgarter Arbeitszimmer fröhlich beisammensaßen, Heißenbüttel seine trockenen Witze zum besten gab und Döhl sich vor Lachen nicht halten konnte, polterte Max los und rief: »Was haben wir erst gelacht an Silvester bei Ludwig und Messalina in Sulzbach!«

Ein verhaltenes Lachen beim Geschichtenerzählen, ein ausgelassenes Lachen beim Bleigießen, ein verlegenes Lachen bei Döhls Anruf! Durch den Schlitz des Vorhangs zwischen Küche und Eßzimmer zog nun der aromatische Duft nach Sauerkraut und Leberknödeln, Bauchspeck und Mettwürsten tiefer und tiefer in unsere Nasen, es wurde zu Tisch gebeten, und das Tafeln begann. Ein Festessen für Max! Er war ja ein Liebhaber deftiger, hausgemachter Speisen: Wie genüßlich war er in der Provence den Schweinswürsten auf den Leib gerückt! Wie lustvoll hatte er sich in einem Pariser Restaurant mit dem Ausruf: »Pissenlit!« an einen freien Tisch gestürzt! Ja, wie orgiastisch winkte er stets den stinkigen Münsterkäse herbei! Er konnte Brigittes Choucroute garnie kaum erwarten. Die Leberknödel erschienen, mit Rahm und geröstetem Speck übergossen, die Würste, der Senf, die Gurken trafen ein, das Brot war geschnitten, der Wein eingeschenkt, nur das Sauerkraut ließ noch auf sich warten. Hanno brachte es mit leichter Verzögerung aus der Küche, schlüpfte mit der großen Porzellanplatte durch den Vorhangschlitz und präsentierte es mitten auf der Tafel.

Da stand es nun, eine gastronomische Rarität, ein Jahrhundertsauerkraut! Hanno servierte es, Max höchstpersönlich kostete es als erster, analysierte seine Beschaffenheit und gab fachmännisch sein Urteil ab. Er pries die exorbitante Erscheinung, würdigte die außergewöhnliche Würze. Welch ein abgestimmter Akkord von Wacholderbeeren und Lorbeerblättern, welch ein harmonisches Zusammenspiel von Nelken und Kümmel! Aber da gab es noch einen zusätzlichen Geschmack, eine beunruhigend exotische Köstlichkeit für die Zunge, und das verwirrte ihn. Er machte die Augen zu, öffnete und schloß die Lippen bestimmt ein halbes dutzendmal im gleichen bedächtigen Rhythmus und suchte ihn mit vorsichtigen Bewegungen der Zunge herauszuschmecken. »Etwas Prickelndes mit einem erdigen Beigeschmack«, konstatierte er und fügte nach einigen weiteren Zungenschlägen hinzu: »Wenn es nicht zu aufdringlich wäre, weil wir ja den ganzen Abend über Südamerika gesprochen haben, würde ich sagen: Ein Geschmack nach Pampa.« Tatsächlich! Brigittes Sauerkraut entströmte ein sonderbares Aroma mit einem Stich ins Subtropische, vielleicht irgendein provenzalisches Pistou, von dem niemand genau wußte, was für eine Gewürzpflanze es eigentlich ist, womöglich ein Steppenkraut mit einem Hautgout von Leopardenpfote!

»Vom Kochen versteh' ich nichts«, sagte Max, »vom Essen dagegen viel. Aber Kenntnisse und Erfahrungen reichen bei der Analyse eines Sauerkrauts von Messalina nicht aus.« Das Rezept zu erfahren, rief er nach Brigitte, die mit einer zweiten Platte aus der Küche kam. Ihr rotes Kleid von Leonard, teils mit geometrischen Formen, teils mit üppigen Blumenornamenten gemustert wie die Bilder von Vieira de Silva, leuchtete im Türrahmen auf. Brigitte lächelte, sie schaute Max mit ihren dunklen Augen an und meinte: »Nicht nur die Dichter, auch die Köchinnen behalten gern ihre Geheimnisse für sich.« Wir speisten und tranken weiter, besprachen das Genossene bis in kleinste Einzelheiten, knüpften aber erst wieder bei Benses brasilianischen Speiseerlebnissen an, nachdem er die gesellige Redekunst erneut ins Spiel gebracht hatte und ausrief: »Dann müssen wir die Geheimnisse eben ergründen! Doch ohne Phantasie kommen wir dabei nicht weiter.«

Während wir uns mehr und mehr mit komischen Einlagen unterhielten, Hans zu Benses Vergnügen den provenzalischen Zungenschlag imitierte und ich ein paar Sprachspiele aus Raymond Queneaus *Stilübungen* zu Gehör brachte, rückte der Uhrzeiger unaufhaltsam auf Mitternacht vor. Schlag zwölf stiegen auf dem Kirchplatz die Feuerfontänen hoch, Leuchtkugeln explodierten und Blitzbomben zersprangen, und vom Fenster her, festlich beleuchtet von bengalischen Flammen, erschien die kleine Caroline im Nachthemd auf der Türschwelle, mit Sirikit, unserer siamesischen Katze, auf dem Arm.

Die Champagnerkorken krachten, die Gläser klangen, Glückwünsche und Prophezeiungen verschmolzen zu einem unverständlichen Stimmengewirr. Als das Schlußbukett des Feuerwerks im Nachthimmel verglüht war, zog Max ein Zettelchen aus der Jackentasche, strich es glatt und rezitierte sein Wort zum neuen Jahr: »Vorbei die Zeiten der Troubadours, übrig bleiben die luftigen Wortreusen … Worte, Worte, nichts als Worte … Keine Bedeutungen mehr, aber offengehaltene, tote Poren der Geschichte.«

Viel später lüftete Brigitte mir gegenüber ihr Sauerkrautgeheimnis. Sie hatte das Kraut auf der Platte nicht ausbalanciert, die Platte geriet aus dem Gleichgewicht, das Sauerkraut rutschte herunter und fiel auf den Boden, von wo Hanno es geistesgegenwärtig mit den Händen auf die Platte zurückschaufelte. Das Sauerkraut war mit dem Küchenboden und mit Hannos duftgeschwängerten Händen in Berührung gekommen: Ein Mißgeschick hatte ein Gewürzwunder hervorgebracht, aus dem Max Bense poetische Blitze schlug.

»Es gibt keine Schöpfung ohne einen kleinsten Grad von Freiheit«, das ist Benses Botschaft an die deutschen Dichter und Denker der Hitlerzeit, doch »es ist nur so viel Freiheit im Geist, als Phantasie darin ist«. Auf dem Höhepunkt nazistischer Machtentfaltung tritt Max Bense am 17. November 1940 in der von Joseph Goebbels herausgegebenen Wochenzeitung *Das Reich* den Thesen von politischer Gleichschaltung und ideologischer Beeinflussung mit umstürzlerischer Finesse entgegen. In einem Leitartikel beschwört er die Macht der Phantasie. Sie allein sei es, die das Dunkel der Vernunft und der Anschauung mit Ideen auffülle, beiläufig Erinnerungen einflechte, die sich plötzlich wie Erkenntnisse ausnähmen, die ersten und die letzten Dinge streife und die schönsten Gewänder der Wahrheit anziehe, weil sie erstrahlen wolle im Glanz ihrer Freiheit. Doch der freie Geist der Phantasie, schreibt Bense, sei immer auch ein Schlangengeist mit vielen Gewändern: »Unablässig zieht solcher Geist die Welt und ihre Dinge an mit Kleidern, die vielleicht nur ihm gefallen, und ein wenig lüstern treibt er das große Spiel der Maskerade aus Furcht, das Seiende könne in einer einzigen neidischen Sekunde einmal von ihm abfallen und einmal mehr sein wollen als er und könne dann jene Macht zurücknehmen, die wir ihm, dem Geist, zusprechen.«

Nicht als Kaiser im Prunksalon, sondern als Herold unter freiem Himmel hat Bense seine Botschaft vom *Geist der Phan-*

tasie verkündet. Im Frühjahr spazierten wir zusammen durchs Grüne, im Sommer saßen wir im Garten, im Herbst streiften wir über die Felder: Max war immer am Reden. Zum Reden brauchte er viel frische Luft und Bewegung, eilte stets redend voraus, schaute sich redend um, trieb zur Beschleunigung unserer Schritte an, zog die Jacke aus und hängte sie über die Schulter, öffnete die Hemdsknöpfe und krempelte die Ärmel hoch. Auch wenn er im Winter mit Elisabeth und Caroline aus Paris zu uns nach Hause kam, drängte er ins Freie: Kaum hatte er die Koffer abgestellt, erklomm er mit uns durch den steil ansteigenden Garten den höchsten Punkt, damit er die eisige Winterluft einatmen und das Dorf überblicken konnte. Er mochte nicht die ganze Zeit über bei uns in der Stube sitzen, gehend, ja hüpfend dachte er, diskutierte er, verkündete er seine Botschaften. Freie Natur und freier Geist spielten zusammen, wirkliche und vorgestellte Welt bedingten, ergänzten, beeinflußten einander, vielleicht waren ihm Veilchenfarbe und Rosenduft, Windhauch und Frostgeschmack unverzichtbare leibliche Genüsse, dienten ihm diese *präzisen Vergnügen* der Sinne wie fortwirkende Gärstoffe, um nicht im Geschäft mit den gegenstandslosen Wörtern zu veröden: »Denn das Wort kann auch neben der Bedeutung existieren, wie der Gedanke daran neben der Tat. Aber was dann, wenn die Distanz zu weit wird und sich winzige Vorgänge und Figuren dazwischenschieben oder die kleine Hand der Wollust sie ohne Übergänge auseinanderhält, die kleine Hand über der Rosenbraue?«

So lesen wir es in Max Benses Gedicht *Botschaften für jemanden.* Bense verkündet seine Botschaft vom souveränen Wort auf ganz andere Weise als der sterbende Kaiser in Kafkas Geschichte. Er hat nie geflüstert. Mit fester Stimme ist er aufgetreten und hat seine Botschaft verkündet wie ein Kaiser, der sein eigener Herold ist. Bis in den letzten Winkel hinein soll man ihn hören. Während wir dilettantischen Schüler uns in kleiner Öffentlichkeit mit Glockenspielen und Signalflaggen hinter der Zweibrücker Balustrade bemerkbar machten, spazierte Max Bense im Elsaß unter Bäumen und sagte zu Elisabeth Walther: »Ich beschreibe nicht, besinge nicht, dichte nicht an, diskutiere auch keine Einzelheiten, sammle nur Namen und mache etwas aus ihnen, das es nicht gibt.« Seine Botschaft blieb nicht hängen in den Zweigen und Ästen der Bäume. Sie schwang sich über die Wipfel der elsässischen Hainbuchen hinweg und flog bis nach Brasilien, wo die Dichter aus Rio de Janeiro und São Paulo mit gespitzten Ohren saßen und lauschten.

XIII

Die wunderbaren Augenblicke

Ist nicht die Erinnerung wie der Mistral, kalt und trocken, aus-
gepumpt vom vielen Blasen, ein garstiger Wind, der aus der
Flaute sich aufrappelt, um mich und meinesgleichen mit frostigen Schauern zu überfallen? Zum Glück erwärmt sich mein
Erinnerungswind rasch, weht auf und reist und fegt den Sandstaub von den Mauern Grignans, reibt sie blank, putzt sie auf,
daß sie in der Sonne glänzen wie vor dreißig Jahren. »Mauern
und Mauern aus Mauern von Mauern aus Mauern von Mauern
aus Mauern«, schrieb Max Bense damals: Nicht nur die Haus-
mauern des Städtchens, auch die ungezählten Stütz- und Ter-
rassenmauern auf den Feldern und Weiden sind Mauern, die
aufeinandergeschichtet sind aus immer wieder zusammen-
stürzenden Mauersteinen. Das Wechselspiel endet nie: Wer
sich seine Lieblingssteine mit Zeichen versähe und regelmäßig
alle zehn Jahre wiederkäme, fände die Steine in immer neuen
Verbänden, mal längs-, mal quergelegt, heute tief unten an der
Grasnarbe im Fundament und Jahre später hoch oben in der
Krone der Mauer. Grignan ist so dauerhaft und wandelbar wie
seine immer gleichen Mauersteine, die nie für lange an ihrem
Platz geblieben sind. Jedesmal, wenn ich in den langen Jahren
meiner Abwesenheit an Grignan dachte, sah ich stets vor mir
ein kalkgraues, weitläufiges Häuserkarree: linker Hand das
mächtige Schloß aus dem 16. Jahrhundert, rechter Hand die
Häuserfront aus der Napoleonischen Zeit und an der Stirnseite

die Fassade des *Hotel Sévigné* mit seinen Ecktürmchen und Balkonen, die mir seitdem wie Termitenstöcke, in- und übereinandergeschachtelt an den Hang hinaufgebaut, im Gedächtnis geblieben sind. Jetzt erst, bei der Wiederkehr nach dreißig Jahren, muß ich eingestehen, daß ich mich getäuscht und in meinem Kopf das Ensemble einer Wunscharchitektur zurechtgezimmert hatte.

Je weiter wir vom Rhônetal aus über den narbigen Schildkrötenrücken des Tricastin ins Landesinnere vordrangen, in den Talmulden die gepflegten Obst- und Gemüseplantagen, auf den Hängen die wild wachsenden Pinien, Steineichen und Ölbäume wiedersahen, um so mehr zweifelte ich an meinem geometrisch zurechtgestutzten Stadtbild Grignans: Unverhofft schiebt sich im an- und absteigenden Gelände der massige Körper des Schlosses zwischen die Bodenwellen, bäumt sich beim Näherkommen wie ein monströses Steingetier auf, und das Städtchen, unregelmäßig um den Koloß herumgebaut, erscheint als ein aufgeschütteter Schutzwall um seine Knie. Hundert Fensterscheiben glänzen in der Nachmittagssonne, geblendet schaue ich durch Augenschlitze, und für einen Moment ist mir zumute, als seien gerade die hundert Jahre verflossen, in denen eine Dornenhecke um das Schloß wucherte, die nun aber vor meinen Augen sich auftut und mich unbeschädigt hindurchläßt. Ich bin nicht der Königssohn, und auf mich wartet auch kein Dornröschen, doch an der Schloßmauer wohnt ein Dichter, dessen Feder so spitz und verzaubernd ist wie die Spindel der alten Frau im Märchen. Der Dichter schreibt von Vögeln und Schlangen und von Augenblicken regloser Stunden unter höherem Himmel, wenn das Abendlicht ein sanftes Öl geworden ist und mit seinem Goldhauch über die Erde streicht: Flüchtige Momente wie die Sekunden unserer Ankunft, in denen Festes und Durchlässiges ein Bündnis miteinander schließen, das jäh zerbricht. Der Motor stirbt ab, Autotüren fliegen auf, hinter den Parterrefenstern des Hotels huscht eine Gestalt vorüber.

Wir sind angekommen. Odile, die Wirtin des *Hotel Sévigné*,

steht hinter dem Schreibpult der Rezeption, sie buchstabiert unsere Namen, prüft die Vorbestellung, nimmt die Zimmerschlüssel von den Haken und reicht sie über die Theke. Wir sind zu viert: Brigitte und ich, Malerfreund Hans und Hanno, seine Frau. Petra, beider Tochter, ist diesmal nicht mitgekommen, damals war sie zehn, aber sie hat nichts vergessen von unseren Streifzügen durchs Tricastin, unseren Picknicks mit Max Bense und Elisabeth Walther, unseren Ausflügen zu Jean-Henri Fabre nach Sérignan, zu Petrarca an die Fontaine de Vaucluse. Wir nehmen die Zimmerschlüssel entgegen, werfen einen familiären Blick nach vorn in die Gaststube, nach hinten ins Restaurant, so als seien wir vor ein paar Tagen erst hier und nur für kurze Zeit unterwegs gewesen, vielleicht zu einer Visite ins Comta, einer Landpartie an die Sorgue.

Odile lächelt freundlich, aber sie erkennt uns nicht wieder. Grau ist sie geworden, bleich und schmallippig. Odette, ihre Tochter, heute so alt wie die Mutter in den frühen Sechzigern, geht mit einem Blumenstrauß vorüber, ihre Lippen sind noch voll und rot, doch schon huscht ein fahler Hauch über ihr Gesicht, und sie streicht sich das Haar aus der Stirn, als könne sie den lästigen Hauch damit wegwischen. O ja, an Monsieur Bense könne sie sich noch gut erinnern, sagt Odile, und an Madame Bense auch. »Ihr Töchterchen ist immer dabeigewesen«, erzählt sie, »und daneben hat es noch eine Reihe größerer Mädchen gegeben und einen jungen Mann mit schwarzem Haar und schwarzen Augen, die sind durchs Haus geschwirrt wie ein aufgescheuchter Bienenschwarm. Einmal kamen ein paar Jungen aus dem Dorf, die rannten den Mädchen hinterher bis an die Zimmertür. Da hätten Sie den Professor aber sehen sollen. Der trat plötzlich auf den Flur, die Pfeife im Mund, den Stift in der Hand, und warf Blitze mit den Augen wie Gottvater persönlich. Im Nu ist das ganze Hotel ein brausender Bienenkorb gewesen. Jaja, der energische Professor mit der englischen Tabakspfeife und dem französischen Schreibstift, den habe ich bis heute nicht vergessen.«

Im *Hotel Sévigné* ist es wie damals: geschnitzte Bettpfo-

sten, geflochtene Korbstühle, geblümte Sitzkissen, Nacht-
tischlampen mit elektrischen Kerzen, eine Spiegelkommode in
imitiertem Chippendalestil. Und an den Wänden prangt nach
wie vor die altrosa Plüschtapete. Zart duftet es nach dem Tabak
Navycut, es riecht im Zimmer, als sei die Zeit stehengeblie-
ben und Max Benses süßlicher Tabaksqualm hätte sich für alle
Ewigkeit in den Plüschfasern der Tapete festgesetzt. Hinter
dem Balkonfenster steigt das grobe Kalksteingemäuer der
Stadt über hängende Gärten zur Schloßmauer hinauf. Gelber
als sonst glänzt es in der Nachmittagssonne. Als wir später den
asphaltierten Fußweg aufwärts steigen, hält es noch immer den
Goldton aus der Prosa des Dichters, der an der Schloßmauer
wohnt. Heute sei Monsieur Jaccottet am Hotel vorbeigegan-
gen, hatte uns Odile erzählt, »dünn und gebeugt wie immer,
irgendein Korb hing über seiner Schulter, weiß der Teufel, was
er da drin wieder herumgeschleppt hat. Bestimmt nicht seine
Bücher!« Wie wir ihn jetzt so unbesorgt hinter der Fensterscheibe sitzen sehen, fürchten wir, er würde uns wie Odile
nicht wiedererkennen und lassen ihn ungestört über seinen
Blättern grübeln und von den Augenblicken träumen, in denen
die Erde lang ist wie ein großer Kahn aus fahrterprobtem Holz,
mit einem Takelwerk hellen Himmels. Nur einen Augenblick
lang duldet der Dichter das Bild, das er entwirft, denn es stört
ihn, sobald es beharrt. Inzwischen sind die Schatten lang geworden, Ehrenpreis und Holunder, die aus den Mauerritzen
sprießen, verlieren ihre Farben, nur der ineinandergeschach-
telte Dachteppich aus Mönch und Nonne leuchtet ziegelrot.
Hinter Weinbergen und Waldstücken ragen die Berge des Tricastin aus dem Dunst. Ein Gewitter zieht auf, doch es wird
lange dauern, bis es uns erreicht. Noch fliegen die Schwalben
hoch, ihre Flügel glitzern im Spätlicht. Auf einem Schornstein
sitzt ein Taubenpaar, schnäbelt und begattet sich. Danach
putzt sich das Männchen und wippt mit dem Schwanz, während das Weibchen sich niederlegt und mit den Augen klappt,
als sei nichts gewesen. Hans, der Maler, schaut nach dem
Kirchturm, den Balkonen, den Renaissancefialen auf den Zin-

nen des Schlosses, er beugt sich weit über die Bruchsteinmauer und sagt: »Du kannst hingucken, wohin du willst: alles Bilder!«

Hans zeichnet die Dächer von Grignan, wie vor dreißig Jahren. Er schaut mit zugekniffenen Augen, steckt sich eine Zigarette an, schaut noch einmal lange und angestrengt, führt dann aber die Tuschfeder über das Papier, als müsse er ihrer Bewegungslust Leine lassen. Mönch und Nonne berühren sich kaum, damals lagen sie noch fest ineinandergefügt. »Im Alter kann man's nicht mehr ertragen, sich so auf der Pelle zu liegen«, sagt er, »und die Kunst, die man macht, geht mit der Zeit.«

Zum Abendessen fahren wir ins Restaurant *Le Probus*, das zwischen verkrüppelten Steineichen am Ortsrand liegt. Es ist ein Bungalow in Leichtbauweise, mit angedeuteten klassischen Säulen aus rosa Rabitz. An der Innenwand hängt, auf ein Notenblatt von Diabelli montiert, eine Geige aus Leder, die aussieht, als wäre sie in Knochenleim gekocht. Scheinrömische Friese, scheinrömische Kapitelle, scheinrömische Architrave aus Kunststoff, was alles man einem Restaurant verzeiht, wenn das Essen gut ist. Wir speisen vorzüglich: Die Fischsuppe ist mit einem in siedendem Fett schwimmend gebackenen Teiggitter abgedeckt, eine eßbare Dekoration, die sinnreich an eine Fischreuse erinnert; der gebratene Hase liegt in blühendem Thymian und schwellenden Linsen, die Nieren in Fett gebettet, die Leber mit Speck umgürtet. Über unsere Lippen gleitet ein sahniger Seim, der Gaumen räkelt sich hinter den Zähnen, von Pfeffer gekitzelt, von Knoblauch erhitzt. Auf heißen Schafskäse folgen warme Früchte in Grand Marnier, und unsere Magenwände, matt und mürbe, spannen und dehnen sich mühsam im Rhythmus des Atems. Am Ende schnaufen wir nur noch, erschlaffen bei einem Marc de Provence, der im Nu bis in die Knie hinunterläuft. Ein Szenarium von Rabelais, dieser fast unwirkliche Abend zwischen Styropor und Birkenfeigen; die gekochte Geige an der Wand dreht sich beschwingt im Dreivierteltakt, den die Noten von Diabelli gebieten.

Eine Stunde später liege ich im Bett, glockenhellwach. Ich denke an die Picknicks mit Max Bense, es war auch Frühling, wir kauften Schweinswürste, Brot und Käse, steckten die Würste auf zugespitze Weidenstöckchen und brieten sie über offenem Feuer. Wir saßen auf Mauern und Baumstümpfen, aßen mit Heißhunger, tranken billigen Rotwein aus der Kolonialwarenhandlung und spürten mit Freude, wie er uns zu Kopf stieg. Wenn im *Hotel Sévigné* nach uns gefragt wurde, sagte Odile: »Ils sont aux trois épines!« Sie kannte die Stelle bei den drei Dornbüschen, doch unsere Besucher kamen meistens zu spät, denn nach dem Essen traten wir rasch das Feuer aus, folgten Max ins Maquis und setzten uns mit ihm auf die Spur der Trüffelschweine.

Aus einem geöffneten Löwenmaul ragt die Zugglocke des Schlosses. Früh am Morgen sind Ehrenhof und Schloßhof noch menschenleer. Im Ehrenhof stehen die steinernen Dachreiter Spalier, im Schloßhof paradieren die Ölbäume. Keine Blaskapelle sitzt in einem der drei Musikpavillons wie damals an einem Aprilabend, als ein Musiker seine Trompete vor sich auf den Boden legte, aus dem Pavillon auf die Terrasse herauskam und Brigitte zum Tanz engagierte. Er war ein exzellenter Jazztrompeter, der die Melodien seiner Mitspieler geschickt aufgriff und ausgefallene Improvisationen blies. Doch tanzen konnte er nicht, trat Brigitte ein ums andere Mal auf die Zehen, ärgerte sich deswegen und bat Brigitte um Befreiung aus seiner Not, bevor der Tanz zu Ende war. Er ging in den Pavillon zurück, nahm seine Trompete vom Boden auf und blies ein paar überraschende Arabesken, silberhell und doch melancholisch, als seien sie ihm während des Tanzens eingefallen. Wir kehrten der Musik den Rücken und stiegen, ohne uns noch einmal nach den Musikern umzusehen, in die steinernen Räume mit den ausgemeißelten Drachen empor. Unentwegt schrecken ihre Häupter, glotzen ihre Augen, drohen ihre geblähten Nüstern über den breiten Säulenkaminen. An ihnen vorbei führte der Weg durch prunkvolle Salons mit Seidentapeten und glitzernden Lüstern in die zweite Etage und von dort aus eine enge

Wendeltreppe hinauf ins Schlafzimmer der Marquise. Teppiche an den Wänden erzählen dort Romanszenen ihrer Zeit: Es blitzt von Dolchen, qualmt von Fackeln, orientalische Fürsten treten auf, Leser beugen sich über ein Buch. Eine Nonne, Frau von Sévignés Großmutter, schaut in die falsche Ecke, spiegelt sich über dem Kamin.

Alles ist an seinem Platz wie seinerzeit, als Max Bense uns durch die Räume führte und die Briefe pries, die Frau von Sévigné an ihre Tochter geschrieben hatte, zweimal, ja dreimal die Woche, sooft sie voneinander getrennt waren, bald aus Paris, bald aus Les Rochers, bald aus Grignan. Mit ausgestrecktem Zeigefinger lockte er uns zu den goldgerahmten Spiegeln, den chintzbezogenen Sesseln, den glattgebohnerten Parkettböden, als wären es seine eigenen, wies auf den Alkoven mit dem Bett und auf die Konsole mit der Pendeluhr, deren Zeiger heute noch auf Viertel vor eins steht. »Schaut mal diesen Tisch mit den zierlichen Schublädchen!« rief Max und genierte sich nicht, das Meublement älter zu machen, als es in Wirklichkeit war, »daran hat die Marquise ihre Briefe geschrieben.« Nach einem Augenblick der Besinnung kehrte er wieder zu seinem Anliegen zurück, die Briefe zu rühmen, und sagte, indem er die Stimme hob: »Diese Prachtstücke französischer Prosa!« Doch der Holzwurm ist all die Zeit fleißig gewesen, er kümmert sich nicht um das noble Möbel und bohrt sich seine Wege durch Stuhlbeine und Bettpfosten. Ich erinnere mich, wie Max mit seiner Handfläche zärtlich über eine Schranktür strich und sie öffnete. Behutsam schlug er sie zurück, hinter ihr wurde eine nächste sichtbar, die Max gleichfalls auftat wie eine über- und überübernächste und auf diese Weise immer weitere Türen und Laden vor unseren Augen erscheinen ließ. Nun sind es nicht mehr Mauern und Mauern aus Mauern von Mauern, dachte ich, nun sind es Türen und Türen aus Türen von Türen – und mit einemmal erschien mir dieser Türenschrank wie ein Spiegelkabinett, in dem aus vorderen Bildern neue immer gleiche Bilder hervorgehen, klein und kleiner werdend, bis in fernste Tiefen hinein. »Und diese gewaltige Truhe ist aus Eibenholz geschnitzt«, warnte Max im Billardsaal, »wenn ein Pferd nur einen Zweig mit dem giftigen Samen dieses Baumes frißt, muß es sterben.« Immer noch stehen Ebenholzschrank und Eibentruhe an ihrem angestammten Platz, und da die Führerin einen Augenblick nicht herschaut, streicheln wir ihre glatten Oberflächen und denken an Max Bense und sein Privileg, vor den Augen der Fremdenführer und Saaldiener alle die von ihm geliebten Dinge unbeanstandet anfassen zu dürfen. Wie klug und kundig führte er uns damals durch die Zimmer und Säle des Schlosses von Grignan, holte zu großen Gesten aus, gefiel sich in theatralischen Gebärden, und wenn er mit ironischen Bemerkungen über die Stränge schlug und im Stegreif wunderliche Geschichten zu Malereien und Meublement erfand, standen wir kleinlaut neben ihm und staunten Bauklötze. »Kommt mal hierher und schaut euch dieses Gemälde an!« rief er einmal aus dem Musikzimmer zu uns herüber, »ist das nicht Petrarca, der da vor dem singenden Volk sitzt und Klavier spielt?«

Auf dem gemauerten Dorfbrunnen sitzt Frau von Sévigné, in Bronze gegossen. Ihr Stuhl ist der gleiche wie im Schloß, vom Holzwurm allerdings verschont geblieben. Grünspan überzieht die Bronze mit einem Hauch von Rauheit, es ist ein vornehmer Grünspan, er schimmert leicht golden und glänzt nicht in der Sonne wie Trompetenblech. Frau von Sévigné, pausbackig, mit runder Nasenspitze und zu breitem Kinn, was sie selbst bemerkt und freimütig beschrieben hat, trägt das Mieder eng geschnürt, die Puffärmel dicht plissiert, ihr Kleid bauscht sich über Füße und Fußschemel. Schillerlocken und Kirschenmund kräuseln und wellen sich wie auf dem Kupferstich von Bernigeroth und geben dem Gesicht einen Anhauch schwellender Anmut. »Nur daß ihr eines Auge etwas dunkler blau als das andere war, sieht man nicht«, wußte Max Bense, »dafür fallen die Insignien ihrer Tätigkeit um so mehr auf«, und er zeigte nach dem Doppelblatt Briefpapier und dem schlanken Gänsekiel in ihren Händen. »Prachtstücke französischer Prosa. Was für Briefe, was für ein Stil!« Hingerissen schwärmte er: »Ich hätte die Tochter geheiratet in der Hoffnung, als Schwiegersohn hin und wieder einen solchen Brief geschickt zu bekommen.« Und voller Spottlust drehte er sich selbst eine Nase und schwatzte von seiner Eifersucht der Tochter gegenüber, die ein halbes Leben lang das Glück gehabt habe, diese wunderbaren Briefe zu empfangen. Die Tochter hätte Max übrigens gefallen, und neben seiner Rolle als Schwiegersohn hätte er bestimmt auch die Rolle des Liebhabers mit Bravour gespielt. »Was heißt *neben*?« rief Max Bense enthusiastisch, »die Rolle des Liebhabers hätte ich sicherlich zu meiner Hauptrolle gemacht.«

Am nächsten Tag brachen wir zu einer längeren Exkursion auf. »Wir wollen uns nicht verzetteln«, sagte Max, »von Frau von Sévigné in Grignan geht's schnurstracks zu Jean-Henri Fabre nach Sérignan und von dort aus zu Petrarca an den Mont Ventoux.« Wir fuhren über Grillon, das wir dreißig Jahre später ganz und gar verändert wiederfinden. Damals war es ein verlassenes Dorf, die Jungen, in die Städte fortgezogen, sind als gesetzte Leute zurückgekehrt. Die Platanen sind zurechtgestutzt, Begonien schwellen aus den Blumenkübeln, aus den Löwenmäulern des Dorfbrunnens strömt wieder Wasser. Wir reiben uns verwundert die Augen über die grünen Ideen dieser Leute, die Uhr zurückzudrehen, die Zeit zurückzugewinnen, und steigen im Rasseln der Betonmischmaschine zum Kirchplatz hinauf. Hier zerfällt das Gemäuer weiter zu Staub, in Fensterhöhlen sprießt Queckengestrüpp, im Mauerschutt blüht Mohn. Die blecherne Wetterfahne auf dem Stahlgeflecht des Kirchturms zeigt unbewegt nach Osten. Damals stand der Totenwagen in einer Hauslücke, ein teerschwarzes Gefährt mit silbernen Streifen und Aufsätzen, wie napoleonische Fakkeln gedrechselt. Max zeigte auf den Wagen, blieb stehen, und so, als dürfe es keine Meinung neben der seinen geben, entschied er mit fester Stimme: »Was ist schon das Leben? Ein Stückchen aufgehaltene Verwesung in der endlosen Epoche des Zerfalls. Die einzige Spur, die zurückbleibt, ist die Räderspur des Totenwagens, die sich rasch im Sande verläuft.« Ich

dachte an ein Prosastück mit dem Titel *Wagenspuren*, das ich
viele Jahre zuvor vergeblich aus dem Französischen zu übersetzen versucht habe, erinnerte mich an einen vorüberziehen-
den Baldachin mit ebenholzschwarzen Federbüschen auf den
vier Eckpfosten, wollte Max widersprechen und die unaus-
löschlichen poetischen Wagenspuren des Dichters Baudelaire
ins Feld führen. Er aber fing an zu lächeln und rief: »Geh weiter. Schnell. Dreh dich nicht um. Du siehst nichts mehr. Deine
Gedanken werden deine Augen täuschen.«

Wir schlendern aus den Ruinen zum Dorfplatz zurück. Auf
einen Schlag hört das Rasseln der Betonmischmaschine auf, die
Kirchturmglocke schlägt Mittag, grell und überlaut, als müsse
sie rigoros Ruhe gebieten.

Nach einem Imbiß in Valréas fahren wir weiter und halten
erst vor der hohen Mauer, die den Harmas von Jean-Henri
Fabre von der Durchgangsstraße trennt. Ein Harmas sei hier-
zulande nichts anderes als ein unbebautes, steiniges Stück Boden, den der Thymian überwuchere, schreibt der legendäre In-
sektenforscher in seinen Erinnerungen. Vorzeiten öd und leer,
ist es ein Garten Eden, heute wie Mitte der sechziger Jahre. Alles ist grün, die Blätter der Pfingstrose, des Storchschnabels,
des Salomonsiegels, es ist ein frisches, fleischiges Grün, aus
dem die Blüten des Klatschmohns wie bunte Knallfrösche
explodieren. Das zweigeschossige Landhaus, altrosa mit
blaßgrünen Fensterläden, schimmert durch die Zweige der
Feigen- und Kastanienbäume. Eine junge Frau geht hinter den
Scheiben vorüber, auch sie wartet auf Monsieur, den Wärter
des Museums.

Nur der Gärtner ist allgegenwärtig. Wo wir gehen und stehen, unter Zedern oder Steineichen, bei den geometrisch abge-
zirkelten Beeten mit Alraune und Akelei oder den ineinander-
fließenden Rabatten mit Callas und Akanthus: Immer tritt er
unvermutet hinter einem Busch hervor und erklärt uns ein ab-
sonderliches botanisches Detail. Er hat kohlrabenschwarze
Augen und kohlrabenschwarzes Lockenhaar, spricht ein pas-
sables Deutsch und untermischt seine Ausführungen mit Bei-

spielen aus der Poesie. Mit gedämpfter Stimme weiht er uns in das Geheimnis der Centaureen ein, jener mittelmeerischen Art rotblühender Flockenblumen, erzählt eine verworrene Geschichte von Chiron, dem Kentaur, der dem Gott Asklepios die Heilwissenschaft und die Kunst beibrachte, Tote zum Leben zu erwecken. Was wir in diesem Rondell bewundern könnten, seien lauter Kentauren, in Blumen verwandelt, erzählt er, bückt sich und zeigt auf Blätter und Blüten, die mehr an nüchterne Landsknechtsspieße und praktische Kronleuchter denken lassen als an ungebärdige, trunkenboldige Pferdemenschen. »Laßt euch keinen blauen Dunst vormachen«, hätte Max Bense uns zugerufen, wenn er dabeigewesen wäre. Stets ist er dazwischengefahren wie der allwissende Hermes, der bald Länder und Meere auf geflügelten Schuhen durcheilt, bald wie die Herbstluft durch ein Schlüsselloch schlüpft, gab sich als Gelehrter, wenn es zu mythologisch, als Poet, wenn es zu wissenschaftlich zuging. Uns gefällt das mythologische Jägerlatein des Gärtners, wir lauschen ihm mit heißen Ohren und stacheln seine Fabulierlaune mit lautstarkem Beifall an. Im Vogelhaus kreischen die Papageien, im Bambushain quaken die Frösche. »Quamvis sint sub aqua«, rezitiert der belesene Gärtner ein Wort von Ovid und schlägt dazu den Takt mit der Gartenschere, »sub aqua maledicere tentant.« Das sei aber das einzige auf Latein, das er auswendig gelernt habe, gesteht er, aber es habe sich gelohnt. Denn jedesmal, wenn seine Frösche quakten, sage er zur Verwunderung seiner Zuhörer diesen Vers auf. »Und jedem, der ihn hört, klingeln die Wörter im Ohr wie echtes Fröschequaken«, belehrt er uns, »es gibt Augenblicke, in denen weiß man nicht, was ist und was scheint, als wäre es.«

Hans schaut dem Gärtner in die Augen, er hat ihn in sein Herz geschlossen. »Ich bitte Sie um Erlaubnis, mir einen Bambusstab abbrechen zu dürfen«, sagt er fast eine Idee zu feierlich, »ich bin Maler und möchte mir eine Rohrfeder daraus schneiden.« Dabei erinnere ich mich an unseren Besuch vor dreißig Jahren: Wir lustwandelten mit Max unter den Zypressen; Max redete an einem Stück und unterhielt uns mit

Exquisitäten aus Ovids *Metamorphosen*, die er mit witzigen Pointen einschränkte und auf botanische Sachlichkeit rückbezog, als Hans plötzlich die Aufmerksamkeit des Wärters erregte. Damals schon wollte er sich ein Bambusstöckchen schneiden, um daraus eine Feder zu schnitzen. »Ich möchte eine Zypresse damit zeichnen«, sagte er, »ich mach' nämlich nicht viel Worte wie die Herren Dichter, sondern schaffe mir das, wovon sie reden. Aber im krausen Gewirr der Zweige wird man in meiner Zeichnung noch die struppigen Haare des verwandelten Jünglings erkennen, der den göttlichen Hirsch getötet hatte.«

Hans schneidet sich eine Rohrfeder und zeichnet. In den geharkten Pfaden ringeln sich Wasserschläuche wie gelbe Schlangen, unter bemoosten Steinbänken liegt gelbroter Kieselschotter und glänzt, als sei er aus purem Gold. Hans zeichnet eine Zypresse, eine Alraune, ein Akanthusblatt, und unter seinen Federstrichen verwandelt sich Jean-Henri Fabres Harmasgarten ins Paradies zurück.

Der Museumswärter läßt auf sich warten. Wir sitzen auf einer Steinbank, hören die Papageien kreischen, die Frösche quaken und spüren: Je höher uns der Wellenschlag der Geräusche überspült, desto unwiderstehlicher geraten wir in seinen Sog. Augenblicklich werden Geräusche zu Stimmen, im Läuten eines Fasans tönt leise Klage, im Sägen der Zikaden klingt aufdringliches Geschwätz auf. Das Palaver pflanzt sich fort, und im Nu regt sich der Wortschwall, den das Gedächtnis auswirft. Gibt es noch die Vitrinen mit den Schmetterlingen, die in speckiges Leder gebundenen Folianten, die Botanisiertrommel, den kleinen Tisch? Es gibt sie noch. Im richtigen Augenblick kommt der Wärter und schließt die Tür auf. Wir steigen die schmale Treppe empor in Fabres Arbeitszimmer: Da sind ja die Schmetterlinge, die Herbarien, Spazierstock und Sammeltasche! An der Wand hängt Fabres Schlapphut, in Flaschen mit Spiritus schwimmen Larven und Raupen, in Schränken mit Glastüren stapeln sich Muscheln und versteinerte Schnecken. Und da steht auch noch der kleine Tisch, »ma petite table«, wie er selbst sagte, »groß wie ein Schnupftuch – auf der rechten Seite stand das Tintenfaß, wie man es für fünf Centimes kaufen kann, und die linke Seite war bedeckt vom offenen Heft« und gewähre ihm gerade so viel Raum, daß er die Feder führen könne.

»Hier schrieb er seine *Erinnerungen eines Insektenforschers*, hundert Bücher«, belehrte uns Max Bense vor dreißig Jahren, »und was für ein Stil!« Er sprach mit Begeisterung von Fabres präziser Wortwahl wie von einer Sammlung schlicht geschliffener Edelsteine, lobte den klaren Satzbau, pries die liedhafte Melodie seiner Sprache, die ohne Brimborium aufklinge, »nicht wie unser deutsches aufgebauschtes akademisches Kauderwelsch mit seinem ganzen Drum und Dran von Fremdwörtern und falschen Zungenschlägen!« Fabres Sprache erinnere ihn an den Stil der Frau von Sévigné: Wo diese von der ungezwungenen *négligence* ihres Stils spreche, führe Fabre seine natürliche, von blanken Sinnen geschärfte Sprechweise ins Feld und rufe all seine Insekten als hilfreiche Kumpane herbei: »Verteidigt mich und zeugt für mich! Sagt ihnen, in welch inniger Vertrautheit ich mit euch lebe, mit welcher Geduld ich euch beobachte, mit welcher Gewissenhaftigkeit ich eine jede euerer Handlungen aufzeichne. Euer Zeugnis wird einhellig sein.« Seine Buchseiten, ohne leere Formeln, keine gelehrte Nachtarbeit, sind genaue Erzählungen von Tatsachen, die er selbst beobachtet hat. Nicht mehr, nicht weniger.

Bense steckte das Büchlein, aus dem er von nun an des öfteren Kernsätze und kluge Gedankensplitter zitierte, in seine Jackentasche, klopfte zufrieden darauf und führte uns auf sein ureigenes Terrain: *Négligence,* wie Frau von Sévigné sie verstanden habe, sei nicht das Nachlässige, sondern das Ungesuchte, Ungezierte, der präzise Hauch des Flüchtigen – und *erzählte Tatsachen,* wie Fabre sie begreife, seien genau das, was Flaubert die *geschriebene Wirklichkeit* genannt habe. Bense stellte sich auf die Zehenspitzen, schnalzte mit der Zunge und sagte: »Geschriebene Wirklichkeit ist aber immer etwas Neues, das wie gesagt nur durch die Sprache hervorgebracht werden kann.« Bei Fabre seien die Insekten mehr als nur haut- und panzergeflügelte Gliederfüßler mit strickleiterförmigem Nervensystem, sondern auch Bergleute und Erdstampfer, Maurerburschen und Zimmermannsgesellen, Wollweber und Pappekonstrukteure. Wenn man die Metamorphose der Insekten auf den Bildern von Hans genau betrachte, komme man zu dem verblüffenden Schluß: »Geschriebene Wirklichkeit übersetzt sich in gezeichnete Wirklichkeit. Wer zwischen den Zeilen des Geschriebenen lesen und hinter den Linien des Gezeichneten sehen kann, dem verwandelt sich der Gartenteich des Harmas in einen Orchestergraben, in dem die Zikaden ihre Geigen stimmen, die Frösche ihre Bässe und die Unken ihre Soprane erschallen lassen.« Und dann lese man einmal Fabres Aufsatz über das Liebesleben der Gottesanbeterin, diese Erzählung eines gräßlichen Festmahls: Während der Paarung beginne das Weibchen den süßen Liebhaber zu verzehren, erst habe er keinen Kopf, dann keinen Hals und schließlich keinen Vorderleib mehr. Und wieder zog Bense das Büchlein aus der Tasche, blätterte es auf und las: »Die Liebe ist stärker als der Tod, hat man gesagt. Wortwörtlich genommen, hat wohl nie ein Aphorismus eine glänzendere Bestätigung gefunden. Ein Enthaupteter, ein bis zur Leibesmitte Amputierter, ein Kadaver beharrt dabei, Leben zu spenden. Er wird damit aufhören, wenn der Hinterleib, der Sitz der Zeugungsorgane, angefressen wird. Den Freier auffressen, wenn die Hochzeit vollzogen ist, diesen erschöpften Zwerg, der jetzt zu nichts mehr nütze ist, das kann man bei dem in Gefühlssachen wenig zimperlichen Insekt allenfalls noch begreifen – ihn aber während des Aktes anzuknabbern, das übersteigt denn doch alles, was man sich an Greueln vorstellen kann. Ich habe es gesehen, mit eigenen Augen, und ich habe mich von meiner Überraschung noch nicht erholt.«

Max Bense redete sich in einen entomologischen Rausch. Er genoß die erzählende Sprache Fabres, wo er selbst mit abstrakten Begriffen brillierte, besang das liebliche Eden von Sérignan, wo ihm selbst die futuristische Stadt Brasilia sein ein und alles war. Er behauptete sein Eigenes und blieb aufgeschlossen für das Andere im Eigenen und fand das Eigene im Anderen wieder, und mit leicht quinkelierender Stimme, die sonst von der Forschung in modernen Laboratorien schwärmte, pries er die Arbeit eines Mannes im Dachkämmerchen, der sein Leben dem Zwiegespräch mit Insekten gewidmet hatte.

Aus dem Garten dufteten Thymian und Lavendel durch die offenen Fenster in Fabres Gelehrtenstube herein, mischten sich unterwegs mit anderen Düften und verströmten ihren schwülen und leidenschaftlichen Ruch bis in den hintersten Winkel des Raums: Es duftete, allen literarischen Vorlieben Max Benses zum Trotz, wie in einer frühen Erzählung von Hermann Hesse, übersüß und beklemmend.

Nun weiß ich nicht mehr, wann wir den Mont Ventoux bestiegen haben, auf dieser Reise oder der nächsten. Der Brunnenstein von Malaucène ist nach wie vor mit Moos und Kresse überzogen, von den giftgrünen Blättchen klatscht das Wasser unaufhörlich in dicken Tropfen auf den Rand der Brunnenschale. Im weiten Bogen aufwärts schwingt sich die uralte Platanenallee: Die Stämme, wie rissige Altmännerfäuste, spreizen geschwollene Astfinger an den Häuserfassaden empor, zwischen den Kuppen und Nägeln sprießt Blattgrün, in das der heftige Mistral gegriffen hat. Kalt und trocken fällt die Erinnerung ein, martert das Hirn mit halben Geschichten. Vermuten wir richtig, oder bilden wir uns etwas ein? Stiegen wir damals von hier aus bergan? Haben wir den Weg über den Col des Tempêtes gewählt, oder fuhren wir über Bédoin und Sainte Colombe? Max Bense, den wir fragen könnten, ist tot. Ich erinnere mich an eine schmale, steinige Straße, die sich in engen Kurven aufwärts wand, an verkrüppelte Zedern und raupenzerfressene Steineichenwälder – und an einen ratlosen Max Bense. »Wie nötig hätten wir jetzt Monsieur Fabre, der uns die Spezies bestimmen könnte«, sagte er und bedauerte, Fabres *Erinnerungen* im Hotel zurückgelassen zu haben. Trotzdem erinnere er sich an ein paar Einzelheiten aus Fabres Bericht. Einen zweitausend Meter hohen Haufen Straßenschotters aus

Steinblöcken und -splittern habe Fabre in seinem Berg erblickt, rieselnden Steinschlag anstatt Wasserfälle, krachende Felsen statt Bäche habe er gehört, und an Brennessel und Gänsefuß habe er seinen Ariadnefaden geknüpft. Damals mit Max kamen wir nicht bis zur Höhe des Bergs, Schneemassen engten die Straße ein, schließlich versperrte der Schneeschutt einer Lawine den Weg. Wir wollten umkehren, doch wir fanden den Weg nicht mehr. Mit Max irrten wir durchs Gestrüpp, spielten Blindekuh wie Fabre seinerzeit mit seinen Gefährten, drehten uns im Kreis, verliefen uns im Maquis, und am Ende wußten wir nicht mehr, auf welcher Seite des Bergs wir herumturnten. »Nie, nein, nie habe ich den Sinn und Wert der vier Himmelsrichtungen besser begriffen als in diesem Augenblick«, zitierte Max aus dem Gedächtnis, »alles um uns herum ist das Unbekannte.« Erst am Abend fand Max zurück auf den Weg, nach Stunden unerschrockenen Irrgangs erreichten wir im letzten Licht den verödeten Wald. Die unersättlichen Raupen hatten von den Blättern der Steineichen nur noch die Stiele übriggelassen.

Ich weiß nicht mehr, wo wir die Nacht verbracht haben. Vielleicht blieben wir in Malaucène, wofür die weit vorgerückte Zeit sprechen würde, vielleicht kehrten wir nach Grignan zurück, weil wir es Odile zugesagt hatten. Ich habe es vergessen. In Erinnerung geblieben ist mir nur ein Gespräch mit Max an einer üppig gedeckten Abendtafel: Zu sechst saßen wir im Kreis, erschöpft vom beschwerlichen Fußmarsch, enttäuscht vom mißlungenen Aufstieg. Wir speisten und tranken und verirrten uns wie den ganzen Tag über im Gestrüpp des Bergs nun eine halbe Nacht lang in den unentwirrbaren Gedankengängen einer Debatte. Wenn ich an dieses Gespräch zurückdenke, befällt mich das gleiche Gefühl der Auflehnung, das Fabres Wort »Alles um uns herum ist das Unbekannte« schon auf dem Berg in mir hervorgerufen hatte: Ein heftiges Gefühl, das sich weder mit triftigen Argumenten noch mit raffinierten Zirkelschlüssen besänftigen läßt. Es gefiel mir nicht, um mich herum nur das Unbekannte zu wissen, ich gierte nach Aufhellung: Die Dinge sollten im Licht stehen, so daß alle Menschen sie sehen und berühren könnten. Ich wollte Bekanntschaft mit den Dingen schließen wie der Dichter Jaccottet, der den Wacholderbüschen begegnet, als seien sie zugleich lebendige Leuchttürme und Denkmäler der Erinnerung. Lauthals schwärmte ich von den Lüsten der Sinne, vom Unmittelbaren, das für Jaccottet die einzige Lehre sei, dem Zweifel zu widerstehen. Nur was ihm unverzüglich zuteil werde, höre nicht auf, immer wieder zu ihm zurückzukehren, nicht als eine überflüssige Wiederholung, sondern als etwas lebendig und entscheidend Eindringliches, als eine jedesmal neu überraschende Entdeckung. »So verhält es sich mit dem Unbekannten, dessen Bekanntschaft ich gemacht habe und immer wieder suche«, sagte ich, »ich öffne Augen und Ohren, Nase und Mund und erfahre die Dinge von allen Seiten.«

Doch Max ließ mich den Faden nicht weiterspinnen. Er führe in die Irre, meinte er und knüpfte am anderen Ende des Gedankens an, dort wo das Unbekannte nicht mehr erhellt werden kann vom Blitzlicht der Sinne, sondern einzig und allein von der Leuchtkraft des Hirns. »Frau von Sévigné und Monsieur Fabre haben uns *erzählte Tatsachen* hinterlassen«, dozierte er in seiner sympathischen Art, um alle Welt teilnehmen zu lassen an ihren Ideen, »auch der liebe Jaccottet vertraut als Dichter seinen Sinnen, um Licht ins Dunkel zu bringen. Aber hier und jetzt mit den Ansprüchen, die der Mont Ventoux an uns stellt, müssen wir die Latte etwas höher legen.« Er, der neugierige Sinnenmensch Max, der aber nicht nur Augen und Ohren gebrauchte, die Welt zu erfahren, begann auf einmal mit Begriffen zu operieren, sprach vom Körperlichen und Unkörperlichen, von der Last des Steigens und der Freude des Fliegens und brachte den Namen Petrarcas ins Spiel. »Keine Angst«, sagte Max, »es wird weder vom Diesseits noch vom Jenseits die Rede sein«, doch der Dichter Petrarca, der als erster Mensch eine Besteigung des Mont Ventoux beschrieben habe, sei mit dem Tatsächlichen anders umgegangen als Fabre und Frau von Sévigné. »Auch Petrarca hatte sich verirrt wie

Fabre und seine Reisegenossen, auch er war wie wir abgedrängt worden beim Durchsteigen der Mulden und Abgründe. Er wußte wohl, daß der Mensch nicht mir nichts, dir nichts die Natur der Dinge aufheben und durch Hinabsteigen in die Höhe gelangen kann«, unterwies Max uns mit Petrarcas eigenen Worten, »doch aufgepaßt, Petrarca kümmerte sich auf seinem Irrgang nicht um die vier Himmelsrichtungen wie Fabre, sondern schwang sich auf Gedankenflügeln vom Körperlichen zum Unkörperlichen hinüber – und verließ mit poetischem Scharfsinn die Sphäre des Physikalischen. Er schreibt zwar, der Mensch nehme gerne den bequemeren Weg durch die allerniedrigsten Gelüste, gleichwohl steige er nach langer irdischer Irrfahrt zum Gipfel des seligen Lebens hinan – aber das Theologische soll uns nicht weiter kümmern.« Max Bense stopfte sich eine Pfeife, zündete den Tabak an und blies den süß duftenden Rauch von *Navycut* über unsere Köpfe hinweg. Uns war nicht anders zumute als einer Gesellschaft gläubiger Jünger, der ein Guru blauen Dunst vormacht. Doch Max dachte nicht an feierliche Verschwörung, weder sein Tabaksqualm noch sein Wortgewölk war dick und undurchsichtig, er übertrug den Ausspruch Petrarcas ins Poetische, worin es luftig zugeht, und entschied klipp und klar, was uns interessiere, sei einzig und allein Petrarcas Erkenntnis: »Die beschwerlichen Wege kann man am sichersten und erfolgreichsten im Kopf beschreiten, ohne jede Fortbewegung *im Nu des Augenwinks,* und darauf kommt es an!«

Im Nu des Augenwinks! Noch einige Male wiederholte Max Bense die über alles Tun und Lassen entscheidende Beobachtung Petrarcas, einerseits war er überrascht von sich selbst, der Macht der Flüchtigen so viel Respekt zu zollen, andererseits gestand er sich die Tatsache ihrer Wirkkraft rasch ein. Eine hektische Hitze überflog sein Gesicht, die Adern schwollen an und das Blut pochte in seinen Schläfen. Es arbeitete in ihm, und wir spürten, wie er diesem entscheidenden Moment des überspringenden Funkens nachsann, wie er sich mühte, uns diesen Punkt zu markieren, damit wir mit ihm Frau von Sévigné und

Monsieur Fabre hinter uns lassen und vorauseilen könnten in ein unbeschriebenes Neuland. Max wandte sich zugleich auch von den Wörtern ab, die er Frau von Sévigné und Monsieur Fabre zuliebe im Munde geführt hatte, und schlüpfte wieder in die Rolle des Äquilibristen.

Gewandter Akrobat, balancierte er mit exotischen Fremdwörtern und brannte mit ihnen sein berühmtes Feuerwerk ab. Mitten in der Provence wirbelte er mit unhandlichen Begriffen wie ein Geschicklichkeitskünstler im Zirkus mit Tellern und Tassen und erschrak über seine eigene Kühnheit, alles zusammenzubringen, was anderen auseinanderfällt. In unseren Köpfen schwirrte es von Lichtzeichen und bunten Bildern, ferne Signale tönten auf, Max Bense, besessen von Petrarcas Einsicht in die umwälzende Macht des Augenblicks, sprach von einer neuen Augenblickskunst: »Ich schreibe Texte, in denen auch Thymian und Rosmarin blühen wie bei Philippe Jaccottet in den Gedichten, doch es gibt Unterschiede«, und schon war Max wieder dabei, sein Eigenes zu offenbaren, »Jaccottet ist ein Dichter, ein feinsinniger Mensch, den wir ja gut genug kennen, um ihn zu schätzen, ein Sprachspieler, der mit der französischen Sprache umgeht wie ein Zauberkünstler. Aber das ist etwas anderes als unsere mathematische Kombinationskunst. Bei Jaccottet zeigt sich die Erde einen Augenblick lang wie ein großer unbeweglicher Kahn, der in der nächsten Minute seinen Anker lichtet und davonsegelt. Gut und schön, dieser Dichter ist uns zwar ganz nah mit seinen poetischen Momentaufnahmen, aber wir halten uns lieber an die numerischen Gesetze.« Ihm war die Erde das Unteilbare, das über seine Gestalt und Lage hinaus auch Schwere besitze, wie Epikur lehrt, und folglich dem Gesetz unaufhaltsamen Gefälles ausgeliefert sei. Da gäbe es Anfälle und Zufälle, Unfälle und Ausfälle, Verfall und Zerfall – woraus Max Bense sein poetisches Modell der Kaskadentheorie entwickelte. »Alles Irdische geht seinen vorgeschriebenen Gang, immer abwärts und bis aufs I-Tüpfelchen auskalkuliert«, resümierte Max seine philosophischen Ausflüge, »doch plötzlich entdeckt man Sand im Getriebe, Rost auf den Achsen, die glatten Entwicklungsgänge werden holprig und eng, die Fahrdämme reißen auseinander, die Pfade verwildern, und haushohe Dornenhecken türmen sich auf.«

Max zog ein Stück zerknittertes Papier aus der Jackentasche, strich es glatt und las etwas, das er sich in den letzten Tagen notiert hatte. Ich erinnere mich an ein geheimnisvolles Wortspiel über Becketts Maquis der Sprache: In diesem Gestrüpp der Wörter geht es zwei Schritte vor und drei Schritte zurück, es ist dicht und undurchdringlich, und in den verwachsenen Sätzen lösen sich die Gegenstände auf. Auch in meinem Kopf gedieh ein dorniges Gehölz, wucherte und umrankte die Windungen des Hirns.

Dreißig Jahre später lichtet sich allmählich der krause Buschwald, nach und nach ist zusammengewachsen, was zusammengehört, Verwandlungszauber und Zahlenmagie, Denkspiel und Ziffernkunst: Heute klingen mir die geheimnisvollen Aufträge Benses wie unanfechtbare Botschaften in den Ohren nach. Während wir mit dem Auto den Mont Ventoux umkreisen, tickt und klopft es in meinem Schädel, als sei ich der letzte Apostel, ferngesteuert von Max und ausgesandt in alle Welt, die experimentelle Literatur zu verbreiten. Wir fahren in einer zugleich wirklichen und unwirklichen Landschaft: Weingärten, Obsthaine, Maisfelder, halb gegenständlich, halb erfunden. Vor uns fährt ein Weinbauer. Er sitzt auf einem Trecker und zieht eine blaugrüne Giftspur hinter sich her. Auch Jacke und Hose sind grünspanfarben. Eine Figur aus einem Science-fiction-Film? Beim Überholen sehen wir sein Gesicht, es ist tiefblau gefärbt vom Kupfervitriol.

Wir erreichen den Gipfel am frühen Nachmittag. Die Orientierungstafel weist uns die fernen Orte, die schon Petrarca von hier aus sah: rechter Hand die Gebirge des Lyonnais und der Dauphiné, linker Hand die Golfe von Marseille und Aigues-Mortes. Im Osten schimmern die Grate der Alpen auf, im Westen glänzt das Silberband der Rhône. Wie eine Handvoll Streichholzschachteln in Sandhaufen liegen die Dörfchen im weiten Umkreis, hin und wieder blitzt ein Fenster in der Sonne, als hätte sich ein Streichholz selbst entzündet und eine Feuersbrunst angefacht. Kein Lüftchen regt sich. Unter dem blauen Himmel stehen ein paar Wölkchen wie festgefroren. Ventosus, der Windige, verleugnet seinen Namen, und mein Stift bleibt in der Hosentasche stecken. Wenn die Dinge sich ihrer Namen schämen und sich unbemerkt entziehen, kann ich mit meinen Wörtern niemand mehr den Kopf verdrehen. Anderntags in Gordes hoffe ich die verbrannte Erde zu sehen, die in Becketts Romanen das Umland bedeckt, in Fontaine de Vaucluse den fetten Efeu zu finden, wie er in Petrarcas Gedichten auf einsamen Treppenstufen und Brunnensteinen sprießt. Aber nichts ist damit: In Gordes grünt und blüht es, aus den Mauerritzen quillt üppig der Holunder, am Wegrand gedeiht verschwenderisch roter Mohn, und über den Hartlaubsträuchern am Steilhang schwebt eine dicke Wolke von Ginstergelb. Unterhalb der Kellergewölbe von Boutiquen und Apotheken stehen Zypressen wie grünschwarze Säulen, ein Feigenbaum drängt sich zwischen den Pfeilern vor, Spornblume und Oleander treiben die ersten Blüten und lassen nicht zu, daß meine Erinnerung beglaubigt wird und Becketts Romanhelden sich arm- und beinlos im Gestrüpp des Maquis wälzen.

In Fontaine de Vaucluse haben die Sommerfrischler sich der Treppen und Brunnen Petrarcas bemächtigt, lümmeln auf Parkbänken, fläzen sich auf Barhockern, werfen leere Bierdosen nach dem römischen Faun aus Stein, der einen wasserspeienden Fisch in der Faust hält. Am Mühlenwehr dreht sich ein Rad im schäumenden Wasser der Sorgue, dessen Oberfläche ein breiter, schwimmender Farnwald bedeckt. Dort steht ein kostümierter Fischer im gelben Gummianzug, mit Florentinerhut auf dem Kopf und blauspiegelnder Sonnenbrille auf der Nase, Angelrute in der Rechten, Zigarette in der Linken. Laura und Petrarca haben sich ins Museum verdrückt, das als Wohnhaus des Dichters ausgegeben wird. Beide sind längst nicht mehr Wesen aus Fleisch und Blut, es gibt sie nur noch auf Papier, dutzendweise in alten Stichen, mal pausbackig und füllig, mal schlank tailliert und mit Spitzmausgesicht. Touristen mit Fotoapparaten und Videokameras treten ein, eine Mädchengruppe in roten Blazern, eine Großfamilie in Baseballmützen. Ein Augenblick der Unaufmerksamkeit im Rumor des Hin und Her der Leute verschiebt mir Gesichtskreis und Blickwinkel, die Bilder verschwimmen vor meinen Augen, am Ende halte ich Franz I. und Frau von Chateaubriand für Petrarca und Laura. An einer aufgegebenen Papierfabrik vorbei durchqueren wir die Budengasse, die vom Dorf zur Quelle führt. Stände mit Eis und Konfekt, mit Keramiktöpfchen und Windrädchen, Ansichtskarten, Modeschmuck, Laienkunst. Am Ende des Tals steigt der Fels himmelan, im Halbrund umrahmt er den Quellteich, aus dem das Wasser der Sorgue mit Blasen wie aus brodelndem Riesenkochtopf emporgurgelt und zwischen massigen Steinbrocken zu Tal stürzt.

Wie war es damals, als wir mit Max zur Quelle gingen? Ich erinnere mich an einen düsteren Laubengang, an breite fette Blätter und an Wasserrauschen mit Donnerschlägen: Unter tiefhängenden Zweigen spazierten wir den Weg bergauf, er war von armdicken Wurzelstöcken durchzogen, holprig und menschenleer. Max rezitierte ein Gedicht von Petrarca, aus dem mir nur die Nymphe, deren Locken aus feinem Gold gesponnen sind, im Gedächtnis geblieben ist. Nur noch ganz dunkel ist mir unsere Naturschwärmerei in Erinnerung, Hans lobte das Zusammenspiel der belaubten Zweige, ich begeisterte mich für die Maße der Felswände, doch Max sagte: »Es gibt keine Naturschönheit, alle Schönheit ist vom Menschen gemacht.« Jetzt aber, dreißig Jahre später im Restaurant in Venasque, wo Hans unter einem Strauch Tränender Herzen sitzt, Brigitte ihre Bernsteinkette durch die Finger gleiten läßt und von jedem Teller ein Sträußchen Thymian über den Tisch duftet, sind Kunst und Natur in enge Beziehung getreten, umarmen sich gleichsam vor lauter Verliebtheit und sind am Ende gar nicht mehr auseinanderzuhalten. Wir essen gebakkene Goldbrassen mit Kürbisgemüse und trinken einen Côtes du Ventoux aus den roten Bergen von Villes-sur-Auzon. Zuerst rätseln wir an den Zutaten der süßsauren Soße herum, später erinnern wir uns an das Gespräch mit Max Bense vor dreißig Jahren. Ein winziges Insekt fliegt in mein Weinglas, ein zweites folgt, ein drittes läßt nicht lange auf sich warten. »Wir sind im Süden«, meint Brigitte, Hans entscheidet: »Wir sind im Lande Fabres.« In kleinen Geschichten wiederholen wir die Exkursionen mit Max und Elisabeth: Streifzüge durchs Flüchtige, Lehrfahrten ins Beharrliche des Augenblicks. Nichts bleibt vergessen, jede Kleinigkeit zeigt ihr Merkmal, jede Einzelheit tritt energisch hervor. Unsere Schritte im Gras haben sich in Gedankenschritte, unsere Sprünge ins Gestrüpp in poetische Sätze verwandelt. Die mit scharfen Sinnen wahrgenommenen Gestalten entpuppen sich als Kunstfiguren. Ungeschautes wird sichtbar, Unerhörtes vernehmlich, wer es sehen und hören will, dem müssen neue Augen und Ohren wachsen. So reden wir uns die Lippen heiß, es ist, als säßen Max und Elisabeth bei uns am Tisch, die Nacht wird zum Tag, und gemeinsam mit uns brechen sie auf: Wir dringen ins Maquis ein, stromern durch Wälder, klettern über Mauern, und unter der hochstehenden Mittagssonne strecken wir uns erschöpft ins Gras. Max greift in seine Jacke, die er sich unter den Kopf gelegt hat, zieht ein Blättchen Papier und einen Bleistiftstummel aus der Seitentasche, hebt und senkt die Augen – und schreibt. Nach einer Viertelstunde, bevor er den Zettel Elisabeth reicht, richtet er sich im Gras auf und liest, laut und schwungvoll:

»Ich spreize die Schenkel und zeige ihn dir, unverborgen und bereit, der heiße Platz ist mittags leer, Schatten selten und genau, die wunderbaren Augenblicke des Lebens richten das Glück auf, den Turm mit der kleinen feudalen Kuppe, auch der Quader auf dem Hügel, den du siehst, ist nur ein Zeichen dieser Exhibition des Daseins, alles steil und fest, die großen grauen Igel der Lavendelfelder sind erfüllt von Selbstgenuß, und die Erde hat ihren Teint – ein Zettel für Madame.«

XIV

Wer mit den Wölfen heult

Philosophen seien kaltblütig, habe ich gelesen, wie ein Firnis überziehe die Klarheit ihr Denken und ersticke das unergründliche Dunkel, das in der Tiefe rumorend zur Oberfläche dränge. Andererseits wird behauptet, Philosophen seien temperamentvoll, ja heißblütig, nur der krasse Außenseiter, der aus der Reihe tanze und seine Leidenschaft abtöten möchte, gleiche dem Chemiker, der aus Resignation sein Feuer auslösche. Ich habe nur heißblütige Philosophen kennengelernt. Schon ein Jahr vor Max Bense bekam ich einen zu Gesicht, der mir heute wie sein Zwillingsbruder erscheint, kleingewachsen, gedrungen, mit fuchtelnden Händen und blitzenden Augen ein streitbarer, feuriger Denker. Es war Ortega y Gasset, der spanische Philosoph, der von sich und seinesgleichen behauptet: »Ich bin ich und meine Umstände!«

Am 10. März 1954, einem sonnigen Mittwochnachmittag, schritt er an der Seite von Professor Angelloz, dem Rektor der Universität des Saarlandes, durch den Mittelgang der Aula zum Rednerpult. In behender, hurtiger Gangart tänzelte er über das Parkett, seine untersetzte Gestalt federte bei jedem Schritt. Einige Male blieb er stehen, sich umzuschauen und nach beiden Seiten zu verbeugen: Er schien bestrebt, sich so lange wie möglich im Mittelgang aufzuhalten, damit alle dort Sitzenden die Gesten und Gebärden der spanischen Grandezza wahrnehmen und bewundern konnten. Den beiden folgte mit fünf Schritten Abstand ein Angestellter der Saarbrücker Buchhandlung Raueiser, wo der Philosoph am Abend vorher unter tosendem Beifall die Frage *Gibt es ein europäisches Kulturbewußtsein?* erörtert und sich mit Witz und Charme in die Herzen einer Gruppe Europagläubiger geplaudert hatte. Ganz gleich, ob Deutsche oder Spanier, Engländer oder Franzosen, alle seien sie als patriotische Spätlinge schlapp und abgehalftert; nur im Selbstbewußtsein des Europäers gewönnen sie ihre längst verlorene Spannkraft wieder zurück, hatte Ortega ausgerufen und sich selbst in einer verspielten Metapher als einen Europäer bezeichnet, der Deutschland vier Fünftel seiner geistigen Habe verdanke und seit dreißig Jahren der Kuckuck in der Schwarzwalduhr sei.

Ortega y Gasset war ein willkommener Gast im Saarland. Schon frohlockten Johannes Hoffmann und seine Minister aus der Christlichen Volkspartei, den spanischen Denker mit europäischen Visionen als prominenten Mitstreiter für ihre Idee des Saarstatuts gewonnen zu haben. Das Saarland, mit Frankreich und Deutschland im Schlepptau, ein bunter Karren auf dem Weg nach Europa, und der Spanier Ortega y Gasset als Zugpferd in der Deichsel! Welch augenfälliges Sinnbild ihrer Politik!

Aber Ortega spielte nicht mit. Der junge Buchhändler, der sich um ihn kümmerte, die beiden spanischen Koffer aus weichem Leder ins *Hotel Excelsior* brachte, ihm deutsche Bücher und französische Zigaretten besorgte und ihm nicht von der Seite wich, ist Zeuge seiner Verweigerung: Don José zog den Besuch einer Boutique für französische Herrendessous einem Empfang beim Ministerpräsidenten vor, hielt lieber Siesta, als mit dem Abt von Tholey zu plaudern, und schlug sogar, heftig gestikulierend, Seiner Magnifizenz eine offizielle Begrüßung in der Aula ab. Keck erhobenen Hauptes trat er ans Rednerpult und sprach. Ortega sprach deutsch. Mit scharf akzentuierender, doch wohlklingender Stimme schmeichelte er sich in die Ohren ein: Melodisch schwirrte sie über den heißen Köpfen, rief auf in hohen Tönen und ebbte ab mit verschwörerischem

Gurren, dem Kuckuck aus der Schwarzwalduhr alle Ehre machend.

Längst war der Europagedanke in Vergessenheit geraten, Ortega sprach über den Menschen und sein Verhältnis zur Technik, jener diabolischen Errungenschaft, die uns ermögliche, in einer Art Übernatur zu leben. »Der Mensch ist ein Tier, für den nur das Überflüssige notwendig ist«, entschied er, die raffinierten Techniken der Gastronomie, die ausgetüftelten des Berauschens, die extravaganten des Beischlafs garantierten Wohlbefinden, angenehmes Leben, Glück. Nur der Mensch beherrsche diese wunderbare Kunst, das in der Natur Vorgefundene seinen Bedürfnissen entsprechend zu ändern. Technik jeder Art sei des Menschen Anstrengung, Anstrengung zu ersparen, definierte er weiter, fuhr sich mit der Hand über das glattgekämmte weiße Haar und hob, belustigt von seiner eigenen Begriffsakrobatik, die Augenbrauen wie der Clown im Zirkus. »Sie möchten wissen, wozu diese eingesparte Anstrengung gut sein soll?« fragte er und verriet seinen Zuhörern: »Der Mensch gewinnt Zeit, die er braucht, sich selbst zu erfinden.« Diese freigesetzten Kräfte ausspinnend, sparte er nicht an den bizarrsten Beispielen menschlicher Lebensentwürfe, beschrieb den anglikanischen Gentleman, der sich nach Spielregeln, und den buddhistischen Mönch, der sich in Selbstversenkungen erfindet, beschrieb den griechischen Stoiker, den mittelalterlichen Asketen, den deutschen Dichter und Denker, Yogis und Hidalgos, Fakire und Hungerkünstler. »Wenn aber jemand unfähig ist, sich selbst zu wünschen, kann er nur ein Schemen ohne Mark und Kraft hervorbringen«, merkte Ortega sarkastisch an, stand seinerseits stramm und stämmig auf dem Podium, wies mit dem Zeigefinger in die lauschende Zuhörerschaft, als greife er sich einen einzelnen aus der Menge, und fuhr fort: »Der Neureiche zum Beispiel ist nur ein Schatten seiner selbst. Er kauft sich zuerst ein Auto, dann ein Pianola, zuletzt ein Grammophon und bildet sich ein, das Glück auf Erden erworben zu haben. Das wirkliche Wünschen überläßt er den andern.«

In der zweiten Reihe starrte der Buchhändler auf des Redners schiefsitzende Fliege, in der dritten zeichnete der Maler Otto Lackenmacher Ortegas Knollennase mit den beiden Längsfurchen neben den Mundwinkeln, in der vierten mühte sich ein Herr von der Presse, die philosophischen Eigenmächtigkeiten des Spaniers in Worte zu fassen und erfand eigens dafür das Bild vom Drahtseil der Sophistik. Ihm gefielen Ortegas elegante Handbewegungen, er bewunderte, wie dieser das riskante Abenteuer des Schwindelns durch eine Pirouette seiner Rechten ersetzte, wie er die delikatesten Gedankenverbindungen durch ein sanftes Berühren seiner Fingerspitzen andeutete – und wie er mit einem Wink seiner Linken ein ganzes philosophisches System auslöschte.

Vom Bauen war Ortega aufs Wohnen, vom Wohnen aufs Denken gekommen, wohlsituierte Begriffe, in denen nach abenteuerlichen Deutungen derselbe Wortstamm herumspuken soll. Aber Vorsicht mit Heideggers Sprachspielen! Der Mensch habe nämlich keinen festen Platz auf der Erde, wie das Tier und die Pflanze, er wohne, wo er wolle, eigentlich sei er gar nicht auf der Erde vorgesehen: Gewissermaßen existiere er am wahrhaftigsten in den Erzählungen der Schriftsteller, wohne sozusagen nur zum Schein auf dieser Erde, als eine fixe Idee, die es nicht zur Wirklichkeit gebracht habe. »Schon das Leben Ihres Vaters, so wie Sie es kennen, kann nicht mehr als ein eigentliches Leben gelten«, dozierte Ortega und schoß letzte Augenblitze zwischen den schwellenden Brauen und den welkenden Tränensäcken hervor, »es ist die Geschichte, die man Ihnen von seinem Leben erzählt: eine Geschichte, die für ihn, der sie zu leben hatte, einmal so etwas wie Leben war, bevor sie Ihnen jemand erzählt hat. Was also ist die Vergangenheit? Sie ist die Geschichte einer verzauberten Insel.« Dort lebe man das einfache Leben ohne Anstrengung, ohne Schmerzen. Im Ufersand liege die verlockende Sirene und singe ihr berauschendes Lied, das die Mißstände verkläre. »Sie hat Sex-Appeal!« rief Ortega aus und zupfte seine Fliege zurecht, »sie besitzt die Gabe eines Vamps aus alten Liebesgeschichten, deren Vergangenheitsreize den starken Sog der Ebbe besitzen, die uns mit sich reißt und verschlingt.«

»Der Mensch ist zur Gegenwart verdammt!« räsonierte Ortega, »zum Glück hat er sich ein ganzes Arsenal ausgeklügelter Techniken erworben, diese halbwegs zu bestehen. Doch aufgepaßt für alle, die diese ärgerliche Gegenwart satt haben! Wenn Sie es müde sind, im 20. Jahrhundert zu leben, dann nehmen Sie die Flinte, pfeifen Ihrem Hund, gehen in den Wald und geben sich einfach für ein paar Stunden dem Vergnügen hin, Steinzeitmensch zu sein! In dieser Lage sind Sie allerdings dem Tier wieder ganz nah, trotz der subtilen Techniken der Jagd. Machen Sie's wie die Wilden! Hüllen Sie sich in ein Fell und stülpen sich die schrecklichen Hörner des Auerochsen über den Kopf, und Sie sind selbst Auerochs! Bücken Sie sich weit nach vorne, schlüpfen Sie in den Hals und den lächerlichen Kopf eines Straußes, und Sie sind selbst Vogel Strauß! Blasen Sie auf der Lockflöte, und Sie sind Bock, pfeifen Sie auf dem Lockröhrchen, und Sie sind brunftige Geiß!«

Da stand er, der geniale Vereinfacher, der grandiose Raffer! In schlichten Sätzen hatte er das Verwickeltste ausgesagt, in verblüffenden Vergleichen das Widerstrebendste zusammengebogen. Mit kurzen Schritten trippelte er zu dem Treppchen, das ihn vom Podium wieder in den Saal herunterbrachte. Im Blitzlicht der Fotografen leuchtete sein Gesicht olivgrün, seine rote Fliege saß ihm wie ein blutsaugendes Insekt am Hals. Professor Angelloz hatte alle Hände voll zu tun, ihm die drängelnde Meute von Funk und Presse vom Leib zu halten. »Machen Sie schnell!« rief Ortega einem Fotografen zu, und an Angelloz gewandt, der ihm eine Journalistin von Radio Saarbrücken vorstellen wollte, fragte er: »Warum bittet mich diese charmante junge Dame um ein Interview? Ist es nicht Glücks genug, daß sie existiert?« Behutsam faßte er Angelloz am Arm, führte ihn, als sei nicht er selbst, sondern Seine Magnifizenz der prominente Gast, aus der Halle ins Freie und eilte mit ihm in Richtung der *Faculté des Lettres,* wo über der Tür des Seiteneingangs das Wort Faculté, seit Gründerzeiten an die Schwierigkeiten mit dem Französischen gemahnend, den falschen Akzent auf dem e trägt.

Wir sahen den beiden nach, wie sie unter den Arkaden verschwanden, vorbei an dem in den fünfziger Jahren an allen amtlichen Bauten und Hallenbädern üblichen blau und gelb geplätteten Sockel, und fragten uns: War das nun die letztgültige Lehrstunde über den Menschen? Ich nickte, denn mir waren Ortegas Einsichten aus dem Herzen gesprochen. Erwartungsvoll musterte ich Eugen Helmlé, der sich mit Daumen und Zeigefinger über sein Bärtchen strich und mir mit einem Lächeln sein Einverständnis andeutete. Uns gefielen Ortegas großartige Lebensentwürfe, seine facettenspiegelnde Welt, die keinen Anfang und kein Ende, nicht einmal ein einhelliges Bild von sich zu erkennen gibt. Was für eine Lust, in einer Welt zu leben, die aus so vielen Welten besteht, wie es Menschen gibt! Es komme darauf an, die Welt aus einem eigenen Standpunkt zu betrachten, alle großen Systeme der Philosophen seien von verschiedenen Standpunkten aus betrachtete, aber erfundene Weltbilder, taugten jedoch nur für die Philosophen selbst und nicht für andere.

Und uns gefiel Ortegas Welt ohne Gott. Nur ein einziges Mal hatte er seinen Namen in den Mund genommen: »Schauen Sie sich um! In allen naiven Köpfen spukt ein höchstes helfendes und heilendes Wesen herum, nur der Buddhismus kennt keinen Gott, der sich der Rettung des Menschen annimmt. Der Buddhist weiß: Der Mensch muß sich selbst retten.« Und seine Ausführungen mit einem Aperçu krönend, fügte er launisch hinzu, dies gelinge vielleicht nur in den tibetischen Klöstern, wo fast das ganze Jahr über Schnee auf den Dächern und in den Höfen liege, weshalb der buddhistische Mönch genügend Zeit und Ruhe habe, die Technik des Meditierens, dieses tief menschliche, gewissermaßen überflüssige Bedürfnis weiterzuentwickeln.

Im lichten Auenwald des Saarbrücker Campus war der Schnee längst geschmolzen, die Weidenkätzchen blühten, die Rotkehlchen zwitscherten, eine milde Luft durchhauchte Au

303

und Aula. Noch heute, wenn ich dort vorbeikomme, denke ich an den Nachmittag mit Ortega y Gasset zurück. Es verrottet die karierte Kunststoffassade, blättert der Fensterlack, klettert der fette Efeu an den Pfeilern hoch: Das schimmlig gewordene Flair der fünfziger Jahre überzöge mich narkotisierend wie ein Ätherschleier, wäre daraus nicht auch ein erfrischender Duft zu spüren, der meine Erinnerung weckt.

Obwohl Mutter oft genug zu mir gesagt hat: »Du liest zuviel, es wäre an der Zeit, einmal etwas Ordentliches zu machen«, stieg ich in jeder freien Minute in unser Dachzimmer hinauf, legte mich auf die Couch und las – wie Eugen Helmlé, der allerdings sitzend am Küchentisch schmökerte, doch geistesgegenwärtig sein Buch in der Tischschublade versteckte, sobald seine Mutter in die Küche kam, ihm Vorwürfe zu machen wegen seiner stundenlangen Stubenhockerei. Alle mütterliche Sorge um unser Fortkommen im tätigen Leben nutzte nichts: Wir vergruben uns in Büchern und versuchten, jeder auf seine Art und Weise, das Leben mit seinen Unwägbarkeiten in Romanen und Gedichten zu entdecken. Meine Freundschaft mit Eugen hatte immer etwas mit Büchern zu tun, die wir lasen, uns gegenseitig ausliehen und in stundenlangen Debatten besprachen. Keines meiner Bücher ist so zerlesen wie der Roman *Schau heimwärts, Engel!* von Thomas Wolfe, kein Einband so zerfetzt und immer wieder zusammengeklebt wie das Umschlagbild von der Steinmetzwerkstatt, worin ein Sandsteinengel mit einer Lilie in der Hand erwartungsvoll auf hohem Podest steht. Eugene Gant, der lern- und lesegierige, unheilbar fernwehsüchtige Held in Thomas Wolfes Roman ist heute mein Erscheinungsbild für Eugen Helmlé geblieben. Wenn ich zurückdenke und die Augen schließe, sehe ich seinen hellhäutigen Teint, die blonden Augenbrauen, das dichte, wellige goldrote Haar. Und erst sein Lächeln, das nur ein Zucken seiner geschlossenen Lippen ist! Es scheint, als lächele auch Eugen inwendig über irgendeinen phantastischen Einfall oder über irgend etwas, das im Gedächtnis auftauchend ihm zum erstenmal komisch vorkommt. Eugene Gant ist mir so vertraut geblieben wie Eugen Helmlé, weswegen ich Eugens Name heute noch englisch ausspreche, manchmal in den verschiedensten Koseformen Gene oder Jeannie sage. Wir rauchten *Halbe Fünf*, eine saarländische Zigarettenmarke, Eugen rote *Halbe Fünf* mit Orienttabak aus einer roten Schachtel, ich braune *Halbe Fünf* mit Virginiatabak aus einer braunen, die wir uns gegenseitig zum Rauchen anboten wie die Bücher zum Lesen. Wenn ich mir das faulige Flair der fünfziger Jahre in Erinnerung rufe, frage ich mich jedesmal: Soll ich der Duftnote unserer Zigaretten einen einschläfernden Narkosedunst oder einen weckenden Rauschduft beigeben? Damals rauchten wir, als hänge das bessere Leben davon ab.

Wie der amerikanische Eugene las mein Freund Eugen alles, was ihm unter die Augen kam: Geschichten, die dem Leben nacherzählt waren, und frei Erfundenes, das seine Phantasie beflügelte, er las Eugen Kogons *SS-Staat* und Stendhals *Kartause von Parma*, *Stalingrad* von Plivier und *Die Dämonen* von Dostojewski, scheinbar planlos und kreuz und quer durch die historische und schöne Literatur – in Wirklichkeit aber mit der Absicht, den Hunger nach einer unbekannten Speise zu stillen, die uns zwölf Jahre lang vorenthalten worden war. Obwohl sie nun mühsam zu kauen und zu schlucken und schwerverdaulich war, fand er Geschmack daran und ging nie aus ohne Lesefutter in den Taschen. Im Kino, bevor das Licht ausging, las er ein ganzes Jahr in einem Schopenhauerbrevier, und auf der Bank am Pflanzgarten, wenn er auf mich oder einen anderen Freund wartete, studierte er Lehrsätze und weise Sprüche des Buddhismus. Er wußte Bescheid mit dem schwebenden Diskus und dem Rad des Gesetzes, erklärte uns, wenn wir mit Brigitte und ihrer Freundin Margrit zusammensaßen, ihre rollende Kraft, der keine Gewalt der Erde Einhalt gebieten könne: Scheibe der Sonne und Kreis der Lehre, zwei scheinbar nicht zusammengehörige und unvergleichbare Figuren, die dennoch ihre Kräfte ineinanderfügten, unser Schicksal zu bestimmen. Auf unseren Spaziergängen versuchte Eugen mir das Große und das Kleine Fahrzeug zu beschreiben, redete sich den Mund franslig, mich von den Einsichten des Erhabenen Gautama zu überzeugen.

An einem Frühsommerabend saßen wir bei Erdbeerbowle und Mandelkeksen zu viert um den roten Couchtisch und hörten Eugen zu, wie er eine Geschichte aus seinem buddhistischen Brevier vorlas. Eugen, damals noch Asket und Antialkoholiker, heute Weinkenner und Genießer, doch Eiferer geblieben, verschmähte die Kekse und trank Coca-Cola, bot Margrit und mir eine rote *Halbe Fünf* an – während Brigitte eine *Hygis*, Schweizer Fabrikat, eine lange Orientzigarette mit ovalem Querschnitt und Goldfilter zwischen den Fingern hielt – und erzählte mit leiser, eindringlicher Stimme die Geschichte der Fürstin Migaramata: Ihr war eine Enkelin gestorben, die sie über alles liebte, deshalb klagte sie Buddha ihr Leid. Da sie sich aber so viele Enkel wünschte, wie Menschen in der Stadt wohnten und beim Tod eines jeden mit neuem Leid rechnen mußte, gab ihr der Erhabene eine bittere Lehre:

»Wer hundertfaches Liebes hat, für den gibt es hundertfaches Leid. Wer neunzigfaches Liebes hat, für den gibt es neunzigfaches Leid ... Wer ein Liebes hat, für den gibt es ein Leid; wer kein Liebes hat, für den gibt es kein Leid. Frei von Schmerz, frei von Unreinheit, frei von Verzweiflung sind sie. So sage ich.«

Wer *ein* Liebes hat, für den gibt es *ein* Leid! Da saßen wir wie die Ölgötzen und starrten uns an. Jeder von uns hatte sein Liebstes an seiner Seite. Sollten wir darauf verzichten, nur um zukünftiges Leid zu vermeiden? Wir erwachten aus der feierlichen Stimmung, kamen wieder zur Besinnung und debattierten uns die Köpfe heiß. Eugen wog asketische Abwesenheit gegen lustvolles In-der-Welt-Sein, Kinderzeugen und Kinderkriegen gegen mönchische Enthaltsamkeit auf. Ich hatte *Siddharta* von Hermann Hesse gelesen und wollte das Gespräch mit literarischen Beispielen beleben; da aber Eugen mehr dem besessenen Eugene Gant als dem spintisierenden Siddharta glich und schon aus Abneigung gegenüber Hermann Hesse eine harsche Erwiderung von ihm zu erwarten war, verbiß ich mir eine Preisung des hieratischen Dreiklangs von Vater, Mutter und Kind, die unserer Aussprache zu allem Überfluß etwas Geschmäcklerisches, wenn nicht Kitschiges gegeben und außerdem vom Thema weggeführt hätte. Was Kinder anging, konnte man im Dorf die absonderlichsten Anschauungen, Beschönigungen und Ausflüchte hören. »Kinder kitten eine Ehe, wenn's mal brenzlig wird«, hatte mir ein alter Schulkamerad vorgebetet, bevor seine Ehe mit drei Kindern so jämmerlich zu Bruch ging, daß er sich fortan nur noch mit einer Flasche Schnaps auf dem Mauersockel des Schlachthauses aufhielt und sich dort zu Tode soff. »Kinder steigern die Liebe«, hatte ein Charmeur aus unserer Nachbarschaft am Biertisch der Lindenwirtin geprahlt, bevor er sich, Kirchgänger und kinderreicher Vater, mit seiner Frau auf der Straße herumprügelte, bis die Fetzen flogen und er sich hinterm Haus am Apfelbaum aufhängte. Eugen ließ den Buddhismus Buddhismus sein, nahm sich die gegenwärtigen Miseren vor und setzte noch eins drauf. »Wie sieht's denn aus, zehn Jahre nach Kriegsende?« fragte er und gab selbst die Antwort: »In Afrika und Asien schlagen sie sich schon wieder die Köpfe ein, in der Südsee und in Sibirien werden Atombomben gezündet, Rußland baut Raketen, Amerika baut Abwehrraketen, die Bundesrepublik tritt der NATO bei und wird eines Tages diese Raketen mitten im Pfälzerwald stationieren. Ich hab' keine Lust, bei diesem Wettrüsten Kinder in die Welt zu setzen als Kanonenfutter für Machthungrige. Ob Kapitalisten im Westen oder Sozialisten im Osten oder Papisten im Westen und Osten: Scheinheilig predigen sie Frieden für alle und meinen Vernichtung der Andersgläubigen. Nein, von denen ist mir der eine so lieb wie der andere.«

Im Aschenbecher häuften sich die Zigarettenkippen, unsere Kehlen waren trocken vom Rauchen und Debattieren. Wir nippten an der Erdbeerbowle, Eugen nahm einen Schluck Coca-Cola, setzte sich im Sessel zurück, räusperte sich und schnaufte, sein Bärtchen zitterte auf der Oberlippe. Nach heftigen Attacken bald in brütende Versonnenheit entrückt, flüchtete er sich wie Eugene Gant lieber in neue Gedankengänge, als beim alten zu verweilen. Stets hielt er Abstand zum Zeitgeist, nie hat er mit den Wölfen geheult. Als die alten Nazis, die sich in den dreißiger Jahren bei Treueschwüren auf Führer, Volk und Vaterland vom christlichen Glauben losgesagt hatten, kurz nach Kriegsende reuevoll Läuterung und Umkehr heuchelten und wieder in die Kirche eintraten, ging Eugen aufs Standesamt und trat aus. Er beharrte auf den eingefleischten Gewohnheiten des Junggesellen und spazierte mit buddhistischen Brevieren durch den Wald, während ich mit Brigitte zum Hochzeitssegen vor dem Traualtar niederkniete. Um Pressionen der Schulbehörde vorzubeugen, gingen wir zuvor in den Brautunterricht, obwohl es von Kindesbeinen an keinen Funken Glauben in uns gab, der sich noch hätte entzünden lassen.

Schon ein paar Jahre vorher war mein Unglaube aufgefallen. Ein subalterner Zensor hatte eine spitze Feder in meinen Manuskripten spazierengeführt, sorgsam die Brocken aufspießend, die ihm zu unappetitlich und unverdaulich erschienen. Ich weiß nicht, ob es, wie Heinz Dieckmann behauptete, der literarisch gebildete Pater aus dem Benediktinerkloster von Tholey oder, wie ich vermute, irgendein rechtgläubiger Literaturredakteur von Radio Saarbrücken gewesen ist: In meinen Zeitbetrachtungen und Buchbesprechungen für den Funk hat dieser brave Kopf Streichungen und Änderungen vorgenommen und mit sanfter Raffinesse einen milderen, aber auch falschen Ton in meine Arbeiten gebracht. Wer es gewesen ist, will ich gar nicht wissen, denn viel reizvoller als schroffe Demaskierung sind phantasievolle Gedankenspiele um unbekannte, vielleicht nur erahnbare Charaktere, denen das Wort *Sexualakrobatik* unannehmbar und deshalb zu streichen, das Wort *Syphilis* anstößig und folglich mit *unglückseliger Krankheit* zu ersetzen ist. Diese verruchten Wörter gebrauchte ich in meinem Feature über den Maler Paul Gauguin, der Ende des vergangenen Jahrhunderts, des europäischen Wohllebens überdrüssig, in die Südsee gereist, dort aber, vom langen Arm der westlichen Zivilisation an die Kandare genommen, jammervoll zugrunde gegangen war. Die Redaktion hatte zwei Bücher geschickt: *Noa Noa,* eine autobiographische Erzählung von Gauguin, und *Vergessene Inseln der Südsee,* eine Reisereportage des Schweden Bengt Danielsson – mit der Bitte, die Flucht des Malers Gauguin zu den Marquesas in einem Dokumentarbericht darzustellen. Den ganzen Frühling und Sommer über las und schrieb ich wie ein Besessener, stand unter Strom, der von Gauguins Bildern und Erzählungen ausging und mich mit auf- und abschwellendem Kribbeln und Prickeln stimulierte. Wir kauften uns das Bild mit den beiden tahitischen Mädchen am Strand von Atuana, ein Kultbild wie zwanzig Jahre vorher Dürers Hase und zwanzig Jahre danach Andy Warhols Marilyn Monroe. Dieses Bild im Blick, schrieb ich jeden Nachmittag, bis die Sonnenglut nachließ und ein laues Lüftchen durchs Fenster wehte. Beim Schreiben sah ich Gauguin vor mir, sah seine Bilder, seine Papiere, seine Schriftzüge. Bis zu meinem Schlußpunkt war er mir gegenwärtig: Er stirbt unter Palmen, in einer armseligen Hütte. Sein letztes Bild zeigt ein tiefverschneites bretonisches Dorf. Auf einem Hügel östlich von Atuana liegt er begraben. Das Paradies ist verdorrt, die Sehnsucht blüht, noch in Eis und Schnee, bis zuletzt.

Ich verstieg mich in die Vorstellung, mich als Künstler für wunders wen und wunders was zu halten, und so wie mir später Dylan Thomas' *Porträt des Künstlers als junger Dachs* und Michel Butors *Bildnis des Künstlers als junger Affe* unter die Augen kamen, erschien ich mir selbst als ein schillernd bronzierter Wetterhahn und fragte mich in meiner Exaltiertheit: »Dreht sich ein Künstler nach dem Wind?« Ich schrieb damals ein Gedicht, jene *Wortfuge in Blau,* in der sich die Dinge mit den Wörtern ineinandertauschen und immer weiter ineinandertauschen lassen, solange der Atem reicht.

Beim Wiederlesen meiner Manuskriptdurchschläge amüsieren mich die hauchdünnen Federstriche des Zensors, die spinöse Krakeligkeit seiner Handschrift, die exakt geschriebenen kleinen französischen r. Drei Stellen hat er in meinem Feature gestrichen, Danielssons Feststellung: »Die Frauen machen hier keine Umstände – eine Orange und ein freundlicher

Blick, das genügt ihnen. Orangen kosten einen oder zwei Francs das Stück. Es besteht wirklich kein Grund, mit diesen Früchten zu sparen.« Gauguins Bemerkung: »Der Bischof ist ein Karnickel, ich dagegen ein alter Hahn, schon recht zäh und ziemlich heiser. Wenn ich nun sage, daß das Karnickel zu stänkern begonnen hat, so ist das nur die lautere Wahrheit.« Auch mein Kommentar wurde ausgemerzt: »Die einzigen, die treu zu ihm halten, sind sein Nachbar Tioka und Vernier, der protestantische Pfarrer. Die ihm angetragene Pflege lehnt er jedoch stolz ab. Er weiß, daß der Pfarrer ihm keinen Trost spenden kann, so entzieht er sich seinem Zuspruch und redet mit ihm über Kunst.« Heute lache ich über den Diensteifer des Zensors, ein paar harmlose Bemerkungen zu unterdrücken; damals war ich empört.

Schon einige Jahre zuvor war Gustav Reglers Erzählung *Amimitl* »wegen der sexuellen und kultischen Deutungen und Parallelen«, die »nicht auf den vorwiegend christlichen Leserkreis des Saarverlages abgestimmt« seien, aus dem Verkehr gezogen worden. Minister Emil Straus hatte dem Saarverlag mitgeteilt, er habe den Ministerpräsidenten gebeten, »dafür einzutreten, daß das Buch dem völkerkundlich nicht gebildeten Leserkreis und der Jugend vorenthalten« werde, und: »Im Verlag Herder hätte ein solches Buch nie erscheinen können.« Auch ich hatte *Amimitl* gelesen, eine schwülstig erzählte Aztekengeschichte von einem Erzpriester, der die herrschende Mutterwirtschaft bricht und die menschenopfernde Männergesellschaft inthronisiert – eine halb erzählende, halb kommentierende Geschichte, deren Lektüre mit all den Bittküssen nackter Mädchen auf Amimitls Füße, Schenkel und Ohren, ihrem priesterlichen Liebesspiel, ihrer rituellen Geilheit und ihrer frommen Wollust dem konvertierten Kultusminister schlaflose Nächte, womöglich schlüpfrige Träume beschert hatten, ihm Handlungen vorgaukelnd, die er ebensowenig für stubenrein hielt wie die lasterhaften aztekischen Orgien und Götterdienste für Quetzalcoatl und Vitzliputzli.

In einem Leserbrief an die sozialdemokratische *Volks-*

stimme hatte Gustav Regler dem Minister geantwortet: »Die Kampagne um meine Bücher! In Berlin verboten, weil die dortigen deutschen Russen keine Wahrheit vertragen können; in der geliebten Saarheimat angegriffen, weil ein Minister Angst hat zuzugeben, daß in der Kindheit eines Volkes wilde Dinge vorgingen. Ich habe dem offiziellen Vogel Strauß schon geantwortet und hoffe, er steckt dieses Mal den Kopf in den Sand, nicht aus Angst vor seiner eigenen sexuellen Überphantasie, sondern aus Scham vor seinem faschistischen Benehmen.« Das Wort war gefallen, Regler hatte es niedergeschrieben, und fettgedruckt stand es in der Zeitung. Es war das Wort *faschistisch,* das Eugen Helmlé später präzisierte und in einem Gespräch unter Freunden unverhohlen aussprach. »Um es genau zu sagen«, meinte Eugen, »das richtige Wort muß *klerofaschistisch* heißen.«

Im Augenblick verlockendster Werbungen, das Saarland als Kernzelle eines künftigen Europa zu empfehlen, blies mir die Stickluft einer kleinmütigen katholischen Schul- und Kulturdoktrin in die Nase, und ich fragte mich, ob diese Zelle, bevor sie überhaupt wachsen könne, nicht schon im Keim verpestet und vergiftet sei. Parteipolitiker, Zeitungsschreiber, Radiosprecher, Schullehrer und Geschäftsleute: Alle Spatzen pfiffen den ersten Artikel des zwischen Bundeskanzler Adenauer und dem französischen Ministerpräsidenten Mendèz-France im Herbst 1954 ausgehandelten Abkommens von den Dächern; die einen mit fröhlichem Zungenschlag, die anderen mit hämischem Unterton.

»Eine Schande!« rief Vater und steigerte sich in eine längere politische Tirade, in der er seinen Standpunkt klarmachen wollte, »eine große Schande für uns, dieser erste Artikel, der uns für alle Zeiten von Deutschland abspenstig machen will und uns Brei ums Maul schmiert mit einem falschen Versprechen, Bürger von Europa zu werden.« Er erhob sich von seinem Stuhl, bestand darauf, daß wir sitzen blieben, ihm zuzuhören und keinen Disput vom Zaun zu brechen, der ihn in seinen Überlegungen durcheinanderbringen könne. »Es ist

das gleiche Affentheater wie 1935«, sagte er, »bei der Volksab-
stimmung von damals wurden wir gefragt, ob wir Deutsche
bleiben oder Franzosen werden oder uns für ein eigenes, vom
Völkerbund regiertes kleines, lächerliches Ländchen entscheiden wollten. Wir hatten uns für Deutschland entschieden,
auch die Katholiken und die Kommunisten, die ein Jahr vorher
noch so geredet hatten, als wollten sie Hitler nicht wählen. Alle
wollten sie wieder Deutsche sein, das hatte nix mit Hitler zu
tun. Und jetzt auf einmal pochen die Separatisten noch stärker
darauf, daß wir politisch eigenständig, wirtschaftlich aber an
Frankreich angeschlossen bleiben. Das ist doch nix anderes als
ein raffinierter Trick der Franzosen! Sie machen's wie nach
dem ersten Weltkrieg, trennen das Saarland von Deutschland
ab, beuten unsere Kohlengruben aus und setzen alles dran,
uns am Ende noch zu Franzosen zu machen.« Ein Dorn in
seinem Auge war Gilbert Grandval, der Hohe Kommissar
Frankreichs, der am französischen Nationalfeiertag auf allen
Regierungsgebäuden die Trikolore aufzuziehen befahl und
vor seinem Amtssitz die Parade des französischen Wachbatail-
lons abnahm. Trommeln knatterten, Clairons quäkten, viel zu
laut, viel zu schnell für Vaters preußische Ohren. Als er dann
aber die Absicht der Franzosen erkannte, das Saarland nicht zu
einem Departement Frankreichs, sondern – sogar mit Zustimmung Konrad Adenauers – zum Kernland eines geplanten Europa zu machen, schlug er auf den Tisch und polterte: »Die
Schande ist ja noch größer, als ich dachte. Wie kommt denn
ein deutscher Bundeskanzler dazu, sich auf die Seite der Separatisten zu stellen und uns Saarländer im Dreck sitzenzulas-
sen für ein vereintes Europa, das ja im Grunde gar keiner will!
Dieses Statut, das uns in Ja- und Neinsager spaltet, lehne ich
ab.« Er wollte keine anderen Gründe gelten lassen, dieses Statut zu Fall zu bringen, weder wirtschaftliche noch antikleri-
kale, ihm genügte sein vaterländischer Standpunkt. Für eine
Annahme des Statuts hätte er kein Verständnis gehabt. Mutter, die ihm in seiner Entscheidung folgen würde, wider-
sprach ihm nicht; doch mit ihren praktischen Argumenten

hielt sie nicht hinterm Berg zurück und gab zu bedenken: »Uns geht's doch gut. Die Franzosen haben aus ihren schlechten Manieren gelernt und lehren uns jetzt mal, wie man ißt und trinkt und sich auch sonst was im Leben gönnt. Was willst du eigentlich mehr? Wir haben ein Haus und ein Auto, du und die Kinder haben Arbeit, verdienen Geld, fahren an die Riviera und legen sich in die Sonne.« Vater schaute sie streng an, als musterte er einen unsicheren Wahlkantonisten, doch Mutter warf sich mit einem ihrer altbewährten Sprüche in die Brust und rief: »Wes Brot ich eß, des Lied ich sing!«

Ministerpräsident Johannes Hoffmann, »der Dicke«, und die frankophilen Herren seiner Regierung begrüßten den Vertrag mit Hüteschwenken nach beiden Seiten, einem Schnalzer des Dankes nach Westen und einem Seufzer der Erleichterung nach Osten. »Endlich!« ruft eine imaginäre Stimme aus dem blauen Himmel des Abstimmungsplakats der Christlichen Volkspartei und wirbt um ein Ja zum Statut: Auf einer roten Brücke stehen Marianne mit Jakobinerhaube und Michel mit Schlafmütze Hand in Hand nebeneinander. Die aparte Französin trägt einen blau-weiß-rot gestreiften Rock unter blauem Mieder, der kreuzbrave Deutsche eine schwarze Hose unter rot-gold gestreifter Weste, ein putziges Paar der Zukunft! Wenn beide auch noch so adrett auf der symbolischen Brücke posierend für Europa Stimmung machen, die Mehrheit der Saarländer wollte ihre Botschaft nicht hören, machte sich das Schlagwort der Demokratischen Partei Saar zu eigen und schrie lauthals die Wirtshausparole: »Der Dicke muß weg!« Sie glänzte auch in schwarzen und weißen Lackbuchstaben auf Plakaten und Hausgiebeln, Streichholzschachteln und Bierdeckeln, und als Plakette auf dem Jackenrevers prangte sie wie das Brandzeichen auf einer Kuhhaut. Schlagartig bildeten sich zwei Heerhaufen: hie die europäische Vorhut mit dem konstantinischen Kreuz im Wimpel, dort die deutsche Nachhut mit dem preußischen Adler in der Standarte.

Johannes Hoffmann focht mit frommer Inbrunst wider die verweltlichten Deutschtümler. Er war außer sich. Auf einer

Wahlveranstaltung für Lehrer zerriß er sich fast im Überschwang seines Eifers. Breitbeinig stand er auf der Rednerbühne, im maßgeschneiderten hellen Zweireiher, grellrote Punkte in der Krawatte, haarscharfe Bügelfalten in der Hose, auf der Nase die dunkle Hornbrille mit breiten Bügeln, die er bei Angriffen energisch zurückschob. Seit Kindertagen stritt er für die Herrschaft der katholischen Lebensdoktrin: In den Zwanzigern als Zeitungsredakteur, in den Dreißigern als Wahlkämpfer, in den Vierzigern als Exilierter stets gegen Hitlers Nazismus und den Niedergang christlicher Gesinnung angetreten, war er kurz nach Kriegsende ins Saarland zurückgekehrt, unbeirrt für seine Idee weiterzustreiten. »Vaterland!« rief er schon im April 1947 aus, wandte sich gegen einen deutschtümelnden Hirtenbrief des Bischofs, keinen Zweifel daran lassend, daß er mit Vaterland nicht Deutschland meine, »Vaterland, so habe ich mir einmal von dem Novizenmeister einer segensreich wirkenden Ordensgesellschaft sagen lassen, ist da, wo ich mir meine Himmelsleiter bauen kann. Vaterland ist in erster Linie die Heimat, und wir Saarländer hängen mit tiefer Liebe an unserer saarländischen Heimat.« Jedesmal, wenn er das Wort von der saarländischen Himmelsleiter in den Mund nahm, setzte er die Brille ab, fuhr sich mit dem Taschentuch über Stirn und Nase, putzte die Gläser und schaute in gemessenem Abstand hindurch. Er war berauscht und redete sich die biblische Jakobsleiter, dran die Engel Gottes auf- und niedersteigen, förmlich vor seine saarländischen Füße. Heiser schon wiederholte er die Maximen seiner Politik zum hundertstenmal und gestand den lauschenden Lehrern: Er kämpfe, streite, er ringe um die Herrschaft Gottes über die Seelen der saarländischen Kinder. In diesem Ringen gehe es ihm nicht um parteipolitische Interessen, sondern um ein viel höheres Gut, den Bestand und die Erhaltung der christlichen Schule in einem christlichen Staat: »Im künftigen Europa, das von unseren Kindern gebaut werden soll, wird es um die Beantwortung der einzigen Frage gehn: Bist du für oder gegen Christus?« Eilfertig trat ihm der Sprecher seiner Partei zur Seite und forderte für alle politischen Entscheidungen unmißverständlich das verbriefte Recht der Kirche zurück. »Die Kirche besitzt durch die Taufe das Mutterrecht am Kind«, theologisierte er, »und dieses erste Recht am Kind steht allen Elternrechten voran.«

Ein grotesker Wahlkampf war entbrannt, ein bluternstes Possenspiel mit Klatschen aus Holz. »Heini Schneider hilft uns weiter!« rezitierte Vater den Wahlslogan des lautstärksten Europagegners, der die Idee der Abstimmung über ein historisches Modell zu einem groben Volksentscheid abgewertet hatte: »Wollt ihr von Deutschland abgetrennt bleiben? Oder wollt ihr zurück zu Deutschland?« Anhänger der proeuropäischen Saarparteien standen dem prodeutschen Fußvolk wie zerstrittene Brüder gegenüber, Erzfeinde, die das Handgemenge suchen und mit Knüppeln aufeinander eindreschen.

»Wir hatten richtige Schlagstöcke«, erzählt mir Alfred Eisenbeiß, ein Sulzbacher Junge, damals kaum über zwanzig Jahre alt, »je dicker, um so besser! Wir waren nämlich keine harmlosen Reklamefritzen, die Plakate anklebten für Waschpulver und Margarine und saarländische Zigaretten, wir waren Wahlkämpfer für eine politische Partei. Mit der SPD traten wir gegen Adenauers und Hoffmanns Separationspolitik an und schonten auch die Franzosen nicht. Wenn wir loszogen mit Kalkeimern und Leimbürsten und dicken Packen frisch gedruckter Wahlplakate, war's meistens schon stockdunkel. Wir mußten uns aber schnell zurechtfinden in den hintersten Ekken, deshalb blieben wir immer in Gruppen zu dreien oder vieren beieinander. Jeder half dem anderen, und wenn's Dresche gab, konnten drei oder vier mehr ausrichten als nur zwei oder einer. Weil wir manchmal in verschlossene Fabrikbetriebe eindringen mußten, unsere Plakate an die Firmenwände zu kleben, brauchten wir Drahtscheren. Für die Arbeit am Verlagsgebäude der *Saarbrücker Zeitung*, wo schon Plakate der Separatisten hingen, nahmen wir einen Werkzeugkasten mit. Da war alles drin, was nötig ist, eine stabile Plakatwand komplett abzumontieren: Wir mußten ja Drähte lösen, Verstrebungen durchsägen, Balken auseinanderbrechen. Und die Knüppel brauchten wir für den Fall, daß plötzlich ein paar Separatisten auftauchten und uns daran hindern wollten. Einmal hab ich mit dem Vorschlaghammer nach einem Kerl geworfen, zum Glück hab' ich ihn nicht getroffen. Ich hätt' ihn totschmeißen können. Diese Bübchen von der Christlichen Volkspartei mit Mönchsschnitt und Nickelbrille hatten ja nix auf den Knochen. Wir hatten Muskeln vom Schaffen, und eine Brille hat von uns keiner gebraucht.«

Alfred Eisenbeiß war schon als kleiner Junge ein Schlingel und Reißteufel, der keinem Schabernack, aber auch keiner Arbeit aus dem Weg ging, der es im Gegenteil immer darauf ankommen ließ, wie die Dinge sich entwickelten. Seine Eltern besaßen ein Obst- und Gemüsegeschäft in der Bahnhofstraße, Alfred half beim Ein- und Ausladen der Kisten und Pappkartons, als Hilfsbriefträger stellte er im Februar 1945 noch Einberufungsbefehle zu, versorgte aber schon bei Kriegsende, bevor die Amerikaner ins Dorf einrückten, eine Gruppe von Zivilrussen, die sich aus dem Arbeitslager befreit hatten, mit Steckrüben und Winterkartoffeln. »Mit vierzehn hab' ich meine Lehre angefangen«, erzählt Alfred weiter, »war bald Busfahrer, und mein Leben wär' mehr und mehr in ruhige Bahnen geraten, hätt' nicht Mitte Fünfzig der Wahlkampf eingesetzt, der uns den Kopf verdreht und zu besseren Deutschen gemacht hat, als wir eigentlich sein wollten. Denn weißt du, dieses europäische Getue haben wir den Franzosen und den saarländischen Separatisten nicht abgenommen. Außer Frankreich und der Bundesrepublik hat dem Saarstatut sowieso kein anderer Staat zugestimmt. Jeder wollte sein eigenes Süppchen kochen, und uns wurden nur Versprechungen gemacht. Aber wo sind denn am Ende die europäischen Institutionen hingekommen? Nach Straßburg, nach Luxemburg, nach Brüssel, nix hätten wir davon ins Saarland bekommen, ebensowenig wie ja auch etwas in die Bundesrepublik gekommen ist. Die Franzosen machen den Brullius, und wir zahlen immer druff.«

Bei allem nationalen Eifer: Alfred Eisenbeiß ist ein deutscher Sozialdemokrat, freimütig und fremdenfreundlich, kein blindwütiger Nationalist. »Mich hat das militaristische Gebaren der Franzosen erst zum Deutschen gemacht«, gesteht er, »hier im Saarland lebten wir in den fünfziger Jahren in einem Polizeistaat und wurden geschurigelt von Maßnahmen, denen die Franzosen ihre Zustimmung, ja sogar ihre Unterstützung gegeben haben.« Er streckt die Hand aus, und während er sie an den zehn Fingern abzählt, nennt er die Maßnahmen eine nach der anderen: »Zeitungsverbote, Bücherverbote, Parteiverbote, Versammlungsverbote, Einreiseverbote und Ausreisebeobachtungen, Razzien und Lauschangriffe, Bespitzelungen und Ausweisungen«, und da die zehn Finger nicht ausreichen, streckt er noch einmal den rechten Daumen aus und sagt, mit Häme in der Stimme: »Nicht zu vergessen die Filmüberwachung, damit die Leinwand schön sauber blieb.« Alfred Eisenbeiß ist ganz bei sich, seine Augen sind nach innen gekehrt, er kramt in seinem Gedächtnis nach, reibt sich die Nase, schüttelt den Kopf, schaut mich an mit einem zweiflerischen Blick, der sich aufhellt, sobald ich ihn dränge, weiterzuerzählen. »Für einen Moment hatte ich den Faden verloren«, fährt er fort und kehrt aus seiner Versenkung zurück. »Nein, nicht den Faden verloren«, verbessert er sich, »ich hab' diesen täglichen Parteienkrieg plötzlich so deutlich vor mir gesehen, daß mir fast übel geworden ist. Das Haarsträubendste war nämlich, daß die Franzosen ihre P6 gegen uns eingesetzt haben, eine Sondereinheit der *Sureté*, und die saarländischen Polizisten schämten sich nicht mal, die liefen in französischen Panzerhelmen hinterher und schwangen französische Gummiknüppel. Alle saarländischen Minister, angefangen bei Joho, unserem Ministerpräsidenten, über Straus und Hector und Kirn, auch Polizeipräsident Lachmann und wie sie alle hießen, das waren ja aus der Emigration zurückgekehrte ehrenwerte Leute, Juden, Christen, Sozialdemokraten, sogar alte Kommunisten waren dabei, aber wie die darauf verfallen konnten, Methoden anzuwenden, wie wir sie in der Nazizeit erlebt haben, das bleibt mir schleierhaft. Und das Komischste von allem: Angehängt an den Troß der Jasager fuhren unsere späteren Parteifreunde von der Europa-Union über Land. O Schreck, wenn ich an den Genossen Arno mit seinen Transporteuropäern denke! Die kamen in Autobussen an, stiegen aus, hielten ihre Kundgebungen ab, stiegen wieder ein und wurden so von Kundgebung zu Kundgebung weiterverfrachtet, bis der Spuk ein Ende hatte und sie die Quittung von uns bekamen. Wir Neinsager waren im *Heimatbund* zusammengeschlossen, das waren deutsche Männer und Frauen, die keine Franzosen und auch keine erfundenen Europäer sein wollten. Zu uns kamen auch Emigranten und Leute aus dem KZ, Juden und Verfolgte, alte Sozis und ehemalige SS-Leute, hohe Tiere und normale Sterbliche, die sich alle als Deutsche fühlten. Daß wir natürlich auch viele verkappte Nazis angezogen haben, ist nicht verwunderlich, die waren darauf erpicht, das alte Reich wieder zu restaurieren. Da waren sie aber bei uns an der falschen Adresse. Wir haben sie ins Gebet genommen und in den Senkel gestellt, denn wir hatten zuerst mal nur eins im Kopf: Der Dicke muß weg!«

Die einen gebärdeten sich, als stünde der Untergang des Abendlandes augenblicklich bevor und riefen: Ja für Europa! Die anderen führten sich auf, als drohe ihr Deutschtum in einem europäischen Sumpf zu versinken und schrien: Nein! Auch ich stimmte mit Nein. »Ich hatte meine Gründe«, sagte ich zu Alfred Eisenbeiß und glaubte, mich vor ihm rechtfertigen zu müssen, »mir sollte es mit meinem Buch, an dem ich schrieb, nicht so ergehen wie Gustav Regler mit seinen mexikanischen Erzählungen, so ließ ich die hiesigen Schreiber in ihrem miefigen Kulturbetrieb versauern und schaute über die Grenze nach Deutschland. Die Bundesrepublik erschien mir als ein bewundernswertes Land der Freiheit. Da gab's gleich nach dem Krieg die mutigen Autoren der *Gruppe 47*, die sich jedes Jahr trafen und sich gegenseitig ihre Gedichte und Erzählungen vorlasen. Entschlossen traten sie für den neuen demokratischen Staat ein, schonten aber seine Repräsentanten nicht, weder die bürgerlichen Duckmäuser noch die klerikalen Heuchler.« Doch als ich ihm des langen und breiten auseinandersetzen wollte, daß Wolfdietrich Schnurre wegen seiner Geschichte vom Begräbnis Gottes kein Verbot zu fürchten hatte, fiel er mir ins Wort und sagte: »Das hört sich alles gut an; aber war dieses Techtelmechtel mit der *Gruppe 47* wichtiger, als dich um *deine* saarländischen Kollegen zu kümmern? *Wir* haben *unsere* Genossen nicht sitzenlassen, auch wenn's manchmal schwer war, sie nach der Wahl aus der Scheiße zu ziehen. Einer aus unserem SPD-Vorstand hatte dreißig Parteibücher beschafft, die sollten ehemalige Saarsozis bekommen, obwohl sie mit Hoffmann und den Separatisten gemeinsame Sache gemacht hatten. Auf einer Versammlung im Gasthaus *Zur Schleifmühle* standen die Anwärter Schlange, draußen vor der Tür saß aber ein alter Frontsoldat auf der Treppe, der konnte sich nicht anstellen, weil er bei einem Himmelfahrtskommando im Strafbataillon ein Bein verloren hatte.

Verstehst du: Ein armes Schwein, das nach dem Krieg in der Meute nicht mehr mithalten konnte, ein ausgemusterter Sozi mit dem falschen Parteibuch, der auf einmal da rumhing und nicht in die SPD aufgenommen werden sollte, weil er nicht imstande war, sich vorzudrängen.« Und nach einer kleinen Pause, in der er sich wieder die Nase rieb, fuhr Alfred fort: »Was jetzt in den neuen Ländern passiert, das haben wir zum Glück hinter uns.«

Er stieß beide Hände in die Hüfte, blies den Atem geräuschvoll aus, als wäre ihm ein unwiderstehlicher Schlußsatz gelungen, doch dann ließ er die Hände wieder spielen, klatschte sie zusammen, rieb sie aneinander, und nach einigen Augenblicken des Schweigens fuhr er fort: »Meine einfache Geschichte ist zwar kein so gutes Beispiel wie dein geschwollenes von der *Gruppe 47*, trotzdem berühren sich beide in einem entscheidenden Punkt. Obwohl es ja so scheint, als hätte das eine nix mit dem anderen zu tun, treffen wir beide uns dort, wo wir mit unserer edlen Gesinnung flunkern, von Freiheit und besserem Leben prahlen und uns hochnoble Gründe für unsere Wahlentscheidung vorgaukeln: Du wolltest ja nicht nur raus aus diesem saarländischen Mief, um ein unbehinderter deutscher Dichter zu werden, nicht nur eine großartige Idee steckte dir in der Nase, auch die vielen schönen Sachen, die man sich auf einmal kaufen konnte, ohne Zoll zu bezahlen: die schnittigen Radioapparate, die eleganten Plattenspieler, die exquisiten modernen Sitz- und Einbaumöbel.«

Am 31. Oktober 1957, als wir an unserer Hochzeitstafel saßen, führte Vater überraschend das große Wort. Die rauchzart getönten Kognakgläser, der chromblitzende Cocktailschwenker, die gigantische Küchenmaschine von Bauknecht, die wir nicht ein einziges Mal in Gang zu setzen imstande waren: All die gediegenen Geschenke, worüber wir uns kindlich freuten, blieben unerwähnt, und auch die neu eingerichtete Wohnung, worauf wir uns etwas zugute hielten, wurde keines Wortes für wert erachtet. Alle Räume, im rechtwinkligen Bauhausstil möbliert, waren einfarbig gestrichen: ein Raum quittengelb mit grasgrünem Teppich, ein anderer taubenblau mit mausgrauem Teppich, und nur Stahlmöbel, keine altechten Lothringer Schränke und keine imitierten Chippendalestühle, weder modische Nierentische noch antikes Gerümpel – aber statt auf diese prachtvollen Dinge waren alle Augen auf Vater gerichtet, wie er die neue Zeit beschwor. Er, der sein Leben lang nach Worten gesucht und sich oftmals gequält hatte, das Einfachste, ja Selbstverständlichste auszusprechen, spürte nun das Verlangen, seine Meinung zu sagen.

Die Wahl war entschieden: Zwei Drittel der Saarländer hatten den Beitritt des Landes zur Bundesrepublik erzwungen.

Das Saarmemorandum mit den Forderungen nach vollständiger Eingliederung der Wirtschaft in bundesrepublikanische Verhältnisse stand unmittelbar bevor, Vater würde nun bald wieder ein demokratischer Deutscher sein – Kraft und guten Willen bot er auf, einer zu werden und es nicht zu versäumen wie in den zwanziger Jahren. »Wenn schon eine Demokratie, dann eine richtige und keine wie diese verrückte saarländische Europademokratie. Was war das für ein Mißgebilde, wirtschaftlich an Frankreich angeschlossen und politisch autonom? Ein Kreuz im Wappen blau-weiß-rot und eine Verfassung, die das Jagdpulver verbietet! Und dann die vielen

unverstehbaren Ausdrücke, deren Sinn nur ein Schlitzohr
heraushört: Zuerst Entnazifizierung, dann Demokratisie-
rung, Epuration, Reparation, Reeducation, Referendum und
Memorandum, dazu die Konventionen und Regulationen,
Montanrat und Sequesterverwaltung, ein halbfranzösischer
Wortsalat, den unsereiner nicht verträgt. Ich hatte in meinen
jungen Jahren vier Bücher, die drei Lehrbücher für den Selbst-
unterricht von Unteroffizier Übelacker und den Duden. Wer
heutzutage halbwegs Bescheid wissen will, der braucht ja einen
Schrank voll Bücher!«

Vater kaufte sich das Grundgesetz und suchte per Zeitungs-
inserat einen Prospekt mit Abbildungen der verschiedenen
Bundesadler. »Ich muß wissen, was gespielt wird«, schloß er
seine Rede, »Demokratie ist gar nicht so einfach, die muß man
richtig lernen.«

XV

Das heiße Fleisch der Wörter

Ein Unglück, wenn es keine Wörterbücher gäbe, ein großes Unglück! Die Wörter in ihnen, die ja nicht nur Dinge bei ihrem Namen nennen, sondern eigentlich Zauberschlüssel sind für die Türen der Phantasie, wunderkräftige Passepartouts, die man nicht einmal in Schlösser zu stecken und herumzudrehen braucht, um in die seltsamsten und abgelegensten Bezirke der Welt zu gelangen – sie können Schicksal spielen, Zutritt erlauben, Zutritt verwehren, Leben und Tod bedeuten. Was wäre aus Kalif Storch geworden, hätte nicht Prinzessin Eule ihn in den Saal der alten Palastruine geführt, worin die bösen Zauberer sich das wunderwirkende Wort einander vorsagten, das er vergessen hatte? Er wäre zeitlebens ein Storch geblieben, denn nur dieses Wort, von ihm selbst ausgesprochen, konnte ihn in einen Menschen zurückverwandeln. Was für ein Name, was für ein Wort! »Ein recht schweres lateinisches«, erlauschte er bei einem Zauberer, »es heißt *Mutabor*.« Schon für mich als Kind ein makelloses Zauberwort ohne besondere Herkunft und Bedeutung, hat es bis heute seinen Reiz nicht verloren.

Hand aufs Herz, wer hat je in einem Wörterbuch nachgeschaut, was alles in dem Wort *Mutabor* verborgen liegt? Lange habe ich gezweifelt, ob es dieses Wort außerhalb des Märchens überhaupt gibt. Denn als ich jetzt im *Großen Wörterbuch der deutschen Sprache* von Duden nachschlug, um es herauszufinden, erging es mir schlecht: Kein *Mutabor* weit und breit! Ich stieß zuerst auf das Wort *mutabel, lateinisch mutabilis: verän-derlich, wandelbar,* und dann auf allerlei ähnliche Wörter wie *Mutation: Veränderung, Wandlung, mutagen: Mutationen auslösend, Mutant: durch Mutation veränderliches Indivi-duum.* Obwohl ich das Wort *Mutabor* nicht finden konnte, dämmerte mir ein jähes Begreifen, noch bevor ich zu meinem Freund Benno eilte, sein lateinisches Wörterbuch zu befragen: Der Kalif, das war der Mutant, der mit Hilfe des mutagenen Wortes Mutabor eine Mutation erfahren und die Gestalt eines Storchs angenommen hatte. Alptraumhaft überfielen mich Bilder aus Science-fiction-Filmen, gräßliche Mißgeburten, monströse Kreaturen wie Doppelköpfe und Wechselbälge; ich erinnerte mich eines kichernden buckligen Männleins, das mir vor Jahren im Traum erschienen, sich auf meinen Brustkorb setzte und mich mit bleiernen Würgegriffen zu ersticken drohte. Damals schon fürchtete ich seinen rätselhaften Ausruf: »Ja nicht mit dem Anfang anzufangen!« Heute, vermute ich, hat er seine Warnung in den Wind geschlagen und treibt hinter verschlossenen Türen sein übles Chromosomenspiel.

Mutabor! Ein klangvolles Zauberwort, ein Abrakadabra mit all seinen Verwandten! Im Nu türmen sich vor mir auf dem Schreibtisch andere Wörterbücher auf: Strellers *Philosophi-sches Wörterbuch* und Fröhlichs *Wörterbuch zur Psycholo-gie,* der *Atlas zur Ökologie* und das *Handbuch zur Wissen-schaftstheorie,* Pschyrembels *Klinisches Wörterbuch* und Büchmanns *Geflügelte Worte.* Ausgerechnet in Büchmanns *Geflügelten Worten,* diesem Irrgarten verwirrender Zitate, traf mich ein Blitz aus heiterem Himmel. Ich suchte bei den la-teinischen Zitaten unter dem Buchstaben M, dort fand ich den Satz »Mutato nomine de te fabula narratur«: »Die Geschichte erzählt von dir, nur der Name ist geändert.« So ist es und nicht anders: In allen Büchern wird immerzu von mir, von dir, von uns allen erzählt, wie oft haben wir als Kinder »*Mutabor!*« ge-rufen, sind aus der Haut gefahren, haben uns in Wölfe und Schafe, in Ochsen und Esel und Kamele verwandelt – und dar-aufhin das Wort wieder vergessen? Bin ich nicht selbst der Kalif, der jedem Harzkrämer die Tür aufmacht und mit großen Augen in den Henkelkorb schaut, ob nicht etwas Besonderes feilgeboten wird? Ja, bin ich nicht bis heute noch der arme Storch, auch wenn meine Beine keine dünnen Storchenbeine sind und mein Schnabel kein Storchenschnabel, obwohl er keine Sekunde stillsteht und immerzu am Klappern ist? Und das Lachen, ist nicht auch das Lachen unverwechselbares Zeichen meiner Lebensart, wenngleich es in heiklen Augenblicken allerhöchste Gefahr bringt: »Hüte dich, wenn du verwandelt bist, daß du nicht lachst, sonst verschwindet das Zauberwort gänzlich aus deinem Gedächtnis, und du bleibst ein Tier.«

Hin und her und kreuz und quer blätternd kam ich vom Hundertsten ins Tausendste, verlief mich in den kuriosesten Wörterbüchern lesend in gruppendynamische Sitzungen, verirrte mich in ökologische Nischen, verdämmerte in Keimbahnen. Zu guter Letzt, als ich mich bereits ellenweit entfernt vom Zauberwort aus dem Märchen wähnte, in Ungedanken vor mich hin träumte und wie auf leichten Schwingen ein weltabgelegenes Wörtermeer überflog, fiel mein Blick gleichsam aus großer Höhe auf das Wort *Mutatorium*, und ich erschrak. Wo ich allen Ernstes keine Auskunft mehr für meine Erforschung des Zauberworts *Mutabor* erwartete, im *Kleinen Wörterbuch der frühchristlichen Kunst und Archäologie* wurde ich fündig: *Mutatorium, Umkleideraum für Priester in griechisch-orthodoxen Kirchen.* Was für ein Fund! Mit geschlossenen Augen sah ich vor mir ein Bild zum Malen: Aus der Tür der exklusiven Garderobe marschiert eine Prozession verkleideter Priester in allerlei bunten Ornaten, Spindeldürre in Brokatgewändern mit silbernen Gürteln darüber, Dickwänste in Kniehosen mit gestrickten Strümpfen darunter, manche mit Turbanen, andere mit Kronen auf dem Kopf.

Da war ich plötzlich wieder ganz nah bei Kalif Storch und seinem treuen Großwesir. Ich öffnete die Augen und sah die beiden im finsteren Flur des verfallenen Palastes einen großen Anlauf nehmen, und in Riesenschritten springen sie auf ihren langen Storchenbeinen dem Tor der Ruine zu, ihrem rettenden

Mutatorium unter freiem Himmel, wenden sich nach Osten, bücken dreimal ihre langen Hälse der aufgehenden Sonne entgegen, rufen laut: »*Mutabor!*« und schon sind sie wieder Menschen. Die dünnen Storchenbeine sind stramme Menschenbeine, bekleidet mit schönen gelben Pumphosen, und die Flügel wieder Menschenarme, bekleidet mit weiten gestreiften Puffärmeln. Als der Kalif sich umblickt, wer beschreibt sein Erstaunen? »Erkennt Ihr nicht mehr Eure Nachteule, die Euch an den Ort geführt hat, wo Ihr das vergessene Wort wieder gehört habt?« Vor ihm steht eine perlengeschmückte Dame, und er, von so viel Schönheit und Anmut entzückt, ruft begeistert aus: »Es war mein größtes Glück, daß ich ein Storch gewesen bin!«

Mein Freund Benno ist ein gelehrter Lateiner. Er besitzt nicht nur ein lateinisches Wörterbuch, er kann es benutzen, Bedeutung und Sinn der Wörter ergründen, in einem Wort den Kern eines anderen entdecken und diesen Kern in ein nächstes Wort verpflanzen, so daß dieses Wort aufblüht in einer Farbe, nach der sich das ursprüngliche Wort lange vergebens gesehnt hat, nun aber einen erleuchtenden Schein empfängt und aufglänzt im Wettstreit mit allen anderen Wörtern. Meinem Freund gelingt es, eine Brücke zu schlagen von einem Wort, das auf felsigem Pfeiler ruht, zu einem anderen, dessen Pfeiler in sandigem Boden steckt, und einer, der nie Latein gelernt hat wie ich, der hätte es nimmer für möglich gehalten, eine Brücke zwischen zwei so verschiedenen Pfeilern könne überhaupt Bestand haben, ohne beim geringsten Windstoß in die Tiefe zu stürzen. Und weil ein Wort, zu seiner Zeit gesprochen, andererseits wie ein goldener Apfel auf silberner Schale ist, legt mein Freund jedes Wort auf die Waagschale, getreu nach Salomos Spruch – worauf ich nicht gekommen wäre, hätte ich es eben beim Schreiben versäumt, in Peltzers Zitatwörterbuch nachzuschauen, welche Gestalten und Rollen und welche Eigenschaften die Wörter in der ihnen eingeborenen Verwandlungslust annehmen können. Denn darin wimmelt es nur so von spritzigen Beispielen der Philosophen und Dichter, die sich die abenteuerlichsten Gedanken gemacht haben über die krummbucklige Verwandtschaft der Wörter. Was hat es für Affären gegeben, Liebeleien und Kräche, Hochzeiten und Scheidungen, Geburten und Sterbefälle!

Mein Freund öffnet sein lateinisches Wörterbuch. Er feuchtete den Zeigefinger an, blättert darin, sucht und findet das Wort *mutabilis* als erstes Glied seiner Wortfamilie. Nur einen Augenblick schließt er die Augen, dann reißt er sie weit auf, nimmt das Wort in den Mund und schlägt Funken daraus, daß es blitzt und sprüht. Im hellsten Lichtschein dringt er in das Wort ein, schaut darunter, schaut dahinter, und da es ihm gefällt, mir zu zeigen, wie es dort aussieht, wird das Ding gedreht, und ich blicke immer neuen Wörtern mitten ins Gesicht.

Nun schwirrt es mir vor den Augen, alle Wörter sehen zwar auf den ersten Blick wie das Wort *Mutabor* aus, verlieren aber auf den zweiten jede Ähnlichkeit mit ihm und geben erst auf den dritten wieder ihre Herkunft zu erkennen. Ich bin halt kein Lateiner, wenn ich versuche, eines dieser Wörter auszusprechen, verknotet sich mir die Zunge, die Silben radebrechend betone ich jedes Wort falsch.

Das kann meinem Freund nicht passieren. Vor Bewunderung reiße ich die Ohren auf, wenn ich höre, wie er die lateinischen Wörter in seinem Mund hin- und herwirft, an den ausgefallensten Wortbildungen herumdoktert, aus all den vielen grammatischen Formen das Wort *Mutabor* herausklamüsert und wohltönend ausspricht. Ein Wunder, daß es das Wort tatsächlich gibt! Ich habe es für erfunden gehalten, dem Dichter Wilhelm Hauff ganz plötzlich eingefallen, als er sich das Märchen von Kalif Storch in einer stillen Mußestunde ausdachte – und nur in einem Wörterbuch erfundener Wörter aufzuspüren.

Wenn der Dichter spricht, geschieht alles nach seinen Worten: Der Kalif zieht die Dose mit dem Zauberpulver aus dem Gürtel, nimmt eine herzhafte Prise und bietet sie dem Großwesir an. Dieser schnupft gleichfalls eine Nasvoll, beide niesen laut und rufen: »*Mutabor!*« Aber riefen sie wirklich *Mutabor*, lateinisch auf der zweiten Silbe betont? Oder hoben sie das u in der ersten Silbe hervor und riefen abendländisch *Mutabor,* betonten gar das o in der letzten und riefen *Mutabor,* damit es besonders morgenländisch klinge? Wer weiß? Wer sagt mir, ob ein arabischer Mensch das Lateinische auf der richtigen Silbe betont, selbst wenn es ein Schriftgelehrter ist? Keiner von uns hat lauschend hinter der Mauer gestanden und es gehört. Vielleicht darf das Wort *Mutabor* gar nicht auf der zweiten Silbe betont werden, damit es nicht so überklug und aufgeblasen klingt, auf lateinisch ausgesprochen gar seinen Zauber einbüßt und damit auch die Verwandlungskraft verliert. Ich erinnere mich, wie mein Großvater, das Märchenbuch mit den eingeklebten Zigarettenbildchen auf dem Schoß, großäugig die Lippen schürzte, um das u und das o besonders plastisch zu formen und so herauszubringen, als sei er selbst in einen Storch verwandelt. Mein Großvater besaß keinen Ausspracheduden, aus dem er Betonung und Aussprache fremder Namen und Wörter hätte lernen können. Nach heimischen hätte er nie gesucht, folglich sprach er beim Vorlesen des Märchens von Kalif Storch alle Wörter so aus, wie es bei uns gang und gäbe ist, und als er bei dem Wort *Mutabor* anlangte, betonte er es gut deutsch auf der ersten Silbe wie Slibowitz und Luzifer und sagte: »*Mutabor.*« Und siehe da, Großvaters Zauber wirkte. Dem Kalifen und seinem Großwesir schrumpften die Beine ein und wurden dünn und rot, die Arme fächerten sich zu Flügeln auf, der Hals fuhr eine Elle lang aus den Achseln, und noch heute höre ich, wie der Kalif erstaunt ausruft: »Ihr habt einen hübschen Schnabel, Herr Großwesir«, und der Großwesir antwortet: »Wenn ich es wagen darf, möchte ich behaupten, Eure Hoheit war ein ansehnlicher Kalif, doch als Storch seht Ihr beinahe noch hübscher aus.«

Heute erzählt mein Bruder, er erinnere sich ganz genau an krachende Winterabende zu viert mit Großmutter und Großvater, der bei geöffneter Ofentür das Märchenbuch aufgeschlagen und im Flackerschein der Kohlenglut daraus vorgelesen habe. »Noch nicht einmal gelesen hat er«, behauptet Hermann, »er hat nur so getan.« Hermann ist mein Zeuge, er weiß nämlich, daß man als Großvater ohne Brille auf der Nase und nur bei offenem Ofentürchen die Buchstaben im Märchenbuch gar nicht erkennen kann und Großvater folglich das Märchen von Kalif Storch immer von neuem erfinden mußte. So verschieden und manchmal nur schwer wiederzuerkennen sein Erzählen auch ausfiel, das Wort *Mutabor* mit seiner deutschen Betonung auf der ersten Silbe blieb stets dasselbe.

Hermann und ich sprachen Großvater das Wort nach, sagten: »Mutabor!« mit langgedehntem u und waren uns der Verwandlung sicher. Schon spürte ich, wie meine Lippen länger und länger, härter und härter, röter und röter wurden und sich in einen Schnabel zuspitzten, der immerzu klapperte und klapperte und nicht mehr stillstehen wollte – ja, wenn ich's recht bedenke, bis heute nicht mehr aufgehört hat, unaufhörlich weiterzuklappern. An meinen Arm geschmiegt, fühlte ich den Kopf meines Bruders, doch als ich nach ihm hinlangen wollte, war mein Arm in einen Storchenflügel und der Kopf meines Bruders in einen Storchenkopf verwandelt, aus dem der gleiche klappernde Schnabel ragte. Wir sprachen auf wundersame Weise storchisch, das in keinem Wörterbuch zu finden ist und niemand außer uns beiden verstand, bissen uns aber auf die Zunge und hüteten uns zu lachen, andernfalls wären wir Störche geblieben bis auf den heutigen Tag.

Was für eine Zeit! Hermann war vielleicht fünf, ich sieben Jahre alt und lernte soeben lesen; und hätte ich bereits in Vaters Duden von 1915 nachschauen können, mir wäre dort ein längst aus allen Wörterbüchern verschwundenes Wort aufgefallen, das sich nur durch einen Buchstaben von dem Wort *Mutabor* unterscheidet. Man soll nicht unterschätzen, was ein einziger Buchstabe vermag! Nur ein Buchstabe ist ausgetauscht, und schon öffnet sich das Tor in eine neue Welt. Zum Glück habe ich nicht nach dem Wort gesucht, in meiner Aufregung hätte ich beide Wörter verwechseln und uns in heillose Verwirrung stürzen können. Das Wort lautet *Mutator,* und freiheraus gesprochen, dazu einen Hebel umgelegt statt Wunderpulver geschnupft, bewirkt es Ähnliches wie das Wort *Mutabor:* Ein elektrischer Strom wechselt seine Natur. Kein Wörterbuch, kein Lehrbuch, keine noch so kluge Gebrauchsanweisung hätte uns darüber Auskunft geben können, was aus uns geworden wäre, hätten wir der Verlockung nachgegeben und *Mutator* statt *Mutabor* gerufen. In elektrischen Strom wären wir möglicherweise verwandelt worden. Aber wir sind treu und brav dem Schriftgelehrten aus Arabien und dem Großvater vom Hunsrück gefolgt, haben manchmal zungenfertig wie der Schriftgelehrte *Mutabor* und manchmal vollmundig wie Großvater *Mutabor* gesagt, uns jedesmal in Störche verwandelt und dabei erfahren, daß das Wort *Mutabor* so viel Verwandlungskraft besitzt, daß es gleichgültig ist, auf welcher Silbe man es betont. Am Ende geschieht die Verwandlung ja gar nicht dank des tönenden Organs eines Großvaters, so wenig wie vor langen Zeiten eine redegewandte Gelehrtenstimme das Märchenwunder bewirkt hat, auch wenn sie des Lateinischen mächtig war. Es ist die Kraft des Wortes selbst, die stetig Verwandlung schafft. Wer je in seinem Leben einmal *Mutabor* gesagt und sich in einen Storch verwandelt hat, der weiß auch, daß ein Wort die Macht besitzt, Stühle zu rücken, Berge zu versetzen, aus weiß schwarz zu machen.

Haargenau das ist in diesem Augenblick passiert. Indem ich es ausgesprochen, aufgeschrieben und laut wiederholt habe, ist es Wirklichkeit geworden: Weiß hat sich in Schwarz verwandelt, und ich bin der Verwandlungskünstler. Meine Künste finden aber nicht in spiritistischen Sitzungen und religiösen Handlungen statt. Meine Wörter rücken Stühle und versetzen Berge auf die profanste Art der Welt: Sie wälzen durch mein Hirn, schlagen Rad und schießen Kobolz; sobald sie aber über die Schwelle meiner Zunge springen, ergreife ich den Stift und schreibe sie auf ein Blatt Papier. Auf das weiße Blatt treten die schwarzen Buchstaben. Ein bißchen zögerlich, doch ohne Angst setzen sie ihren Fuß auf unbekanntes Land. Noch wissen sie nicht, was ihnen bevorsteht, messen die Einöde forschend aus und hinterlassen Spuren, hauchzarte Fährten wie

Vogelkrallen im Schnee. Die Wörter sind keine Trampel, keine unbesonnenen Tolpatsche, die nicht nach rechts und links schauen und andere über den Haufen rennen, wenn sie das weiße Blatt betreten. O nein, sie sind höflich und aufmerksam, im vertrauten Umgang mit ihnen habe ich ihr Entgegenkommen seit eh und je geschätzt. Ich bin es ja, der manchmal roh mit ihnen umgeht, ein andermal aber auch zärtlich, wie ich es von Max Bense gelernt habe. Einerseits bin ich der Handgreifliche, der Gewalttätige, der die Wörter in festgelegte Ordnungen zwingt, andererseits der Schmeichler, der Zauberkünstler, der sie aus ihren Zwängen erlöst. Was bleibt mir anderes übrig, wenn ich aus weiß schwarz machen will?

Niemand soll behaupten, es sei schwieriger, aus schwarz weiß zu machen als umgekehrt, nur weil es so in den Sprichwörterbüchern steht. Ein geschriebenes Wort hinterläßt Spuren, die so leicht nicht mehr auszulöschen sind. »Denn was man schwarz auf weiß besitzt, kann man getrost nach Hause tragen«, antwortet der Schüler dem durchtriebenen Schlaukopf Mephisto, der ihn hinterlistig zum Schreiben anhält. Der arme Schüler! Noch weiß er nicht, was Schreiben bedeutet, noch stürzt er sich unbeschwert in das zwielichtige Geschäft. Mephistophelisch ist das Schreiben, ein wahrhaft teuflisches Geschäft – und die Wörter müssen's leiden! Wenn man bedenkt, wie empfindlich, ja wie verletzlich das Wort *Mutabor* ist! Wer es ausspricht und dabei lacht, den respektiert es nicht. Von einem, der es gar aufschreibt und nur die Lippen zu einem Lächeln verzieht, fordert es die Zauberkraft zurück. Wörter haben nicht nur einen Körper, auch eine Seele haben sie. Das Zitatwörterbuch lehrt mich sogar: »Wörter haben ihre Schicksale.« Das wußte schon der afrikanische Grammatiker Maurus am Ende des 3. Jahrhunderts, und Heinrich Heine meinte mehr als fünfhundert Jahre später:

»Lebt das Wort, so wird es von Zwergen getragen, ist das Wort tot, so können es keine Riesen aufrecht erhalten.« Auch in den Sonetten von Raymond Queneau sind die Wörter lebendige Wesen aus Fleisch und Blut und sterbliche Geschöpfe wie jede andere Kreatur dieser Erde. Mehr als zwanzig Jahre ist es her, seit ich mich mit diesen Sonetten beschäftigt und sie übersetzt habe. Eins davon heißt: *Das heiße Fleisch der Wörter*:

Faß diese Wörter an, fühl ihre flinken Beine,
fühl ihre Herzen, die wie Hundeherzen schlagen,
liebkose ihren Pelz, damit sie ruhig bleiben,
nimm sie auf deine Knie, damit sie nichts mehr sagen.

Ein Nest, aus Klang gebaut, er ist jetzt nebensächlich,
schützt vor dem Nagetier, dem akademischen Orden,
man nennt sie roh, jedoch die Wörter sind zerbrechlich,
und ihnen ist im Nu der Atem knapp geworden.

Und für den Friedhof schlägt man sie in Leichentücher,
ein jeder schofle Geist, er nennt sie Wörterbücher,
ein saurer Denker nennt sie alphadezediert.

Aus welchem Grund der Mensch darüber lamentiert?
Er ist ein simpler Fakt, auf den wir so bedacht sind,
faß diese Wörter an und sieh, wie sie gemacht sind.

Ach, die armen Wörter! Wenn sie ihren Dienst getan haben, werden sie abgehalftert, treten ab, werden krank und sterben: Hier ruht *Mutabor*, dort ruht *Mutator*, eingesargt in Wörterbüchern. Und ich? Zu ihren Lebzeiten habe ich Freundschaft mit ihnen geschlossen, ich hatte mich für geraume Zeit in sie verliebt, vertraut geworden, kamen sie mir auf einmal gar nicht mehr lateinisch vor. Unheilbar habe ich mein Herz an die Wörter verloren, anstatt meiner Arbeit nachzugehen und mich um meine Geschichte zu kümmern, stehe ich über Wörterbücher gebeugt und mühe mich aus Leibeskräften, den leblosen Lieblingen meinen Atem einzublasen. Warum sitze ich im Elfenbeinturm, verlaufe mich in Nebenstraßen, verliere mich in Sackgassen, spinne meine Chinoiserien und finde keinen Ausweg aus dem Zauberkreis, den die Wörter um mich geschlagen haben? Warum strecke ich nicht die Hand aus, greife nach den Wörtern, die in der Luft liegen und noch nicht in den Wörterbüchern begraben sind, und erzähle endlich meine Geschichte zu Ende? Mit dem Aufhören geht's mir wie mit dem Anfangen! Ich verstricke mich in Einzelheiten, verliere mich in abseitigen Details, schweife ab und komme nicht zur Sache. Ich wollte ja eine folgenreiche Geschichte erzählen und keine luftigen Arabesken um Wörter schlingen. Ansätze für die eine oder andere Geschichte habe ich wohl gefunden, doch immer noch suche ich nach einem schlüssigen Ende. Unaufhörlich komme ich vom Hundertsten ins Tausendste, als hänge Tod und Leben vom Kokettieren mit Wörtern und Wörterbüchern ab.

XVI

Ordnung

Gerade entschlossen, meine Erlebnisse der endvierziger und
fünfziger Jahre zu erzählen, kam mir jene irische Geschichte in
die Quere, worin James Joyce von einem Mister Duffy, einem
unsympathischen Moralisten und Methodenhengst, berichtet.
Anstatt den Schreibstift für meine eigene Lebensgeschichte an-
zusetzen, vertiefte ich mich lesend in eine verzwickte Liebesaf-
färe und verlor für längere Zeit den Faden, der mich aus diesem
Labyrinth rechtzeitig wieder herausgeführt hätte. Ich spürte
einen starken Andrang von Ereignissen im Kopf, den ich damals in den farbigsten Einzelheiten beschwor; doch einige
Übertreibungen habe ich kurze Zeit danach wieder weggestri-
chen, damit nicht der Verdacht aufkäme, meine aufgeblasene
Schreckensvision sei allein der Ausbund grotesker Wörter-
verliebtheit gewesen. Was mich erregte, war Mister Duffys
saturnische Natur, diese rauschhafte Klassifizierungswut und
unerbittliche Engherzigkeit, womit er sich an Frau Sinico ver-
sündigte. Schlimmer Mister Duffy! Deiner Abscheu vor jeder
körperlichen und geistigen Regellosigkeit, deiner Entschie-
denheit, weder einer Kirche noch einem Glauben anzuhängen,
deinem Widerwillen gegen Heimlichkeiten, deinem seltsamen
Hang für das Autobiographische und deiner krankhaften Vorliebe für Mozarts Musik setzt einer wahren Sucht nach sichtba-
rem Gleichmaß die Krone auf: Unter den auf einem Regal der
Größe nach von unten nach oben eingereihten Büchern befin-

det sich an dem einen Ende des unteren Brettes eine komplette Wordsworth-Ausgabe, am anderen Ende des obersten Brettes ein Exemplar des *Maynooth Catechism*. Trotz penibelsten Systemzwangs, welch ein Gefühl für Proportionen, welch überlegener Sinn für Rhythmus und Harmonie, der den kleinformatigen *Catechism* (Buchstabe C) ans vordere Ende des obersten und den großformatigen *Wordsworth* (Buchstabe W) ans hintere Ende des untersten Brettes plaziert! Beim Bestreben, den Manien dieses Mister Duffy und seines Erzählers Joyce auf den Grund zu kommen, ging mir ein Licht auf. Ich erinnerte mich meiner eigenen Besessenheit, mit peinlicher Akkuratesse aufzuräumen, zusammenzusetzen, eins zum andern zu gruppieren, und war verblüfft. Schon als kleiner Junge stellte ich meine Zinnsoldaten nicht nach Nationalität und Waffengattung, sondern nach der Farbe ihrer Uniformen von Blau über Rot nach Grün in Reih und Glied; später als junger Mann hängte ich meine Kleider nicht nach Häufigkeit des Gebrauchs oder saisonbedingter Benutzung, sondern einzig und allein nach Art des Kleidungsstücks Hose zu Hose, Jacke zu Jacke, Hemd zu Hemd in den Schrank; und heute, am intensivsten mit Lesen und Schreiben beschäftigt, reihe ich zum Beispiel meine Wörterbücher weder nach Sachgebieten noch nach Stoffgruppen, sondern ausschließlich nach Vorliebe für bestimmte Verlage ins Regal ein. Zuerst schaue ich in die Werke von Duden, deshalb müssen sie am raschesten greifbar sein!

Ich eilte in die Universitätsbibliothek und suchte nach den beiden Büchern. Den *Maynooth Catechism* konnte ich in keinem Katalog finden, doch die vollständige Wordsworth-Ausgabe entdeckte ich nach einigem Suchen und Blättern im Karteikasten. Der Bibliothekar verschwand mit dem Leihschein eine Weile im Depot, kam erst nach langem Ausbleiben zurück und schob mir das Buch über die Theke. Es war die von Joyce erwähnte Ausgabe in Großformat, die gleiche, die in Mister Duffys Bücherregal auf dem untersten Brett an letzter Stelle einsortiert ist. Ich nahm das Buch in die Hand, und traumwandlerisch, als manövrierte mich mein Unterbewußtsein auf kürzestem Wege ins Ziel, schlug ich in einer einzigen Handbewegung genau die Seite auf, von wo mir das Schlüsselwort des ganzen Werks wie ein Blitzstrahl in die Augen und spornstreichs ins Hirn fuhr. Ein Wort mit anrüchiger Vor- und Nachbedeutung, mein Schicksalswort: *Order.* Auf dem Heimweg besorgte ich mir bei meinem Buchhändler die deutsche Ausgabe, ein Bändchen aus Reclams Universalbibliothek in der Übersetzung von Hermann Fischer: *Präludium oder das Reifen eines Dichtergeistes.* Noch in der Buchhandlung suchte ich die ominöse Stelle, fand sie rasch und las:

>»Zehn Jahre oder weniger war ich alt,
>Als sich zum erstenmal mein Geist
>Mit vollbewußter Freude der Bezaubrung
>Durch Worte öffnete, wenn sie in klangvoll
>Gemeßner Ordnung aufeinanderfolgten;
>Ich fand sie schön um ihrer selber willen,
>Sie waren Kraftquell mir und Passion;
>Und Sätze konnten mich begeistern, die
>Ich ob der Freude, die sie gaben, wählte;
>Um ihres Prunkes willen, oder weil
>Ich sonst sie liebte.«

Dabei versank ich augenblicks in einen Wachtraum. Ich saß mitten in der Buchhandlung auf einem Stuhl, der Buchhändler hinter mir wühlte geräuschvoll in den Regalen, und Leute drängten an mir vorbei zur Kasse. Sie wurden zu Schemen, diese gewöhnliche Welt um mich herum ertrank in einem Abgrund, woraus ich nur noch ein undeutliches Rumoren vernahm. Für einen Moment schloß ich die Augen, sie wieder öffnend hatte sich das gelbe Reclamheftchen in ein altes Kinderbuch verwandelt: Grimms Märchen in einer Reclamausgabe vom Anfang des Jahrhunderts. Es war ein kleines, schmales Heftchen mit Bildern von Ludwig Richter, vor mehr als sechzig Jahren schon aus dem Faden gegangen, in einer Kiste auf dem Dachboden irgendwo im Plunder verschwunden –

vergangen war aber die Angst um Hänsel und Gretel, die, von Vater und Mutter im Wald ausgesetzt, nicht mehr nach Hause zurückfanden. Heute erinnere ich mich an meine jahrelange Unrast, das Bild aufzustöbern, worauf Hänsel und Gretel nah beieinander in halbfinsterer Waldnacht abgebildet sind. Ich rufe mir das Bild aus dem geliebten Buch ins Gedächtnis zurück, sehe die beiden Geschwister vor schwarzer Waldkulisse und weiß auf einmal wieder: Der Vollmond steigt hinter den Bäumen auf und wirft sein fahles Licht auf die Kinder, Hänsel kniet vor der Schwester, legt seine Hände auf Gretels Schulter und Knie und sagt eben: »Warte nur ein Weilchen, bis der Mond aufgegangen ist, dann wollen wir den Weg schon finden.« Ich sehe Gretels Tränen im Mondlicht glitzern, höre Hänsels Schritte im Laub, spüre die Kühle der Nachtluft auf meiner eigenen Wange.

Warum so viel Aufhebens um Hänsel und Gretel, so viel Wesens um Nacht und Mond? Was haben Hänsel und Gretel, was haben Waldnacht und Vollmond mit der Ordnung der Wörter, ihrer gemessenen Aufeinanderfolge, ihrer Schönheit und ihrem Prunk zu tun? Es ist die den Wörtern innewohnende Verzauberungskraft, aus geheimnisvollen Ordnungen, die nur Dichter durchschauen, jählings hervorbrechend und doch *klangvoll gemessen*: das Wort an seinem ihm zugewiesenen Platz, die ebenmäßig gegliederten Sätze, das prachtvoll klingende Spielwerk der Erzählung.

Da wundert es mich nicht, daß Mister Duffy den vollständigen Wordsworth auf seinem Bücherregal stehen hatte. Mister Duffy wußte, was ihm guttat. Er wäre keinen Tag ohne seinen Wordsworth ausgekommen, hätte er je wirklich gelebt. Mit geschlossenen Augen sehe ich seine Zimmereinrichtung vor mir: die Bettstelle, den Waschtisch, die Rohrstühle, jedes an Ort und Stelle wie Kleiderrechen und Kohleneimer, wie Tisch und Doppelpult. Ich kann mir gut vorstellen, wie er an diesem Pult steht und Gerhart Hauptmanns *Michael Kramer* übersetzt, die Dialoge in schwarzer, die Bühnenanweisungen in roter Tinte schreibt, hin und wieder aus einem von einer Messingklammer zusammengehaltenen Pack Blätter ein Blättchen löst, um seinen Einfall darauf zu notieren. So wie er einen Satz schreibt, wüßte man gern seinen Wortlaut, genösse die *klangvoll gemessene Ordnung* von Mister Duffys Stil und Rhythmus – vor allem, da es um ein Theaterstück geht, in dem ein ihm charakterlich nahestehender, in Selbstzucht gereifter Künstler seinen begabten, doch liederlichen Sohn hartherzig ins Unglück stürzt.

Wie herzlos hat er später selbst an Frau Sinico gehandelt! Verstoßen hat er sie, nur weil sie in einem leidenschaftlichen Ausbruch seine Hand ergriffen und an ihre Wange gedrückt hatte! Sie fing an zu trinken, verließ ihre Familie, kam unter die Räder einer Lokomotive. Und nach diesem armseligen Tod hat er nicht einmal Reue gezeigt, schämte sich seiner erloschenen Zuneigung, legte ihren Gefühlsausbruch unbarmherziger aus als zuvor. Am Ende aber verwünschte er die Geradlinigkeit seines Lebens, und ich begriff, wohin Unbeugsamkeit und Konsequenz führen können. Vielleicht ist es mein Glück, daß ich nie in Mister Duffys mißliche Lage mit einer Frau Sinico geraten bin!

Von der Ordnung der Moral bis zur Ordnung des Mobiliars: eine weite Spanne und doch so dicht beieinander! Wie nah sind wir doch mit Mister Duffy verwandt! Bei uns in der Sulzbacher Schlachthofstraße sah es aus wie bei ihm hinter der stillgelegten Dubliner Schnapsbrennerei. Von heut' aus betrachtet wäre ich nicht überrascht gewesen, hätte er zu meiner Kinderzeit plötzlich in unserer Küche gestanden und zu Mutter gesagt: »Alles wie bei mir zu Hause in Irland.« Wäre er von Zimmer zu Zimmer gegangen, wie hätte ihm erst die ganze Wohnung gefallen! Unsere Zimmer waren sparsam möbliert, die Fußböden gespänt, gewachst und gebohnert, die Betten mit roten Steppdecken überzogen, die Stühle mit braunem Baumwollstoff gepolstert – und alle Zimmer aufgeräumt wie die seinen in Dublin. Mutter hätte zu Feuersteins Jakob sagen können wie ihre Kusine Gertrud zu Nachbar Rudi: »Wenn deine Kinder richtig erzogen werden sollen, so muß alles bis auf die Schuhbürste hinunter in eine höhere Ordnung kommen.« Sogar Tante Erna mit ihrem romantischen Ordnungsbegriff scherte nicht aus. Um ihre Vorstellung von Behaglichkeit zu verwirklichen – denn Mutters Stuhl- und Möbelsymmetrien empfand sie als kalt und unwohnlich –, stellte sie bis in den hintersten Winkel hinein eine zufällige Unordnung her und arrangierte ihre Paradekissen in grotesken Stellungen auf dem Sofa. Treu und brav genügte sie einem wenn auch nur von ihr selbst gefühlten Gesetz der Ordnung. So war ich bei meinen Eltern in der Schlachthofstraße und später im Sulzbacher Oberdorf dem unbekannten Mister Duffy aus Dublin näher, als es mir in all den Jahren je bewußt geworden ist. Heute erst spüre ich diese Nähe so stark, daß ich oft das Empfinden habe, er berühre mich mit der Hand und schaue mich erwartungsvoll von der Seite an, als müsse ich einmal zu ihm ins Zimmer kommen, seinen wohlgeordneten Schreibtisch betrachten und bewundernd ausrufen: »Hier geht's mir gut, Vetter Duffy!« Denn nichts ist mir vertrauter als der Duft nach Holzbleistiften und Papierleim, der auch meinem Pult entströmt, wenn ich nur einen Spaltbreit den Deckel hebe.

Gallenpillen hieß die Kopfzeile einer Annonce, die Mister Duffy auf ein Blatt Papier klebte, bei mir könnten es Schnipsel des Beipackzettels für Pillen gegen Bluthochdruck sein. Er habe es in einem ironischen Augenblick getan, bemerkt der Erzähler ohne weitere Begründung und gibt mir Rätsel auf; stimulierte ihn seine Gallenstörung beim Schreiben wie mich mein Bluthochdruck? Oder liebäugelte er, wie ich, mit ausgefallenen Wörtern, denen er Verführungskunst beimaß, ihn beim Schreiben von breitgetretenen Pfaden abzubringen und in unbekannte Gegenden zu locken? Denn weder aus dem Arrangement von Möbelstücken in einem Zimmer noch aus jedem anderen Zusammenspiel der allerhehrsten Dinge springt ein Fünkchen von Bezauberung über – nur Wörter in überraschenden Verbindungen zünden und schlagen den Ahnungsfähigen in ihren Bann! Meinen ganzen Beipackzettel bedeckt das Kleingedruckte, das mich aber nicht zum Aus- und Weiterspinnen pharmazeutischer Leckerbissen reizt. Oder wie wäre es, wenn ich mir das Wort *Hypertonie* herauspicke und, mit Pschyrembels *Klinischem Wörterbuch* beginnend, es in abscheuliche Krankheitsphantasien hineinwebe? Lieber suche ich anderswo weiter, schmökere in Zeitungen, verzettele mich in philosophischen Schriften, verirre mich in meinem eigenen Kopf, kehre aber am Ende über Wordsworths autobiographisches Gedicht zu den Wörterbüchern zurück. Sie sollen mir das Wort *Ordnung* erklären, das einen so schlechten Leumund hat, der mich immer wieder an ihm zweifeln läßt, auch wenn es mich an früh schon entbrannte Liebe erinnert.

»An der Spitze der Feder an Wörter, nicht an Dinge denken«, schreibt Max Bense in seinem Buch *Die präzisen Vergnügen.* Sooft ich mich an diesen Vers und diesen Titel erinnere, fällt mir auch Lichtenberg ein. Doch diesmal hockt er mir nicht wie ein Alp auf der Brust und traktiert mich mit spöttischen Sprüchen. »Ordnungsliebe muß dem Menschen früh eingeprägt werden, sonst ist alles nichts«, sagt er zu mir und bestätigt mich in meinem Wahlspruch: »Ordnung ist das ganze Leben.« Ich liege im Schaukelstuhl am Fenster, wippe auf und ab, blättere vergnügt in den Büchern und schaue hin und wieder hinaus in den Garten nach den glänzenden, regelmäßig gefächerten Rhododendrenblättern. Lichtenberg lächelt und blinzelt mir zu, um uns herum die gleiche aufgeräumte Atmosphäre und Stille wie in dem Wort *Ordnung* selbst.

Das Wort *order* sei vielfältig auszulegen, erfahre ich aus den berühmten englischen Lexika, und beim Lesen setze ich von meinem Schaukelstuhl über in fremde Bezirke, die diese Bücher mir nach und nach erschließen. Ich schlenkere mit den Beinen, erreiche diese Gegenden mühelos in Siebenmeilenstiefeln. Kaum zu glauben, in welche Welten das Wort *order* führt!

Und wie das Wort sich verändert und andere, erst ähnlich klingende, dann fremdartig lautende neue Wörter zeugt! Wenn ich die Augen schließe und kopfeinwärts schaue, entdecke ich, perspektivisch sich unaufhörlich verkleinernd und doch scheinbar ins Unendliche sich vermehrend, kahle unfreundliche Säle, in denen die Wörter nachhallen mit abweisendem, metallischem Klang. Eine eigentümliche, bis in den hintersten Winkel ausgeleuchtete klare Welt, in der es strenger zugeht als in der alltäglichen: Hier wird deutlich gesprochen, kein Wirrwarr trübt den Wortklang. Diese Wörter haben es nicht leicht in der unbekümmerten menschlichen Gesellschaft. Die Angehörigen der Familie *order* sind nämlich keine jovialen Brüder, keine unterhaltsamen Lebenskünstler, keiner ist ein Bruder Leichtfuß: Mit strenger Miene und erhobenem Zeigefinger kommen sie daher und haben allesamt häßlich klingende Namen. Die einheimischen Verwandten heißen *Klasse, Rang* und *Stand,* die ausländischen nennen sich *Methode, Prinzip* und *System,* und alle tragen sie die Nase hoch. Doch nur dem, der sie nicht kennt, erscheinen sie dünkelhaft, ja unnahbar, wer sich mit ihnen bekannt macht, sie womöglich als Freunde gewinnt, der erfährt rasch ihre wahre Natur. Ahnen- und Sippengeschichten, von unermüdlichen Wörterbuchmenschen mit immer neuen Abschweifungen und in allerlei verschiedenen Lesarten erzählt, hauchen den frostigen Wörtern Wärme und Leben ein, sie schütteln sich und blähen die Nüstern, atmen tief ein und aus und blasen die Luft zwischen den Lippen hervor, daß es nur so pfeift. Dann werfen sie ihre harten Panzer ab, und was man nicht für möglich hält: Es kommen warmherzige Wortgeschöpfe darunter hervor, die sich gebührlich zueinander verhalten und rücksichtsvoll miteinander umgehen wie die Ebenholz- und Porzellangeschöpfe in Andersens Märchen.

Der alte Chinese fällt vom Kaminsims und zerspringt in drei Stücke. Ein fester Kitt stützt sein gebrochenes Kreuz, eine stabile Niete hält seinen Nacken zusammen. Die Hirtin und der Schornsteinfeger, Porzellanfiguren wie der alte Chinese und schuld an seinem Mißgeschick, erweisen der Niete alle Ehre, achten den Kitt und lieben einander, bis auch sie zerbrechen. Sie zwinkern einander zu, geben sich zärtliche Winke, flüstern sich Liebesbeteuerungen durch die Blume ins Ohr. Zärtliche Winke sind aber keine Befehle mehr, durch die Blume gesprochen wird das Gebot zum Lockruf der Verwandlung wie ein feuriges *Mutabor*, ein entzücktes *Sesam, öffne dich*. Der Lockruf blättert seine fremdartigen Laute auseinander und entpuppt sich als Zauberformel, von der nur noch ein letzter Zipfel des Wörtchens *order* zu erhaschen ist. Auf die Fährte des Wortes *order* gesetzt, gerate ich in Wordsworths *Präludium* zwischen Fußangeln in überwachsenem Gelände, ein Dickicht mit Fallen, einen Sumpf ohne Steg. Die Wahrheit lebe in Dichtung und geometrischen Gesetzen zugleich, verkündet der Dichter, sie raune in prophetischen Versen aus geschwungener Muschel, töne in Euklids Sprache der Elemente aus kantigem Stein. Ich lausche einem zweistimmigen Gesang, schaue dabei in Abgründe, worin klammernde Wörterwurzeln einander unlösbar umschlingen. Zu meinem Glück gibt es den Lockruf der Verwandlung, der mich über Gestrüpp und Fallen hinwegträgt: Ohne ihn wäre es schlecht um mich bestellt! So bin ich am Ende doch kein Mister Duffy, da er aus Wordsworths *Präludium* etwas anderes herausgelesen hat als ich. Er schätzt sicherlich die Anmut dichterischen Bekennens, doch den Stift rührt er nicht an, sein eigenes Bekenntnis aufzuschreiben. Warum er es nicht getan hat, ist nicht schwer zu verstehen, denn er erklärt es Frau Sinico mit sorgfältiger Verachtung: Er wolle nicht mit den Phrasendreschern konkurrieren, die nicht imstande seien, eine Minute lang folgerichtig zu denken. Ich sympathisiere mit Mister Duffy, wo er die rauhen Realisten wegen ihrer Unexaktheit verachtet, die ja das Ergebnis einer Muße ist, die nicht küßt; wo er sich der Kritik einer blöden Mittelklasse nicht aussetzt, die ihre Moralität den Polizisten und ihre schönen Künste den Theateragenten anvertraut. Doch ich bin nicht Mister Duffy. Ich setze mich hin und schreibe auf, was mich bedrängt. Ich eifere Wordsworth nach, genieße die Bezauberung durch Wörter, wenn sie klangvoll in gemessener Ordnung zusammenspielen, finde sie schön um ihrer selber willen und liebe Sätze, die mich begeistern.

XVII

Manzinellenblüten

Lange hat es gedauert, bis das Rätsel jener irischen Geschichte, die mir seit vielen Jahren im Kopf herumspukt, endlich seine Auflösung fand. Eine kuriose Geschichte, erzählt, daß man sie nicht vergessen kann! Ihren roten Faden, von James Joyce um Mister Duffy und Frau Sinico gesponnen, dann von mir für eine Weile mit meinem eigenen Leben verknüpft, nehme ich gern wieder auf. Der Knoten ist geplatzt.

Mit dem warmen Boden um eine exotische Pflanze sei ihrer beider Gesellschaft zu vergleichen, erzählt Joyce von Mister Duffy und Frau Sinico, ein außergewöhnliches, fremdartiges Verhältnis, das in fruchtbarem Zusammenwirken von beider Denken und Fühlen gedieh. Im besessenen Partner dieses Paars erkenne ich mich selbst wieder – und auf einen Schlag bin ich mittendrin in meiner eigenen Geschichte, die bis zu diesem Augenblick nur aus der Ferne etwas mit Mister Duffy und Frau Sinico gemeinsam zu haben schien.

Was gibt es, über den saturnischen Ordnungsfanatismus hinaus, an noch engeren Berührungspunkten zwischen Mister Duffy und mir? Eine Frau Sinico kenne ich nicht, also habe ich mir diesen warmen Boden mit Sorgfalt selbst bereitet und darin eine exotische Pflanze gehegt, deren bezaubernder Duft im Nu alle sorgfältige Umsicht hinweggefegt und mein ganzes Denken und Fühlen durcheinandergewirbelt hat. Die Pflanze ist der Manzinellenbaum, der auf den karibischen Inseln wächst und in der zweiten Hälfte der fünfziger Jahre in meinem Kopf üppige Blüten und Früchte getrieben hat – doch nicht seines poetischen Namens wegen. So genußreich die Wörter bezaubern, so klangvoll sie zusammenspielen, so schön sie um ihrer selbst willen immer auch sein mögen: Das Wort *Manzinellen*, das ich in dieser Zeit in einem langen französischen Gedicht gefunden habe, ist kein Zauberwort. Manche orakeln, solche Wörter kämen aus dem Kopf des Dichters, in seinem Hirn wüchsen sie zur Reife heran, lüden sich auf mit elektrischer Energie, und es blitze und krache im Schädel, sobald sie dank ihrer den Dingen zu einem schöneren Leben verhülfen.

Alles Schwindel und Selbstbetrug, setzte der Philosoph Sartre seinen Freunden damals auseinander, die Wörter seien nicht innerhalb, sondern außerhalb des Kopfs gespeichert in einer komplizierten elektronischen Maschine, deren Knöpfe man bedienen müsse, damit sie ihre Ergebnisse ausspucke. Alles Ammenmärchen, diese Legenden von poetischen Erkenntnisblitzen. »Dichter mit kindlichem Glauben an die magische Herkunft der Wörter sind zu bedauern wie all jene Blauäugigen, die auf die Tricks eines Zauberkünstlers hereinfallen«, entschied Sartre, »sie stellen sich vor, man brauche nur ein paar Wörter hinzuschreiben, ein paar schöne Wörter, die gut zusammenpassen, und man eigne sich etwas an in einem bestimmten Raum, einem Raum, der einem gehört und gleichzeitig die Beziehung zu Gott ist – Flaubert hat das sein ganzes Leben lang geglaubt und ist sich selbst in die Falle gegangen.« Sartre saß mit seinen Freunden im Café *Flore* in Paris, sie hatten sich Kaffee und Calvados bestellt, tranken in langen Abständen und hüllten sich in Zigarettenhauch, aus dem ihre gescheiten Sätze wie Mahnrufe im Nebel klangen. Simone de Beauvoir zupfte Sartre am Ärmel und sagte: »Ehe du noch lange so weitermachen willst, gehen wir lieber nach Hause.« Sartre wohnte damals gleich um die Ecke hinter der Kirche von *Saint-Germain-des-Prés*; er hatte es nicht weit, deshalb war er bei Ankunft und Aufbruch immer der letzte. Er kam spät, und er ging spät, seine Anmerkungen zum Thema weiteten sich meistens zu Tiraden aus, die erst lange nach Mitternacht ihr Ende fanden.

In meiner Vorstellung sehe ich ihn neben Simone de Beauvoir, sie sitzt stets links von ihm, immer hat sie sich das gesunde Auge ausgesucht, in das sie schauen wollte. Wenn es in der Diskussion brenzlig für ihn wird, zündet er sich umständlich eine Pfeife an, tut so, als ob der Tabak nicht anbrenne, saugt und schmatzt und nimmt den Faden des Gesprächs erst wieder auf, wenn sich die Glut über dem Pfeifenkopf wölbt. Er doziert und duldet keine Unterbrechung mehr. Die Tabaksglut sinkt in den Pfeifenkopf hinab, erlischt und läßt ein Häufchen Asche zurück. »Man schreibt nicht, um zu zaubern«, sagt er, »man schreibt, um zu kommunizieren. Man schreibt, um sich mitzuteilen, sich zu verständigen, sich mit anderen in Beziehung zu setzen. Nehmen wir das Wort *Brücke*. Es ist doch nicht dazu gemacht, die Brücke zu besitzen, sondern sie dem andern zu bezeichnen. Und das Wasser unter der Brücke, es rauscht nicht um seiner selbst willen, sondern unseretwegen.« Die Wörter seien geschaffen, die Welt zu erschließen, sie zu schätzen oder zu verachten, erklärt er, »Connaître, c'est éclater vers!« Simone de Beauvoir schmunzelt, Jacques Prévert zieht einen Zettel aus der Tasche, schreibt sein Gedicht *Der schlechte Schüler* darauf und schiebt das Blatt über den Tisch neben Sartres Kaffeetasse. »Eclater vers!« beharrt dieser, »ausbrechen, zerspringen, zerplatzen in Richtung auf jemand, auf etwas!« Er wirft einen Blick auf Préverts Gedicht und entscheidet ohne Umschweife: »Wenn dein Kopf *nein* sagt, mußt du dein Herz davon abbringen, *ja* zu sagen.«

Schon im befreiten Paris der mittvierziger Jahre hatten sich die Existentialisten in den Cafés des *Quartier Latin* getroffen: Schriftsteller, Musiker, Filmschauspieler. Bald nach dem Krieg lasen wir davon in literarischen Zeitschriften, hörten Django Reinhardt auf der Gitarre am Radio, Boris Vian blies Trompete, Sidney Bechet die Klarinette und das Sopransaxophon, und Juliette Gréco sang *Si tu t'imagines* von Raymond Queneau. Die Schriftsteller spielten sich auf als Ratgeber der zukünftigen politischen Oberschicht, und die Künstler gebärdeten sich wie Würdenträger einer neuen weltlichen Religion: *Mandarins von Paris*. Unter erfundenem Namen treten sie in Simone de Beauvoirs gleichnamigen Roman auf und machen prompt Furore. Das Buch, 1954 mit dem *Prix Goncourt* ausgezeichnet und bereits ein Jahr später auf deutsch erschienen, verschaffte dem interessierten Leser Einlaß in die Pariser Szene: Zwischen umtriebigen langhaarigen Apachen in Ringelhemden und Zuhältern im Lederlook saßen damals blasse Intellektuelle und brüteten neue Ideen aus. Mitten unter ihnen sitzt Albert Camus und beschreibt die Sisyphosarbeit des absurden Menschen: Beim Lesen seiner Abhandlung sehe ich den Mann mit angespannten Muskeln und verzerrter Miene vor mir, wie er den bergab rollenden Stein immer wieder bergauf schiebt und glücklich dabei ist – und male mir aus, wie Arthur Koestler mit seiner *Grammatikalischen Fiktion* dagegen auftrumpft, dem Menschen ohne Schatten, nur noch Nummer, keine erste Person Einzahl mehr, einer Kreatur, die keiner Bindung mehr nachtrauern und nicht mehr mit den Wölfen heulen muß, jenem imaginären letzten Gesprächspartner eines zum Tode Verurteilten, der mir als halb Zerquetschter, halb Gehäuteter nachts in meinen Träumen erschien. Diese nihilistischen Moralapostel mit ihrem grausigen Menschenbild, den Ekel im Hals, den Pfahl im Fleisch, dauernd außer sich und zu einer eigenartig zwanghaften Freiheit verdammt, wollte ich kennenlernen. Ich hatte Sartres Aufsatz *Schwarzer Orpheus*, den Max Bense auszugsweise im *augenblick* veröffentlichen wollte, aus dem Französischen übersetzt, und nun drängte es mich zu einer Begegnung mit dem Philosophen.

Im Sommer 1955, kaum den Fuß auf den Bahnsteig des *Gare de l'Est* gesetzt, nahm ich mit Brigitte die Métro nach *Saint-Germain-des-Prés*, wir stürzten die Treppe hinauf, überquerten die Straße, schauten uns die Gesichter der Cafégäste beiderseits des Boulevards an: Ein paar junge Leute, Männer in hellen Sommeranzügen und Mädchen mit Pferdeschwänzen, hockten mit übereinandergeschlagenen Beinen an den runden

Eisentischchen und tranken Kaffee. Von den *Mandarins* war keiner zu sehen. Es war Sommerzeit, Ferienzeit, vielleicht lagen die *Mandarins von Paris* an einem Strand des Mittelmeers, wie Henri in Simone de Beauvoirs Roman an einem portugiesischen Strand des Atlantiks, und ließen sich von der Sonne bräunen, statt sich um den revolutionären Einsatz der Wörter zu kümmern.

Wir wohnten in einem Hotel am Boulevard de Courcelles, dem Park Monceau gegenüber. Während des Tags schmachteten wir unter der schwülen Augusthitze in einem Gebäude der Sorbonne, *Rue Saint-Jacques,* lauschten dem Unterricht geistreicher, doch ziemlich launiger Französischlehrer mit halbem Ohr, verdösten und verschwitzten die langen Vormittage, und ich hoffte vergebens auf überraschende Geistesblitze, wie sie nur Sartre zünden konnte.

Mein Interesse war einzig und allein auf dieses Neue gerichtet, ich schaute aus dem Fenster, blinzelte im Sonnenreflex einer sich spiegelnden Scheibe und dachte fortwährend: Was passiert eigentlich, wenn die Wörter auf existentialistische Weise explodieren? Doch in Kursen der Lehrerfortbildung folgten nur grammatische und poetische Lektionen konventioneller Art. Brigitte und Margrit, nebeneinander an einem Tisch sitzend, führten ihre Kugelschreiber artig über das Papier, während ich unentwegt durch das Fenster auf die gotische Hinterfassade des *Hôtel de Cluny* sah und Gedanken über den neuen Gebrauch der Wörter ausgrübelte, die Sartre so kategorisch einen engagierten Gebrauch nennt. Ich kam nicht los von dieser radikalen Forderung. Vor das raunende Rezitieren französischer Gedichte schob sich die Stimme Sartres, sie rasselte, schepperte mir im Ohr. Die Literatur sei nicht der Mühe wert, wenn sie nicht alle Bezirke des Lebens erreiche, hörte ich ihn sagen, sie verkümmere gar, wenn man sie auf unschuldige Lieder und Gedichte einschränke: »Wenn jeder niedergeschriebene Satz nicht in allen Poren des Menschen und auf allen Ebenen der Gesellschaft widerklingt, bedeutet er nichts. Die Literatur einer Epoche ist die durch ihre Literatur verdaute

Epoche«, erklärte die Stimme Sartres und hielt alle anderen Stimmen zurück, bis plötzlich ein Ton aufklang, der Sartres Räsonieren in meinem Kopf mit melodischen Paraphrasen überdeckte.

Es war die Stimme unseres Lehrers, Monsieur Fontenay, der Apollinaires Gedicht *Le Pont Mirabeau* aufsagte. Trocken und emotionslos brachte er die Wörter über seine Lippen, doch in meinem Kopf platzten sie auf und gaben ihre reichhaltigen Klänge preis. Immer noch höre ich das rollende »coule la Seine«, obwohl gar kein R in den Wörtern vorkommt. Über Sand und Kies hinwegrinnendes Wellengekuller schäumt auf und verrauscht allmählich. Nichts kehrt wieder, singt Apollinaire, nicht das Vergangene, auch nicht die Liebe. Obwohl die Tage hinschwänden, er allein verweile, er bleibe zurück. Monsieur Fontenay hielt das Buch mit ausgestrecktem Arm vor der Brust, rückte fortwährend an seiner schlecht sitzenden Brille, indem er sie am Steg auf die Nasenwurzel schob, gurgelte und gluckste kaum hörbar, als wälze er mit seiner monotonen Stimme das Wasser des Flusses unter den Brückenbögen hindurch. »Sous le Pont Mirabeau coule la Seine«, flüsterte er und ließ die beiden e am Ende der letzten Wörter fast geräuschlos nachglucksen. Im Gegenteil, sagt mir Brigitte, Monsieur Fontenays e habe nicht das geringste von einem Glucksen an sich gehabt, mit fester Stimme habe er gesprochen, in rhythmischen Bögen und wohltönend, Schauspieler sei er gewesen, mit einem Anflug von Bauch, und auf den Pfeilern seiner Stimme habe sich ein prächtiger *Pont Mirabeau* über das Wasser der Seine gewölbt.

Hat sich nicht fünfzehn Jahre später der Dichter Paul Celan vom *Pont Mirabeau* in die Seine gestürzt? »Wir kauften Herzen bei den Blumenmädchen: sie waren blau und blühten auf im Wasser«, schreibt er in einem Gedicht, »wir waren tot und konnten atmen.« Verse, die Sartre mißbilligt hätte, poetische Geräusche, die auch ich damals für verblasen, Redewendungen, die ich für verbraucht hielt. Celan arbeitete an der *Ecole Normale Supérieure*, jener berühmten französischen Eliteschule für Lehrerbildung in der Rue d'Ulm; als ich dort zwei Jahre nach seinem Tod mit Elmar Tophoven und Studenten eine Übersetzung von mir untersuchte, war Celan allgegenwärtig. Die Studenten, auf französische Art fasziniert von festgefügter Form, erzogen im Gleichmaß des Rhythmus, gebildet im Gleichklang des Reims, brachten Celans Übertragung des *Trunkenen Schiffs* von Rimbaud ins Spiel; ein Mädchen, betroffen von der Nähe des Dichterschicksals zur Fabel des Gedichts, zitierte den ersten Vers der letzten Strophe auf deutsch: »Wen du umschmiegt hast, Woge, um den ist es geschehen«, einen Vers weit entfernt vom Wortlaut Rimbauds. Beim Weggehen zeigte Tophoven auf einen Trenchcoat, der im Vorzimmer an einem Haken hing. Er senkte seine Stimme, und wie immer mit großen Augen, als sei er nahe daran, ein Geheimnis zu enträtseln, sagte er: »Celans Mantel hängt immer noch da, beim Gang in die Seine hat er ihn nicht mehr gebraucht.« Wie hatte Sartre das mit der Brücke gemeint, als er sagte, das Wort *Brücke* sei dazu da, sie dem anderen gleichsam in einer Geste explodierender Hinwendung zu bezeichnen: »Sieh her, das ist eine Brücke! Mach die Augen auf, verschließ aber auch nicht dein Herz, wenn du einen so wunderbaren Gegenstand betrachtest! Schau hin und begreif: Ein Ding wie eine solche Brücke birgt Anmut und Schrecken zugleich!«

Von Lyon kommend, hatte ich fünf Jahre zuvor die Stadt Paris schon einmal gesehen, doch nur den Eindruck eines grauen, menschenleeren Häusergebirges in Erinnerung behalten: Im Sommer 1955 erlebte ich sie ganz anders, sah sie mit Sartres Augen, wobei das immer noch Graue und Menschenleere eine neue Eigenschaft bekam. Das Grau war auf einmal ein farbiges Grau in vielerlei Abstufungen wie auf impressionistischen Gemälden, die Menschenleere füllte sich mit einer dichten Atmosphäre aus Duft und Rauch, deren Herkunft mir unerklärlich war. Ein sartresches Beteiligtsein hatte mich ergriffen, von Tag zu Tag folgten die sinnlichen Explosionen dichter aufeinander, mit Rilkes Parisgedichten im Kopf drehte sich das Karussell im *Jardin du Luxembourg* in atemlosem, blindem Spiel, zählte der

Panther im *Jardin des Plantes* ruhlos die tausend Stäbe seines Käfigs, und im Lesesaal der *Bibliothèque Nationale* saß ich einen Nachmittag lang mit einem Buch am Tisch und hatte mehr als das, hatte einen Dichter wie damals Malte Laurids Brigge: »Was für ein Schicksal! Es sind jetzt vielleicht dreihundert Leute im Saale, die lesen; aber es ist unmöglich, daß sie jeder einzelne einen Dichter haben (weiß Gott, was sie haben). Dreihundert Dichter gibt es nicht.« Mit Rilke im Kopf gingen wir die *Rue Saint-Jacques* hinauf und standen mitten im Chloroformgestank der Hospitäler, im Angstgeruch der Nachtasyle, im Lärm des Mittagsverkehrs, in der Stille eines Hausbrands, und eine Gänsehaut überzog unsere nackten Arme. Vor *Notre-Dame* verharrten wir mit erhobenem Kopf in Betrachtung der Schildkröten und Eidechsen und zähnefletschenden Drachen auf den Konsolen, bis wir die Genickstarre bekamen. In einem roten Album gibt es Fotos von uns dreien: Brigitte und Margrit unter dem Eiffelturm, auf den *Buttes-Chaumont*, am großen Obelisken, stets angezogen mit wadenlangen Kleidern im Stil von Yves Saint-Laurent, Tauben fütternd, Kinder befragend, flanierend am Seineufer. Mich sieht man in den kuriosesten Stellungen, man sieht mich mit Brigitte auf dem Arm, sieht mich an einem Kanonenrohr baumeln, sieht mich die Brüste einer üppigen Bronzefigur stützen. »J'aime flâner sur les grands boulevards, y a tant de choses, tant de choses, tant de choses à voir«, sang Rolf Christmann, ein Klassenkamerad vom Lehrerseminar und Teilnehmer unserer Gruppe, der die Mädchen immerzu mit zweideutigen Bemerkungen erschreckt und dafür den Namen Monostatos erhalten hatte. Er kam breitspurig daher, lächelte mit den Augenwinkeln und grinste bis in die Haarspitzen wie der lüsterne Mohr aus der *Zauberflöte*, einer, der Paris wie seine Hosentasche kennt.

Doch immer wieder zog es mich ins *Quartier Latin*, Sartre zu erhaschen oder Camus zu überlisten – immer vergebens. Bis mir einfiel, nur ein schwarzer Dichter, nicht einer dieser Pariser Mandarins, könnte die dunklen Stellen lichten, die mir beim Übersetzen von Sartres *Schwarzem Orpheus* geblieben waren. Wieder und wieder fuhr ich mit Brigitte nach *Saint-Germain-des-Prés*, klapperte mit ihr die kleinen Parks, die Buchhandlungen, die Cafés ab auf der Suche nach einem Dichter, der schwarz wäre wie die Bluessänger in den Gedichten. Am vorletzten Tag saßen wir im Straßenrestaurant der Brasserie Lipp, Cocteaus Lieblingslokal, studierten die Karte mit den deftigen Gerichten der elsässischen Küche: Sauerkraut mit Speck und Würsten, gefüllte Schweinsfüße, gebratene Landhähnchen. Wir kratzten die letzten Francs zusammen, bestellten eine Kalbshachse mit Linsen für jeden, fraßen wie die Scheunendrescher und beobachteten das Hin und Her der jungen Leute vor dem *Flore* und dem *Deux Magots* auf der gegenüberliegenden Straßenseite. Es gibt ein Foto von Keystone vom 22. Juli 1946, als die *Mandarins* noch im *Flore* verkehrten. Auf dem Straßenpflaster stehen die gleichen Stühle wie 1955, da es ein Schwarzweißfoto ist, kann man nicht wissen, ob sie damals schon rot gepolstert waren. Jean-Louis Barrault tanzt mit Madeleine Renaud, Boris Vian spielt auf der Trompete, und Raymond Queneau, mit kariertem Schottenschal um den Hals, steht im Hintergrund und lächelt wie ein weiser Chinese.

Im Sommer 1955 gingen ganz andere im *Flore* ein und aus: glattrasierte Wirrköpfe und bärtige Revolutionäre, Gelbe aus Indochina und Schwarze von der Elfenbeinküste, burschikose Vertreter einer Generation, die im ersten Jahrzehnt nach Kriegsende bei den Mandarins noch die Schulbank gedrückt hatten. Es waren auffällige junge Leute, salopp im Betragen, hemdsärmelig im Umgang, jeder Schweißduft roch nach Verschwörung, jeder Aufschrei klang nach Umsturz. In dem Augenblick, als wir den letzten Bissen Linsen über unsere Lippen beförderten, sahen wir einen Farbigen ins *Flore* eintreten. Er trug ein Buch in der linken Hand, mit der rechten fuhr er sich durch sein Kraushaar. Mit freundlicher Geste hob er das Buch in die Höhe und schwenkte es grüßend ins Innere des Cafés. Wir zahlten rasch, eilten über die Straße und betrachteten zum erstenmal den kahlen Spiegelsaal, halbiert von einer hüfthohen Sitzbank, auf der eine paillettenbestückte Rundsäule die Decke trägt. Die mit rotem Kunstleder bezogenen Wandbänke waren vollbesetzt mit Grüppchen in Gesprächen und Pärchen in Umarmungen, Redelärm erfüllte den Raum, Gelächter schwoll auf und ab. Der Farbige setzte sich zu zwei Weißen, schlug das Buch auf und reichte es auf die andere Seite des Tisches, indem er mit ausgestrecktem Zeigefinger auf eine bestimmte Stelle wies.

Die Kellner, in schwarzer Hose und schwarzem Gilet auf weißem Hemd, mit langer vorgebundener weißer Schürze ein wenig watschelnden Pinguinen ähnelnd, durchquerten das Lokal mit bunten Sommergetränken. Die Kassiererin, blond und mit einer Bluse, grellrot wie die Lederbezüge, thronte auf ihrem Katheder, bediente mit flinken Fingern die Rechenmaschine und gab dem Farbigen mit auf- und abklappenden Augendeckeln kaum wahrnehmbare Zeichen der Ermunterung. Über die Tische quoll Bierdunst, über die Köpfe wölkte sich Zigarettenqualm, der verschwörerische Schweißduft roch penetrant, die umstürzlerischen Aufschreie klangen streitlustig. In dieser Atmosphäre von Rauch und Lärm faßte ich mir ein Herz. Das Buch in der Hand des Farbigen hatte mir Mut gemacht. Wer mit einem Buch unterwegs ist, dem kann man zutrauen, daß er sich mit dem beschäftigt, was darin abgehandelt oder erzählt wird, dachte ich, und wenn es gar ein Farbiger ist, trägt er womöglich einen rebellischen Traktat mit sich herum. In mageren Sätzen, doch ungeniert und mit freimütigem Verlangen um Beistand, schilderte ich ihm meine Situation und fragte ihn rundheraus, ob hier im Café vielleicht hin und wieder ein schwarzer Dichter verkehre, der mir in meiner Lage helfen könne. Womöglich verblüfft von so viel Unverfrorenheit, ging der Farbige prompt auf mich ein und sagte: »O ja, ich kenne einen jungen Mann in Ihrem Alter, er heißt Willy Alante-Lima, kommt fast täglich mit Freunden drüben im *Deux Magots* zusammen und ist sicher für Sie der richtige Mann.« Der Farbige musterte mich, schaute an mir hinab, als vermisse er ein Buch in meiner Hand, und fragte, was hinter meinem Interesse für die *négritude* stecke. »Für einen Deutschen etwas ganz Ausgefallenes«, meinte er, »ihr habt doch mit Farbigen nicht das geringste zu tun. Woher diese Neugier?« Ich konnte es ihm nicht sagen, es fehlten mir Gründe und auch Worte, am liebsten wäre ich ihm um den Hals gefallen. Er sah mir meine Freude an, streckte mir die Hand entgegen und wiederholte: »N'oubliez pas, cinq heure aux *Deux Magots.*«

Was für ein denkwürdiger Sommernachmittag im *Deux Magots* in Paris! Willy Alante-Lima war gekommen, auch er schwenkte ein Buch in der Hand wie der Farbige zur Mittagszeit. Wie soll ich ihn beschreiben? Jahrelang steckte ein Foto von ihm zwischen seinen Büchern, ich habe es gesucht, aber nicht wiedergefunden. So fällt es mir schwer, ein genaues Bild von ihm zu zeichnen. Er war ein Schwarzer von der Antilleninsel Marie-Galante, die zu Guadeloupe gehört, ein Nachkomme afrikanischer Sklaven, schlank und mit schmalem Kopf. Wenn er sprach, blitzten perlweiße Zähne, wenn er ging, wiegten sich biegsame Hüften. Ich weiß nicht einmal mehr, ob er eine Brille und ein Bärtchen trug, woran ich mich aber zu erinnern glaube. Das ist wenig, der Abklatsch eines verblaßten Bildes. So hat sich der kleine Ludwig aus Sulzbach als Kind einen Schwarzen nicht vorgestellt. Erst letzten Sommer, als ich für drei Tage nach Paris fuhr und dreimal hintereinander ins *Deux Magots* ging, um mir an Ort und Stelle meine erste Begegnung mit Willy Alante-Lima ins Gedächtnis zurückzurufen, dämmerte mir ein fernes Wiedererkennen.

Im Zwielicht des späten Nachmittags tritt ein Schwarzer ins Lokal, ich hebe den Kopf und muß zweimal hinschauen, ob es nicht Alante-Lima ist. Er schwenkt ein Buch in der Hand, schaut für einen Augenblick zu mir herüber und rückt an seiner Brille, wie Alante-Lima es vor vierzig Jahren aus freudiger Erregung getan hätte. Ich sehe die schlanke Figur, den schmalen Schädel, erkenne das weiße Gebiß, den wiegenden Gang. Beim Anblick dieser Gestalt kommt es mir vor, als werde alle zwei Generationen ein Willy Alante-Lima wiedergeboren, der nachmittags um fünf Uhr hierherkommt, seinen Übersetzer zu finden. Der Schwarze hält das Buch am Rücken hoch, schüttelt es, als wolle er vorführen, daß Lettern und Papier fest aneinandergewachsen sind. Er lenkt seine Schritte auf eine Gruppe junger Leute, deren Gesichter sich in den Facetten der Spiegelsäule zu einer modernen Bildcollage zusammensetzen. Sie wenden sich mit lachenden Mienen dem Schwarzen zu, als sei er der Gott, plötzlich der Maschine entstiegen, ein planmäßig begonnenes, doch längst aus den Fugen geratenes Buchstabenspiel neu zu ordnen. Zwischen den beiden chinesischen Schutzpatronen des Cafés habe ich Platz gefunden wie der kleine Schornsteinfeger in Andersens Kabinett chinesischer Porzellanfiguren – und weiß wie dieser nicht, was gespielt wird. Plötzlich fällt ein Blatt Papier aus dem Buch des Schwarzen, flattert vor meine Füße und bleibt liegen, mit der Schrift nach oben.

Ich las einen Satz, den ich kannte. Vor langer Zeit war er mir aufgefallen, ich hatte ihn nicht vergessen. Notdürftig übersetzte ich ihn mir, den genauen Wortlaut fand ich in Simone de Beauvoirs *Mandarins von Paris* wieder. Was für ein Satz! Und welche Folgen für mein Schreiben der endfünfziger und sechziger Jahre, ohne daß ich je wieder an ihn gedacht hätte! »Euer Valéry: Er hat das Meer und die Gärten bewundert, für alles übrige war er blind«, sagt ein alter Portugiese im ärmlichsten und verwahrlosesten Lissabon zu Henri, dem Journalisten aus Paris, und fragt: »Wollen Sie sich auch die Augen verbinden?« »Im Gegenteil«, antwortet Henri, »nichts ist mir wichtiger als das Sehen.« Bis auf die Knochen durchgeschüttelt saß ich im *Deux Magots* und erinnerte mich wieder an die Mittvierziger, als ich nachmittags zu Hause am Küchentisch saß, bis in den Abend hinein auf meinem Stuhl ausharrte und, Mutters Tellergeklirr und Töpfegeklapper im Ohr, Gedichte von Schwarzen aus dem Französischen übersetzte: Haßtiraden und Klagegesänge von Léon Damas aus Cayenne und Léon Laleau aus Haiti, von Jean-Joseph Rabéarivelo aus Madagaskar und Guy Tirolien aus Guadeloupe, bitterste Schmähreden von David Diop, einem Schwarzen meines Alters aus Bordeaux, Vater vom Senegal, Mutter aus Kamerun, und schließlich Willy Alante-Limas Gedichtband *Fleurs de Mancenils,* den er mir am 28. Juli 1955 »vor zwei gepreßten Orangen«, wie er in seiner Widmung schreibt, im *Deux Magots* in Paris geschenkt hat. Oder bringe ich in meiner Verwirrung Orte und Zeiten durcheinander, verwechsle Cafés und Jahre, und es war doch im *Flore,* wo sich die Pariser *Mandarins* inzwischen in chinesische Holzfiguren verwandelt haben, die den beiden Magots aufs Haar gleichen.

Unser Sommeraufenthalt in Paris blieb bis zum Tag der Abreise von schwüler Hitze geschwängert. Fernes Wetterleuchten, das nachts am Horizont vorüberzog, entlud sich nicht mit erfrischenden Gewittern. Den letzten Nachmittag wollten wir mit Willy Alante-Lima im *Jardin du Luxembourg* verbringen. Wir waren verabredet, trafen ihn aber nicht. Es begann eine Zeit seltsamer Annäherungen und Entfernungen. Bald zählten wir die Tage, bis wir uns wiedersahen, mal gingen wir uns jahrelang aus dem Weg. Einmal stand er stundenlang in der Haustür, uns zu erwarten, ein andermal war er ausgerissen, wenn wir zum Rendezvous bei ihm eintrafen. Mehr als zehn Jahre hindurch schrieben wir uns Briefe: Zeitweilig kamen sie täglich, zu anderen Zeiten blieben wir monatelang ohne Nachricht voneinander. Er wohnte in der *Rue Biscornet,* nicht weit von der *Place de la Bastille* entfernt, einem reizlosen Viertel, das sich mit den Jahren in meinem Kopf zu einer üppig blühenden Antilleninsel ausgewachsen hatte. Ich wußte, dort sitzt ein Dichter in seiner Stube, taucht noch die Feder in die Tinte wie die Poeten vor hundert Jahren, schreibt Gedichte und Briefe, mit denen er näher und näher an mich heranrückt und sich, kaum bei mir angekommen, schamhaft zurückzieht in seinen karibischen Dschungel. Schon sein allererster Brief, geschrieben am 26. August 1955, bezeugt diese rätselhaft schwebende An- und Abwesenheit, die immer etwas Unwirkliches behielt. »Glauben Sie mir, ich war verdrossen, Sie nicht im *Luxembourg* angetroffen zu haben«, schreibt er, »ich bin dagewesen und habe lange auf Sie gewartet. Mir schien, als hätte ein junges

Mädchen, das Ihrer Braut ähnlich sah, nach irgend jemandem Ausschau gehalten.« Im selben Brief geht er über den ausgesprochenen Wunsch, uns wiederzusehen, hinaus, erwähnt seine Herbstreise in die Antillen, verspricht ein Wiedersehen im nächsten Jahr, wünscht mir Glück bei der Übersetzung von Sartres Aufsatz und seiner eigenen *Fleurs de Mancenils* und erklärt mir ohne Umschweife das Wort *carcan*. Es bedeute ein Folterinstrument der alten Justiz, betehend aus einem schweren, auf der Innenseite mit spitzen Nägeln beschlagenen Halseisen – was mir beim Wiederlesen unsere eifrigen gegenseitigen Dienste ins Gedächtnis zurückruft: die Detailbesessenheit der eigenen Arbeit und Alante-Limas Gründlichkeit bei der Mithilfe.

Als nüchterner Jünger der *Stuttgarter Schule* hatte ich ein Thema gefunden, das mich trunken machte. So blieb es nicht bei den geometrisch gewebten Texturen, streng nach mathematischen Gesetzen berechnet und ausgeführt. Je leidenschaftlicher ich mich mit Sartres Forderung auseinandersetzte, der Stimme des *Schwarzen Orpheus* Gehör zu verschaffen und mich mit Max Benses Anspruch befaßte, die gesellschaftliche Gemütlichkeit zu attackieren, um so gröber und unregelmäßiger gerieten mir die Einschüsse in meine ornamental gegliederten Flickenteppiche. Ein Fieber hatte mich befallen, das Ausgeklügelte mit dem Rauschhaften zu verbinden.

Nach den Sommerferien begann ich mit dem Übersetzen. Eugen Helmlé stand mir bei. Wir nahmen unsere Spaziergänge über den Philosophenweg wieder auf, schlenderten den Steilhang des Brennenden Berges nicht nur zweimal, nicht dreimal entlang, sondern kehrten immer wieder um, bummelten viele Male hin und zurück und fanden erst spät in der Nacht ein Ende, so viel gab's zu bedenken, zu untersuchen, zu klären. In Willy Alante-Limas Prosagedicht geht's nicht geheuer zu, nicht so arglos wie in den braven deutschen Landschaftsgedichten, da hissen Fregattvögel breite Piratensegel, läuten rostige Enterhaken zu Beutezügen, balancieren die Sterne auf den Rahen der Stille: Götter, die ihre schwarzen Kinder im

Stich gelassen haben, kraftlos dahinsiechen und zusammenschrumpfen wie der Schleim ans Ufer gespülter Quallen. Schwarzer Orpheus von den Antillen! Ergriffen von seinen Ideen, versuchten wir in seine Haut zu schlüpfen, schlugen uns mit seinen verqueren Vorstellungen herum, nahmen seine Wörter für bare Münze und waren überzeugt, daß wir seinen fremdartigen Wortgebrauch von Affenbrotbäumen und Brillenschlangen nicht wegen des exotischen Schönklangs den Schilderungen mittelmeerischer Agaven und Kreuzottern vorzogen. Wir versetzten uns mit Haut und Haar in seine Welt: Der Sulzbacher Buchenwald hatte seine Blätter längst gegen Palmwedel und Aloedornen eingetauscht, der Brennende Berg war in den Vulkan Soufrière verwandelt, und wie Robinson auf dem Bild mit den fliehenden Lamas vor dem feuerspeienden Berg torkelten wir über den Philosophenweg. Hin und wieder begegneten uns Leute aus dem Dorf. Ich frage mich heute, was sie gedacht haben mögen, als sie uns so ungebärdig mit den Armen haben herumfuchteln sehen. So nahe wir an ihnen vorübergingen, wir lebten weit entfernt in einer erfundenen Welt: Unser unterirdisch brennender Berg zersprang in unseren Köpfen, als sei er das Schwefelmassiv von Guadeloupe – und regne gelbgrünen Staub auf unsere Köpfe herab. Wir blieben stehen und lauschten: Willy Alante-Lima saß an der großen Orgel aus Porphyr, griff in die Tasten und spielte seine atonale Litanei. Was kümmerten uns noch Goethes Speichellecker und Rilkes Süßholzraspler! Was hatten uns Hölderlins Trittbrettfahrer noch zu sagen! Wir kamen uns vor wie gefährliche Verschwörer, die alles aufs Spiel setzen, was sie einmal gelernt und gutgeheißen haben.

Wir hatten uns ein Festmahl angerichtet und zehrten von Alante-Limas heißem Wörterfleisch. Wir hatten es schwer zu kauen, manchmal verbrannten wir uns die Zunge, ein andermal verschluckten wir uns daran. Es kamen Briefe aus Paris mit Worterklärungen von unbekannten Bäumen, Blüten und Früchten, begleitet von Illustrationen aus Büchern, ergänzt durch Zeichnungen von Alante-Limas Hand. Es kamen An-

sichtskarten von den Antillen mit Fotos luxuriöser Übersee-
dampfer, eine Karte zeigt ein Ochsenpaar in altertümlicher Be-
spannung, eine andere die Filaos-Allee an der Straße nach
Basse-Terre mit schlanken, feingefiederten Bäumen. Unsere
Erklärungsversuche waren kein Zuckerschlecken, wir bissen
auf Granit. Denn was sind Filaos? Und was zum Teufel sind
Manzinellen? Wir schlugen in unseren Wörterbüchern nach,
kein Larousse, kein Sachs-Villatte konnte uns helfen. Die Aus-
künfte waren spärlich, die Beschreibungen umständlich und
verschwommen, mit ein paar Appetithäppchen wollten wir
uns nicht abspeisen lassen. Wenn ich spätabends zu Bett ging,
das Licht ausknipste und mich alsbald in dem diffusen Raum
zwischen Wachen und Schlafen bewegte, rotglühende Blitze
hinter den Augendeckeln niedergehen sah, von Hurrikans und
Vulkanausbrüchen träumte und zu spüren begann, wie ich in
immer tiefer und heißer werdende Krater stürzte, brachen
Willy Alante-Limas scharf skandierte Wortorgien über mich
herein. Obwohl nie zuvor in diese fremde Welt gekommen,
hörte ich deutlich ihre eigentümlichen Geräusche: das Bersten
kenternder Karavellen, das Knirschen zerspellter Palmen, den
Schluckauf der karibischen See.

Ich dachte an Simone de Beauvoirs *Mandarins von Paris*,
erinnerte mich an die Bemerkung des alten Portugiesen über
Glanz und Elend der schönen Poesie, und begriff: Diese karibische See ist nicht Valérys sanft bewegtes Mittelmeer, und in
den Zuckerrohrplantagen Guadeloupes spiegeln sich nicht die
schönen Gärten der Provence wider. Die Wirbelstürme West-
indiens zerfetzen Valérys Wellenmantel aus Pantherfell, und
die grobe Hand des Kolonialisten zerstückelt die Blätterringe
der fragilen Tee- und Zimtrosen. Mehr und mehr verachteten
wir den seraphischen Ton der neudeutschen Landschaftsge-
dichte mit Asche, Krug und Schlangenhaut; die Sonne, von Ita-
lienfahrern als Lichtquell gefeiert, verkommt in Alante-Limas
Gedichten zum Brandeisen für Negerhäute. »Das Sein ist
schwarz«, übersetzte ich Sartres Passage aus dem *Schwarzen
Orpheus*, klopfte mir an die käseweiße europäische Brust und

brillierte frech mit gewagten Wortbildungen. »Wir haben uns
unserer Sitten, unserer Technik, unserer schlechtgebräunten
Bleichheit und unserer Grünspanvegetation wegen zu rechtfertigen«, schrieb ich in kühner Wendung, rief mir Alante-Limas pechschwarze Augen ins Gedächtnis und schloß: »Von
diesen ruhigen und ätzenden Blicken werden wir bis auf die
Knochen abgenagt.« »Wenn es mich einmal überkommen
sollte, das Wort *Neger* zu schreiben, dann hätte ich ein Recht
dazu, denn ich selbst bin ein Neger«, sagte Willy Alante-Lima
bei unserer nächsten Begegnung, »aber ich schreibe es nicht,
ich möchte es vor allem nicht aus dem Mund eines Weißen hören. So wie der Weiße ein Weißer ist, bin ich ein Schwarzer,
meine Haut ist schwarz, kein schlechtgebräuntes bleiches
Stück Fleisch.« Im Sommer 1958, die Ferien hatten begonnen,
kam Willy Alante-Lima zu uns nach Sulzbach. Ein Zimmer für
ihn war im *Hotel zur Post* reserviert, sein hellbraunes Köffer-
chen enthielt Bücher und Krawatten, für jeden Tag, den er bei
uns blieb, eine andere. Mir ist eine knallgelbe mit sternför-
migen roten Blüten in Erinnerung. »Das sind Manzinellenblüten«, sagte er und blickte mich vielbedeutend mit seinen
großen Augen an. Wenn ich heute auf die Haustür des längst
aufgegebenen Hotels schaue und die beiden eingeschnitzten
Blüten sehe, kommt es mir vor, als seien es Manzinellenblüten
wie in Alante-Limas Krawatte – doch nur, weil er damals in
dem Hotel gewohnt hat und ich kein einziges Mal daran vor-
beigehen kann, ohne mich an ihn zu erinnern.

Manzinellenblüten – Fleurs de Mancenils: ein Zauberwort,
ein Abrakadabra für jeden Einheimischen, für mich aber ein
Geschwisterwort von *Mutabor,* das mir Flügel verlieh und zu
fernen Inseln hat fliegen lassen. »Manzinellenblüten«, sagte
Willy Alante-Lima, »hören Sie das Wort mit geschärftem Ohr,
dann erahnen Sie an seinem Klang: Das ist mehr als eine botanische Bezeichnung.« Er drückte den Knoten seiner Krawatte
zurecht, schloß die Jacke über dem Gilet, kroch gleichsam in
sich hinein und fügte hinzu: »Im Titel meines Buchs verbirgt
sich ein bedrohliches Symbol für Gift und Zaubersaft.« Zwar

seien die Blüten des Baums unscheinbar, leicht rosa behaucht wie Apfelblüten, und auch die Frucht, die einem kleinen Apfel ähnele, daher der spanische Name, sei nicht besonders auffällig, »doch in allen seinen Teilen, ob Stamm, ob Blatt, ob Blüte, ob Frucht, staut sich eine schneeweiße kaustische Milch«, bemerkte er, strich sich mit der Hand über die hohe Stirn, nahm sie am Haaransatz wieder zurück, betrachtete die dunkelblauen Adern auf seinem Handrücken und schloß: »Diese ätzende Milch ist giftig, wer mit ihr in Berührung kommt, muß um sein Leben fürchten.«

Willy Alante-Lima blieb eine Woche bei uns in Sulzbach. Wenn wir zusammen durchs Dorf gingen, schauten uns die Leute nach. Stets trug er seinen dunkelblauen Anzug mit feinen Silberstreifen, täglich wechselte er die Krawatte, der zitronengelben folgte eine blutrote, der blutroten eine grasgrüne. Nie knöpfte er die Jacke auf, nie sah ich einen Tropfen Schweiß auf seiner Stirn. Eine Aura distanzierter Kühle schien ihn zu umgeben, dabei war es eher seine mühsam zurückgedämmte Heißblütigkeit, die ihn so angestrengt, manchmal verkrampft wirken ließ. Nicht nur vom korrekten Aussehen her glich er den Musikern des Modern Jazz Quartet, auch seine Prosa strahlt die gleiche Frostigkeit aus wie deren gezügelter Cool-Jazz: »Mein Herz ist kein Funkenregen..., kein Inselgemurmel..., kein Peleusgebirge..., mein Herz ist eine Anemone..., ein Kaneelapfel..., die Schote des Flammenbaums, die im Juli der Lüsternheiten zerspringt.« Es klingt, als lasse John Lewis seine Finger über die Klaviertasten, Milt Jackson seine Stäbe über die Vibraphonblättchen hüpfen. In seinen Rezitationen purzelten die Wörter nicht übereinanderher, sondern folgten in gemessenen Abständen, immer mit einer leichten Verzögerung.

Als ich ihn donnerstags morgens im Hotel abholte, um mit ihm zur Universitätsbibliothek zu fahren, verspätete er sich um ein paar Sekunden. Ich stand schon auf der Türschwelle, als er aus dem Bad ins Zimmer kam. Im schummerigen Licht einer Vierzig-Watt-Birne verschmolz das Schwarz seiner Haut mit dem stockfleckigen Dunkelrot eines Damastvorhangs, der zwischen Bett und Badezimmertür hing. Es war ziemlich früh am Tag, wie Willy Alante-Lima mir jedoch in diesem zwielichtigen Augenblick entgegentrat, noch schlaftrunken und schon abgeschlafft am hellen Vormittag, dämmerte mir ein Begreifen dieser unübersetzbaren französischen *langueur* aus Baudelaires und Verlaines Gedichten. Diese trügerische Mattigkeit verflog im Nu, den Katalogsaal der Universitätsbibliothek betrat er raschen Schritts und lebte auf beim Durchblättern der Karteikästen mit Signaturen botanischer Werke. Wir suchten ein Buch, das uns Auskunft geben sollte über jene merkwürdigen Eigenschaften des Manzinellenbaums. Eigentlich sehe er ja ganz harmlos aus, wiederholte Willy Alante-Lima, ich solle mir bloß keinen großartigen Baum mit wer weiß welchen augenfälligen Merkmalen vorstellen. »Doch Vorsicht«, mahnte er, »ich hab's Ihnen ja ein paarmal angedeutet: In den Äpfelchen dieses Birnbaums schlummert ein tödliches Gift.« Nach gründlichem Durchstöbern der Karteikarten fanden wir endlich das Buch, von dem wir die gehörige Auskunft erhofften: *Des Ritters Carl von Linné vollständiges Pflanzensystem* in vierzehn Bänden. O nein, dieses Werk könne unter keinen Umständen ausgeliehen werden, sagte der Bibliothekar, als wir den Bestellzettel abgaben, »eine Ausgabe von 1777 darf nur im Lesesaal angeschaut und studiert werden«.

Auf einem vierrädrigen Wagen schaffte er die Bücher aus dem Magazin herbei, opulente Bände im Kanzleiformat, die sich heute, vierzig Jahre später, da sie mir für ein, zwei Stunden wiedergebracht werden, als ganz normale Bücher in Foliogröße herausstellen. Und auch ein Wagen ist nicht nötig, sie vom Magazin in den Lesesaal zu befördern: Ein junger Bibliotheksangestellter trägt sie in zwei Etappen zu je sieben Bänden auf dem Arm an meinen Tisch, ohne Anstrengung, ohne Verschnaufpause, und straft meine Erinnerung Lügen. Doch was mich damals bei der Lektüre so faszinierte, durfte für mein Gedächtnis all die Jahre nicht in gebräuchlichen Folianten niedergeschrieben sein! Für meine Vorstellung mußte ein stabiler

Metallwagen mit übergroßen Scharteken her! Nur in Wälzern für Riesen konnten die haarsträubenden Eigenschaften dieses Baums festgehalten sein: Wer Krebse verspeist, die von seiner Frucht gefressen haben, erleidet schreckliche Qualen; wem ein Tropfen seiner Milch auf die Hand fällt, erkrankt an fiebrigem Blasenbrand; wer in seinem Schatten ruht, riskiert bösartige Übelkeiten; wem sein Saft in die Augen dringt, verliert das Augenlicht. »Und Boerhave erzählet, daß ein Mensch, welcher seine Nothdurft verrichtet und mit einem Blatt von diesem Baume den Hintern abgewischt, davon eine Entzündung und den Brand bekommen habe, worauf der Tod erfolget.« Dieses Zitat setzte ich als Motto meiner Übersetzung der *Manzinellenblüten* voran, meinem ersten Buch, erschienen im Frühjahr 1960 bei Paul Heinzelmann im Steinklopfer Verlag, Fürstenfeldbruck.

In den Sommerferien fuhren wir nach Dänemark. An einem Strand der Insel Møn lag ich in den flachen Dünen, hielt das gelbe Büchlein zwischen meine Augen und die Sonne, las Willy Alante-Limas exotische und aufwieglerische Verse, die mir in meiner Übersetzung noch exotischer und aufwieglerischer vorkamen, so als hätte ich im Deutschen, mich den weit entfernten Gegenständen und ihren Namen nähernd, mehr Aufwand treiben müssen, die schwelgerische Pracht seiner Wortbilder zu erreichen. Mit den Füßen plätscherte ich im eiskalten Ostseewasser, das von Quallen übersät war. Die Kuppen ihrer Tastfäden zerbrachen bei jedem Beinschlag, ätzender Nesselsaft drang in meine Haut und brannte wie karibisches Manzinellengift. Als wäre die halbe Welt davon infiziert, blähten sich Bäuche, entzündeten sich Hirne: Die Zeitungen meldeten Unruhen im Kapland, Aufstände in Algier, Massaker im Kongo.

Die Beine lang, zwanglos unter der Sonne liegend, fühlte ich mich in meiner dänischen Sandkuhle an Strände mit Palmen versetzt – und hätte mich doch viel eindringlicher an den Waldrand von Hülen erinnern müssen, wo ich zum erstenmal richtig frei gewesen bin. Das Möwen- und Kindergeschrei schwoll an zu einem ohrenzerreißenden Kreischen. Ich bildete mir ein, alle Tiere und Menschen dieser Erde von Urzeiten an schrien mit einemmal auf – hätte aber besser daran getan, den Lärm nicht zu einer apokalyptischen Sensation in meinem Kopf aufzublasen. Doch heute ist nicht damals. Wenn ich an dieses anderthalbe Jahrzehnt nach Kriegsende zurückdenke, sehe ich mich immer wieder zwischen gänzlich entgegengesetzten Polen hin- und herirren: Aus dem Zwang nationalsozialistischer Ideologie geriet ich unter den Druck klerikaler Staatsräson, verließ die Enge der pädagogischen Provinz und strebte nach weiteren Horizonten, flog mit Saint-Exupéry durch Nacht und Nebel und mit meinen Schulkindern über die Berge weit in die Welt. Und wenn ich an die Tapete mit den Paradiesvögeln denke, vor der Brigitte in bananengelber Jacke saß, wie einem expressionistischen Bild entsprungen, juckt es mich in den Fingerspitzen. In Erinnerung an damals könnte ich versuchen, sie wie Flügelspitzen zu bewegen – vielleicht flögen wir mit den Paradiesvögeln über die weißglänzenden Gipfel davon.

Weil aber das Luftreisen von Tag zu Tag gefährlicher wird und wir sowieso nur reisen, um wieder heimzukehren, bleiben wir, auch meiner verstiegenen Kopfreisen wegen, lieber mit den Füßen auf dem Boden.

Ludwig Harig im
Carl Hanser Verlag

Rousseau
Der Roman vom Ursprung der Natur im Gehirn
1978. 356 Seiten

Heimweh
Ein Saarländer auf Reisen
Mit Zeichnungen von Hans Dahlem
1979. 208 Seiten

Ordnung ist das ganze Leben
Roman
1986. 504 Seiten

100 Gedichte
Alexandrinische Sonette, Terzinen, Couplets
und andere Verse in strenger Form
Mit einem Nachwort von Karl Krolow
1988. 120 Seiten

Weh dem, der aus der Reihe tanzt
Roman
1990. 272 Seiten

Die Hortensien der Frau von Roselius
Eine Novelle
1992. 160 Seiten

Der Uhrwerker von Glarus
Erzählungen
1993. 160 Seiten

Ludwig Harig
im Carl Hanser Verlag

Ordnung ist das ganze Leben
Roman. 1986. 504 Seiten

In Harigs Roman wird die Familiengeschichte zur Gegenwart, die man zu sehen und zu hören, zu fühlen und zu schmecken meint. Das Erzählen hält sich an die sinnlichen Wahrnehmungen, die das Gedächtnis speichert. So geht hier alles, wie im Alltag der Familie selbst, »aus der Erfahrung, nichts aus der Spekulation« hervor.

Walter Hinck in der *Frankfurter Allgemeinen Zeitung*

Es ist ein weises, weitgespanntes, kunstvoll komponiertes Buch, eine deutsche Enzyklopädie, in der Schnurriges und Schreckliches, Idylle und Abgrund dicht beieinander hausen. Aber vor allem ist es eine spannende, anrührende Fährtensuche, ein Spähtrupp-Unternehmen in jenes Halbdunkel, aus dem deutsche Charaktere kommen.

Fritz Rumler im *Spiegel*

»Ordnung ist das ganze Leben« ist nicht nur ein Buch über das heimliche Leben des Vaters, sondern es ist auch das Buch eines Menschen, der im Nacherzählen des Lebens seines Vaters mit dem eigenen Tod sich auseinandersetzt, sich damit vertraut macht.

Jörg Drews in der *Süddeutschen Zeitung*

Ludwig Harig
im Carl Hanser Verlag

Weh dem, der aus der Reihe tanzt
Roman. 1990. 272 Seiten

Es ist die Aufrichtigkeit des Erzählers, sein redliches Sichmühen um gründliche Gewissenserforschung, die ehrliche, gänzlich unegoistische Art der Mitteilung, was die Lektüre des Buches, neben allem anderen, besonders lohnend macht.

Uwe Stamer in der *Stuttgarter Zeitung*

So lange es Autoren wie Ludwig Harig gibt, die die eigene Vergangenheit literarisch zu bewältigen verstehen, wird die zeitgenössische Literatur über ihren Kunstanspruch hinaus wohl ein gesellschaftspolitisch ernstzunehmender Faktor bleiben.

Peter Mohr im *Rheinischen Merkur*

Das Buch, das Harig berühmt gemacht hat (»Ordnung ist das ganze Leben«), und das neue, dessen Erfolg wohl noch größer sein wird, profitieren von einer Eigentümlichkeit seiner Schreibweise, über die bislang kein Wort verloren wurde, weil sie so selbstverständlich daherkommt: Ich meine die makellose Mischung aus Genauigkeit und Gelassenheit.

Marcel Reich-Ranicki in der *Frankfurter Allgemeinen Zeitung*